法 律 人 之 治

法律人丛书

法律人之治
—法律职业的中国思考

国家教育部基金规划资助项目（2001~2003）
司法部科研基金重点课题资助项目（2001~2002）
浙江省重点学科"宪法与行政法"学科资助项目

孙笑侠　主笔

作者：

付蔚冈　　胡瓷红

黄　锴　　李学尧

孙笑侠　　苏新建

许瀚信　　翁开心

张　存　　张薇薇

中国政法大学出版社

法律人丛书编写说明

在现代社会中，律师与医师、牧师以及建筑师、会计师等类职业一样，都是一种专业化程度很高的独立职业，他们不仅有一整套职业标识、职业要求和职业规则，而且对准备进入这些职业的人员都有一整套严格规范的教育培训制度、统一的准入考试制度和职业资格制度，那些具有大学文化的人员仅仅是具备了进入这一职业的基本条件。这一点，主要是因为资本主义时代产生的社会化大生产，促使人们充分领教了分工与协作的魔力，充分意识到分工与协作不仅在物质生产中，而且在人类社会生活和政治生活上同样具有重大意义和作用。于是，现代社会中高度的专业分工与更加广泛密切的社会化协作的社会发展规律，不可阻挡地大大促进具有类似条件的法律等职业一步步走上了分工专业化、岗位专门化、人员职业化和培养一体化的发展道路，并逐步形成一整套职业制度以及与之相适应、相匹配的一整套特殊的人才培养体制（模式）。再从法律教育的产生和发展看，法律教育与法律职业从一开始就始终有着不解之缘：法律教育是从事法律职业的必经之路，法律职业只对那些具有同一教育背景的成员开放。一方面，没有法律教育就没有法律职业，法律教育培养和提升了法律职业素养。而另一方面，法律职业决定了法律教育的发展方向和改革目标，法律职业不断丰富着法律教育的内容。这种深刻的背景也决定了法学是一门应用性学科，法律教育的主要目标是培养应用类法律人才。

与此同时，在法律职业发展演进中，也逐步形成了法律执业活动的四个基本特点：一是理论与实践的统一；二是抽象与经验的统一；三是同一性和复杂性的统一；四是精英化与大众化的统一。法律执业活动的基本特点决定了凡从事或准备从事这一职业的法律人或准法律人，都必须具备三个基本条件即"新三基"（不同于"老三基"之基本理论、基本知识、基本技能）：一是必须系统掌握法学学科体系的基本知识，讲授由这些知识构成的各门课程是当下中国各高等法律院系的主要任务；二是必须具备从事这一职业不可缺少的良好的职业素养，而这正是法律职业（包括医师、会计师、建筑师等职业）区别于社会其他职业以及法律人才培养体制不同于其他人才培养制度的关键所在；三是进入法律职业后，还应当通过实务训练，掌握从事法律职业的基本技能。由此可见，法律职业共同体不仅应当是法律知识的共同体，而且还必须是法律职业素养和法律职业技能的共同体，是三者的统一。这种职业内在的规定性和同一性，不仅构成了法律职业的基本要求和基本资质，而且也是其形成的内因之一。

改革开放以来，中国法律教育经历了恢复重建和全面发展的阶段，取得了显著成绩。但进入新的历史发展时期后，法律教育如何主动适应发展市场经济、建设民主政治和全面推进依法治国进程的需求，如何纳入到高质量、高层次、高效益，可持续健康发展的轨道，还存在着两个明显的不足：其一，由于中国的法律职业与法学教育之间长期以来存在的脱节，使高等法律院校（系）更多的把精力放在了学科建设和学术体系的构建上，未能全面重视和充分研究法律职业的发展和法律职业对从业人员提出的基本要求，结果导致各地区法学教育的发展在不同程度上缺乏正确的引导和规范，使中国的法学教育成为世界上品种最多、形式最繁杂和培养规格最不统一的教育体系；其二，同样由于教育和用人制度的脱节，使法律人才培养的全过程被人为地分割为一个一个缺乏有机衔接的不同部分，难以整体优化法律人才培养的全过程，更谈不上充分发挥法律人才培养模式的整体效能，也无法有效控制和保障法律人才培养的基本规格和教育质量。

为了尽快解决脱节的问题，促使法律教育与法律职业在司法考试制度的平台上，形成一种新的平衡和双向的良性互动，法律界一批中青年同仁，经过反复求证，决心先行一步，组织编写一套《法律人丛书》，丛书主要根据法律职业的基本要求，尤其是旨在养成和培育法律人（即职业共同体）意识、现代司法理念和法治精神、法律思维与法律方法、法律职业伦理等法律职业的基本素养，做了具有探索意义的开拓性工作，初步形成了相对合理的结构和体系。如果这种尝试可行，今后将考虑逐步纳入正常的教育培训制度和教材建设规划。法律人丛书首批书目如下：

《法律人之治——法律职业的中国思考》

《司法制度与司法理念》

《司法独立与司法公正》

《法律职业》

《法律教育》

《法律方法》

《法律技术》

《法律解释》

《法律推理》

《法律论辩》

《法律思维》

《法律职业伦理》
《法治与人权保障》
《立法原理与立法技术》
《罗马私法导论》
《法律文化》
《法律社会学》等等

　《法律人丛书》主要是为满足法律院校培养应用类法律人才的需要而编写的，适用于法律本科生和法律硕士生。但同时，鉴于中国法学教育的现状与不足，本丛书也完全适用于已经从事法律职业的司法实务人员。当然对于那些在社会各行各业中从事法律事务和制订规则的人员，也将大有裨益。

霍宪丹

2003 年 8 月

法律人丛书总序

在当今世界上，法律职业化几乎已经成为全球化的趋势。法律界对自家行业的知识传统有了越来越明确的自觉，各种会议和出版的各样的研讨物都在不停地将这种知识传统精致化。越来越多的国家开始探讨法律教育的基本概念和目标定位，法律教育界比起任何时候都更加重视在教育和法律人才培养的各个环节培养学生"像法律人那样思考"（Thinking like a lawyer）的能力。法律实务界也更加注重将法律职业与法律教育沟通，法律职业的入门标准越来越高，从而提高了司法在调整社会关系和实现社会正义的过程中的能力。另外，司法界又在不断地反思司法权的运作方式，程序的价值得到了日益普遍的认可。从一个国家到另一个国家，法律界都在讨论法律家的职业伦理，一些重要的准则甚至获得了超越国界的共识。

令人欣喜的是，我国的法治建设正好与这样的世界性潮流同步。在最近的几年里，上述种种问题都得到了我国法律界程度不同的关注和讨论，有些甚至在制度层面上取得了可喜的进展。统一司法考试制度的确立便是一个最近的例证。不过，在看到这些进展的同时，我们也时时能够感受到在迈向职业化过程中，中国法律界所面临着的一些特殊困难。这些困难有些来自于在计划经济时代流行至今仍有其生命力的某些观念，有些则来自于更久远的历史文化传统，因而预示着中国法律人愈发任重道远。

日本著名的中国法律史专家滋贺秀三曾从诉讼的形态的角度对中国传统法文化作过极具启发意义的考察。他认为，在世界各主要文明中，中国是距离法治最为遥远的一种，甚至与欧洲形成了两极相对的反差。由于我们的法律大致上是刑法以及管理和调整官僚机构的规则，因而，"与国家权力相分离而具有独立地位的法律界精英们从理性的探索中产生出学说、判例，创造并支持着法这种现象……在中国几乎寻找不到。欧洲法的历史有一半可以说是法学的历史，而与此相对，言之有据地讨论中国法学史却近乎不可能。"滋贺秀三等教授以自己在教学中的感受强化了他的判断——在洋洋洒洒地讲过了罗马、中世纪和近代各国法学之后，轮到讲中国法学时，他几乎有点无话可谈的感觉。（参看滋贺秀三等著《明清时期的民事审判与民间契约》，法律出版社 1998 年版。）

之所以如此，一个重要的原因是，我们这个老大帝国从来就没有形成分权体制。虽然在中央层面上一直有复杂的职能分工，但是，州县层面上却一直是一个人的政府。通过科举考试的形式选任官员，导致法律知识无从在司法的过程中得以发育和成长。官员与文人的合一使得司法判决的风格充满了美感，却难以获得统一性和确定性。韦伯曾经用"卡迪司法"（Khadi Justice）的说法指称那种就事论事，完全不考虑规则以及依据规则的判决的确定性的司法。如果仔细观察中国传统社会官员的决策过程，看他们援用怎样的依据对纠纷作出裁判，看他们是怎样经常地将所谓天理人情置于国法之上，看他们以怎样的方式赢得当事人以及其他民众对裁判的服膺，我们可以毫不迟疑地得出这样的结论：传统的纠纷处理过程正可以成为"卡迪司法"的一个活生生的例证。

就这样，我们两千年的司法史居然根本没有走向专业化或职业化的任何苗头，居然是一部几乎看不到任何对确定性和统一性的追求的历史。这的确是一个令我们今天的法律人感到吃惊的事实。也许，这也可以成为解读我们总体历史的一个关键事实。两千年来，由于司法过程并不注重"同样的事情同样地对待"的准则，因而，司法不能通过纠纷解决过程对立法规则加以明确化和精细化，天理与人情的高度不确定性导致决策者可以翻手为云，覆手为雨，人民如何通过这种司法制度而伸张正义？于是，细小的纠纷得不到公正的解决，会带来滚雪球效应；冤情的累积遇上天灾或决策失当的人祸，便仿佛移干柴而近烈火。

尽管我们的历史上不断地重复着这样的教训，但是，走出这种怪圈却并非易事。文化传承过程中巨大的历史惯性，与其他文明缺少接触导致的知识谱系单一，以及由此带来的想像力的匮乏，使得我们的制度类型在近代之前从没有发生脱胎换骨式的创新。民众对司法的传统期待形成强大的文化力量，甚至表层制度的改变也不意味着操作新制度的人们文化观念的改变。试看今日我们在建构一个专业化司法制度上的种种障碍：为什么我们虽然建立了分权体制但却既没有真正的分权，而同时又丧失了效率？为什么我们在司法官员选任问题上可以在长达三十余年的时间里没有规定任何学历背景，从而导致大量的没有任何法律教育背景的人们可以堂而皇之地当上法官、检察官？为什么我们至今在司法决策时究竟是以法律为惟一依据还是同时要考虑其他因素仍然纠缠不清？为什么我们在法官管理制度上经常倡导非行政化，但又每每摆脱不了改头换面的行政化？为什么审委会定案这样完全违反司法理念的制度会长期沿袭、难以改变？为什么在司法权的行使方式上我们总在强调"服务意识"，而难以真正走向中立化与消极化？为什么长期以来我们居然将"法官不得收受贿赂"这样的明显的是刑法调整对象的问题当做法官的职业道德问题？为什么在上下级法院之间关系上，居然会有人提出垂直领导的思路？

列举起来，这样的问题太多。要解决这类具有中国特色的难题，我们应当顺藤摸瓜，找到病根，然后对症下药。不过，要查找病因，我们首先需要的是理论方面的基本建设，即认真地对于跟法律职业有关的各种学说、知识、技术以及伦理规则进行探讨和梳理，也需要将这种研究的成果落实到法律教育和法律人培养的过程中，传播到更广阔的社会里。这就是我们发起这套"法律人丛书"的缘起。我们相信，随着时间的推移，这种类型的学术工作的价值将会日益显现出来。因此，也期盼着来自法律界以及读者们的热情参与和支持。

贺卫方

2003 年 8 月

本书自序

西方的经验告诉我们，法律程序（制度因素）与法律职业（人的因素）这两个方面对西方走上法治道路起到决定性作用。这里的"人"显然不是一般的人的因素，而是强调职业化的法律人及其技术和伦理素养。法律职业是法治中的人的因素，由于中国传统儒家所谓的"人"的因素是泛指一切统治者及其官吏，强调他们的道德训练和修养。所以中国虽然强调人的因素，但没有使中国走上法治道路。

法律职业是指经法律专业科班训练、具有娴熟的法律职业技能与伦理的人所形成的职业共同体，其成员就是法律人，我们称资深的法律人为"法律家"。

曾经有人分析中国法治的进路在于两种力量之间，即政府自上而下的推动与民间自下而上的演进。我们是否应当研究一下第三种力量——法律职业这一独立的共同体所产生的推动力量？

我们不否认法治的传统含义，如果从它的不同理解角度来看，包括这样几层内涵：法治是一种理性的办事原则（既定规则严格执行）；法治是一种民主的法制模式；法治是一种正义的法律精神；法治是一种理想的社会秩序；法治是一种制度化的治国方略。但是如果从法治运行过程中的人的因素来看，法治又是法律人之治。法律人之治，意味着：①由法律人从事司法工作，只有法律职业共同体才有机会决定司法中的问题；②由法律人进入律师的法务市场操作法律机器，提供法律服务，引导经济生活；③由部分法律人进入政府参与行政活动，包括参与政府决策；④社会纠纷（含公法关系中的一切纠纷）的最终评断权由法律职业共同体掌握；⑤由法律职业共同体掌握最终分配社会正义的权力。"法律人之治"不是"法治"的全部内涵，更不是对"法治"原意的代替；"法律人之治"不是对原有"法治"含义的变更，而是在中国特定语境下对其原意的丰富；"法律人之治"不是对"法治"原意的任意地、机械地改变，而是在遵循法治规律的前提下所作的动态分析。

当今的中国也已经开始像目前的西方国家一样出现法科毕业生不仅从事法官、检察官、律师工作，还从事政府法务和企业法务工作，甚至从事行政管理与企业经营。法科毕业生不局限于司法统一考试，更多的人通过公务员考试进入政府部门。虽然他们没有经过司法统一考试，但是他们经过了法学科班训练，受过若干时间的专业技能训练，一定程度上具备了法律职业素养。他们虽然在严格意义上不属于法律职业，但他们的脑袋是法律人的脑袋，我们相信高质量的法学教育会使法科学生产生"脑袋决定屁股"的效果（尽管屁股坐在其他位置上）。如果这种情况成为制度现象，那么"法治乃法律人之治"也就成为事实了。

法律人之治会不会走向人治？法律人之治是否优越于行外人之治？从职业素养方面看，法律人之治不会走向人治。从制度层面上讲法律人之治要比非法律人之治优越（我们不排除非法科人才可能非常胜任政府法务或企业法务工作的情况）。因为法律人经受过特殊的职业素养训练。

《法律人之治——法律职业的中国思考》是一部关于中国法律职业的探索性专题著作。该书正是基于上述两个方面而展开研究的，它从中国法治的实际出发，以法律职业问题为考察的中心，运用法理学、比较法和法社会学方法来研究中国法治的另一种推动力量——法律职业共同体的问题。

本书是教育部规划项目"法律职业与法律共同体研究"、司法部重点项目"法律职业与法治的建构"的最终成果，得到教育部规划基金、司法部项目基金以及浙江大学公法与比较法研究所"宪法与行政法"（省重点学科）的资助。本书由四编构成，即法律人之治与职业素养、法官职业化、律师伦理与政治参与、法律教育。

本书其他作者包括李学尧（浙江大学法学院博士生）、张存（温州市中级人民法院法官）、张薇薇（北京大学法学院博士生）、许翰信（浙江省人事厅干部）、胡瓷红（浙江工程学院法学院教师）、付蔚冈（上海市法律与金融研究院研究人员）、黄镕（武汉大学法学院博士生）、苏新建（浙江大学法学院博士生）、翁开心（中国社会科学院博士生），霍宪丹教授对书稿进行了最后的审校。由于这个课题对于中国仍是一个初始的话题，虽然课题即将结束，但法律人之治的话题还远未实现，我们的研究远未深入。希望在不远的将来，我们能够把这些研究予以深化和丰富。

孙笑侠

2002 年 8 月 15 日

2004 年 10 月定稿

作者简介

付蔚冈　上海市法律与金融研究院研究人员

黄　锫　武汉大学法学院博士生

胡瓷红　浙江工程学院法学院教师

李学尧　浙江大学法学院博士生

孙笑侠　浙江大学法学院教授

苏新建　浙江大学法学院博士生

许瀚信　浙江省人事厅干部

翁开心　中国社会科学院博士生

张　存　温州市中级人民法院法官

张薇薇　北京大学法学院博士生

目　录

1	**绪论——法治发展的差异与中国式进路**
1	一、"对极"与"逆流"
1	（一）中西法治观念的"对极"
2	（二）中日法治改革的"逆流"
3	二、法治的最低共性以及与依法治国的区别
3	（一）最低限度的法治共性
4	（二）法治与依法治国
6	三、政治文明与法治建设的突破口
6	（一）政治文明与法治建设
7	（二）中国司法改革或重构的两个基石
8	四、中国法治发展的最大障碍
10	五、中国法治发展的两种主体性推动力
10	（一）推动力与进路的思考
11	（二）市场经济造就法治的消费者——新一代市民阶层
12	（三）法治乃法律人之治
16	**第一章　法律人之治与职业素养**
16	第一节　法律人的技能与伦理
16	一、法治乃"法律人之治"
18	二、法律人共同体形成的标志
22	三、分工、职业化与职业素养
26	四、法律人的思维方式
31	五、法律人职业伦理的意义
36	第二节　法律人之治为什么不会走向人治
36	前言
39	一、法治乃"法律人之治"

39　　　（一）法律人因素在法治概念中的凸现

43　　　（二）法律人在"韦伯式进路"中的转承作用

47　　二、人治与人的因素

47　　　（一）人治的特征

49　　　（二）人治的缺点

51　　　（三）人治中的"人"和法治中的"人"

54　　三、阻隔人治：法律职业素养对理性司法的保障

54　　　（一）职业行话确保"权利—义务"的量化性与法官思维的精
　　　　　确性

56　　　（二）知识与技术的垄断保证司法自治

58　　　（三）形式理性主义和司法中立

60　　　（四）法律至信与司法优先

62　　四、阻隔人治：法律职业素养对行政法治的保障

63　　　（一）规则至上与信息公开制度

65　　　（二）程序思维与听证制度

66　　　（三）法律人素养与职能分工、权力制约

68　　余论：中国法学家群体的作用

70　第三节　论法律人职业素养的技能性构成

70　　一、信任危机中的中国法律人与缺失的职业内涵

70　　　（一）信任危机中的中国法律人

72　　　（二）法律职业的基本特征和条件

74　　　（三）技能与伦理：中国法律人缺失的"职业"内涵

75　　　（四）法律技能：法律人职业素养的核心

76　　二、技能性构成之一：法律语言

77　　　（一）法的形式化和现代法律语言的形成

79　　　（二）法律概念的基本功能

82　　　（三）法律语言对法律人的意义

87　　三、技能性构成之二：法律知识

88　　　（一）法律（法学）是一门知识吗？

92　　　（二）法律知识的内容和分类

93　　　（三）法律（法学）：从规训（约束）到统治的专门知识

93　　　（四）抽象理论学习对法律人的必要和意义

95　　四、技能性构成之三：法律技术

96　　　（一）一类缄默和个人化的知识

97 （二）法律技术的特性

98 （三）法律技术的内容和分类

102 结语

第二章 法官职业化 104

104 第一节 论法治国中法官权威的基础

104 前言

107 一、法官权威的内涵

107 （一）一般权威的界定

109 （二）法官权威的内涵

111 二、法治国中法官权威的体制基础：独立的地位

111 （一）概述

112 （二）法官的独立地位之内容

116 （三）法官的独立地位对法官权威的意义

119 三、法治国中法官权威的专业基础：职业技能

119 （一）概述

120 （二）法官职业技能的内容

124 （三）法官职业技能对法官权威的意义

127 四、法治国中法官权威的伦理基础：职业道德

127 （一）概述

128 （二）法官职业道德的内容

130 （三）法官职业道德对法官权威的意义

134 五、中国传统法官权威的基础评析

134 （一）中国传统司法的基本形态

138 （二）中国传统法官权威的主要基础

141 （三）对中国传统法官权威的基础之反思

142 余论：重塑现代中国法官的权威

146 第二节 法律解释：方法、制度与实践

146 前言

148 一、作为方法的法律解释

148 （一）方法之于法律解释

152 （二）意图论

156 （三）文本论

160 （四）动态论

165 ｜　　　（五）小结
167 ｜　　二、作为制度的法律解释
167 ｜　　　（一）问题的由来
169 ｜　　　（二）法律解释的制度实践史：史的概观
172 ｜　　　（三）法律解释权的制度分配
180 ｜　　　（四）法律解释方法背后的制度意义
187 ｜　　　（五）小结
188 ｜　　三、作为实践的法律解释
188 ｜　　　（一）为什么法律解释是实践的？
189 ｜　　　（二）作为实践的法律解释的特点
198 ｜　　　（三）小结
200 ｜　　结语：当代中国法律解释制度简析
204 ｜第三节　论法官职业责任
206 ｜　　一、法官责任与法官职业责任
206 ｜　　　（一）法官责任与法官职业责任由来
209 ｜　　　（二）法官责任和法官职业责任的概念及其关系
212 ｜　　二、法官职业责任的追究
212 ｜　　　（一）法官职业责任追究的限制性规定
214 ｜　　　（二）法官职业责任追究的实行机关
216 ｜　　　（三）法官职业责任的责任方式
219 ｜　　三、我国法官错案追究制及其实践误区
219 ｜　　　（一）"错案追究制"下的法官职业责任制度
220 ｜　　　（二）"错案"判断标准及其弊端
223 ｜　　　（三）"错案"判断标准的前提预设
226 ｜　　四、"错案"判断标准的重构
226 ｜　　　（一）法律判断的确定性问题
229 ｜　　　（二）事实判断的确定性问题
230 ｜　　　（三）以程序正义作为判断"错案"的标准
239 ｜　　五、我国法官职业责任制度的初步构想
239 ｜　　　（一）独立法官惩戒委员会的建立
240 ｜　　　（二）法官惩戒委员会的组织
241 ｜　　　（三）法官惩戒委员会的惩戒事由以及惩戒种类
241 ｜　　　（四）法官惩戒委员会的审理程序
242 ｜第四节　法院引进竞争机制之反思——以法官竞岗为例

243 前言

244 一、法官竞岗的背景、含义与合理性

244 （一）法官竞岗的背景

248 （二）法官竞岗的含义

250 （三）法官竞岗的合理性

252 二、理念和制度的发展与法官竞岗的困境

252 （一）理念：从"专政工具"到"法官职业化"

253 （二）制度：从"复转军人安置"到"统一司法考试"

257 （三）法官竞岗的困境

258 三、法官竞岗中的问题反思

259 （一）法官竞岗强化了法院管理的行政化

261 （二）法官竞岗为各种外来力量干预司法提供了机会

263 （三）法官任职的不稳定损害了司法权威

266 （四）对"更大的官"的追求使得法官职业庸俗化

268 （五）法官竞岗占用法官大量时间和精力导致副作用

270 （六）对法官的重新任命虚化了既定法的规定

272 结论

277 **第三章 律师职业伦理与政治参与**

277 第一节 程序伦理与道德底线——对律师职业道德的社会学分析

277 前言

279 一、角色的规定

279 （一）角色、规范与职业

285 （二）律师的角色定位

294 二、对律师职业伦理的外延性分析：从条文性规范出发

294 （一）道德范畴还是法律范畴？

296 （二）对条文的规范分析

302 三、对影响性伦理评价因素的分析：从经济伦理学出发

302 （一）律师行为的市场性与伦理性

305 （二）商业因素与经济伦理

309 四、道德底线：可接受度与合理性

309 （一）道德底线与品格要素

310 （二）对律师职业伦理的大众评价与理性分析

312 小结

313 | 第二节 通往政治之路——对律师参与政治的考察
313 | 缘起：法治、人及其他
317 | 一、考察律师功能的传统径路
320 | 二、通往政治之路
320 | （一）美国政坛上的律师型政治家
323 | （二）通往政治之路
329 | 三、律师与政府决策
329 | （一）政府决策中的律师统治
333 | （二）商业化、利益多元与律师参与决策
340 | 四、从法律参与到政治参与
345 | 五、律师之政治参与命题在中国
352 | 六、展望与意见

356 | **第四章 法学教育：制度化的法学院**

356 | 第一节 法学院的记忆：制度性意义的历史追溯——对制度变革和社会转型的回应
356 | 前言
358 | 一、波洛尼亚大学及早期的法学院——近代法律秩序的孕育
361 | 二、近现代欧美的法学教育——法律体制的环节
365 | 三、古近中国和日本——发展与变革的诉求
367 | 第二节 法学教育的知识对象——法律与法治是什么
367 | 一、法学教育的知识对象——知识分类的传统与现代分工视角
370 | 二、法律是什么——法与道德辨
373 | 三、法治是什么——形式、制度与价值
373 | （一）形式意义的法治
374 | （二）制度层面的法治
377 | （三）价值层面的法治
377 | 四、分层的法学教育知识内容——历史教训与现实要求
381 | 第三节 法学院的制度性意义——角色定位与分析
381 | 一、方法论与角色的界定
384 | 二、法学院的制度性意义
385 | （一）法学院与法律制度——缔造与革新
386 | （二）法学院与整体社会制度——法治和政治文明的守望
389 | （三）法学院与法治精神——站在历史的废墟上

391 第四节　构想制度性意义的中国法学院
391 　一、构想的基础——信心判断与制度变革
393 　二、实现制度性意义的中国法学院——目标与措施
393 　　（一）目标定位与法学院精神
394 　　（二）接近制度性意义的法学院
405 结语
408 附件1　法学院入学宣言
409 附件2　对法学院资格评定的考量因素建议
411 本章主要参考文献

CONTENTS

1   INTRODUCTION: DIVERSE ACCESSES TO RULE OF LAW AND THE CHINESE APPROACH

1   1. *"Polarization"* and *"Countercurrent"*

1   1. 1 The Polarization between Western Society and China on the Notions of Rule of Law

2   1. 2 Some Countercurrent during the voyage to Rule of Law in Japan and China

3   2. The Minimum Commonness of Rule of Law and Its Disparity with Rule by Law

3   2. 1 The Minimum commonness of Rule of Law

4   2. 2 Rule of Law and Rule by law

6   3. The Breakthrough of Political Civilization and the Construction of Rule of Law

6   3. 1 Political Civilization and Rule of Law

7   3. 2 Two Cornerstones of Judicial Reformation and Reconstruction in China

8   4. The Largest Obstacle for China's Access to Rule of Law

10   5. The Two Principal Driving Forces for Rule of Law in China

10   5. 1 Insight into the Driving Forces and Approaches

11   5. 2 Consumers of Rule of Law under Market Economy—Citizens of the New Generation

12   5. 3 Rule of Law and Rule of Lawyers

16   CHAPTER 1: THE RULE OF LAWYERS AND PROFESSIONAL ATTAINMENTS

16   SECTION 1 LAWYERS' TECHNICAL ABILITIES AND ETHICS

16   1. Rule of Law Should Be the Rule of Lawyers

18	2. Marks of the Formation of Lawyers' Community
22	3. Functional Classification, Professionalization and Professional Attainments
26	4. The Mode of Thinking of Lawyers
31	5. The Significance of Lawyers' Professional Ethics
36	SECTION 2 WHY WILL NOT RULE OF LAWYERS RESULT IN RULE BY MAN?
36	Preface
39	1. Rule of Law Should Be the *Rule of Lawyers*
39	1. 1 Manifestation in the "Rule of Law" Concept of Lawyers' Influence
43	1. 2 The Transitional Function of Lawyers in the *Max Web* Approach
47	2. Rule by Man and the Human Factor
47	2. 1 The Characters of the Rule by Man
49	2. 2 The Defects of the Rule by Man
51	2. 3 The *Man* in the Rule by Man and the *Man* in the Rule of Law
54	3. Obstructing the Rule by Man: A Safeguard of Legal Professional Qualification to Rational Judiciary
54	3. 1 The Professional Jargons Guarantee the Quantification of *Rights vs. Duties* and the Accuracy of Judges' Thinking
56	3. 2 The Monopoly of Technology and Knowledge Guarantees Judicial Autonomy
58	3. 3 Formal Rationalism and Judicial Neutrality
60	3. 4 Supremacy of Law and the Priority of Judiciary
62	4. Obstructing the Rule by Man: A Safeguard of Legal Professional Qualification to the Rule of Administrative Law
63	4. 1 Supremacy of Law and Freedom of Information
65	4. 2 Thinking of Due process and Hearing System
66	4. 3 Division of Function and Restriction of Power to Lawyers' Qualification
68	Conclusion: The Function of Chinese Jurists
70	SECTION 3 TECHNICAL COMPOSITION OF LAWYERS' PROFESSIONAL QUALIFICATION
70	1. Chinese Lawyers in the "Good Faith" Crisis and the Professional Qualities They Lack

70   1. 1 Chinese Lawyers in the "Good Faith" Crisis

72   1. 2 Essential Features and Conditions of the Legal Profession

74   1. 3 Technical Abilities and Ethics: the Professional Qualities that Chinese Lawyers Lack

75   1. 4 Legal Technical Abilities: the Core of Lawyers' Professional Qualification

76   2. Legal Language

77   2. 1 Formalization of Law and Modern Legal Language

79   2. 2 Basic Functions of Legal Concepts

82   2. 3 The Meaning of Legal Language to Lawyers

87   3. Legal Knowledge

88   3. 1 Is Law a Form of Knowledge?

92   3. 2 Content and Classification of Legal Knowledge

93   3. 3 Law: A Special Knowledge from Normalization to Ruling

93   3. 4 Necessity and Significance of Abstract Theory Study to Lawyers

95   4. Legal Techniques

96   4. 1 A kind of Silent and Individualized Knowledge

97   4. 2 Characters of Legal Techniques

98   4. 3 Content and Classification of the Legal Techniques

102 Conclusion

104 CHAPTER 2: PROFESSIONALIZATION OF JUDGES

104 SECTION 1 THE FOUNDATION OF JUDGES' AUTHORITY IN RULE OF LAW STATES

104 Introduction

107   1. The Connotation of Judges' Authority

107   1. 1 The Definition of General Authority

109   1. 2 The Connotation of Judges' Authority

111   2. The Institutional Foundation of Judges' Authority in Rule of Law States: The Judges' Independent Standing

111   2. 1 General

112   2. 2 The Content of the Judges' Independent Standing

116   2. 3 The Significance of Judges' Independent Standing for Their Authority

119   3. The Professional Foundation of Judicial Authority in Rule of Law States: The Professional Technical Abilities of Judges

119	3. 1 General
120	3. 2 The Content of Judges' Professional Technical Abilities
124	3. 3 The Significance of Judges' Professional Technical Abilities for Their Authority
127	4. The Ethical Foundation of Judges' Authority in Rule of Law States: Professional Morality
127	4. 1 Introduction
128	4. 2 The Content of Judges' Professional Morality
130	4. 3 The Significance of Professional Morality for Judges' Authority
134	5. Appraisal of the Foundation of Judges' Authority in the Chinese Tradition
134	5. 1 The Basic Forms of Judiciary in Traditional China
138	5. 2 The Foundation of Judicial Authority in Traditional China
141	5. 3 A Retrospective Insight into the Judicial Authority of Traditional China
142	Conclusion: The Reestablishment of Judicial Authority in Current China
146	SECTION 2 STATUTORY INTERPRETATION: METHOD, INSTITUTION AND PRACTICE
146	Preface
148	1. Statutory Interpretation as Method
148	1. 1 Statutory Interpretation and Its Method
152	1. 2 Intentionlism
156	1. 3 Textualism
160	1. 4 Dynamic Interpretation
165	1. 5 Conclusion
167	2. Statutory Interpretation as Institution
167	2. 1 Origin of the Concept
169	2. 2 The History of Statutory Interpretation as Institutional Practice
172	2. 3 The Institutional Distribution of the Power to Interpret Statutes
180	2. 4 The Institutional Meaning behind the Method of Statutory Interpretation
187	2. 5 Conclusion
188	3. Statutory Interpretation as Practice
188	3. 1 Why Is Statutory Interpretation Practical?

189	3. 2 The Characters of Statutory Interpretation as Practice
198	3. 3 Conclusion
200	Conclusion: Brief Analysis of the Current Institution of Chinese Statutory Interpretation
204	SECTION 3 ON JUDGES' DISCIPLINE RESPONSIBILITY
206	1. Judge's Responsibility and Judge's Discipline Responsibility
206	1. 1 Origin of Judge's Responsibility and Judge's Discipline Responsibility
209	1. 2 The notion of Judge's Responsibility and Judge's Discipline Responsibility and Their Relation
212	2. Investigation of Judge's Responsibility and Judge's Discipline Responsibility
212	2. 1 Provisory Regulations for Judge's Discipline Responsibility Investigation
214	2. 2 The Organ to Implement Judge's Discipline Responsibility Investigation
216	2. 3 The Mode of Judge's Discipline Responsibility Investigation
219	3. Defects in the System of Investigating into Misjudged Cases
219	3. 1 System of Judge's Discipline responsibility
220	3. 2 Criterion for Misjudged Cases and It's Defects
223	3. 3 Premise of Criterion for Misjudged Cases
226	4. Reconstruction of the Criterion for Misjudged Cases
226	4. 1 Determinacy of Law
229	4. 2 Determinacy of Facts
230	4. 3 Procedural Justice as the Criterion for *Misjudged Case*
239	5. The Preliminary Conception to Reconstruct the System of Judge's Discipline Responsibility
239	5. 1 An Independent Committee of Judge's Discipline
240	5. 2 Organization of the Judge's Discipline Committee
241	5. 3 Behaviors to Be Disciplined and Their Classification
241	5. 4 Procedure of Trial
242	SECTION 4 THE RECONSIDERATION ON THE NEW SYSTEM OF COMPETITION FOR JUDGE'S POSITION
243	Preface

244 | 1. The Background, Connotation and Rationality of the Competition System
244 | 1. 1 The Background
248 | 1. 2 The Connotation
250 | 1. 3 The Rationality
252 | 2. The Evolution of the Notion and System and the Dilemma in Judges' Competition for a Position
252 | 2. 1 The Notion: from the *Tool of Ruling to Professionalization*
253 | 2. 2 The System: from *Resettlement of Veterans* to *Unified Judicial Exam*
257 | 2. 3 The Dilemma in Judges' Competition for a Position
258 | 3. Problems about Judges' Competition System
259 | 3. 1 The Competition Strengthened the Court's Administration Management
261 | 3. 2 The Competition Offers Various External Forces Opportunities to Intervene Justice
263 | 3. 3 The Instability of the Judge's Position Harms the Authority of Jurisdiction
266 | 3. 4 The Pursuit for Higher Status Philistinizes the Judge's Profession
268 | 3. 5 The Competition Costs So Much Time and Energy That It Leads to Side Effects
270 | 3. 6 The Reappointment of Judges Invalidates the Stipulations in Existing Laws
272 | Conclusion
277 | CHAPTER 3: LAWYERS' PROFESSIONAL ETHICS AND POLITICAL PARTICIPATION
277 | SECTION 1 PROCEDURAL ETHICS AND MINIMAL MORALITY: AN ETHICAL ANALYSIS OF THE LAWYERS' PROFESSIONAL MORALITY
277 | Preface
279 | 1. The Definition of the Role
279 | 1. 1 The Role, the Rules and the Profession
285 | 1. 2 Definition of the Lawyers' Role
294 | 2. A Denotative Analysis of Lawyers' Professional Ethics: Based on Legal Rules

294 | 2. 1 Of Morality or of Law?

296 | 2. 2 Normative Analysis of the Legal Rules

302 | 3. An Analysis of the Influential Factors of Ethics Evaluation: Based on E-conomical Ethics

302 | 3. 1 Influence of the Market and Ethics on Lawyers' Practice

305 | 3. 2 Commercial Factors and Economical Ethics

309 | 4. The Minimum Morality: Acceptability and Reasonability

309 | 4. 1 The Minimum Morality and Personal Moral Qualities

310 | 4. 2 The Evaluation by the Public and the Rational Analysis of Lawyers' Professional Ethics

312 | Conclusion

313 | SECTION 2 THE PATH TO POLITICS: A PERSPECTIVE ON LAWYERS' POLITICAL PARTICIPATION

313 | Genesis: Rule of Law, Man etc.

317 | 1. A Survey on Traditional Perspectives of Lawyers' Role

320 | 2. Path to Politics

320 | 2. 1 Lawyer Truned States Men on American Political Stage

323 | 2. 2 Path to Politics

329 | 3. Lawyers and Government

329 | 3. 1 Lawyers' Rule in Government Decision-making

333 | 3. 2 Commercialization, Multiple Interests and Lawyer's Participation in Decision-making

340 | 4. A Shift from Judicial Participation to Political Participation

345 | 5. The Issue of Lawyers' Political Participation in China

352 | 6. Prospects and Suggestions

356 | CHAPTER 4: LEGAL EDUCATION: INSTITUTIONALIZED LAW SCHOOLS

356 | SECTION 1 A CONCEPTION OF LAW SCHOOL WITH INSTITUTIONAL FUNCTION: RETROSPECT TO CHINESE INSTITUTIONAL REFORMATION AND SOCIAL TRANSITION

356 | Preface

358 | 1. Bologna University and the Earliest Law Schools: The Conception of Modern Law and Order

361 | 2. The Late and Modern Legal Education of Europe and America: An Inte-

grated Part of Legal System

365   3. China and Japan in Ancient and Late Time: Law School as An Actor Subserving Development and Transformation

367   SECTION 2 THE INTELLECTUAL OBJECT OF LEGAL EDUCATION: WHAT IS LAW AND WHAT IS RULE OF LAW

367   1. The Intellectual Object of Legal Education: From the Perspective of Traditional Classification and Modern Division of Function

370   2. What is Law: Differentiating between Law and Morality

373   3. What is Rule of Law: By Formal, Institutional and Value Approaches

377   4. The Intellectual Content of Legal Education with the Characteristic of Stratification: Lesson from Both History and Reality

381   SECTION 3 THE INSTITUTIONAL FUNCTION OF LAW SCHOOL: DEFINITION AND ANALYSIS OF ITS ROLE

381   1 . Definition of the Methodology and the Role

384   2. The Institutional Function of Law School

391   SECTION 4 THE CONCEPTION OF LAW SCHOOLS THAT HAVE INSTITUTIONAL FUNCTION IN CHINA

391   1. The Foundation of Conception: Judgment by Faith and Institutional Reformation

393   2. The Realization of Law School having Institutional Function: Goals and Steps

405   Conclusion

408   *Appendix I " Oath for the Entrance to Law School"*

409   *Appendix II "Advice on Concerned elements of the evaluation of Law School "*

411   POSTSCRIPT

绪论——法治发展的差异与中国式进路

一、"对极"与"逆流"

（一）中西法治观念的"对极"

西方一些研究中国问题的学者使用过一个词，叫"对极"。意思是说中国与西方在文化特征上有着截然的对峙关系。用它来说明中西方的这现象也不无道理。哈佛大学昂格尔教授在分析欧洲"法的支配"成立的必要构成要素时曾提到这一点。昂格尔认为被他加以分析的各种条件，在中国都是不存在的。他还分析说，与其他非欧洲的法相比，中国法也是离"法的支配"的理念最为遥远的一极，然后是印度法、伊斯兰法、犹太法这样的顺序。[1] 日本滋贺秀三先生干脆认为，"昂格尔显然把中国视为处于与欧洲对极的位置上"。[2] 这样的分析不无道理。用季卫东君的话来理解昂格尔的意思就是：如果以法治的有无为坐标轴，那么古代中国居其负极，现代西欧居其正极，其他大多数文明都不过是在这两极之间各得其所而已。[3] 显然上述所谓"对极"的关系属于地域或空间意义上的差别。

这种差异是显而易见的。古希腊著名思想家亚里士多德在公元前4世纪，就对法治做过经典性的解释："法治应包含双重意义：已成立的法律获得普遍的服从，而大家所服从的法律又应该本身是制定的良好的法律。"[4] 他认为："公民们都应遵守一邦所定的生活规则，让各人的行为有所约束，法律不应该被看作（和自由相对的）奴役，法律毋宁是拯救。"[5] 19世纪末，英国著名法学家戴雪

---

[1] [美] 昂格尔：《现代社会中的法律》，吴玉章、周汉华译，中国政法大学出版社1994年版，第99页。

[2] [日] 滋贺秀三："中国法文化的考察"，载《明清时期的民事审判与民间契约》，王亚新等译，法律出版社1998年版，第3页。

[3] 季卫东："现代法治国的条件（代译序）"，载《现代社会中的法律》，昂格尔著，吴玉章、周汉华译，中国政法大学出版社1994年版。

[4] 亚里士多德：《政治学》，吴寿彭译，商务印书馆1983版，第199页。

[5] 亚里士多德：《政治学》，吴寿彭译，商务印书馆1983版，第276页。

将法治理论推上顶峰，他提出："第一，绝对的或超越的法，反对政府有专断的、自由裁量的无限制的特权；第二，法律面前一律平等，……人不分阶级都属于同一法律体系，为同一法院所管辖；第三，宪法……，是个人权利与自由的结果，任何人的权利受到他人的侵害，都有权通过法定的救济办法获得补救。"[1]而在古代中国，孔子却说要"以德为法"，[2] 管子也认为"威不两措，政不二门，以法治国，则举措而已"。[3] 荀子说得更为具体："有乱君，无乱国。有治人，无治理法，……故法不能独立，类不能自行，得其人则存，失其人则亡。法者，治之端也；君子者，法之原也。故有君子，则法虽省，足以偏矣；无君子，则法虽具，失先后之施，不能应事之变，足以乱矣。"[4]

从两组古人对法的不同阐述中，我们可以看到，中西法治观念的差异：一方面是西方的法治主义、对法的赞美、对法律家的尊信和通过审判解决纠纷；另一方面则是东方的德治主义、对法和法律家的不信任，以及通过调解消除纠纷。[5]这就是中西"对极"现象的最典型的诠释。

（二）中日法治改革的"逆流"

事实上，中西法的观念与制度不仅在地域（空间）这种意义上存在对极关系，而且还在历史（时间）这种意义上存在着另一种有趣的关系，这就是被笔者称为"逆差"或"逆流"的关系。也就是说，西方法治发展的某些现象已朝"后现代法"的某些特征发展，而这些"后现代法"的特征恰恰是中国法传统中的东西；中国当代法治发展的某些方向恰恰是西方过去的二三百年里的法治发展特点。日本现阶段正在进行的司法改革与中国的司法改革就是鲜明的"逆流"。

前不久浙江大学法学院主持举行了"司法改革国际比较（日本主题）第一次圆桌讨论会"。讨论中，早稻田大学的宫泽节生教授、纽约大学的潘孚然教授、浙江大学的林来梵教授对日本司法改革作了专题报告。当我们在分析当今中国与日本的司法改革的方向及具体措施时，在比较中发现了这样一些有趣的现象，笔者把它称为"逆差"现象：

第一，中国刚开始强调法官专家化，而日本却在法官中增加外行人，提倡法官的平民化；第二，中国刚开始确立以彻底消除司法行政化为目标的改革，而日本却只是就最高裁判所的事务局对法官的行政控制作一些微调；第三，中国刚开

---

〔1〕 ［英］戴雪：《英宪精义》，英文版第10版，第202～203页。

〔2〕 《孔子家语·刑政·执辔》。

〔3〕 《管子·明法》。

〔4〕 《荀子·君道》。

〔5〕 ［日］大木雅夫：《比较法》，范愉译，法律出版社1999年版，第127页。

始通过司法统考来遴选法官，而日本则开始关心法官资格的政治性公共选择；第四，中国刚刚意识到要减少媒体对司法的干扰，而在日本则加强媒体对法官的批评；第五，中国需要减少庭外解决纠纷的非正式途径，而日本则强调庭外解决的非正式途径；第六，中国需要使法官从实质性思维向形式化思维转变，而日本则强调法官倾向于实质性思维的必要性；第七，中国刚开始关注律师的质量问题，而日本却要增加律师的数量……

从上述现象我们可以看到，当中国的司法改革朝着法律职业主义和司法独立主义大步迈进时，日本的司法改革却马不停蹄地奔向以"规制缓和"为口号的法律职业当事人主义和司法审判的民主化。[1] 由此联想到了一则关于现代生活方式的笑话，说的是山民对城里人生活方式的不解——我们刚吃上红烧肉，你们却要吃素菜减肥；我们刚从山里搬出来，你们却又搬回去；我们刚穿上新衣服，你们却又把肚脐眼露出来……。

我们原来都只了解中西法律处于地域（空间）意义上的"对极"关系，现在看来，中国与外国还存在历史（时间）意义上的"逆差"关系，颇有你往我来、你东我西的逆向穿梭态势。学界过去曾经一度讨论过中国的发展是属于近代化还是属于现代化的问题，有的主张中国发展先进行近代化尔后进行现代化建设，有的主张现在进行的必然是现代化建设。现在又出现另一种问题，那就是西方在许多领域的发展已进入后现代时期，中国学者中也出现了后现代化情结，不知不觉地陷入"后现代"漩涡。但需要指出的是，西方的"后现代化"是出现在法律职业主义和司法独立原则已经烂熟之后，如果不顾社会发展的阶段性而过早地生搬硬套，只会落下"东施效颦"的话柄。[2]

其实我们应当注意到中西方法律发展的历史性的时间逆差关系。中西方法治本来就有地域（空间）上的"对极"关系，再加之历史（时间）上的阶段性的"逆差"，它们的差别也就更大了。中国司法改革与日本乃至西方各国的司法改革处在不同的历史阶段。其实何止司法改革如此，法治秩序形成或建立的全过程何尝不是这样?! 我们不得不面对这种差异。

二、法治的最低共性以及与依法治国的区别

（一）最低限度的法治共性

我们强调中西方法治发展的差异并不是否认法治的共同性。相对于法治的基

---

[1] 季卫东："世纪之交日本司法改革的评述"，载《环球法律评论》2002 年第 1 期。
[2] 季卫东："世纪之交日本司法改革的评述"，载《环球法律评论》2002 年第 1 期。

本原则，这种"对极"或"逆差"关系仍然只是局部的细节差异。法治在任何国家和时代都有若干基本的结构、原则和理念，日本或西方国家所进行的司法改革都不会因此而改变法治的基本结构、原则和理念，其实都是"万变不离其宗"的。

这种基本结构、原则和理念包括：

第一，宪政的实行；

第二，法律对行政的控制；

第三，司法独立体制的存在；

第四，正当程序观念的确立与程序制度的落实；

第五，专业化的法律职业共同体的存在；

第六，公平而前后一致地适用法律；

第七，法律的透明度，任何人均可运用法律；

第八，法律必须是高效和及时的；

第九，人权，私人财产权和经济权利受保障；

第十，普遍性规则必须通过正当程序进行。

这些方面是法治必要的共性，也是法治的最低限度的特征。不具备这些特征的国家，就不能称为法治国。

（二）法治与依法治国

阐述法治最低限度的共性，其目的是为了将法治区别于依法治国。依法治国（rule by law）思想起源于德国的实证主义法学，其基本主张是最高立法者，不论是君主、独裁者，统治阶级或是民选的立法机关都不受任何一种法律的束缚。从哈耶克的一段论述中，我们可以看到法治和依法治国的明显区别，依法治国"认为只要政府的一切行动都经过立法机关正式授权的话，法治就会保持不坠，但是这是对于法治意义的完全的误解。法治与政府一切行动是否在法律的意义上合法这一问题无甚关系，他们可能很合法，但仍可能不符合于法治。某些人所做的事是有充分的法律上的根据的，但这并没解答这个问题——即法律是否给他专断权力采取专横行动，或是否法律明白地规定他必须如何行动。很可能，希特勒获得了无限的权力是出之以严格的合乎宪法的方法，因而从法律的意义来说，他的所作所为都是合法的。但是，谁会因为这种理由而就说，德国仍然盛行着法治呢？……如果法律规定某一机关或当局可以为所欲为，那么，那个机关和当局所做的任何事都是合法的——但它的行动肯定地不属于法治的范围。通过赋予政府以无限制的权力，可以把最专横的统治合法化；并且一个民主制度就可以建立起这样一种可以想像得到的最完全的专制政治来。"[1]

法治（rule of law）思想最早可以追溯到古希腊亚里士多德，漫长的发展历史赋予其不同的内涵和外延。现在很难用一个明确的、放之四海皆准的概念来定义"法治"，只能从不同角度、用不同方法进行解释。广义的法治含义包括了依法治国的历年。综合来看，法治共有七个层面的含义，即：

1. 作为一种理性的治国方略，即"依法治国"。这是法治最基本也是最重要的一层作用，也是法治的政治含义。

2. 作为民主化法制的法制模式；也就是说，法制是中性的，它可以与民主联姻，也可以与专制结合。当实行民主与法制结合时，法制才可能是法治；当法制与专制结合时，法制可能成为专制的工具。所以说法治是法制模式中的一种。

3. 作为普遍的办事原则的依法办事；或称"既定规则严格执行"，即形式主义法治。我们应该认真对待"形式主义法治"，因为它极容易被误解为机械的教条主义和本本主义，被误解为对实质正义的反动。其实在中国这样一个有实质主义倾向的国度推进法治，首先必须从培养形式主义法治的习惯开始。

4. 作为法律内在精神的法治理念；法治还意味着某种法律精神或理念，它包括法律至上、权利本位、程序正当、权力制约等一系列观念、原则和精神。

5. 法治还是指法律人之治；即职业化的法官、检察官和律师从事专门化的法律活动。

6. 作为理想社会关系的法治秩序；法治是一种社会关系，它是国家与公民、组织与组织、组织与公民、公民与公民之间的关系，这些关系中的权利和义务被明确界定、被自觉遵循，形成相互尊重、相互和谐的关系，因此我们谈法治的时候又称其为"法治秩序"。

7. 作为人民生活方式的法治传统；法治成为生活中不可或缺的组成部分，成为人们的生活方式，这种生活方式习惯成自然之后，使我们依赖于它，一刻也不能离开它。

令人着急的是我国自上而下现在只是从治国方略的角度来理解法治，即依法治国这个层面。其实这只是法治的一个最浅层面的含义。它是作为政治家治国方略的依法治国。它是相对于其他治国方略来说的，比如礼治、德治、人治、政策治、命令治、运动治等等，经过历史的选择，人们发现法治是最具有优越性的。我们现在还只停留在这一含义上，我们的理解以及实践都只是在"治国方略"

---

[1] 哈耶克：《通往奴役之路》，滕维藻、朱宗风译，商务印书馆1962年版，第80～81页。转引自刘军宁："从法治国到法治"，载《公共论丛》第3期《经济民主与经济自由》，生活·读书·新知三联书店1997年版。

的这个层面上。依法治国的"国"不是指地域概念，而是指法律和政治意义上的"国政"，即国家的政务活动，其中最主要的是国家权力的运行活动。这里的"国"是不可分割的。如果"国"被分割了，那就出现了对法治的误解。正因为这样，才会出现依法治省、依法治市、依法治县、依法治镇、依法治乡、依法治村的机械模仿情形，才会出现交通部门依法治路、铁路部门依法治铁、水利部门依法治水、林业部门依法治林、农业部门依法治农、税务部门依法治税、教育部门依法治教、土管部门依法治土等等简单照搬的现象。作为民主的法制、办事原则、法治精神、法治秩序和生活方式的法治远没有被国人所理解，所以还没有完全被自觉地去实践。

三、政治文明与法治建设的突破口

（一）政治文明与法治建设

我国自 20 世纪 70 年代末以来经历了二十多年的改革。从小平同志当时的初步设计来看，是政治与经济两项改革同时进行的。但是由于 80 年代中后期的社会的两次激烈波动，使小平同志意识到政治改革需要稳步进行，不能操之过急。这之后，二十多年的经济改革带来了社会多方位的巨大发展，今天，我们可以说政治改革的最佳时机已经到来。事实上我们的国家与社会都已具备了政治改革的条件。最高决策层也意识到政治改革的重要性，把"依法治国，建设社会主义法治国家"写入宪法，就是一个重要的例证。现在我们又提出了建设"政治文明"。政治文明是什么，就是政治活动的文明，政治活动的文明以什么为标志？就是以"法治的政治"代替"人治的政治"。

于此，我们可以说，政治改革的突破口就是法治建设。因为，政治改革就是顺应社会发展对政治统治方式、政治体制进行改革和转变，就是将原有的具有人治特点的政治统治模式和政治体制改变为根据法律治理的模式。所以推进法治就是转变政治家的治国方略。推进法治就是政治改革的突破口，但欠缺的是，我们还没有从理论的层面上作深刻地理解。

那么，推进法治的突破口是什么呢？笔者认为法治的突破口是司法改革。理由是两个。第一，因为中国的改革需要考虑稳定与发展的关系，而司法权在国家权力结构中处于相对独立的地位，并且这是一种被动的、消极的权力，这不同于行政权和立法权。司法权相对于社会、经济、政治、民众生活等方面都是比较间接的关系。因此从司法权开始改革，不会导致社会、经济、政治、人民生活的大幅度的波动，影响到稳定的问题。第二，司法权是法治的核心。法治帝国的首都是法院。从国家政治结构上看，司法权联系着立法权与行政权，联系着人民意机关与政府；从社会生活来看，它联系着政治国家与市民社会，联系着国家与公民。所以以从司法改革入手来开始启动法治工程是十分理性的，但是遗憾的是这一点仍然没有被充分认识，尚未从理性的层面来把握这个规律。

现在司法改革进行到了一个什么阶段呢？法治建设必然涉及政治体制改革，司法改革已到了直接触及到体制问题的阶段，即现在的司法改革已面临政治体制的难题。这就是说，我们这些年来已经进行的司法改革措施都是在司法权有限有范围内进行，无论其效果与合理性如何，都属于内部的改革或工作的改进，例如庭审改革、错案追究制、人民满意的法官评审、个案监督制、执行改革、司法统考、制服改法袍、加强职业道德、收支两条线、提高判决书质量、法官人事制度改革、司法辅助人员制度建立，等等。如果最高法院再推出任何新的改革措施，它必然都是在现有体制的制约下展开的。这样一来，建立司法独立的体制、保障法官职业化、实现司法公正都只是（法院方面的）一厢情愿，无法落到实处。所以应当把司法改革看成是政治改革中的一个步骤或环节，这样才能提高对司法改革重要性的认识，才能从外部体制上保证司法改革顺利展开。

（二）中国司法改革或重构的两个基石

司法改革的突破口又是什么呢？我们从西方的经验谈起吧。韦伯在《儒教与道教》中说："我们近代的西方法律理性化是两种相辅相成的力量的产物。一方面，资本主义热衷于严格的形式的，因而——在功能上——尽量像一部机器一样可计量的法，并且特别关心法律程序；另一方面，绝对主义国家权力的官僚理性主义热衷于法典化的系统性和由受过理性训练的、致力于地区平等进取机会的官僚来运用的法的同样性。两种力量中只要缺一，就出现不了近代法律体系。"[1]

因此，我们可以这样来理解西方的经验：法律程序（制度因素）与法律职业（人的因素）这两个方面对西方走上法治道路起到决定性作用。从制度层面看，法律不仅仅只是一整套书面规则，它同时还是分配权利与义务，并据以解决纷争，创造合作关系的活生生的程序。程序本位是法律形式理性的核心，也是法律职业信仰中的制度要素。与人治重实体轻程序相比，法律人只在程序中进行思考与判断，只相信程序中的过去的真实，甚至"对于一项坏的法律，一贯主张（也是我身体力行的）遵守，同时使用一切论据证明其错误，力求把它废除，这样做要比强行违犯这条法律来得好；因为违反坏的法律此风一开，也许会削弱法

---

〔1〕 ［德］马克斯·韦伯：《儒教与道教》，王容芬译，商务印书馆1995年版，第200页。

律的力量，并导致对那些好的法律恣意违犯。"[1] 哈耶克甚至说："一部宪法，只限于程序性的事务，仅仅界定一切权威的来源，这是可以想像的。"[2] 从人的角度看，法律人是一个拥有专门的职业知识体系、独特的职业思维方式和技能以及特殊的社会荣誉感的职业自治共同体。

程序是制度的基石，职业是人的因素，制度与人这两种因素只有在这两者之间得到平衡与协调。我们从历史上无数次的人治与法治问题的讨论中知道，制度的力量与人的作用似乎总是难以和谐统一的，我们都错误地认为，要么重视制度，要么重视人，两者不可同日而语。其实通过程序化与职业化，制度因素与人的因素是能够实现和谐统一的。

法律程序与法律职业两方面的改革就是司法改革的突破口。值得肯定的是我们在 1990 年代末已经悄然进行了程序改革，其主题应当是从超职权主义的程序模式向职权主义和当事人主义相结合的程序模式转变。当然还没有真正完成这一转变。我们还需要加强对程序意义的认识，把程序的作用扩大到其他领域，包括立法、行政、政治决策、其他社会矛盾的解决等方面中去。职业化改革是近年来才真正开始的，包括司法统一考试制度的确立、法官法的修订、法官职业道德准则的出台等等措施，其主题应当是让职业化的法官、检察官、律师从事司法领域的专门性活动，建立中国法律职业共同体。

四、中国法治发展的最大障碍

现实的体制虽然存在一些严重的问题，但是为什么体制改变不了或改革难度那么大呢？其实问题出在传统上，它决定了我们的观念与体制。法治的最大障碍来自文化传统。

"只有的确存在一种摆脱执政者好恶而独立确定法律规则含义的方式，规则才能保证行政权力的非人格化"，[3] 但中国的情况恰恰与之相反。其实，政治体制是文化现象，是中华民族传统在现代的一种印迹。以司法改革为例，司法独立的体制为什么难以建立？是因为司法独立的体制与中国司法追求实质合理性目标的传统相联系。试想，一切社会纠纷都由司法权根据法律来独立地裁决，一锤定局，那么政治家的实质性理想如何在其中实现呢？政治家的具体的社会抱负就落空了。他们的一些高瞻远瞩的、符合社会正义的意图、设想、目标、规划也就无法介入社会纠纷的解决过程。更重要的是，政治家的实质合理性目标与司法官的

[1] 《潘恩选集》，马清槐等译，商务印书馆 1991 年版，第 222 页。
[2] [英]哈耶克：《自由宪章》，杨玉生等译，中国社会科学出版社 1999 年版，第 270 页。
[3] R. Unger, *Law In Modern Society*, New York: The Free Press, 1976, pp. 180~181.

形式合理性目标往往会冲突。政治家在现实社会矛盾中常常普遍觉得法律人（法官）的决定往往是形式化的，即法律教条主义、法律本本主义使法律人的决定只注重法律规则不注重社会目的，只注重手段不注重目标，只注重过程不注重结果。在政治家看来，司法官的目标也是政治家的目标，所以是需要通过政治平衡的，需要监督的，是需要纠正的。这就是法治形式化与政治实质化之间的差异，再深入地说就是中国传统文化——追求实质合理性倾向在司法中的体现。中国传统文化的另一个特点就是"中国人没有把法和伦理区分开来，两者处于直接结合的状态"。[1] 中国古代法在制度层面上体现为行政司法一体化，而在法律渊源上体现为道德伦理高于法律规则。滋贺秀三教授将中国明清时期的法渊概括为"情、理、法"三方面，其中代表着中国式良知的"情理"是一种"最普遍的审判基准，"而"正是人情被视为一切基准之首"。[2]

在现代西方法治的历史上，有一个压倒一切并包容一切的问题，即法律中的形式问题。[3] 形式合理性，也就是规则合理性或制度合理性，它是一种普遍的合理性。而实质合理性则只能表现为个案处理结果的合理性。借助于形式合理性来追求实质合理性，依据于这样的认识：对于社会正义而言，普遍性规则的正义或制度正义是首要的和根本性的，离开了规则正义或制度正义，就不可能最大化地实现社会正义。"任何正式的法在形式上至少是比较合理的。"[4] 中国传统轻视形式合理性的价值，实质上是轻视普遍规则和制度在实现社会正义过程中的作用，相反，它把实现社会正义的希望寄在个人品质之上，试图借助于不受"游戏规则"约束的圣人智者来保证每一个案都能得到实质合理的处理。历史经验证明，这种理想往往沦为幻想，即使获得短暂的成功，也严重依赖于偶然性因素。

所以在中国古代，干脆由政治家和行政官来行使审判权，作为"开封市市长"的包拯大人就直接兼任"市级法院院长"。把行政权与司法权统一于一个机构或一个人，这就解决了实质合理性与形式合理性的矛盾。问题在于，这与现代政治文明背道而驰的。近代启蒙思想家早就说过，"把司法权放在已经拥有行政权的人们的手中，这是再坏不过的（体制——引者注）"。[5] 司法与行政不分离

---

〔1〕 ［日］川岛武宜：《现代化与法》，王志安等译，中国政法大学出版社1994年版，第21页。

〔2〕 ［日］滋贺秀三："清代诉讼制度之民事法源的概括性考察"，载《明清时期的民事审判与民间契约》，王亚新等译，法律出版社1998年版，第39页。

〔3〕 ［美］昂格尔：《现代社会中的法律》，吴玉章、周汉华译，中国政法大学出版社1994年版，第189页。

〔4〕 ［德］马克斯·韦伯：《经济与社会》（下），林荣远译，商务印书馆1998年版，第17页。

〔5〕 孟德斯鸠：《论法的精神》（上册），张雁深译，商务印书馆长1987年版，第169页。

的结局就是人民遭殃。因为，在这样的体制中，官府穿一条裤子，人民权利没有那个机构来负责保障，人民在一个没有相互制约的权力结构当中是没有平等、自由和幸福的。

西方现有新的变革趋势，并且它可能不是按照于近代的法治理论，由于所处的发展阶段不同，因此，我们不能按照当代（或称后现代）的西方路径进行法治建构。这就要求我们在具体的国情、阶段与语境下分析问题。比如就中国司法而言，中国的"问题"是什么？中国司法改革要改变什么？我以为我们的问题是司法存在严重的行政化、大众化和政治化。如果说原因，是因为传统中国人把实质正义、实质合理性作为司法的惟一目标，因而混淆了司法与行政、与民意、与政治的区别。"法律的存在是一回事；它的功与过是另一回事。"[1] 所以我们的司法改革的关键词就是"职业化"和"程序化"，司法改革的法理就是"形式化"，司法改革的体制保障是司法独立。法治发展以及社会发展的其他问题同样如此，都要求我们从自己的发展阶段和现时情境出发来考虑问题，而不能生搬硬套别人的法治模式。

五、中国法治发展的两种主体性推动力

（一）推动力与进路的思考

考察中国法治的进程，有人认为中国法治是政府推动型的法治，因为是政府自上而下地在倡导法治、规划法治、推进法治。其实，无论从社会事实上看还是从逻辑规律上看，政府作为法治的推动力，这只是形式上的表象。深入到这个表象的内部考察，我们会发现，法治真正的推动主体不是政府而是市民阶层和法律职业。两者从法律运行机制的外部和内部分别扮演和承担着不同的角色。

法治的推动力或发展路径问题是人们普遍关心的问题。美国有几位法学家对此持相反的两种观点。一是伯尔曼，一是泰格和维利。伯尔曼在《法律与革命》一书中论证了西方法治的生成与发展主要依赖于基督教和教徒的作用。泰格和维利在《法律与资本主义的兴起》一书中论证的是另一个相反的观点，他们认为西方法治是在商品经济中受商人的作用而生成并发展的。

对此，法理学——法哲学上还有两种相反的观点，一种认为法治秩序是可以通过人们主观的、理性的努力而建构出来的，即政府自上而下的推动，这是推进

---

[1] John Austin, *The Province of Jurisprudence Determined* (ed. By H. L. A. Hart, London, 1954）, pp. 184～185, 转引自麦考密克、魏因贝格尔：《制度法论》，周叶谦译，中国政法大学出版社 1996 年版，第 152 页。

法治的第一种力量；另一种认为法治秩序是不能建构的，只能通过社会的自然演进而逐渐成长，即民间自下而上的演进，这也被称为法治改革的第二种力量。如果说伯尔曼与泰格的两种观点在法治秩序成长问题上是矛盾的话，那么他们在这一点上是一致的，那就是：他们的观点都属于"自然演进"论。然而，西方法治经历了五六百年，才发展成今天的样子。如果我们也花上数百年，那岂不是"上帝也哭了"吗？

如所周知，中国法治缺乏宗教信仰的条件，毫无疑问，教徒成为法治精神传播者的西方历史不可能出现在当代中国。西方人对宗教的信仰转化为对世俗法律的信仰，然而，市民对商品交换的市场规则、对契约的尊重同样能够转化为对法律规则的尊重。随着商品经济发达、市场经济体制的建立，中国出现新一代企业家、商人、中介人员。这是一股推进法治的不可轻视的外部力量。我们过去说的"市场经济就是法治经济"可以表为两层意思，其一是"市场经济要求法治并为法治创造了外部物质性条件"。其二是"市场经济所造就的企业家和商人等市场主体成为法治的主要需求者和消费者"。

（二）市场经济造就法治的消费者——新一代市民阶层

企业主与商人在市场经济体制尚未健全的时期，并不是以法律制度的消费者的身份出现的。他们对家族伦理、人际情理的依赖远胜过对法律规则和理性制度的依赖。以民营经济造就的民营企业家为例，他们对法治虽然并非具有与生俱来的需求，但是他们在发展与改革过程中迫切需要法律制度的健全，进而也迫切需要法治的真正实行。以民营企业制度创新、产权界定与配置为例，在股份合作制改造、公司制改造、联合结盟、外资改造、兼并收购、分离、委托代管、租赁、承包等最常见制度创新过程中，民营企业家切身体会到只有依靠法律形式才能实施企业改革与创新。从近几年制度创新的实践来看，公司制（主要是有限责任公司）成为成长性较好的民营中小企业的首选制度安排。产权制度创新的核心就是产权的明晰化与合理配置，而明晰产权、合理配置的关键就是财产权法律制度的保障。另外，民营中小企业在迈向公司制的过程中，做好股权的逐步分散化，也要以股权法律制度为前提，股份越分散，对规则与制度的要求就越高。中国的民营企业家就是在自己的经营生产实践中产生了法律需求，习惯了学法、懂法、用法。

私营企业的产权明晰问题成为私营企业发展的一个瓶颈，也成为私营企业主成长为现代企业家的一个关键。由家族成员共同拥有的家族财产在企业做大之后普遍存在着家庭内部争夺利益的隐患，把家族企业产权明晰到家庭成员个人成为必要。他们也要求法律作出制度上的权利义务分配，在这种产权明晰的实践中，家长式的私营企业主脱胎换骨成为现代企业家，同时他们从伦理社会中的农民成长为法治秩序下的市民，成为法律制度的消费者。

相比之下，中介人员成为法治的消费者更是顺理成章。18 世纪产业革命以来经济的发展得益于分工的深化和由此带来的效率提高和成本降低；然而分工的深化却使分工的不同分支之间的交易愈来愈复杂和频繁，可能发生的交易成本越来越大，于是中介迅速发展起来，而且它们的分工也越来越细，他们对法律制度和规则的依赖也更为彰显突出。时下中国市场中的交易成本很高，这与中介组织不发达、制度不健全、规则不透明、诚信状况不好等因素直接相关。我国的中介组织发展不足，不能为生产和流通企业提供高素质的中介服务，包括银行和非银行金融机构、批发零售商业、注册会计师事务所等等。中介组织，是保证现代市场经济能够运转的支持系统，它的主要功能，在于为交易双方提供中介服务，以便降低交易成本，特别是信息成本。随着中介组织的发展，中介人员成为职业化群体，他们在进入职业群体之前，就是在以制度与规则为内容的训练过程中成长起来的。他们与企业家和商人一样成为法治的消费主体，与企业家和商人不同的只是，他们对制度与规则的需求是与生俱来的。

中国新一代企业家、商人以及中介人员在成为法治消费者的同时，又在他们的经济活动中，把各自经济活动的动力转化成了推动法治的动力。这种推动与其说是演变式的，不如说是构建性的。我们总不能老把眼睛只盯着西北部的中国，只看到西北部的传统农耕（或家牧）社会的黄土高坡的图景，而忘记了在中国的东部沿海有一大批现代新兴的工商业城市以及在其中迅速崛起的中国自己的企业家和中国商人们！我们相信通过他们的经济活动，会跨越式地推动中国法治进程。

（三）法治乃法律人之治

"法律人"主要是指职业化的法官、检察官和律师，他们是专门以研究法或法律为职业的人，他们从事的是专门化的法律活动，关注人的权利，研究社会管理的最佳模式，论证法存在的合理性等等。他们是经法律专业科班训练、具有娴熟的法律职业技能与伦理的人，他们形成统一职业共同体，称为法律职业。法律职业是法治中的人的因素。这里的"人"显然不是一般的人的因素，而是强调职业化的法律人及其技术和伦理素养。由于中国传统儒家所谓的"人"的因素是泛指一切统治者及其官吏，强调他们的道德训练和修养。所以中国虽然强调人的因素，但没有使中国走上法治道路。

托克维尔认为"美国的贵族是从事律师职业和坐在法官席位上的那些人"[1] 我们不否认法治的传统含义，但是，法治从方法论角度来讲，还有一层更为深邃却长期被人忽略的意义——法治是一种理性的办事原则。这种理性就是被马克斯·韦伯界定为"一种手段和程序的可计算性"的形式理性[2] 而法律人，正是拥有这种形式理性的主体，正如拉德布鲁赫所说："法律工作者是正义形式的而不是内容的奴役。"[3] 从这个意义上说，法治就是法律人之治。和法治政治主体间的统治与被统治关系不同，法律人之治中的法律人是一种特殊法律职业素养和技能上的主体。它所要彰显的是法律人所特有的，使法律职业集团得以自足的，并确保其不会偏离法治轨道的特殊思维方式、知识技能和职业伦理。

在 2001 年作者提出"法律人之治"，[4] 曾受到一定范围的批评或误解，现在仍然存在一定的分歧，本文继续作一些阐述来澄清这个提法的涵义。"法律人之治"意味着：第一，由法律人从事司法工作，只有法律职业共同体才有机会决定司法中的问题；第二，由法律人进入律师的法务市场操作法律机器，提供法律服务，引导经济生活；第三，由部分法律人进入政府参与行政活动，包括参与政府决策；第四，社会纠纷（含公法关系中的一切纠纷）的最终评断权由法律职业共同体掌握；第五，由法律职业共同体掌握最终分配社会正义的权力。"法律人之治"不是"法治"的全部内涵，更不是对"法治"原意的代替；"法律人之治"不是对原有"法治"含义的变更，而是在中国特定语境下对其原意的丰富；"法律人之治"不是对"法治"原意的任意地、机械地改变，而是在遵循法治规律的前提下所作的动态分析。

当今或今后的中国也会像目前的西方国家一样开始或普遍出现法科毕业生不仅从事法官、检察官、律师工作，还从事政府法务和企业法务工作，甚至从事行政管理与企业经营。法科毕业生不局限于司法统一考试，更多的人通过公务员考试进入政府部门。虽然他们没有经过司法统一考试，但是他们经过了法学科班训练，受过若干时间的专业技能训练，一定程度上具备了法律职业素养。他们虽然在严格意义上不属于法律职业，但他们的脑袋是法律人的脑袋，我们相信高质量的法学教育会使法科学生产生"脑袋决定屁股"的效果（尽管屁股坐在其他位置上）。如果这种情况成为制度现象，法律规范就成为一种"法律人的法

---

〔1〕 ［美］托克维尔：《论美国的民主》（上），商务印书馆 1996 年版，第 329 页。

〔2〕 ［德］马克斯·韦伯：《经济与社会》（下），林荣远译，商务印书馆 1998 年版，第 18 页。

〔3〕 ［德］拉德布鲁赫：《法学导论》，米健、朱林译，中国大百科全书出版社 1997 年版，第 179 页。

〔4〕 孙笑侠："法律家的技能与伦理"，载《法学研究》2001 年第 1 期。

律"，[1] 那么"法治乃法律人之治"也就成为事实了。

更为重要的是，法治秩序并不是一概不能进行理性建构的。法治秩序中除了习惯、观念层面的转变与适应之外，还包括制度的建立与实行。后者是可以进行理性建构的。况且建构也不是像有些人所理解的那么"机械化"，其实不按照中国的国情、问题、文化传统，照搬西方制度是愚蠢的做法。我们的制度建构在实践中不乏实例，比如我们的诉讼制度、律师制度不就是移植西方相关制度、进行中国式的理性建构而出来的吗？尽管这些制度实施效果在某些方面不尽如意，但是毕竟已经在普遍实行了。

主张理性建构可能性的最有力的理由，是我们清楚可见的法律人所发挥的作用。职业化的法官、检察官和律师将成为制度理性建构的主体，成为法治秩序推进的内在动力。因为他们将来普遍拥有法律专门活动所必需的职业技能和职业技能。并且他们不同于政治家和行政官，也不同于普通民众。法律人处在官方与民众的中间，又处在法治活动的内部，有独立立场与自治的空间，他们能够更好地促进法治秩序的建构。

从现实社会状况的实体方面看，法律职业集团也具有重要的合理性的法治的社会功能。法律职业团体具有反抗专制，防止民主偏离正轨的职业倾向。韦伯则不仅看到了法律职业的保守性，更认为该集团是西方社会合理性发展的一种积极推动和保障力量，"无论在何处，以促进理性化国家的发展为方向的政治革新一概是由受过训练的法律学家发动的"，[2] "倘若没有学识的法律专家决定性的参与，不管在什么地方，从来未曾有过某种程度在形式上有所发展的法"。[3]

法律人之治会不会走向人治？法律人之治是否优越于行外人之治？从职业素养方面看，法律人之治不会走向人治，因为法律人拥有柯克大法官所称的"技术理性"。[4] 法律职业语言可以最大化地将所有社会问题进行量化实证分析，从而避免了概念模糊分析的大众化思维；法律职业知识话语权的垄断在法律共同体与一般大众及政治家、行政官之间设立了专业的屏障；法律职业的技术理性克服了人治朝令夕改、不可预期的特征，彰显了法律人的权威；法律思维的形式理性避免了人治的自然理性，保证了道德与情感不随意涉足法律逻辑的领域，确保了法治理性的轨道；法律职业信仰保障了法律至上的权威，排除了行政习惯甚至恶习，克服了人治的权力至上；而法律职业伦理使法律人超然出世，不受舆论和大

---

〔1〕 ［英］弗里德利希·冯·哈耶克：《法律、立法与自由》（第1卷），邓正来译，中国大百科全书出版社2000年版，第103页。

〔2〕 ［德］马克斯·韦伯：《学术与政治》，三联书店1995年版，第74页。

〔3〕 ［德］马克斯·韦伯：《经济与社会》（下），林荣远译，商务印书馆1998年版，第117页。

〔4〕 ［美］爱德华·S. 考文：《美国宪法的"高级法"背景》，三联书店1996年版，第35页。

众情绪的影响，成为社会正义的最后安全阀。所以说，正是由于法律职业的特殊素养，法律人之治才不会走向法治。从制度层面上讲法律人之治要比非法律人之治优越（我们不排除非法科人才可能非常胜任政府法务或企业法务工作的情况）。因为法律人经受过特殊的职业素养训练。"法律人的自由技术，成为整个社会的自由的条件，成为普通人践行自由、实验技术的条件，这正是法治真正的意涵。"[1] 相对于政府推动、民间推动，那么法律人成为"第三种力量"。建立法律职业共同体，将会成为中国法治发展的最直接的突破口。

---

〔1〕 李猛："爱与正义"，载于"公法评论"网站，http://www. gongfa. com/tebietuijian. htm。

第一章　法律人之治与职业素养

第一节　法律人的技能与伦理[1]

一、法治乃"法律人之治"

中国历来在法与人的关系上重视人的作用，相信法律不会比创造和执行法律的人更好。有证据证明，在"法（治）"与"人（治）"的关系上，中国重视"人"的传统与西方法治经验存在有共性。因为西方的经验告诉我们法律程序与法律人这两个因素对西方走上法治道路起到决定性作用[2]。但是，传统儒家所谓的"人"的因素是泛指一切统治者及其官吏，强调他们的道德训练和修养。而韦伯所指的显然不是一般的人的因素，而是强调职业化的法律人及其技术素养。韦伯在法律秩序的构成方面，十分重视人——法律职业的主观性因素[3]

---

〔1〕 原文发表于《法学研究》2001 年第 4 期，此处有删节。考虑到"法律人"具有普遍指称意义，而"法律家"只是指资深的法律人，故原文中"法律家"改为"法律人"。

〔2〕 马克斯·韦伯说："我们近代的西方法律理性化是两种相辅相成的力量的产物。一方面，资本主义热衷于严格的形式的，因而——在功能上——尽量像一部机器一样可计量的法，并且特别关心法律程序；另一方面，绝对主义国家权力的官僚理性主义热衷于法典化的系统性和由受过理性训练的、致力于地区平等进取机会的官僚来运用的法的同样性。两种力量中只要缺一，就出现不了近代法律体系。"〔德〕马克斯·韦伯：《儒教与道教》，王容芬译，商务印书馆 1995 年版，第 200 页。

〔3〕 大木雅夫认为迄今为止确实有把法与法律家截然分离、只关注法律而忽视法律家的倾向；他认为，韦伯关于法律家作用的理论是对茨威格特"法律样式论"比较法学起到拾阙补遗的作用。茨威格特关于法律秩序的五个样式是指①法律秩序的历史上的来源与发展；②在法律秩序中占统治地位的特殊的法学思想方法；③特别具有特征的法律制度；④法源的种类及其解释；⑤意识形态的各种因素。其中没有包括作为法律秩序的担当者的法律家这一主观性因素。〔日〕大木雅夫《比较法》，范愉译，法律出版社 1999 年版，第 263 页。

对韦伯而言，与其把问题集中于抽象的民族精神，毋宁落实在具体的人的行为身上。[1] 韦伯说：

> 倘若没有有学识的法律专家决定性的参与，不管在什么地方，从来未曾有过某种程度在形式上有所发展的法。……
> 我们将会看到，一种法可以以不同的方式理性化，绝不是必须要发展它的在"法学家的"品质的方向上才能被理性化。但是，这些形式的品质发展的方向直接受到所谓的"法学家内部的"关系的制约：人员圈子的特点，他们能够在职业上对法的形成方式施加影响，……[2]

我们的法理学对作为人的因素的法律人不够重视。"要法治不要人治"这样一条真理中所包含的对人的作用的看法，被理解成了：法治运行必然蔑视或排斥人的因素。过去讨论"人治好还是法治好"的时候，主张人治者就是"困"在了"法治也需要人的因素"这样的死胡同里面。那么，大家不禁想问：法律人这种"人的因素"与人治中的"人的因素"有何区别呢？

我们所见到过的西方法官大都像是文弱的老书生或老绅士，彬彬有礼、温文尔雅，几乎看不到一点传统中国人印象中的黑脸青天式的威严。在法律制度中，司法具有终局裁判的权力，任何疑难问题到了法官手中都会有生效的结论，人命关天的事却恰恰掌握在少数几位法官手中，近代以来"法官独立"几乎成为普遍性原则，而居然法学家们坚信不需要对法官的审判行为实施外部监督，议会作出的反映多数人意志的法案居然被几个老头子（法官）所否决，甚至人们总是相信法官的判断犹如神授的力量。[3] 这怎样与人治相区别呢？换言之，法律人这种"人的因素"为什么不会走向人治呢？我们反对人治就是反对树立人的权威，但是另一方面，我们又主张树立法律人的权威，这是否矛盾呢？法律人的权威与普通人的权威有何不同呢？我们的回答是——法律人是经过专门训练的职业化的专门人士，他们的知识结构、思维方式与普通人不同，总而言之，他们是具备了一定资质的人。"法的形成和适用是一种艺术，这种法的艺术表现为何种样

---

〔1〕　韦伯在他的法律社会学理论中通过大量史料分析了被他称为"法律绅士"的形形色色的法律家，证实了他们分别在各自所属的法律系统中创造了法的基本特性。如罗马的法律解答者、犹太的拉比、伊斯兰的穆夫提、印度的僧侣、英国的律师和法官以及欧洲大陆的法学家等，参见［德］韦伯：《经济与社会》（下卷），林荣远译，商务印书馆 1997 年版，第七章第（4）、（5）。

〔2〕　［德］韦伯：《经济与社会》（下卷），林荣远译，商务印书馆 1997 年版，第 117 页。

〔3〕　西方法学家通常在解释司法权的基础时都谈到它们不同程度地依赖于传统和"神授"的权威。参见［英］科特威尔：《法律社会学导论》，潘大松等译，华夏出版社 1989 年版，第 261 页。

式，取决于谁是'艺术家'"。[1] 假如完备的法律交由行政官来适用，那么，这种情形肯定不能称为法治。法律人之治是法治的重要标志。我们甚至可以说，法治就是法律人之治。

然而，中国的司法是严重行政化的，法官角色也被严重行政化了，就此意义上讲，法官几乎成了行政官（当然有的方面法官地位与权力远不如行政官），换言之，我们的审判工作几乎都是由行政官来执掌的。这主要表现在以下三个方面：第一，法官所处的司法体制是由同级政府掌握人、财两权的行政化体制；第二，法官群体内部管理制度是行政式服从关系的制度，因而法官的行动方式也就注定是行政化的（诸如变消极被动为积极主动）；第三，法官的思维方式（包括司法技能、司法态度、司法伦理、价值标准等）都是按照行政官吏的模式来培养和倡导的。我们暂且不奢谈法律人在政治舞台上的作用与地位，我们连司法活动本身都还不是以法律人为主体的。在中国历来都存在这样的情形：这些人虽然从事法官的工作，但是从来没有成为真正的法律人。中国历来没有把法官作为专门职业来看待，而是等同于行政官吏或视作为行政官吏，因此在中国人的传统法观念当中，不存在法官与行政官的区别，更不存在把法官的特殊性加以强调的法律学说。在不重视"法律人"（人的因素）的情况下所强调的"法治"必定不是真正的法治。

二、法律人共同体形成的标志

众所周知，中国历史上一直没有形成职业法律人。在中国，传说最早的司法官吏是尧舜时代的皋陶，他以半神半人的面貌出现，不仅面貌怪异，而且审判方式也很奇特，每当诉讼双方争执不下时，他就牵出一头奇兽来作出裁判，这就是"獬豸"（《论衡·是应》）。由此，獬豸与司法官吏结下不解之缘份，成为历代司法官吏的象征。法官一词最早出现于战国时期的法家著作《商君书·定分》，[2] 虽然后来一直以"法官"作为司法官员的民间通称，但历代司法官员称谓多种多样，[3] 始终没有把"法官"这一职务称谓作为正式制度的内容。其实历代所谓廷尉、大理、推官、判官等并不是专门的司法官员，而是行政官员——司法者只不过是权力者的手段附从于为政者。我国古代不存在着法律人阶

---

〔1〕 德国法学家莱因斯坦语，转引自〔日〕大本雅夫：《比较法》，范愉译，法律出版社 1999 年版，第 264 页。

〔2〕《商君书·定分》中说"天子置三法官，殿中一法官，御史置一法官及吏，丞相置一法官。诸侯郡县，皆各为置一法官及吏。"

〔3〕 中国历史上司法官员职务称谓很多，如古代的廷尉、大理、推官、判官、司理、司法，近代的推事、承审员等等。

层，也根本不存在专门的法律培训，政治团体力图阻止形式的法的发展。[1] 受过文学深造而考举的人作了官也就可能兼为审判之事。另外一部分文人（学习法律的人）则无政治前途为人轻视，可能从事书吏、刑名幕友（师爷）和讼师三职，[2] 他们要么社会地位低下，要么无正常薪俸，要么纯属不正当职业。司法兼行政这一传统一直延续到清末法制改革。因此在我国传统上缺乏推动法律前进的法律人阶层，没有"具主体性的"法律人。[3]

法官普遍地作为一种专业官员，在西方是建立在劳动分工基础上，"经过500年的逐渐发展"[4] 而出现的晚近的事。12、13 世纪货币经济普遍得到发展克服了官僚制度实施上的难点，例如法国在 13 世纪前国王法院的法官由国王邀请大领主和王室官吏来担任，属非职业性的。1250 年之后，巴黎的高等法院成为常设的司法机构，由全日制的专业法官正规地主持民刑事案件的审判。[5] 按照法史学与法理学的通常理解，职业法律人的形成与法学知识的形成密不可分。罗马帝国灭亡后，罗马法律文化也随之进入黑暗时期，直到 10 世纪至 11 世纪，开始有若干罗马法学者在修道院附设学校教授罗马法，意大利的波伦尼亚的法学教育在 11 世纪末已大放异彩。据信，13 世纪末的所有较大型的国家都有一所法科大学，并且同样的学位、同样的职业训练、同样的学术语言（即拉丁语）、相同的法律文献使得法律人不论出身何国，不论活跃于何处，而成为具有完全相同知识素养的知识群。[6] 他们最初都就职于教会。13 世纪到 14 世纪时进行的教会改革，使教会审判机构中的审判官职务逐渐由在大学研习法律的具有法学知识的人来担任。[7] 但是这还不是普遍的现象。

韦伯曾经在阐述专业官吏的兴起时说，在 16 世纪时欧洲较先进的国家，由于君主理财、战争技术和司法程序三方面发展的原因，才出现了财政专家、军事专家和法律专家。韦伯说，司法程序的细密化要求有训练有素的法律专家。就在君主专制主义凌驾于身份等级制度之上的同时，君主大权独揽的统治也逐步让位

---

〔1〕 ［德］韦伯：《经济与社会》（下卷），林荣远译，商务印书馆 1997 年版，第 148 页。

〔2〕 清代书吏无工资，主要收入靠陋规和舞弊，谈不上研究法律，只是粗知律例条文。刑名幕友虽收入优厚，但读律的目的只在于佐东翁办案，谈不上系统地研究法律。讼师怂恿人打官司以不正当手段从中取利，往往无中生有，虚构或增减罪情，或诬告对方，包打官司，完全在暗中活动，既不在讼词上署名，也不出庭辩护。参见瞿同祖：《瞿同祖法学论著集》，中国政法大学出版社 1998 年版，第 413 页。

〔3〕 邱联恭：《司法之现代化与程序法》（国立台湾大学法学丛书），三民书局 1992 年版，第 3 页。

〔4〕 ［德］韦伯：《学术与政治》，冯克利译，三联书店 1998 年版，第 68 页。

〔5〕 ［美］伯尔曼：《法律与革命》，贺卫方等译，中国大百科全书出版社 1993 年版，第 564 页。

〔6〕 雷万来：《论司法官与司法官弹劾制度》，五南图书出版公司 1993 年版，第 35 页。

〔7〕 同上，雷万来书，第 35 页。

于专业官吏体制。[1]

司法程序的发展要求法官具备专门的法律知识与技能，比如关于证据的知识与技能、关于解释的知识与技能、关于推理的知识与技能，还有关于程序的知识与技能。它们就是被称为"人为理性"（artificial reason）的那些东西。这种知识与技能基本上可以被看作是一种科学，当然，是一种特殊的科学。[2] 至于法律人是否符合科学家的价值准则，则属于另一个问题。从科学家的客观性、诚实性和普遍性三方面来看，倘若法官怀疑自己的判决结论，那么法庭的权威将荡然无存。正如伯尔曼所言，"如果他对自己的结论抱怀疑主义的态度，便可能在人们对于这些结论的接受方面设置困难，而说服人们接受它们经常是的职业责任的组成部分"。[3]

律师是作为一方当事人的辩护人，他必须支持一方意见，而不是像科学家那样客观。但是在法官方面则有所不同。法庭辩论与质证的目的就是为了把关于真相的信息交给法官来裁判，在程序中，人们要求法官在各方当事者提出的事实与证据面前"客观地"（按照科学家的方法）作出判断。所以，在程序的时空里面，法官的专门知识与技能相对封闭，自成体系地成为一门法律科学，法官的"人为理性"才得到存在的独立价值，并且得到当事者的接受，得到社会的普遍承认，甚至也得到了历史的认可。但是我们不能不看到，由于法律科学的"人为理性"，我们不能完全保证法律程序中的审判活动是绝对地符合科学家的价值准则的。比如程序是有时限的，而科学家的研究工作是无时间限制的，他可以一直等到得出结论。另一重要原因是，法院、法庭还是一种政治组织并具有社会功能，它们与社会偏见及社会压力相距太近，以至于无法像科学家那样与社会保持距离。显然，我们对于审判活动受其他机关、社会舆论或个人干预已司空见惯，但是我们从未看到医生在给病人做手术时会有任何国家机关、社会团体或个人来干涉这种医疗科学活动。[4]

如果说法官是纠纷解决过程中的第三方，那么法官早在原始时期就已产生。

---

[1] ［德］韦伯：《学术与政治》，冯克利译，三联书店1998年版，第68页。

[2] 近代西方意义上的一门科学可以用方法论术语定义为：①一种完整的知识体系。②在其中各种具体现象被予以系统地解释。③这种解释要依据一般原则或真理。④这里的知识是通过将观察、假设、证明以及尽最大限度的实验等相结合而获得的。⑤虽然有这些共同特征，但是，调查与系统化的科学方法并不是对于所有的科学家都是一样的，它们必须与每一种具体的科学所调查的现象事件的具体性质相适应。伯尔曼用近代西方意义上的"科学"的定义标准来分析11至13世纪欧洲法学家，认为他们的学术与著述构成了法律科学。参见［美］伯尔曼：《法律与革命》，贺卫方等译，中国大百科全书出版社1993年版，第185页以下。

[3] ［美］伯尔曼：《法律与革命》，贺卫方等译，中国大百科全书出版社1993年版，第189页。

[4] 与审判活动相类似的是教育活动。

何种条件下的法官才算是职业化或专门化的法官？

对这个问题的解析需要设定一个标准，这就是法律职业的特征是什么？国外有学者把职业的特征概括为：第一，职业人员的技能以系统的理论知识为基础，而不仅仅根据特殊技能的训练；第二，职业人员对他们的工作有相当大的自主性；第三，职业人员形成联合体，它调整职业人员内部事务，对外则代表职业人员的利益；第四，加入一个职业受到现成员的认真审查，要成为一个职业成员往往要参加职业考试，获得许可证，得到头衔，这个过程受到有关职业组织的调整；第五，职业拥有道德法典，要求其所有成员遵守它，违反者将可能被开除出职业。[1] 伯尔曼在《法律与革命》一书中论述了西方法律传统的 10 个特征，其中前 4 个特征被他看作仍然是当代西方法律的特征。[2] 结合一般职业的特征与法律职业[3]的要求，我们可以这样来概括法律人共同体形成的标志：

1. 法律职业或法律人的技能以系统的法律学问和专门的思维方式为基础，并不间断地培训、学习和进取。

2. 法律人共同体内部传承着法律职业伦理，从而维系着这个共同体的成员以及共同体的社会地位和声誉。

3. 法律职业或法律人专职从事法律活动，具有相当大的自主性或自治性；

4. 加入这个共同体必将受到认真考查，获得许可证，得到头衔，如律师资格的取得。

法律职业是指以法官、检察官与律师为代表的，受过专门的沄律专业训练，具有娴熟的法律技能与法律伦理的人所组成的自治性共同体。法律人是受过专门的法律专业训练，具有娴熟的法律技能与法律伦理的人。法律职业共同体中的个体，就是法律人，其中资深的法律人称为"法律家"。法律人或法律家的典型是法官、律师、检察官，然而法律人所承担的职务角色范围却可以是非常广泛的，他可以在法律学校毕业后从事包括企业和政府的顾问、法学者、政治家、行政官员及公司经营家在内的所有工作。从广义上说，法律职业也包括司法辅助人员。

上述标志中前两者属于内在的标志，即职业技能与职业伦理。这也就是法律人职业逻辑区别于大众逻辑的两个重要部分，前者是法律人的"技术理性"，即法律人特有的知识体系和思维方法，属于技术问题；后者就是法律职业伦理中的

---

〔1〕 美国学者 E·格林伍德在其《职业的特征》一书中阐述的内容。转引自朱景文：《现代西方法社会学》，法律出版社 1994 年版，第 103 页。

〔2〕 [美] 伯尔曼：《法律与革命》，贺卫方等译，中国大百科全书出版社 1993 年版，第 9、43 页。

〔3〕 关于法律职业的范围问题，历来没有较合理的解释。笔者赞成季卫东观点。他认为职业法律家的典型是法官、律师、检察官，然而其承担的职务范围却很广泛，包括企业和政府的顾问、法学者、政治家、行政官员及公司经营家。季卫东："法律职业的定位"，载《中国社会科学》1994 年第 3 期。

职业伦理，属于伦理问题。

法律人专门的技能表现为许多方面，包括法律推论技能、法律解释技能、法律程序技能等等，而所有这些技能都是以他们特有的职业思维方式作为基础和前提的。正是有了法律人独特的思维方式，法律职业或法律人的技能才得以存在，系统的法学理论或法律学问才得以建立；有了法律人独特的思维方式，才增强了法律职业或法律人的自主性或自治性；有了法律人独特的思维方式，法律人阶层内部才能保证职业伦理的传承；法律人独特的思维方式，是法律职业资格考试的主题，他们被认真考查之后，获得许可证，得到了法官或律师的头衔。

三、分工、职业化与职业素养

专业化是分工的产物。专业知识与专业屏障是"专业化"之树上结出的相联又相异的两颗果实。人们历来对专业化和分工有着种种非议，[1] 但是社会发展的客观趋势并不是以人的意志为转移——在人们对于分工与专业化发表异议的同时，分工与专业化在变本加厉的发展。今天，社会中的每一个分支专业都日益精深。"我们所知道的各种法律（也就是公开宣布并执行的规范）的历史在很大程度上就是各种法律工作日益专门化的历史"，[2] 而法的发展带来的一个结果则是法律活动的进一步的专业化。伯尔曼在分析西方法律传统的主要特征时指出：

"法律的施行是委托给一群特别的人们，他们或多或少在专职的职业基础上从事法律活动。

法律职业者，无论是像英国或美国那样具有特色的称作法律家，还是像在大多数其他欧洲国家那样称作法学家，都在一种具有高级学问的独立的机构中接受专门的培训，这种学问被认为是法律学问，这种机构具有自己的职业文献作品，具有自己的职业学校或其他培训场所。

培训法律专家的法律学术机构与法律制度有着复杂的和辩证的关系，因为一方面这种学术描述该种制度，另一方面法律制度通过学术专著、文章和教室里的阐述，变得概念化和系统化并由此得到改造，如果不这样，法律制度将很彼此分立，不能被组织起来。换言之，法律不仅包括法律制度、法律命令和法律判决

---

〔1〕 比如近代学者中最早对分工进行专门研究的亚当。斯密说专业化破坏了劳动者的活力；马克思认为"某种智力上和身体上的畸形化，甚至同整个社会的分工也是分不开的。"萨特说："在采用半自动化机器不久，研究表明……女工梦中拥抱的是她手中的机器"；托夫勒说"专业化的工作不需要一个全人，而只需要一个肢体或器官。再也没有比这更生动的证据，说明过度的专业化把人如此残忍地当牛当马了"。参见郑也夫：《代价论——一个社会学的新视角》，三联书店1995年版，第95～96页。
〔2〕 〔美〕波斯纳：《法理学问题》，苏力译，中国政法大学出版社1994年版，第7页。

等，而且还包括法律学者（其中有时包括像法律学者那样一些从事讲述和撰写的立法者、法官和其他官员）对法律制度、法律命令和法律判决所作的阐述。法律本身包含一种科学，一种超然法（metalaw）——通过它能够对法律进行分析和评价。"[1]

由此我们一定会注意到这样一个问题：法律职业是否必定存在独特性？英国亨利六世时的大法官福蒂斯丘关于法律具有职业神秘性的思想，即法律乃法官与律师界的特殊科学，[2] 130 年后，他描述的法官与国王对话的场面居然真的隆重上演了——法官柯克与英王詹姆士一世就国王可否亲自坐堂问案发生分歧。柯克有一段精彩的阐述：

"的确，上帝赋予陛下丰富的知识和非凡的天资；但是陛下对英格兰王国的法律并不精通。涉及陛下臣民的生命、继承、动产或不动产的诉讼并不是依自然理性来决断的，而是依人为理性[3]（artificial reason，又译技术理性）和法律的判断来决断的；法律乃一门艺术，一个人只有经过长期的学习和实践才能获得对它的认知。法律是解决臣民诉讼的金质魔杖和尺度，它保障陛下永享安康太平。"[4]

在柯克看来，法律是技术理性，法官是技术理性的拥有者，因此，法律就是一个职业等级的领地。柯克所谓"自然理性"与"技术理性"之区别，显然道出了基于普遍的道德观念而形成的大众逻辑与根据专门的专业思维而构筑的职业逻辑的区别。国王固然居万人之上，何况"上帝赋予陛下丰富的知识和非凡的天资"，但是他并不拥有经过长期的职业培训而获得的职业技能．这其中主要是职业法律人的职业思维方式或职业逻辑。

法律活动职业化必然导致法律的形式化、非大众化。韦伯对腓特烈大帝仇恨大法官的原因作了这样的解释："因为他们（法官）不断地在形式主义的意义上使用他的以物质原则为基础的法令，结果把它们用于他不赞成的目的。"进而韦伯评论道，在这种关系方面，罗马法通常是毁坏这种物质性的法律体系、支持形

---

[1]　参见［美］伯尔曼：《法律与革命》，贺卫方等译，中国大百科全书出版社 1993 年版，第 9～10 页。

[2]　福蒂斯丘在其《英国法礼赞》中借虚拟的大法官之口劝告国王不要充当职业法官，不要取代法官和律师的专业化工作，他说因为"我很清楚，您的理解力飞快如电，您的才华超群绝伦，但是，要在法律方面成为专家，一个法官需要花二十年的时光来研究，才能勉强胜任。"参见［美］爱德华·S·考文：《美国宪法的"高级法"背景》，强世功译，三联书店 1996 年版，第 33 页。

[3]　原文应为"artificial reason"，季卫东把它译为"技术理性"似乎更贴切些。参见季卫东："法律职业的定位"，载《法治秩序的建构》，中国政法大学出版社 1999 年版，第 200 页。

[4]　［美］爱德华·S·考文：《美国宪法的"高级法"背景》，强世功译，三联书店 1996 年版，第 35页。

式的法律体系的手段。[1]

法律的形式性及法律职业的特殊性均是来自法律自治的必要。对法律自治的追求也就出现了职业主义的倾向，因而也就造就了专业化的法官，进而也就出现了法律职业的专门逻辑。"职业自治的权力通常要求建立在法律职业的特别的知识和专长是独特的，并且完全不同于其他形式的知识的观念之上，因而法律职业的特殊业务能够清楚地区别于其他职业的业务"[2] 法律人在程序构成的"法的空间"[3] 里运用法律概念及术语、职业化的方法和技能进行不同于普通大众逻辑的法律思维。法律人的"技术理性"就是法律人经专门训练所拥有的特殊的知识体系和思维方法。法律人的职业逻辑包括两部分，一是法律人的技术和才能，即法律人特有的知识体系和思维方法，另一部分就是法律职业伦理。正是因为这样，法律人才有可能把价值的或道德的问题转化为技术问题，[4] 或者把政治问题转化为法律问题。[5] 这种转化，也就是避开外行人所关注的、实质性的事实，而朝向法律人所看重的、形式性的法律。

人们对于程序的结果总是有所期待，这便形成了大众对程序结果的预测，进而形成大众的某种倾向性意见。职业法律人在程序的操作之后所得到的结论与大众的倾向可能存在相同或相吻合的情况，但人们也经常发现职业法律人与大众在同一问题上存在差距甚至截然相反的看法。这就涉及一个问题——法官的意见与大众的观点相左时，究竟以哪个为准？"司法活动正确与否从来不取决于它是否得到公众的欢迎或是否符合大多数人的想法与做法。"[6]

在当今中国法律制度运行中，职业法律人尚未形成（尽管正在进行之中），法官与律师的职业化或专门化并不明显。这是有着深厚的历史根基的——中国古代法官的非职业化传统。因而在现实中国的审判活动中导致一个现象：社会大众与行家里手对待法律问题并不存在什么差异或隔阂。这听起来似乎是一件好事，其实埋藏着危险。比如法官与老百姓异口同声地说某犯罪嫌疑人是"不杀不足以平民愤"，按理法官在程序中不该理睬"民愤"。法官的非职业化，会导致法

---

〔1〕 ［德］韦伯：《文明的历史脚步》，黄宪起等译，三联书店1997年版，第143页。

〔2〕 ［英］罗杰·科特威尔：《法律社会学导论》，潘大松等译，华夏出版社1989年版，第224页。

〔3〕 王亚新："民事诉讼的程序、实体和程序保障"，载［日］谷口安平：《程序的正义与诉讼》，王亚新等译，中国政法大学出版社1996年版，第9页。

〔4〕 王亚新："民事诉讼的程序、实体和程序保障"，载［日］谷口安平：《程序的正义与诉讼》，王亚新等译，中国政法大学出版社1996年版，第9页。另外参见季卫东：《法治秩序的建构》，中国政法大学出版社1999年版，第11页。

〔5〕 违宪审查制度就是这样一种程序设置。违宪的行为大都是政治性矛盾的产物，只有在诸如违宪审查制度等程序中才得以缓解，使纯政治性的问题化解成为法律性、程序性的问题。

〔6〕 ［美］沃塞曼：《美国政治基础》，陆震纶等译，中国社会科学出版社1994年版，第149～151页。

律的非形式化，最终导致法律的非法治化。韦伯在分析"专门化"和法律形式主义倾向的时候，说到：

"法律朝反形式主义方向发展，原因在于掌权者要求法律成为协调利益冲突的工具。这种推动力包括了要求以某些社会阶级的利益和意识形态代替实体正义；还包括政治权力机关如何将法律目标纳入其理想轨道；还包括"门外汉"对司法制度的要求"〔1〕

这番话所讲述的情况对于我们是如此地熟悉，好像是直接针对中国法治现实的。非专业化和法律的非形式主义是同一个问题的互为因果的两个方面，由于中国法律的非形式主义倾向，所以出现法官的非专业化；另一方面，正是因为法官的非专业化，才加剧法律的非形式主义倾向。就中国现状而言，法律职业专门化仍需大大加强。同时我们也应当看到，职业逻辑对于大众逻辑也正在产生着无形的渗透，比如通过律师的职业活动进行专业知识的"布道"，在他们与委托人的日常接触中把某些职业意识渗透和传播到大众意识中去。

但是，职业法律人的专门化也不可避免带来令人忧虑的问题，这就是所谓"隔行如隔山"甚至"职业病"等等，职业法律人与大众之间势必存在一道专业屏障，话语难以沟通，甚至屡遭民间讥讽与戏谑。〔2〕 波斯纳也提出了这样的问题——"何以防止法律专门家成为一个职业的特权等级，防止他们的目的与社会需要和公众所理解的目的有巨大不同？换言之，何以保持法律既通人情，却又不过分人情化、个人化、主观化和反复无常？"〔3〕 陪审制以及非职业法官恐怕在一定程度上起到这样的作用。〔4〕 从历史来看，陪审团制度给被告提供了一个防止法官的职业怪僻和职业陋习的保障，但是，"现代社会的制度都不会将无限制的审判权委托给非职业法官——即委托给那些缺乏法律训练和经验，且不承担职业职责的人。在任何利用非法律职业者进行审判的尝试中，我们应防范固有的无

〔1〕 〔德〕韦伯：《论经济与社会中的法律》，张乃根译，中国大百科全书出版社1998年版，第317页。

〔2〕 陈新民君收集有百余则法律箴言、法律谑语。比如"律师就是一位受过特殊训练来规避法律的人"，"律师不仅为正义服务的人，也是为不正义服务的人"，"法官不是对人生的许多现象都很了解，除非这些现象被列入案件的证据中，并且向他至少陈述三次后，他才会了解"，"我愿给法官一个建议：在判决书里绝不要附理由。因为你的判决可能正确，但理由一定会弄错"，如此等等，足见我们这一行是如何被作为戏谑的对象。参见陈新民：《公法学札记》，中国政法大学出版社2001年版，第357页。

〔3〕 〔美〕波斯纳：《法理学问题》，苏力译，中国政法大学出版社1994年版，第7页。

〔4〕 英美的刑事陪审团可以就事实定罪甚在少数案件中参与判刑。德国的非职业法官通过混合法庭加强了非法律职业者的权力，他们不仅参与定罪还参与判刑，非职业法官中几乎参与到所有的法律决定中去。

知和偏见"。[1]

法律的职业逻辑与大众逻辑的矛盾始终交织在一起并行发展。昂格尔曾指出，"公平愈是屈从于规则的逻辑，官方法律与老百姓的正义感之间的差距也就愈大"。[2] 因此，法官在逐渐向职业化或专家型转化的过程中，应该如何克服与大众认同日趋明显的隔阂，成为职业化进程中的一大疑惑。[3] 其中法官行为操守和性格修养是能够起到重要作用的。随着经济和技术的发展，外行对法律的漠视会继续增加，但他们不会阻止法律中的技术性要素的增加，也不会改变法律作为专家领域的特点。

四、法律人的思维方式

法律人与行政官最大的区别在于他们内在的思想观念，而这一点则是取决于他们所受到的职业思维训练。思维是客观事物在人脑中间接的和概括的反映，是借助语言所呈现的理性认识过程。正是因为有了专门化的职业化的思维方式，他们的活动才是值得信赖的。正如人们为什么在通常情况下信赖职业医生那样——因为职业医生是训练有素的专家。对于法律人来讲，思维方式甚至比他们的专业知识更为重要。因为他们的专业知识是有据（法律规定）可查的，而思维方式是靠长期专门训练而成的。

法律人的思维方式有什么特点呢？在日本曾有一位学者把法律人思考方式的特点概括为：教义学的性质，过去导向性，个别性，结论的一刀两断性以及推论的原理性、统一性、类型性和一般性。[4] 季卫东在《法律职业的定位》一文中曾分析过法律职业的独特的思维方式，包括"一切依法办事的卫道精神"、"'兼听则明'的长处"、"以三段论推理为基础"[5] 三个方面。笔者认为只有具备以下思维特征的人才能称之为法律人：

1. 运用术语进行观察、思考和判断。法律是一种专门的技术知识，法律术

---

[1] "德国的非职业法官：与美国陪审团的比较（刑事）"，载宋冰编：《读本：美国与德国的司法制度及司法程序》，中国政法大学出版社 1999 年版，第 173、176 页。

[2] [美] 昂格尔：《现代社会中的法律》，吴玉章、周汉华译，中国政法大学出版社 1994 年版，第 191 页。

[3] 有学者认为与 50 年代司法人员相比，目前司法人员与老百姓的距离逐渐拉远了，出现"门难进，脸难看"现象。笔者认为，这的确是事实，但把它归结为是法官在职业化过程中不重视自己行为和性格方面的修养，似乎并不完全是那么一回事。职业化虽然有弊端，但今天的"门难进，脸难看"现象恐怕不完全是职业化带来的，而是我们的司法机关历来的衙门地位与作风的副产品。参见吴杰："程序的社会学分析"，载《外国法学研究》1999 年第 3~4 期。

[4] 季卫东："法律职业的定位"，载《中国社会科学》1994 年第 3 期。

[5] 季卫东："法律职业的定位"，载《中国社会科学》1994 年第 3 期。

语是这门专门知识中的最基本的要素。所有的社会问题，不论它们来自民间还是官方、不论具体还是抽象、不论是春秋大义还是鸡毛蒜皮，一概可以运用法言法语转化为法律问题进行分析判断。甚至连不容易或不适宜转化的政治问题，也完全可能地被转化为法律问题而提交法院解决。[1] 纯粹的法律问题自然如此，连政治经济问题乃至日常的社会问题也都尽量"使之转化为明确的权利义务关系"来处理。[2] 托克维尔说美国几乎所有的政治问题都迟早要变成法律问题。所有的党派在它们的日常活动中都要借助于法律语言，大部分公务员都是或曾经是法律人。[3] 如果一个社会崇尚法治，那么法律语言会成为广受推崇的语言，[4] 几乎可以成为普通语言。

　　法律的发展日益与道德和政治因素相疏离，这主要是由于专业化程度的提高，而法律活动的专业化又取决于一种专门的技术知识的形成。因此有学者说法律与法律活动就会较少受到社会生活的波动而激烈变化，而受法律团体内的话语实践的制约；即使有变化，法律现有的知识传统和实践传承也会使法律和法律活动保持相当大的连续性。[5] 不懂得运用法律术语就不配为法律人。虽然我们不必强求所有的法官都像大陆法系的法官那样在法学院开始训练"原理性思维"[6]（尽管这样的要求是合理的），但是，至少，法官应当学会用法律术语进行思考和表达。今天中国的法官与律师当中，仍然存在不习惯于运用法律术语"讲话"，可能还存在不屑于这样做——在社会中混摸滚爬多年后"俗"惯了——的情形，或者是羞于这样做——因为某些人并不以职业专门化为荣——的多种情形。

　　2. 通过程序进行思考，遵循向过去看的习惯，表现得较为稳妥，甚至保守。

---

〔1〕 美国司法审查有历史上形成的不讨论、审理政治问题的原则。然而，托克维尔曾敏锐地观察到并尖锐地指出，在美国几乎所有重大的政治问题都被转化为法律问题而交由法院审理。苏力："论法律活动的专门化"，载《中国社会科学》1994 年第 6 期。

〔2〕 季卫东："法律职业的定位"，载《中国社会科学》1994 年第 3 期。

〔3〕 ［法〕托克维尔：《论美国的民主》（上卷），董良果译，商务印书馆 1997 年版，第 310 页。

〔4〕 历史上，不仅法律家坚持使用法律语言，而且各界人士也对法律语言倍加推崇与赞誉。比如，意大利诗人但丁在他的著作《论俗语》中将"法庭的"语言与"光辉的"语言、"中心的"语言、"宫庭的"语言并列为"理想的语言"，并指出法庭的语言是"准确的、经过权衡斟酌的"。参见朱光潜：《西方美学史》（上册），人民文学出版社 1964 年版，第 128 页。

〔5〕 苏力："论法律活动的专门化"，载《中国社会科学》1994 年第 6 期。

〔6〕 法国的法学院教育是以正确的原理性思维和明快的倏学式表达为目标，彻底的原理性思维是法官培养的关键。参见 ［日〕大木雅夫：《比较法》，范愉译，法律出版社 1999 年版，第 281 页。

程序是自治的，在其内部的一切活动（包括思维活动）都被视为"过去",[1]
这才可能被认定为是有效的。法律程序的自治，要求我们只在程序内进行思考和
判断。之所以这样，是程序自身必要性决定的——对立面的设置以及两造竞争就
是为了排斥任意性，促进理性选择，形成法官稳妥的结论。因此法律思维的重要
特点就是法官习惯于在两造对簿公堂的状态下听取不同意见，取得"兼听则明"
的效果。而这种"兼听则明"的效果是指从对立的意见当中找到最佳解决方案，
通过程序中的解释与论证使之成为具有规范效力的共识或决定,[2] 这种效果并
非任何人都可以领会的中庸之道，也不是无原则的妥协而形成的所谓"平衡"，
而是指只有经过专门职业训练后形成的法律人的特有的资质——用柯克的话来说
就是"技术理性"。[3]

法官对待法律的态度也是这样，只承认既定的规则。为了阐明法官的保守
性，许多思想家甚至把法官看作是法律借以说话的嘴巴。[4] 判例制国家遵循先
例的原则被当作是尊敬前辈、传承经验的最好方式。而法官的保守性格恰恰与法
律内在的品质——稳定性有着天然的联系。法官的这种稳妥有时表现为遵循业已
形成的传统价值，因而，其思维总是向过去看，不求激进，甚至还表现为比较保
守。[5] 这对于一个健全的社会，是一种必要的调节器和安全阀。因为任何社会
的进步都是在激进与保守这两种势力的平衡中而得以发展的。

3. 注重缜密的逻辑，谨慎地对待情感因素。通常来讲，法律人的思维方法
总是坚持三段论推理方法，但这并不等于说法律人的论证都要求机械地保持形式
上的合乎逻辑。强调三段论推理的逻辑主要是基于这样的必要：对法律决定的结

---

[1] 季卫东谈到程序的两种"过去"，即事实上的过去和程序中的过去，在程序中由前者向后者转化。
程序中的过去被一一贴上封条，即使可以重新解释却也不能推翻撤回。季卫东：《法治秩序的建
构》，中国政法大学出版社 1999 年版，第 19、25 页。

[2] 季卫东："法律职业的定位"，载《中国社会科学》1994 年第 3 期。

[3] 英王詹姆斯一世与柯克著名的辩论中，柯克提出的"artificial reason"，也有译者译为人为理性。参
见 ［美］爱德华·S·考文：《美国宪法的"高级法"背景》，强世功译，三联书店 1996 年版，第
35 页。

[4] 许多著名思想家都曾有过类似的观点。西塞罗的《论法律》第 3 章第 122 节："官员只是说话的法
律。"科克爵士在卡尔文案件中说："法官是说话的法律"。18 世纪有句法律格言说"国王只不过是
执行中的法律"。孟德斯鸠在《论法的精神》中认为："国家法官只不过是讲法律的嘴，仅是被动
物，没有能力削弱法的强制性和严格。"在美国，大法官马歇尔重述了这番话，他把法官说成"只
是法律的代言人"，不能随意行事。［英］哈耶克：《自由宪章》，杨玉生等译，中国社会科学出版
社 1999 年版，第 246 页注释之［4]。

[5] 人们不能指望法官成为革命家，或激进的改革者。这与法官在任命之前的长期的律师经历有关，到
了他们成为中年或老年的时候担任法官，这种工作经验把他们塑造成了一个墨守成规的行业。参见
［英］阿蒂亚：《法律与现代社会》，范悦等译，辽宁大学出版社牛津大学出版社 1998 年版，第 29
页。

论要求合乎理性地推出，应当对决定理由进行说明和论证，从而使当事者和全社会看到这个结论是出自理性的，即具有了说服力。"法律推论不可能得出'放之四海而皆准'的必然结论。因此，法律决定的妥当与否取决于当事人各方及其代理人自由地进行对抗性议论的程度"。[1]

这里的"情"指情感，是与逻辑相对的概念，不是指道德意义上的"情理"。我国有两句相互矛盾的俗话叫"法本原情"和"法不容情"，它们显然是法与"情"[2] 之间复杂关系的写照。由于法律与道德及宗教所具有的性质与作用上的某些共性决定了法律思维与道德思维、宗教思维也有许多相同或相似之处。所以在法庭上人们（甚至律师与法官）不得不考虑某些情感评判。法律思维在这个问题上难以确立一个绝对化的基本原则，是"法不容情"还是"法本原情"，中国古代法基本上是"法本原情"的。[3] 正是因为法律与道德在中国的过于密切地结合，才出现法律的非形式化、非自治化，进而法律事业落后。

虽然法律思维并不绝对排斥情感因素，但它与道德思维、宗教思维的情感倾向有着严格的界限。道德思维是一种以善恶评价为中心的思维活动，而法律判断是以事实与规则认定为中心的思维活动，因此法律思维首先是服从规则而不是首先听从情感。法律人也拥有情感并捍卫情感，但是都需要在法律规则的范围内，在法律术语的承载下来谨慎地斟酌涉及情感的问题。事实上西方法律人的技术理性中并非完全排斥情感因素，鲍西亚在威尼斯的法律规则之中运用严格的逻辑推理说服夏洛克（在多数人在情感上都会憎恨他并希望他败诉）放弃诉讼请求，[4] 兼顾了逻辑与情感。但是如果让包拯或海瑞来审理此案，他们或许只考虑这样的道德家式的推论：安东尼奥是君子，夏洛克是小人；情理决不容忍小人得逞；所以，"应当"判君子安东尼奥胜诉。尽管结果相同，然而案件解决过程中几乎没有法律的影子。

---

[1] 季卫东："法律职业的定位"，载《中国社会科学》1994 年第 3 期。

[2] "情"的原有含义是"情感"，但在法律文句中，它通常含有"事实"的意味，并且既有案件中的有形的事实，又有无形的诸如当事人之间关系一类的东西。［美］蓝德彰："宋元法学中的'活法'"，载《美国学者论中国法律传统》，中国政法大学出版社 1994 年版，第 312 页。

[3] 中国法家的法律排斥"情"，而秦以后儒家的法律包容"情"，才使法律具有了"活力"。儒家化的法律会根据"情"而改变刑罚。有学者认为考虑"情"的程度，也就是法律真正合法和符合正义的程度。参见［美］蓝德彰："宋元法学中的'活法'"，载《美国学者论中国法律传统》，中国政法大学出版社 1994 年版，第 313 页以下。

[4] 莎士比亚名剧《威尼斯商人》中描写了夏洛克借钱给安东尼奥，约定若还不起债将从安东尼奥胸口割下一磅肉为抵偿。安东尼奥在与萨拉里奥谈到公爵会不会变更或通融法律以便不被割肉时，有一句话表明了西方人的法治信念，他说"公爵不能变更法律的规定，因为威尼斯的繁荣，完全倚赖着各国人民的来往通商，要是剥夺了异邦人的应享的权利，一定会使人对威尼斯的法治精神产生重大的怀疑。"参见《莎士比亚喜剧集》，朱生豪译，北京燕山出版社 2000 年版，第 65 页。

　　法律人的专业逻辑与大众的生活逻辑之不同，还在于思维中的情感因素的份量。之所以需要程序，就是为了克服管理与决定的人情化。在中国法院向媒体公开庭审全过程这一好现象的背后，可能隐藏着另一个问题，这就是"如何确保对话性论证的环境不被情绪化、舆论压力左右法官的推理和心证"？[1]

　　4. 只追求程序中的"真"，不同于科学中的求"真"。法律意义上的真实或真相其实只是程序意义上和程序范围内的，这意思是说，法律上的真实与真相并不等于是现实中的真实和真相。在生活中，大众总是希望看清真相，这与科学家探索真理是相同的。老百姓思维与科学家思维是在求"真"上是一致的。现实中的"真"与程序上的"真"可能会是重叠的，即程序上的"真"等于现实中的"真"，比如程序中的大量证据最终证明了一个事实真相。但是大量的法律问题，程序中的"真"与现实中的"真"会存在距离，或者说是不吻合的。"在具体操作上，法律人与其说是所追求绝对的真实，勿宁说是根据由符合程序要件的当事人的主张和举证而'重构的事实'做出决断"[2]

　　5. 判断结论总是非此即彼，不同于政治思维的"权衡"特点。从律师角度来看，他的职业具有竞争性并且是具有对抗性的竞争。[3] 法官的判决总是会伤害一方而有利于另一方，医生一般不会以牺牲他人来帮助另一人。[4] 因此程序中或多或少产生对抗性。诉讼的性质要求一方胜诉，另一方败诉，"权利义务对半承担的说法在社会上十分自然，但在法庭上却是纯粹荒谬的理论"，因此它"有时还使得公平也似乎受法律游戏规则的摆布"。[5] 这是因为法律必须对许多不允许妥协的问题作出决定。正如所罗门王在两个自称某婴儿为自己所生的妇女之间所做的判决一样，[6] 无可妥协，只能断然决定。英国法学家韦德对此曾有过名言：

　　"司法判决是依法作出的，行政决定是依政策作出的。法院尽力从法律规则和原则中找出正确的答案。行政官力根据公共利益找出最有利、最理想的答

〔1〕 季卫东："法律解释的真谛"，载《中外法学》1998 年第 6 期。
〔2〕 季卫东："法律职业的定位"，载《中国社会科学》1994 年第 3 期。
〔3〕 美国学者基尔特（R．Kidder）把律师与医生进行了比较，并提出三方面的区别，包括律师倾向于为富人服务、双方法律服务的质量和数量大致平衡才能使律师作用发挥出来、律师面临同行对抗性的竞争。参见朱景文：《现代西方方法社会学》，法律出版社 1994 年版，第 104 页。
〔4〕 斯纳教授在其《法理学》的绪论中讲到法官与医生的区别。参见〔美〕波斯纳：《法理学》，苏力译，中国政法大学出版社 1994 年版，第 8 页。
〔5〕 〔英〕彼得斯坦等：《西方社会的法律价值》，王献平译，中国人民公安大学出版社 1989 年版，第 114 页。
〔6〕 圣经所描述的一个故事。结果是，所罗门王判决将孩子劈成两半，两个自称母亲的女人各分一半。真实的母亲急忙放弃要求，以成全婴儿的性命，真假母亲遂明。

案。……法官与行政官的思维方式是完全不同的，法官的方法是客观的，遵守着他的法律观念；行政官的方法是经验式的，是权宜之计。"

季卫东教授也曾谈到法律人与行政官在权衡与妥协方面的区别，他说："多数法律家不能容忍非公开的政治交易和无原则的妥协，对行政机关的因事制宜的变通裁量也保持高度警惕。这样的态度有时的确难免有墨守成规之讥，在日新月异的当今社会中临机应变也的确很重要，但是，既然行政官僚管理国计民生的权限已经扩张到无所不在的程度，防止职权滥用就成了一个国家长治久安的关键；为此，足以与行政裁量相抗衡的法制尊严绝对不能动摇。"[1]

在许多场合，妥协是可能的，但是损失也是严重的——"使法律规定所具有的确定性毁于一旦"，"法律无法以一种完美无缺的公平方法来适用于一切情况"。[2] 法律人的结论总是非此即彼、黑白分明的。这尽管在现代社会条件下可能会出现某些局部性的变化，但不会从根本上改变这一特征的。

五、法律人职业伦理的意义

专业化是分工的产物。专业知识与专业屏障是"专业化"之树上结出的相联又相异的两颗果实。在人们对于分工与专业化发表异议[3]的同时，分工与专业化在"变本加厉"地发展。今天，社会中的每一个分支专业都日益精深，"我们所知道的各种法律（也就是公开宣布并执行的规范）的历史在很大程度上就是各种法律工作日益专门化的历史"。[4]

"技术理性"实质上是指法律专门知识、技能，也就是我们通常所谓"业务"，或曰"才能"，这些东西是必须通过专门训练方能获得的。然而正是由于法律人这种"技术理性"，才使得许多人担心法律人远离民众，缺乏亲和力，变

---

〔1〕 季卫东："法律职业的定位"，载《中国社会科学》1994 年第 3 期。

〔2〕 ［英］彼得斯坦等：《西方社会的法律价值》，王献平译，中国人民公安大学出版社 1989 年版，第 115 页。

〔3〕 比如近代学者中最早对分工进行专门研究的亚当。斯密说专业化破坏了劳动者的活力；马克思认为"某种智力上和身体上的畸形化，甚至同整个社会的分工也是分不开的。"萨特说："在采用半自动化机器不久，研究表明……女工梦中拥抱的是她手中的机器"；托夫勒说"专业化的工作不需要一个全人，而只需要一个肢体或器官。再也没有比这更生动的证据，说明过度的专业化把人如此残忍地当牛当马了"。参见郑也夫：《代价论——一个社会学的新视角》，三联书店 1995 年版，第 95～96 页。

〔4〕 ［美］波斯纳：《法理学问题》，苏力译，中国政法大学出版社 1994 年版，第 7 页。

成为"不食人间烟火"者，甚至有悖离人间情理、违反社会伦理之虞。[1]"若司法官远离政治、经济、思想、文化等人生及社会，多彩多姿之内容，将成为所谓不食人间烟火的法律人。于审判时恪守概念法学之形式论理，固然在形式上已遵守依法审判之原则。但由于忽略法律制度，乃至于法条之目的，仅著重在程序枝叶的事宜，其审判之结果，难保不违背法理念之正义，以及法的合目的性。此外，依法审判乃司法官的义务，司法官之学识与能力所能创造者，以不逾越实定法为限"。[2]"职业自治的权力通常要求建立在法律职业的特别的知识和专长是独特的，并且完全不同于其他形式的知识的观念之上，因而法律职业的特殊业务能够清楚地区别于其他职业的业务"。[3] 另一方面，职业法律人的专业化不可避免带来令人忧虑的问题，这就是所谓"隔行如隔山"、"职业病"等等，职业法律人与大众之间势必存在一道专业屏障，话语难以沟通，甚至屡遭民间讥讽与戏谑。[4] 法律职业的"非道德性"就根源于法律人的专业化。难怪有思想家说"根据法律处理事物的地方，就丝毫不存在道义的影子"。[5] 在16世纪甚至有这样一句谚语："辩护律师不会成为好法官，因为他们习惯于为钱而工作"。[6] 尽

---

〔1〕 可以说律师在这个世界上存在一天，人们对律师职业的担忧与批评也就会存在一天。我们曾在关于"法律程序的内在矛盾"一章中谈到许多法律谚语是讽刺法律职业的。另外还有许多法律谚语批评律师，如"诉讼孕育了律师，律师滋长了诉讼"，"辩护律师不会成为好法官，因为他们习惯于为钱而工作"（16世纪的法谚）。甚至有一位17世纪的名叫维勒加斯（F·Q·Y Villegas）的欧洲作家大声疾呼说"没有律师，就没有争讼；没有争讼，就没有代理人；没有代理人，就没有欺骗；没有欺骗，就没有犯罪；没有犯罪，就没有警察；没有警察，就没有监狱；没有监狱，就没有法官；没有法官，就没有偏袒；没有偏袒，就没有贿赂。看看律师酿造的这一串致死的蝲蛄吧，他年轻轻的却假装有胡子，他们的权威仅仅来自他们的律师帽"。参见〔英〕威尔弗雷德，波雷斯特：《欧美早期的律师界》，傅再明等译，中国政法大学出版社1992年版，第154页。

〔2〕 雷万来：《论司法官与司法官弹劾制度》，五南图书出版公司1993年版，第168页。

〔3〕 〔英〕罗杰·科特威尔：《法律社会学导论》，潘大松等译，华夏出版社1989年版，第224页。

〔4〕 台北陈新民教授收集有百余则法律箴言、法律谚语。比如"律师就是一位受过特殊训练来规避法律的人"，"律师是不仅为正义服务的人，也是为不正义服务的人"，"法官不是对人生的许多现象都很了解，除非这些现象被列入案件的证据中，并且向他至少陈述三次后，他才会了解"，"我愿给法官一个建议：在判决书里绝不要附理由。因为你的判决可能正确，但理由一定会弄错"，如此等等，足见我们这一行是如何被作为戏谑的对象。参见陈新民：《公法学杂记》，中国政法大学出版社2001年版，第357页。

〔5〕 日本近代著名的启蒙思想家福泽谕吉语。他举例说，亲密无间的两人发生借贷关系，不分你我，贷者对借而不还也不抱怨。这是以道义为基础的。如果在字据上盖章并贴上印花，或有保人甚至索取抵押品，这就超出道义的范围，双方只是根据法律办事而已。参见〔日〕福泽谕吉：《文明论概略》，北京编译社译，商务印书馆1959年版，第116页。但是法律与道德的关系总是无法三言两语说得清道得白。福泽氏经过一番分析后还是理性地承认法律"绝不是无情的，而是今日世界上最完善的东西"。

〔6〕 〔英〕波雷斯特：《欧美早期的律师界》，傅再明等译，中国政法大学出版社1992年版，第157页。

管这些个观点略显言过其实，但法律职业的"非道德"成份并不是不存在，这尤其表现在律师身上。[1] 律师在中国近代以来的命运，一方面是取决于中国特有的历史文化背景，另一方面也取决于律师职业本质上的"非道德"成份。

西方有学者提出这样的问题：是不是法律人拥有一种与其他人的道德规范不仅不同而且有时是相冲突的道德规范呢？[2] 这一问题涉及法律人在程序中的伦理。法律职业道德除普通职业道德中共同的要求之外，还包括法律职业特殊的道德，它们来源于法律职业的专门逻辑，因而区别于大众的生活逻辑。法律职业特殊的道德要求是表现法律职业道德的个性方面的那些内容，因为它们主要表现在法律程序中，法律职业伦理的绝大部分内容都与法律程序有关，所以我们可称之为"法律人在法律程序中的伦理"，[3] 简称"程序伦理"。程序伦理是法律职业伦理的主要构成部分。

众所周知，法律职业伦理对于法律职业是十分重要的。韦伯在论述近代专业化官僚产生的时候说："近代官吏团体已发展成一支专业劳动力，经过长期的预备性训练后有专长。并且近代官僚集团出于廉洁正派考虑，发展出一种高度的身份荣誉意识，若是没有这种意识，可怕的腐败和丑陋的市侩习气，将给这个团体造成致命的威胁。没有这种廉洁正派，甚至国家机构纯粹技术性的功能也会受到威胁。国家机构对于经济的重要性，一直在稳步上升，尤其是随着社会化的扩大，这种重要性还会得到进一步的加强。"[4] 这种"身份荣誉意识"就是一种职业道德。这段话完全适用于法律职业——如果没有法律职业伦理，那么法律人纯粹技术性的功能也会受到威胁，甚至更为可怕。因为法律人的职业技能是一种有意识地排斥道德与政治等诸种法外因素的所谓"人为理性"或"技术理性"，

---

〔1〕 季卫东曾经分析过法务市场中的二律背反。参见季卫东："现代市场经济与律师的职业伦理"，载《法治秩序的建构》，中国政法大学出版社 1999 年版，第 242 页以下。

〔2〕 作者还把问题再引向深入——一个担当律师角色的负责的个人的行为，怎样才能获得道德的许可或合乎道德规范的要求？这样的个人应如何行事，以推动他作为律师而身处其中的律师角色地位、社会传统和社会安排变得更具道德上的正当性？〔美〕赫尔德等：《律师之道》，袁岳译，中国政法大学出版社 1992 年版，第 2 页。

〔3〕 在此，使用"伦理"一词更确切一些。据学者分析，"伦理"与"道德"两词虽在我国一般用语上似乎无太大之差异，但在西方社会，自康德哲学思想出现以来，尤其在法哲学界，通常以实质的层面，与主观的层面予以区分。即我们究竟应做什么？不得做什么？此为伦理的问题（即实质的层面）。而我们对某行为内容的态度、心理准备、心情、动机等，为道德问题（即主观面）。例如教育工作者、医师、律师等各个的职业，都有就各该职业人当为或不当为之基准，这就是职业伦理，而人们就其内容所产生的态度、心情、动机等即为职业道德的问题。司法官既为一种职业，当然有其职业上的伦理、职业上的道德。参见雷万来：《论司法官与司法官弹劾制度》，五南图书出版公司 1993 年版，第 171 页。

〔4〕 〔德〕韦伯：《学术与政治》，冯克利译，三联书店 1998 年版，第 68 页。

其中的道德的含量很低。更何况，律师与政府官员不同的是他们直接面向委托人收取费用，他们的法律知识与技能通过法律服务市场的交换关系，直接兑换成为货币，这又给许多业内外人士的担忧雪上加霜。没有职业荣誉感和职业伦理约束的律师就无异于讼师和刀笔吏。

毋庸置疑，无论律师抑或法官，在法律活动促进法律人集团形成之前，其内部就已经酝酿着一种职业的荣辱感，进而发展为一种传承后世的法律人职业伦理，它从集团内部维系着这个团体的成员以及团体的社会地位和声誉。它可能是对职业病进行某种弥补和矫正的一帖良方，就此一角度而言，法律人的职业伦理有了更重要的意义——使"技术理性"中的万利之小弊得以平衡与克服。比如律师可以为其明知有罪者辩护，但又有"依法维护委托人的合法权益"、"特定情况下允许拒绝辩护"等职业伦理作相应限制。又比如，律师职业特点决定了它自然存在着为谋取经济利益的竞争，这是法律允许的，但是有一条律师职业伦理是限制其竞争的，这就是不能以广告招徕顾客，因为"无限制的公开竞争损害了职业律师的形象，将法律业务作为一种生意公诸于众，如同任何其他的生意一样。所以，律师必须通过在直接的工作环境以外发展联系来获得生意。"[1]再如法官凭借其审判技能对事实与法律进行推理和判断，如果没有"认真听取双方意见"、"判决说明理由"这样的职业伦理来约束，则审判的权力被会滥用。在许多情况下，法官判案并不是凭法律条文、程序或原理，而是凭良心。足见伦理的作用总是在细微而关键处显示其价值和力量。法律人专业技能与职业伦理，这两方面也就是"才"与"德"的关系，两者对于法律人无疑是不可或缺的。古往今来对各种职业人都有"德才兼备"[2]的要求，这是有它的深刻道理的。

让我们再来考察中国的律师制度。清末修律运动中效仿西方典章制度而引进的律师制度，并不具有司法民主的社会条件和司法民主的精神，相反在形式上，律师却极容易被混同于为社会所不屑甚至不齿的"讼师"、"讼棍"之类，因而产生更糟糕的情况——有学者称之为双重危险：一是与中国传统法律文化格格不入而遭到排拒；二是丧失现代精神而发生实际蜕变。[3] 律师在中国产生的历史背景对于中国律师制度的命运几乎是决定性的。以后不同时期出现的对该制度的

---

〔1〕 ［英］罗杰·科特威尔：《法律社会学导论》，潘大松等译，华夏出版社 1989 年版，第 217 页。

〔2〕 比如中国古代对从政职业的要求是举"贤"任"能"，前者为"德"，后者为"才"；而对医生则有医德与医术两方面的要求；对艺术家则有"德艺双馨"的要求；教师职业有所谓"学高为师，人正为范"，前者为"才"，后者为"德"。

〔3〕 张志铭："当代中国的律师业"，载夏勇：《走向权利的时代——中国公民权利发展研究》，中国政法大学出版社 1995 年版，第 135 页。

不正确处置和冲击只不过是这种命运的以不同的方式而产生的自然延续而已。[1]

法律职业除了要加强其职业技能专长即"业务"能力之外，还需要通过职业伦理来抑制其职业"技术理性"中的非道德性成份，使之控制在最低程度；需要通过职业伦理来保障其职业技术理性中的道义性成份发挥得更淋漓尽致。然而当今中国法学教育中最缺乏的是职业伦理的教育。[2]

有人问：实行法治是排斥德治吗？[3]　其实理论与实践早就告诉我们，道德的吸收必须在立法阶段就解决了。执法阶段如果又以道德代替法律，那么法律就形同虚设了。真正的法治是符合道德，也是倡导道德的。问题在于这种倡导不是通过以道德代替法律，而是把道德的力量附于"德才兼备"的沄律人的身上。这与德治、人治的不同在于：人治或德治是从制度上（法律上）把道德泛化成对所有社会成员的要求，因而人治社会形成了"明君"（君主）、"清官"（官僚阶层）到"良民"（臣民）这样的道德诉求。然而，这样一来，不仅使法律与道德没有分离，而且把制度的有效性完全寄托于人的道德素质上。相反，法律职业伦理是把德治甚至人治中的某些合理成份吸收到了职业法律人身上。从而使法律技术理性与人间自然理性达到完美的结合。德治和人治中的合理的理念只有在职业法律人身上得到贯彻体现——加强法官和律师的职业伦理——才是符合现代法治精神的。

法律人特有的"才"——技术理性，与法律人特有的"德"——职业伦理，是法律人不可或缺的素质。法律人的职业伦理都只能通过法律人资质的培养过程而得以潜移默化，深入人心。这种职业伦理的形成是不能脱离开法律知识与技能

---

〔1〕 建国后"新的律师制度"以苏联为仿效对象，把律师纳入国家公职范围，误以为这能够为律师职业的正当性添加了政治和组织上的"安全系数"；1957年反右派斗争中律师受冲击相当多，律师制度也告夭折；70年代末恢复律师制度后规模逐渐扩大是事实，但是期间经历过律师被赶出法庭甚至被错误拘捕迟迟得不到解决的。张志铭对律师制度的夭折曾作过专门分析。参见张志铭："当代中国的律师业"，载夏勇：《走向权利的时代——中国公民权利发展研究》，中国政法大学出版社1995年版，第143页。

〔2〕 截止到1999年，中国高等法学教育的本科、硕士和博士培养中都没有把"法津伦理"或"司法伦理"作为课程之一。试想未受过职业伦理教育的人会怎样地从事法律工作？1999年修订的《法律硕士专业学位培养方案》首次明确地把"法律职业伦理"作为一门课程来要求。可是我们也难以确信，通过现行的相类教材的说教将会给法科学生们增加多少职业伦理素质。所以关键在于改变已有的所谓"司法道德"教科书的内容，使之真正反映法律职业所要求的职业伦理。

〔3〕 据报刊报道，两会期间人大代表和政协委员有多人呼吁"德治与法治并重"。其实这种呼吁声在许多时间的许多场合都有人发出过，这种观点除让人感到有道德责任心之外，还令人难以理解——似乎道德危机是由于讲法治惹起的，或者说他们言下之意是：多讲法治的同时必然不讲道德了。其实这种浅显的观点反倒引出对法治和德治的歧义，不如不宣传这种呼吁为好。参见2000年3月15日《光明日报》。

的训练过程的。对一个未经专门法律训练的人来说，他是不可能掌握法律人的职业伦理的，因此他们没有资格被视为"德才兼备"的职业法律人。因此，在我们今天的法学教育实践中应该确立怎样的培养目标也就显而易见了，在培养法律职业技能和职业道德的目标指引下，法律人才培养的方式与计划也就应当有所调整和革新。

法律人虽然也会受到民众称赞或当局的褒扬，但是法律人也常常不被民众理解与接受、不受政治家谅解和重视，这是不足为奇的。因为专业人士特殊的思维方式（或称之为精英思维）必然与大众思维产生一道专业屏障。虽然起因主要是法律职业的技术问题，但是要使之淡化或缓解，也只能借助于法律职业伦理。职业伦理可以克服法律人的职业病，可以增进与大众思想进行沟通，可以使法律人的专业技能得以扬长避短。一言以蔽之，法律职业伦理与法律职业技能相结合可以避免法律人陷入"人治"泥潭。

第二节　法律人之治为什么不会走向人治

前　言

法治和人治，如同莎士比亚"To be or not to be"难题在文学界和哲学界的地位一样，历来是中国法学领域争论次数最多，时间最长，影响最大的一个问题，但无论是古代先秦的"儒法之争"，还是公元20世纪70年代末80年代初的"法治与人治"的讨论，"人的因素"无一不是不可避免的走入死胡同。主张贤人之治或者法治与人治相结合的学者和思想家认为，搞法治，最终还是离不开人的作用，"徒法不足以自行"，[1] 法的制定、实施和执行都要依赖于人的智慧和才能，法治归根到底还是人的治理；而坚持法治的学者，或者致力于制度与规则的建构，或者倾心于法治宏伟的精神内涵，却始终都没有将眼光投注于法律人本身的内涵和素养上，无法解释法律人之治与人治的区别和分野，更不可能进一步提出"法治就是法律人之治"的职业构想。这正是历次的讨论一直都没有明确的争论焦点。法治与人治，就如同人的双耳，始终无法在同一平面内正面相对。有鉴与此，本文拟从法律人本身的特殊素养着手，试图寻找法治与人治的藩篱所在，以解释法律人之治为什么不会走向人治。

---

[1] 《孟子·离娄篇》。

为避免前述法治与人治之争中，争论双方各执一言，缺乏争论焦点之弊，也为了避免词汇本身的多义性而导致的理解上的分歧，并使本文的路径在一个相对规整的平台上展开，笔者认为有必要首先对本文的一些关键词语加以内涵和外延上的界定。首先要厘清的是法治与人治的涵义，这决定了本文将在怎样的语境中展开讨论。

法治和人治作为两种不同的统治方式，并不具有我们今天通常赋予的那种褒义或贬义。大致说来，法治论者认为治理社会和国家主要依靠法律规则，而人治论者认为治理社会和国家主要依靠优秀的有智慧的统治者、管理者以及善良的民众。两者最终所追求的目标实际并无很大差异，即我们在讨论人治与法治时，必须假定人治与法治的目的基本是一致的，都希望社会安定、经济繁荣、人民安居乐业。否则，我们将无法理解，如果人治真的像今天多数人（民间流行的话语）所说的如此恶劣，那么人类历史上为什么还会有长期的"人治"和"法治"之争？人治又怎么可能曾经长期被一些伟大的思想家作为治理国家与社会的基本方法之一？人治与法治的争论焦点不在于目标，而在于方法，在于可行性，特别是在于针对具体的社会环境下人治或法治的可能性。

在苏力看来，人治依赖于贤人智者对国家和社会进行统治，贤人智者的判断往往比常人判断更好，更可能正确。这种决策方式往往可以当机立断、快刀斩乱麻，不仅节省时间，而且省去其他许多麻烦。社会治理尽管需要法律、法规和规章，但是任何完备的法律总是会有许多照顾不到的地方，因此仅仅有法律，即使是好的法律也不能保证好的结果，还必须有贤人和能人来运用法律。因此，最好的治理方式，在人治论者看来，是贤人的统治。事实上，人治论者并不完全否定法律规则的重要性。被列为中国"人治论"的代表人物孔子就非常强调"礼治"，强调遵循一种规则和制度。法治论者，尤其是怀疑主义法治论者，他们怀疑有全知全能的圣人，怀疑有可以验证的发现圣人的方法和程序。正是基于这两个怀疑，他们认为法治是更适当的治国方法。法治在这个意义上，就是一切人都要按照既定的普遍为人们所知晓的规则办事，不违背已经确定的规则，不凭着个人的主观看法行事，即使是身居高位的统治者也是如此，以此来防止减少统治者犯错误，甚至滥用权力。但是，即使是法治论者也并不反对杰出统治者和官员依据法律规定的权限，在许多非重大的问题上，在一些必须即刻决定的问题上，在一些必须行使裁判权的问题上充分发挥他们的才智判断，行使裁量性的权力；也不反对杰出领导人运用他的个人魅力、远见卓识、领导才能来影响民众的意见和观点。但是，说到底，法治是最根本的治国手段，是最可依赖的原则。[1]

在当下流行的法学语境中，简单地褒扬法治、贬抑人治之风盛行。但苏力教授却在一个摒弃了先验的价值预设的社会事实的图景中，生动地展示了人治与法治的内涵及其分歧，并提供了一个具有实证主义色彩的人治与法治关系的解说。"法治和人治实际上也并非只强调法律或只强调圣人；在一定程度上，两者都必须结合，差别仅仅在于最终的或主要的手段是法还是人。"[2]

在人治模式中，"人"的因素起到了主导的、支配性的作用，而在法治模式中"人"的因素是辅助的、次要的。人治中的"人"（统治者）被假定为圣人、贤人；而法治则对"人"（统治者）的理性力量和道德品质持怀疑态度。这是从道义人性角度对人的考察，[3]前者持"性善论"，后者是"性恶论"。但是，当我们远离道德哲学的视野，从社会存在的意义上观察人治与法治中的"人"，人治要求"人"（统治者）必须具备高度的道德自律性，由于规则、制度在人治模式中并不起绝对支配作用，人治往往强调"人"（统治者）的精神理性力量，忽略"人"的职业技术训练和严格按规则办事的形式主义态度；而法治则强调规则、制度对"人"的他律，由于规则、制度在法治模式下的主导和支配作用，法治并不一定要求"人"（统治者）具有超凡的能力、魅力和智慧，法治中的"人"毋宁是机械的、循规蹈矩的甚至是"平庸的"。法治是按既定规则的统治，是一种机构的运作，"人"只是这个机构的组成部分，因而法治中的"人"必须具备与这个机构的既定规则和运行相协调的规则至上、严格按法律办事的高度形式理性精神。由此可见，人治中的"人"与法治中的"人"在社会属性方面有着巨大的、本质性的差异。这也正是本文展开论述的一个基点。

另外，我们还必须解释法律职业和法律人的概念。法律职业（legal profession）是指以法官、检察官与律师为代表的，受过专门的法律专业训练，具有娴熟的法律技能与法律伦理的人所组成的自治性共同体。法律人是受过专门的法律专业训练，具有娴熟的法律技能与法律伦理的人。法律职业共同体中的个体，就是法律人，资深的法律人称为"法律家"。法律人或法律家的典型是法官、律

---

〔1〕 苏力："认真对待人治——韦伯《经济与社会》的一个读书笔记"，载《制度是如何形成的》，中山大学出版社1999年版。

〔2〕 苏力："认真对待人治——韦伯《经济与社会》的一个读书笔记"，载《制度是如何形成的》，中山大学出版社1999年版。

〔3〕 有关"人性"的争论，是中国传统哲学和西方哲学的共同话题。前者从道义人性论的角度，做人性善恶之辩，后者基于认识论的角度，展开人的本性是理性或是经验的争辩，由此奠定了西方两大哲学流派——理性哲学和经验哲学的基础（参见陈兴良：《刑法的人性基础》，方正出版社1997年版，第1章）。

师、检察官，然而法律人所承担的职务角色范围却可以是非常广泛的，他可以在法律学校毕业后从事包括企业和政府的顾问、法学者、政治家、行政官员及公司经营家在内的所有工作。法律职业和法律人是两个无法分割的概念。近现代法学教育、法律职业教育造就了大量的受过专门的法律训练、通过法律职业资格考试的人员，这些人并不全部属于法律职业。在西方国家，他们可以从事的工作是广泛的，他们往往是政府行政部门工作人员的主要来源。从广义上说，法律职业也包括司法辅助人员。由此导致的一个观点是：在现代西方社会，司法部门和行政部门中拥有大量的受过法律职业教育训练的人员，这些人掌握着司法权、行政权，对社会实施着实质性的统治。在这个意义上甚至可以说，现代西方社会是"法律人的统治"。

"假如没有法律家阶层，任何法律秩序都不可能存在。"

——［德］拉德布鲁赫[1]

"法的形成是一门艺术，……，关键取决于艺术家。"

——［日］大木雅夫[2]

一、法治乃"法律人之治"[3]

（一）法律人因素在法治概念中的凸现

法治（rule of law）思想最早可以追溯到公元前四世纪古希腊著名思想家亚里士多德，时至今日，两千多年的漫长发展历史赋予了法治不同的内涵和外延。[4] 现在已经无法用一个精确的、放之四海皆准的概念来框定"法治"，只

---

[1]　［德］古斯塔夫·拉德布鲁赫：《法律智慧警句集》，舒国滢译，中国法制出版社 2001 年版，第 135 页。

[2]　［日］大木雅夫：《比较法》，范愉译，法律出版社 1999 年版，第 264 页。

[3]　孙笑侠："法律家的技能与伦理"，载《法学研究》2002 年第 4 期。

[4]　关于法治，古希腊著名思想家亚里士多德的经典性解释认为法治应包含双重意义：已成立的法律获得普遍的服从，而大家所服从的法律又应该本身是制定的良好的法律。近代法治理论的首创者英国的詹姆士·哈林顿在其代表作《大洋国》中提出了以自由为最高价值准则，以法律为绝对统治国家体制的法治共和国的理想模式。法国的孟德斯鸠将权力分立和制衡的法治理念做了制度化设计，形成了近代司法权、行政权和立法权分立的法治模式。19 世纪末，英国著名法学家戴雪将法治理论推上顶峰，他提出：①绝对的或超越的法，反对政府有专断的、自由裁量的无限制的特权；②法律面前一律平等，……人不分阶级都属于同一法律体系，为同一法院所管辖；③宪法……，是个人权利与自由的结果，任何人的权利受到他人的侵害，都有权通过法定的救济办法获得补救。

能从不同角度或者用不同方法进行理解和解释。在《牛津法律大辞典》中，法治是"一个无比重要的、但未被定义、也不能随便就能定义的概念"。"它意指所有的权威机构，立法、行政、司法及其他机构都要服从于某些原则。这些原则一般被看作是表达了法律的各种特性，如正义的基本原则、道德原则、公平合理诉讼程序的观念，它含有对个人的至高无上的价值观念和尊严的尊重。""在任何法律制度中，法治的内容是：对立法权的限制；反对滥用行政权力的保护措施；获得法律的忠告；帮助和保护大量的和平等的机会；对个人和团体各种权利和自由的正当保护；以及在法律面前人人平等。"法治"它不是强调政府要维护和执行法律及秩序，而是说政府本身要服从法律制度，而不能不顾法律或重新制定适应本身利益的法律"。[1] 因此，综合来看，法治应该有以下几个不同层面的含义：

1. 法治首先是一种治国方略，是国家用法律来进行社会控制，即"依法治国"。[2] 这里要特别指出的是"依法治国"仅仅是法治最基本也是最重要的一层作用，是法治的政治学含义。

2. 法治是一种理性的普遍的办事原则；这种理性就是被马克斯·韦伯界定为"一种手段和程序的可计算性"的形式理性。其基本含义是：在制定法律之后，任何人和组织的社会性活动均受既定法律规则的约束，也就是"既定规则严格执行"，即形式主义法治。[3] 法治形式理性的意义正如拉德布鲁赫所说："不，不是必须声称，所有对人民有利的，都是法；毋宁相反，仅仅是法的东西，才是对人民有利的。"[4]

---

〔1〕 ［英］戴维·M·沃克：《牛津法律大辞典》，光明日报出版社1988年版，第790页。

〔2〕 "依法治国"（rule by law）思想起源于德国的实证主义法学，其基本主张是最高立法者，不论是君主、独裁者，统治阶级或是民选的立法机关可以不受法律的束缚。法治和依法治国是存在明显区别的，正如哈耶克在《通往奴役之路》中所说，依法治国认为只要政府的一切行动都经过立法机关正式授权的话，法治就会保持不坠，但是这是对于法治意义的完全的误解。法治与政府一切行动是否在法律的意义上合法这一问题无甚关系，他们可能很合法，但仍可能不符合于法治。某些人所做的事是有充分的法律上的根据的，但这并没解答这个问题——即法律是否给他专断权力采取专横行动，或是否法律明白地规定他必须如何行动。很可能，希特勒获得了无限的权力是出之以严格的合乎宪法的方法，因而从法律的意义来说，他的所作所为都是合法的。但是，谁会因为这种理由而就说，德国仍然盛行者法治呢？……如果法律规定某一机关或当局可以为所欲为，那么，那个机关和当局所做的任何事都是合法的——但它的行动肯定地不属于法治的范围。通过富裕政府以无限制的权力，可以把最专横的统治合法化；并且一个民主制度就可以建立起这样一种可以想像得到的最完全的专制政治来。

〔3〕 ［德］马克斯·韦伯：《经济与社会》（下），林荣远译，商务印书馆1998年版，第18页。

〔4〕 ［德］古斯塔夫·拉德布鲁赫：《法律智慧警句集》，舒国滢译，中国法制出版社2001年版，第7页。

3. 法治是一种民主化的法制模式。法制通常可以划分为专制的法制和民主的法制，当实行民主与法制结合时，法制才可能是法治。

4. 法治是一种法律的内在精神，或者说是一种法治理念。现代法治理念包括法律至上、权利本位、程序正当、权力制约等一系列观念、原则和精神。

5. 法治是一种体现理想社会关系的法治秩序；法治是国家与公民、组织与组织、组织与公民、公民与公民之间的社会关系，这些关系中的权利和义务被明确界定、被自觉遵循，形成相互尊重、相互和谐的关系。

6. 法治是一种体现人民生活方式的法治传统；法治这种生活方式习惯成自然之后便成为生活中不可或缺的组成部分，成为人们的生活方式。这个层面上的法治含义与西方的"习惯法"颇为相似。

7. 法治是一种法律人的治理。[1]

法治尽管有多层面的含义，但大部分法治学说主要是从国家或政府的立场出发的，其所表达的，或者主要表达的，乃是国家或政府的政治倾向、意识形态与价值观念。上述法治含义中，无论是作为一种宏观的治国方略，或是一种民主的法制模式，或是一种理想的社会秩序和生活传统，法治主体的光环，无一例外地落在"人民"这个政治词汇上。上述法治含义的政治主体是人民，换言之，是实体上的统治阶级。"无产阶级的法治，就是要求制定一部完善的宪法和一整套完备的法律，……坚持一切党政机关和社会团体一切工作人员和个人都要严格依法办事，……"[2]

上述种种关于法治的抽象与概括，向人们宣示了政治和社会层面上法治的价值内涵。然而，"法治是一种理性的办事原则"这一表述却可以使我们对法治的理解另辟蹊径——一种较为微观的、操作技术层面上的关于法治的诠释，即"法治是形式理性的统治。"形式理性主要表现为以下三方面：第一，秩序本身是由法律法规支配，法律规则与道德事实相分离；第二，法律的高度体系化；第三，法律分析的逻辑形式。在法律面前应先承认形式合理性才能追求实质合理性。我们应该认真对待"形式主义法治"，首先它极容易被误解为机械的教条主义和本本主义，被误解为对实质正义的反动。其次，形式合理性是法治建立的基础和基本要求，在波斯纳看来，法治首先是法律秩序的一种管理功能，是一种程序框架，通过这种框架，法律结果更容易识别并用于取得其他政治目的的

---

〔1〕　以上概括参阅孙笑侠教授：《法的现象和观念》，山东人民出版社 2001 年版，第 324 ~ 328 页和"法理与判例网"网站 http://www.chinalegaltheory.com/论坛中关于"法治观"的讨论。

〔2〕　李步云等："论依法治国"，见《法治与人治问题讨论集》，群众出版社 1980 版，第 41 页。

计算。[1]

　　韦伯视野中的形式主义法治，毋宁是"一种理性的办事原则"以及在这个原则统率之下的理性的秩序安排和管理功能，它以理性主义的人性观为基础，以严格规则主义为逻辑内核。它假设社会中的每个人都是具有自由意志、并尽可能地使自己的欲望最大程度得到满足的"理性人"，它要求社会的统治或管理阶层须具备程序化、教义式的思维模式。"既定规则严格执行"的形式主义法治得以实现第一要义在于对"人"的因素的特殊要求：它以个人主义为前提，并对秩序的守护者提出了极高的形式理性主义的要求。

　　任何制度规则最后都要由人来实施，任何治理模式都要有人来完成，"徒法不足以自行"，从这个角度看，似乎西方社会的法治与中国传统的统治秩序一样，都倚重于人。但是，中国传统社会统治秩序中"人"却与西方法治中的"人"有着迥然不同的含义。首先，中国传统秩序中的"人"，其所指向的阶层不是一般西方政治学中的人民，人民不是法治的主导，而是指统治者和官僚阶级。其次，传统人治社会对统治阶层的基本要求是高度的道德自律性和对实质的道德之善的不择手段的探求。西方法治中的"人"可以从两个层面来理解，首先是宏观的宪政意义上的人民，即法治的主体是人民；其次是技术操作层面上的人，法律制度的形式理性主义的逻辑内核要求制度的执行和操作者必须同样具备形式理性主义的思维模式，无论是从法律制度运行理想效果的应然角度或是从社会实证的视角观察，具备形式理性主义思维模式的法律人均是西方法治技术操作层面上的人。因此，西方法治中鲜明而独特的人的因素便成为一个显著的、不可或缺的要义。从某种意义上我们可以说：法治乃"法律人之治"。对这一命题的关注和探究或许可以使我们洞悉法治条件下人的因素与制度互动的内在机理，以及法律人这一独特的社会群体在法治社会中的独特功能。

　　法律人是受过专门的法律专业训练，具有娴熟的法律技能与法律伦理的人。法律人推动了形式合理性法律的产生。马克斯·韦伯认为：专业化的法律职业集团、阶层是法律形式合理性的重要体现，也是形成形式化法律的推动力量。"没有法律职业者集团，也就不会有形式合理性的法律。"[2] 他在另一本著作《儒教与道教》中进一步说："我们近代的西方法律理性化是两种相辅相成的力量的产物。一方面，资本主义热衷于严格的形式的，因而——在功能上——尽量像一部机器一样可计量的法，并且特别关心法律程序；另一方面，绝对主义国家权力的官僚理性主义热衷于法典化的系统性和由受过理性训练的、致力于地区平等进

---

[1]　参见 Richard A. Posner, *The Problems of Jurisprudence* , 1990, pp. 358, 154~155.

[2]　［德］马克斯·韦伯：《经济与社会》（下），林荣远译，商务印书馆 1998 年版，第 14~15 页。

取机会的官僚来运用的法的同样性。两种力量中只要缺一，就出现不了近代法律体系。"[1]

从现实社会状况的实体方面看，法律职业集团也具有重要的合理性的社会功能。托克维尔认为："美国的贵族是从事律师职业和坐在法官席位上的那些人。"[2] 法律职业团体具有反抗专制，防止民主偏离正轨的职业倾向。韦伯则不仅看到了法律职业的保守性，更认为该集团是西方社会合理性发展的一种积极推动和保障力量，"无论在何处，以促进理性化国家的发展为方向的政治革新一概是由受过训练的法律学家发动的。"[3]

法律人是法治的主体，是一个由法律赋予其身份角色的人，一个抽象的人格体，一个通过法律获取其相应本质的主体（权利和义务的担当者），一个戴着法律"面具"的人，一个"经验的（人）平均类型"![4] 法律人在历史和现实中的重要作用渊源于它的职业精神——技术理性主义，因此，从法治是一种理性的办事规则的含义上讲，从法治主体的技能上看，法治又延伸出其第七个含义——法治就是法律人之治。和法治政治主体间的统治与被统治关系不同，法律人之治中的法律人是一种特殊法律职业素养和技能上的主体。它所要彰显的是法律人所特有的，使法律职业集团得以自足的，并确保其不会偏离法治轨道的特殊思维方式、知识技能和职业伦理。"法律职业的要求之一是，必须每时每刻同时对该职业的高贵及其深刻的问题性有所认识。"[5]

（二）法律人在"韦伯式进路"中的转承作用

1. 三种统治方式与"韦伯式的进路"。马克斯·韦伯以"合法性信仰"为划分标准，将人类社会的统治类型分为三类："个人魅力型统治"、"传统型统治"和"合法型统治"。[6] 其中前二类都可以划入人治范畴。[7]

魅力型统治依赖于对特殊的和异常的神圣、英雄品质或者一个个别的人的模

---

〔1〕 ［德］马克斯·韦伯：《儒教与道教》，王容芬译，商务印书馆 1995 年版，第 200 页。
〔2〕 ［美］托克维尔：《论美国的民主》（上），商务印书馆 1996 年版，第 329 页。
〔3〕 ［德］马克斯·韦伯：《学术与政治》，三联书店 1995 年版，第 74 页。
〔4〕 舒国滢：《西方法治的文化—社会学解释框架》，选自"榕树下"网站：www. rongshuxia. com。
〔5〕 ［德］古斯塔夫·拉德布鲁赫：《法律智慧警句集》，舒国滢译，中国法制出版社 2001 版，第 129 页。
〔6〕 ［德］马克斯·韦伯：《经济与社会》（上）林荣远译，商务印书馆 1998 年版，第 239 页。
〔7〕 中国有些学者将"传统性统治"也划入法治范畴，如朱苏力教授就认为"传统型统治是基于源远流长的传统的神圣性，相信按照传统实施统治的合法性。……那么前两种统治都大致相当于法治，而魅力型统治大致相当于人治"（见朱苏力："认真对待人治"，见《华东政法学院学报》1998 年 12 月创刊号）。

范性格的热爱，建立在献身于一个非凡的个人以及由他所默示和创立的制度的神圣性或英雄气概或楷模样板之上。是一种比较纯粹的人治。对这种个人魅力型统治来说，"领袖"起着决定性作用，他本身一定具有神圣的特殊性质。换言之，这是一种神的人格化或人被神化的统治。统治者首先是作为道义人格的典范，其次是作为智慧上无所不知和能力上无往而不胜的完人或超人，他具有能够洞悉一切、战胜一切的品质和力量以及凌驾于其他人之上的绝对权力。但是，首先不是由于他真的具有这种无所不能无所不知的力量和完美的品质，才使他具有了凌驾于其他人之上的绝对权力，而常常是由于他首先具有了绝对权力。换言之，是绝对权力赋予了他以绝对的人格和统治力，而不是相反。

传统型统治的合法性建立在遗传下来的（"历来就存在的"）制度和统治权力的神圣的基础上，即建立在一般地相信历史适用的传统的神圣性和由传统授命实施权威的统治者的基础上。它将依赖于那些训练出来的权威的地位合法性处于一种早已确定的对古老惯例的圣洁信念。韦伯认为传统型统治的"统治者（或者若干统治者）是依照传统遗传下来的规则确定的，对他们的服从是由于传统赋予他们的固有尊严。统治者不是'上司'，而是个人的主子。他们的行政管理班子不是由'官员'组成的，而是由他个人的'仆从'组成；被统治者不是团体的'成员'，而是或者一是'传统的同志'，或者二是'仆从'。决定行政管理的班子和主子之间的关系的，不是事务上的职务职责，而是奴仆的个人忠诚"。[1]

合法型统治是一种理性的法治，依赖于标准化规则的模式的"合法性"信念之上，即相信统治者的章程所规定的制度和指令以及权利的合法性，并且那些提升为权威的权力处于发布命令的规则之下。在合理性统治中，统治者是合法地被授权进行统治的，具有理性的性质。最纯粹的合理型统治是借助于官僚体制的行政管理班子进行统治。公共职务和私人事务有着明确的界限和区分。这种统治是形式主义的、功利主义的，没有个人之间的效忠——非人格化的统治。正如韦伯所说："这种统治没有憎恨和激情，因此也没有'爱'和'狂热'，处于一般的义务概念的压力下；'不因人而异'，形式上对'人人'都一样。也就是说，理想的官员根据其职务管辖着处于相同实际地位中的每一个有关人员。"[2]

韦伯在区分统治类型时并没有阐述这三种理想的统治在时间上的传承顺序，只是说这三者"在历史上没有任何一个真正以'纯粹'的形式出现过"[3] 笔

---

〔1〕 ［德］马克斯·韦伯：《经济与社会》（上）林荣远译，商务印书馆 1998 年版，第 252 页。

〔2〕 ［德］马克斯·韦伯：《经济与社会》（上）林荣远译，商务印书馆 1998 年版，第 250 页。

〔3〕 ［德］马克斯·韦伯：《经济与社会》（上）林荣远译，商务印书馆 1998 年版，第 242 页。

者以为，尽管这三种统治形式往往以"你中有我，我中有你"的纠结态势呈现，但不同的历史阶段都会有其主流的统治结构。宏观上看，传统型的统治主要存在于早期，往往是魅力型统治的延续，随着面对工业化的封建社会的崩溃而开始衰落。一旦一种新的权威结构在成功的反抗之后建立起来，魅力型统治或者传统型统治会让位于其他中的一种——更为稳定的那种类型。应该说，无论魅型统治还是传统性统治两者均属于人治的范畴，而合理性统治却是法治的概念。

一个国家从传统性统治或魅力型统治向合法性统治转变的过程就是人治向法治转变的过程，或者说，是法律人和法律职业生成和作用的进程，也就是"韦伯的进路"。这种进路正如韦伯本人所说，是"按理论上的'发展阶段'划分，法和法律过程的一般发展是从通过'法的先知们'进行魅力型的法的默示，到由法的名士豪绅们经验的立法和司法（保留派、法学家的立法和先例立法），进而到由世俗的最高统治权和神权统治的权力进行强加的法律，最后由受过法律教育的人（专业法学家）进行系统的制订法的章程和进行专业的、在文献和形式逻辑培训的基础上进行的'法律维护'"。[1]

2. 法律人在"韦伯式进路"中的作用。在伯尔曼的《法律与革命》、泰格和利维的《法律与资本主义的兴起》两本著作给我们描述了法治的两条历史进程：前者认为基督教和教徒在西方法治的生成与发展中起到了关键的作用，后者则论证了商人和商品经济在西方法治进程中的重要地位；前者以宗教为中心，后者以商人为支点。韦伯却是以具有形式理性的官僚行政管理班子为重点，具体描述了第二类法律人在人治走向法治进程中的观念和作用。

韦伯眼中的合法性统治是一种理性统治，它必须具有以下观念和原则：

第一，一种官职事务的持续的、受规则约束的运作；

第二，这种运作是在一定的按章办事的权限（管辖范围）之内；

第三，职务等级制度，也就是说，任何机构都有固定的监督和监察制度，下级都有权向上级投诉或者提出异议；

第四，技术性的议事规则和专业培训；

第五，行政管理班子同行政管理物资和生产物资的分离原则；

第六，（在完全合理的情况下）不存在任职人员对职位有任何的占为己有；

第七，行政管理档案制度原则。[2]

从上述论述我们可以看到，作为合法性统治主体的官僚行政人员首先要"受规则约束"，也就是说"官僚体制"一切行为和运作必须在事先制定的法律

---

〔1〕　〔德〕马克斯·韦伯：《经济与社会》（下）林荣远译，商务印书馆1998年版，第201页。
〔2〕　〔德〕马克斯·韦伯：《经济与社会》（上）林荣远译，商务印书馆1998年版，第244页。

框架内进行，统治者的权力必须要由法律制度所赋予，服从统治者实际上是服从法律。法律明确规定了统治权力的界限，规定统治机构必须按章办事。从另一个角度讲，官僚体制的成员必须具备法律至上的观念和信仰。这不仅是合法性统治与另两种人治统治类型的最大区别，也是法治的第一要义所在，更是辨别是否法律人的试金石。

其次是权力限制与监督。这是一种特殊的职业等级制度，是基于法律规则的制度，任何机构都有固定的监督和监察制度以防止权力的滥用和越限。法律应当制约官员，包括法官、公务员和普通公民。举例来说，与合法性统治相比，中国古代的统治类型是一种摇摆于魅力型统治和传统性统治之间的人治，其文官制度所体现的只有中央到地方的权力分配，而没有权力的约束和制衡。

再次是职业技术与职业资格。在合法性统治中，专业知识是非常重要的，正常情况下只有证明接受专业培训者或成绩合格，才有资格参与"官僚行政班子"，成为"官员"。这种高度职业化倾向来源于形式主义可计算性的要求。同时，以"规则约束"、"权力限制"等内容为核心的法律职业伦理培训和形式技术理性训练也赋予了了这些"官员"独特的法律职业素质，以维护法治的运行。在魅力型统治和传统型统治中，这种严格的职业技术培训是不可能存在的，人治模式下的官职任命，往往只是基于一场道德与人性的教化考试。

最后是人事与财务制度分离。"官僚行政班子"享有固定的用货币支付的薪金，而且一般情况下这类薪金应该保持在相对较高水平。这是法律人享有独立人格亦即行政和司法相分离的根本前提，也是防止腐败的一种有效手段。

综上所述，合法性统治中的"官僚行政班子"必须具有规则至上和权力限制的职业伦理，具备经过专门职业训练的形式技术理性，才能获得合法统治的资格，并同时享有定薪制度的保障。笔者认为，尽管韦伯将合法性统治的主体概括为"官僚体制"或"官僚行政班子"，但这类主体的治理却是一种以形式理性为核心、不带任何个人主义色彩的非人格化统治，或者说，韦伯合法型统治语境下的"官僚"其实就是具有形式理性办事手段的行政人员，也就是具有法律职业素养的特定行政人员。这类人虽然不能直接称呼其为法律人，但具有与法律人相同的法律职业素养，也同样起到了防止人治的作用。

韦伯自己也认为传统型统治之所以区别于合法型统治，主要原因是传统性统治的行政管理班子缺乏：第一，按照事务规则确立的、固定的"权限"；第二，固定的合理的定级制度；第三，通过自由的契约并按规定任命官员和按规定晋升；第四，专业业务培训（作为准则）；第五，（经常性的）固定薪金。[1] "官

---

〔1〕 ［德］马克斯·韦伯：《经济与社会》（上）林荣远译，商务印书馆1998年版，第254页。

僚制度"这一社会组织的形式远比任何其他的东西优秀，并且因此将其他人治所有的东西排除在外。"精度、速度、明确性、文件的熟悉、连续性、判断力、统一性、严格的从属、摩擦以及人力物力成本的减少，和深思熟虑的规则"都包含在韦伯用以引证这种组织的形式理性的优越理由当中。

而且，官僚科层制一旦完全建立起来，或者说第二类特殊的"法律人"一旦出现，就会处于最牢固的难以破坏的社会结构中。实际上，管理层面上的科层制化（bureaucratization）会以一种确定的权力——权利关系的形式来运行，"官僚制度"不可能被轻易打破，由此而来的职业共同体也获以形成。"官僚制度"一旦建立，其意思并不意味着总是用来服务于同一个目标或者同一种利益，关键还是"官僚行政班子"是一种治理的手段；它被简单地制造出来以便为那些知道如何获得控制它的人来工作。换句话讲，"官僚行政班子"这种第二类"法律人"所涵盖的法律至上、权力限制和制衡的法律伦理、形式理性主义的职业技术培训和资格认定，以及相关的职业制度保障使合法型统治从主体上彻底摆脱了人治的阴影，储备了法律职业素养的源泉，具备了法律人之治的雏形。难怪韦伯自己都说："合法型统治最纯粹类型，是那种借助官僚体制的行政班子进行的统治。"[1]

法治的意思并不是说法律本身能统治，能维持社会秩序，而是说社会上人和人的关系是根据法律来维持的。法律还得靠权力来支持，还得靠人来执行，法治其实是"人依法而治"，并非没有人的因素。

——费孝通[2]

二、人治与人的因素

（一）人治的特征

所谓人治，是指在社会控制中，人具有很大的能动性、主体性，不以法律作为惟一的甚至是最重要的价值取向。韦伯的三类统治类型中，个人魅力型统治（又称卡里斯马型统治）和传统型统治都属人治范畴，其中后者又分为家长式统治和封建统治。封建社会的中国，其统治模式一直摇摆于魅力型统治和传统型统治之间，是人治的一种典型模式。中国在建立文明社会时没有打破原有氏族关

---

〔1〕 ［德］马克斯·韦伯：《经济与社会》（上）林荣远译，商务印书馆 1998 年版，第 245 页。
〔2〕 费孝通：《乡土中国生育制度》，北京大学出版社 1998 年版，第 48 页。

系，而是以氏族关系为依据、血缘关系为纽带建立起国家制度，其特点是由家及国，家为国的本位与原型，国只是放大了的家。这种"国家"既有浓厚的家族色彩，也有鲜明的政治本质。家长制的实质就是把家族统治上升为国家统治形式。既有家族统治的温情，又有家长的绝对权威。于是在社会控制中便形成一种人治体系，其中既有国家法治的内容，又有家族管理的色彩，体现出双重的性质。

荀子的下列言论就是人治思想的具体典型体现："有乱君，无乱国。有治人，无治理法，……故法不能独立，类不能自行，得其人则存，失其人则亡。法者，治之端也；君子者，法之原也。故有君子，则法虽省，足以偏矣；无君子，则法虽具，失先后之施，不能应事之变，足以乱矣。"[1] 这类推理虽未否认保证社会秩序需要某种法律，但却假设应当强调建立一个特殊的有德统治者阶层，并应允许他们采用他们认为最好的方法领导社会，而不必受到过去通过的五花八门的法律的阻碍。人治哲学的理想在仁慈的哲学家的精英知识分子中得到了体现。

分析荀子的人治哲学，我们可以看到将人治的价值理念特征表现在：第一，立法时的主观性，法律出自统治者个人意志或少数统治阶级的意志，甚至可以不要法律，按照统治者个人意志进行社会控制；第二，统治者个人的意志凌驾于法律之上，在司法的操作上重视尊卑长幼之序、维护封建等级特权，法律面前没有真正的平等；第三，执法时的灵活性，在执法过程中，不死搬僵硬的法律条文，而根据不同情况，把法与社会生活的情理结合起来；第四，在约束的多样性上，法律不是社会约束的惟一途径，甚至不是最重的途径，重伦理、习俗、道德的约束。

而人治的制度性特征表现在：

1. 符合形式法治要求的规则材料缺乏；在法规材料方面，要么表现为试图通过一个系统的法典穷尽一切而导致缺漏；要么表现为高度细密化，不给社会多样的复杂性和变化留有余地。多采用涵盖一切的笼统语言，是一种要求遵守某些道德原则的禁令……。

2. 在政府官员之间内部流通的行政材料不予公布。

3. 假定出于知识精英的官僚体系占据的社会地位，如果不是惟一德高望重、也是最为德高望重的社会地位之一。

4. 行政首脑集司法和立法功能于一身。

5. 民众真正地具有非讼思想，并在政府的积极政策的推动下，也相应地缺乏"权利意识。"采用调解等非正式手段而非诉诸法院来解决争议受到鼓励。

---

[1] 《荀子·君道》。

6. 不存在法律职业。如果有人寻求在代表当事人的利益时争辩法律原则，则被视为讼棍和对社会毫无有益贡献的寄生虫〔1〕

从上我们可以看到，人治的基本特征在价值理念上就是：权力至上、道德伦理统治以及形式理性的缺失；在制度层面上就是：司法与行政一体，程序诉讼法的缺失，行政官员没有明确的职权范围和制度化的晋升标准，没有真正自足的法律职业。人治传统的权力中不包含形式理性，理性屈服于权势，人权屈服于皇权，皇帝享有至高无上的地位。上级掌握下级的命运，官僚掌握平民的命运。人治的理论基础是英雄创造历史的唯心史观，并作为一种与民主和法治的对立物出现。在人治思想的驱动下，个人专断现象日趋严重，人民权利被践踏殆尽。

（二）人治的缺点

"如果有人根据理性和神的恩惠的阳光指导自己的行动，他们就用不着法律来支配自己；因为没有任何法律或秩序能比知识更有力量，理性不应该受任何东西的束缚，它应该是万事的主宰者，如果它真的名副其实，而且本质上是自由的话。但是，现在找不到这样的人，即使有也非常之少；因此，我们必须作第二种最佳的选择，这就是法律和秩序"〔2〕法治与人治的根本对立在于，法治认为一个国家能否兴旺发达、长治久安，具有决定性意义的因素，是整个法律与制度的好坏，而不是少数几个国家领导人是否贤明。人治的理论则恰好与此相反。作为一种治国的原则与方法，实行法治的主要标志，是一个国家要有比较完善的法律与制度；并且特别强调，任何国家机关、社会团体或公民个人，包括国家的最高领导人在内，都要遵守法律，严格依法办事。这同那种认为法律可有可无，有法可以不依，凡事由少数领导个人说了算的人治是有原则区别的。〔3〕与法治相比，人治有其无法避免的缺陷：

1. 道德高于法律的实质理性倾向。法律至上是法治国家的基本特征，它无可争辩地表明了法律在治理国家中的地位和作用。与此相反，力主"贤人政治"的人治将道德置于至高无上的地位，而法律只是道德治国的辅助品。孔子就曾经

---

〔1〕 国际法学家委员会（International Commission of Jurists）：《现代法治的不断变化的意义》（"The Dynamic Aspects of the Rule of Law in the Modern Age"），（东南亚和太平洋法学家会议记录报告——Report on the Proceedings of the South-East Asian and Pacific Conference of Jurists——泰国曼谷，1965 年 2 月 15 日～19 日），第 31～32 页；转引自巴里·海格（Barry M. Hager）：《法治：决策者概念指南》，刘新民译，1999 年日本东京"法治及亚洲对法治的接受"学术会议论文，第 14～15 页。

〔2〕 ［古希腊］柏拉图：《法律篇》，《西方法律思想史资料选编》（中译本），张学仁等编译，北京大学出版社 1983 年版，第 27 页。

〔3〕 李步云：《法制民主自由》，四川人民出版社 1985 年版，第 154 页。

说过"以德为法",[1] "威不两措，政不二门，以法治国，则举措而已",[2] "务以德善化民"。[3] 而道德高于法律的直接后果就是人治"重实体轻程序"的自然理性主义。美籍华人学者黄仁宇一针见血地指出："笔者以为，中国两千年来，以道德代替法制，至明代而极，这就是一切问题的症结"。[4]

2．个人权力至上和无法保障权利。在人治社会，一个统治的合法性来自自称的、同时也为他人相信的历代相传的神圣规则和权力。统治者获得权力的方式是沿袭下来的家长制、终身制、世袭制的习惯和君权神授的观念。因此，人治者夸大个人权力，把治理国家的希望完全寄托在贤君和明主身上，他们认为：自然理性主义如果能找到一个伟大的领导或小的群体来给社会分配正义，就能缓和法律本身的缺陷。关于这点，孔子曾经说："善人为邦百年，亦可胜残去杀矣。"[5] "子为政，焉用杀；子欲善，而民善矣。"[6] 孟子也说："君仁，莫不仁；君义，莫不义；君正，莫不正；一正君而国定矣。"[7] 但是，人治却没有一种有效的监督体系，能有力地防止个人专断和腐败，同时也无法保障个人的权利。没有制约的权力，必然导致腐败；绝对权力导致绝对腐败，这已成为一条公理。而在昂格尔看来，"只有的确存在一种摆脱执政者好恶而独立确定法律规则含义的方式，规则才能保证行政权力的非人格化"。[8]

3．法律的秘密性和不平等性。决策应当是公开的过程，公开才能保证司法过程的透明、公正，民众参与监督，司法判决的正当性才可能得到保证。而人治论者却反对法律公布于众，当孔子听到晋国把范晋子著的刑书铸到铁鼎上公布时就大为愤怒："晋其亡乎，失其度矣……民在鼎矣，何以尊贵。"[9] 认为只有保持"刑不可知，威不可测，则民畏上。"[10] 个人权力至上和律令不公诸于众必然导致特权的存在。孟子说："君子犯义，小人犯刑。"[11] 荀子也说："由士以上，则必以礼乐节之，众庶百姓，则必以法数制之。"[12] "礼不下庶人，刑不上

---

〔1〕《孔子家语·刑政·执辔》。

〔2〕《管子·明法》。

〔3〕《汉书·董仲舒传》。

〔4〕黄仁宇：《万历十五年》，三联书店1997年版。

〔5〕《论语·子路》。

〔6〕《论语·颜渊》。

〔7〕《孟子·离娄》。

〔8〕R. Unger, Law In Modern Society, New York：The Free Press, 1976, pp. 180~181.

〔9〕《左传·昭公二十九年》。

〔10〕《左传·昭公六年颖达正义》。

〔11〕《孟子·离娄》。

〔12〕《荀子·富国》。

大夫"，即使是人治论者推出"王子犯法，与庶民同罪"来掩饰其法律面前的不平等性，但是王子之上还有皇帝，还有皇后，又如何呢？

4. 结果的非确定性和不可预期性。人治与法治的一个主要区别，就是法治能创造可预期性，也就是说规范先于行为存在，《德国民法典》和《美国联邦宪法》自诞生以来就很少被修改。法律的权威性基本上依赖于法律的稳定性。人治的最大表面特征就是反复无常，偶然性太大，其表现就是朝令夕改。孟德斯鸠就曾说过："人治作为制度，是信赖人的反复无常。"这个弊端是个人权力至上的必然结果。

5. 职业法律人的缺失。这是行政人员集司法与行政能力于一身的必然结果。

（三）人治中的"人"和法治中的"人"

人治是把国家的"治"与"乱"完全系于"圣主"、"贤君"个人意志和权威的唯心史观，它包括德治，礼治，君王治，命令治，军事治，计划治，运动治，政策治等等。其本质表现就是：在固定的规则和灵活的人之间，更重视后者，信任有道德观念、自主意识的人而不相信相对稳定的抽象规则。人治作为一种治国方略是和法治相对存在的，但人治并不等于人在治理国家和办事过程中的作用。在历次的"法治——人治"的讨论中，坚持人治或者法治和人治结合论的学者们认为任何法制国家都要选拔人才来治理，法治归根到底都离不开人的作用。这其实是将法治中人的因素和人治相混淆，人的因素和人治之间不能划等号。"所谓人治和法治之别，不在人和法这两个字上，而是在维持秩序时所用的力量，和所根据的规范的性质"[1] 人治与法治的区别，不在于有无法律，也不在于是否重视人的作用，而在于对法律的态度和人起作用的方式。人治，法律只是工具，社会成员中某些人有超越法律的特权；法治，法律是标准，任何人无法权之外的特权。人治，人的作用有较大的主观随意性，依赖于少数人的作用，往往导致独裁；法治，人的作用规范、民主、科学，发挥了多数人的作用，更利于社会的和谐与发展。

人是社会政治的、经济的、文化艺术等等活动的主体，一切社会生活领域里的现象都有人在起作用。法治本身也包含人的因素，那就是法律人的作用。这两者是和谐一致的，不矛盾的。法律人是法治制度化蓝图的两大基石之一，"倘若没有学识的法律专家决定性的参与，不管在什么地方，从来未曾有过某种程度在形式上有所发展的法。"[2] "在那些现实存在着但又超越现实漫游的个人身上，

---

〔1〕 费孝通：《乡土中国生育制度》，北京大学出版社1998年版，第49页。
〔2〕 〔德〕马克斯·韦伯，《经济与社会》（下），林荣远译，商务印书馆1998年版，第117页。

在他们的任何怪诞、情绪和胡思乱想处，在那我们称为"人性的怪异植物的完整标本"上，法治是肯定不可能建立起来的。通过经验具体的人也不会通向法治之路，反而导致对法治的否定。[1] 法治的意思并不是说法律本身能统治，能维持社会秩序，而是说社会上人和人的关系是根据法律来维持的。法律还得靠权力来支持，还得靠人来执行，法治其实是"人依法而治"，并非没有人的因素。[2]

"人治论"看重人具有超越其本真的自然存在的道德本性，并坚信这种本性的绝对确定性和作为制度基础的可靠性。"法治论"理念则是基于人的形式理性和技术理性来构筑"法治"框架的。

法治论上的"人"是一个"中人"（中人标准的统治者和中人标准的被治理者），一个"常人"或"明理人"（英美法上的"a reasonable man"），一个"经验的（人）平均类型"，法治所要求的形象是"只服从法律的"，没有"激情和憎恨"，没有"爱"和"狂热"的人；他们在严密的制度之网中生活，通过一系列复杂的过程最终完成了"自我的治理"，市民社会中的"人"，就从那种血脉相系的、温热的社会母体，即作为直接伦理关系和自然生活形式的礼俗社会、家庭中蜕离出来，以利益为联系纽带形成新的有规则的关系。这是一种抽象的和一般性的社会关系，"人"在此抽象关系中获得其抽象的人格，它抽离了生物人的物理性质，抽离了精神道德人的个性差异，抽离了"生活人"之多样性需求。

另一方面，从制度层面看，合法型统治中的官员，也就是法治中的"人"具备以下特征：第一，个人是自由的，仅仅在事务上服从官职的义务；第二，处于固定的职务等级制度之中；第三，拥有固定的职务权限；第四，根据契约受命，即（原则上）建立在自由选择之上；第五，根据专业业务资格任命（不是选举）——在最合理的情况下，通过考试获得、通过证书确认的专业业务资格；第六，采用固定的货币薪金支付报酬，大多数有权领取退休金；第七，把他们的职务视为惟一的主要的职业；第八，可看清自己的前程：职务"升迁"根据年资或政绩；第九，工作中完全同"行政管理物资"分开，个人不得把职位占为己有；第十，接受严格的、统一的职务纪律和监督。[3]

国家——社会制度"照料"其私人生活，训练其思考方式和行为方式，甚至连同他们的道德情操、日常情趣和世俗愿望也完全被制度"机械化"了。生活在这种"安定性的政治和法律"中的统治者和管理者，在抽象的秩序中运用

---

〔1〕 舒国滢：《西方法治的文化—社会学解释框架》，选自"榕树下"网站：www. rongshuxia. com。

〔2〕 费孝通：《乡土中国生育制度》，北京大学出版社 1998 年版，第 48 页。

〔3〕 ［德］马克斯·韦伯：《经济与社会》（下），林荣远译，商务印书馆 1998 年版，第 117 页。

"远距离"的、"看不见的"控制方式，操作社会治理术，不知不觉中变成了社会治理术的组成部分，甚至成为被这种技术宰制的"单向度的人"。他们已经丧失了合理地批判现实的能力，只有在管理的事务、运用的技术和操作的程序中识别出自己存在的身份，找到自我的同一性。[1]

法治是以职业公务员体系来执法并主导立法的政府体制，是没有"领袖"强权地位的体制，目的不是给人民以争夺政权的自由，而是严格、中立、公正、廉洁和高效率地执行已有的法律。当然，人治和法治都是理论上的"抽象模式"。一如世界上没有纯粹的市场经济或计划经济，世界上也没有纯粹的人治和法治。然而，法治与人治还是有着质的不同。法治制度是由职业的、中立的和机械式的执法者来主导的制度，因其拒绝了"人民"以竞争政权的方式来实现自己的意愿，政府及其活动高度非政治化，使人治因素减少到最低限度。

从制度层面上看，具有高度形式理性、中立于社会、国家并具备独立性、自足性的司法制度是法治的最终保障。司法权是法治社会纠纷的最终裁决者，完善的司法制度是法治社会"正义的最后一道防线"。而行政权的法治化则是法治的核心，在所有的国家公权力中，行政权的主动性和扩张性使它犹如一头桀骜不驯的怪兽时时威胁着人权与自由，因此，行政权服膺于法律是法治社会的一项至关重要的制度要求。正如前文所述，在法治国家的司法机关、行政机关中，掌握着"统治权"、实施实质性的统治的是大量的受过严格的法律职业训练、具有极高的法律素养的人员，尽管在法律的统治下，人的因素并不是决定性的，完善的制度可以最大程度地遏制人性的弱点，从而避免权力走向专横，但是如果没有和制度本身融为一体的人的因素的存在，制度并不具有充分的自足性。正是这些具有高度法律素养的人掌握着国家的司法权、行政权才有效的避免了制度的蜕变和异化，阻隔了人治趋向。准确地说，是掌握国家权力人的法律职业素养保障了法治制度的正常运行，阻隔其蜕变为人治。文章下面将从司法制度、行政制度两个方面展开论述，分析法律职业素养如何确保法治社会的司法制度行政制度运行之理性化，阻隔其堕落为人治。

如在法律职业人身上每时每刻不再充分思考其职业之涯，同时也不再迫切的思考其职业深刻的问题性，那们一个较好的法律职业人就将不再是一个较好的法律人。[2]

—— ［德］古斯塔夫·拉德布鲁赫

---

〔1〕 舒国滢："西方法治的文化—社会学解释框架"，选自"榕树下"网站：www. rongshuxia. com。

〔2〕 ［德］古斯塔夫·拉德布鲁赫：《法律智慧警句集》，舒国滢译，中国法制出版社2001年版，第140页。

三、阻隔人治：法律职业素养对理性司法的保障

在法律人之治中，法律人并不主动的发挥其自然人的理性，而只是积极地、努力地将自己隐藏于形式正义的无知之中。正如古希腊传说中的 Themis 女神，尽管她一手拿着代表正义的长剑，一手持着象征公正的天平，但最终象征着她成为司法女神（正义女神）的，是绑在她头上的那块小小的、蒙着她眼睛的布条。正是这小小的阻隔，使她能够超然于大众的道德和情感，通过程序进行缜密的逻辑思考，遵循向过去看的习惯，稳妥甚至保守地忠诚于宪法与法律。法律职业素养正是法律人的蒙眼布。

我们认为法律人的特殊职业素养包括：职业语言，职业知识，职业思维，职业技术，职业信仰和职业道德六个方面。这几个方面职业素养的统一，则形成一个统一的法律共同体。在这六个职业素养中，前四个方面构成法律职业的技能，即我们所说的"才"，后两个方面构成法律职业的伦理体系，即通常所谓的"德"。法律职业素养是一种不同于大众"自然理性"的专门化的"技术理性"，其技能与伦理的统一主要是靠法律教育的统一。那么，法律人的职业素养到底具有怎样的特征和优点，使法律人之治不会走向人治呢？

（一）职业行话确保"权利—义务"的量化性与法官思维的精确性

任何职业都拥有自己的职业话语体系，这些话语由专业词汇构成，形成专业领域，进而形成专业屏障。法律职业语言由来自制定法规定的法律术语和来自于法学理论的法学术语组成。法律人，"他们是一群神秘的人，如同秘密社会，有自己的切语和暗号，有自己的服饰和大堂，他们不屑于使用日常语言，他们把鸡毛蒜皮的小事上升在神圣的原则层面上来讨论，外人并不知道他们在说什么，为什么这样说，他们把这种以远离日常生活的方式来关注日常生活称为'专业化'"[1]

美国著名语义学家查尔斯·L·斯蒂文森从语言的用法入手，将语言分为两种：一种是描述的用法，这种用法使用词句是为了记录、澄清或是交流信息。这是科学上使用语言的典型用法，目的是为了让听者相信这一陈述或相信说者相信这一陈述；另一种用法可称为"能动"的用法，目的在于发泄感情、产生情绪或促使人们行动或具有某种态度[2] 法律职业语言应该是属于前者。由于这种

〔1〕 强世功："法律共同体宣言"，载《中外法学》2001 年第 3 期，第 329 页。

〔2〕 ［美］查尔斯·L·斯蒂文森：《论理学与语言》，姚新中等译，中国社会科学出版社 1991 年版，第 9 页。

描述性用法在很大程度上使语言趋向符号化并摈除其中的情感和道德因素，因此，法律职业术语可以最大化地将所有社会问题，不论它来自民间还是来自官方，不论是抽象还是具体，统统通过"法言法语"量化为"权利—义务"关系进行分析和判断。

"法律的语言决不可能等同于报纸的语言，书本的语言和交际的语言，它是一种简洁的语言，从不说过多的废话；它是一种刚硬的语言，只发命令而不作其他；它是一种冷静的语言，从不动用情绪。法的所有这些语言特点，就给其他任何风格形式一样又其存在的道理"〔1〕

日本著名法学家川岛武宜认为法律词语技术的功能有两方面：其一，它是法律所特有的思考手段；其二，它又是法律所特有的传递手段〔2〕举个简单的例子来说，对同一件大家赞许的事情，大众语言表述为："这是好事！"，而法律人却判断"这是合法的。"或者"你有权利做这件事。""好"虽一个字，但含义却千变万化，一个人认为是"好"，另一个却很可能认为是"不好"的，一千个人就有一千种好事。但"合法"的事和"有权利做的"事确是明确的、惟一的、社会认可的。这种"权利—义务"语言的量化优势使任何繁杂的社会问题便于分析、操作和解决，从而有效地避免了情绪化的大众语言将社会问题推向普洛透斯似的变幻无常的道德正义之脸。

法律语言的"权利—义务"量化性特征使法官的思维产生了高度的精确性。语言是思维的载体，语言的多义性和模糊性的必然结果是思维路径的多重可能性和判断的多重选择性，这是法律推理过程中最为忌讳的。被认为是法律学本体方法的分析法学致力于追求法律概念在逻辑、形式意义上的精确性，将每一个法律概念置于"法律关系的元形式"〔3〕中进行分析，每一个法律概念可能被量化为数个元形式意义上的法律关系，这为法律语言的精确提供了技术上的可能。即使是难以量化的"不确定法律概念"法官也必须通过精致的法律解释技术使其获得符合一般社会理性要求的确定性。伴随着法官对法律概念精确性追求的是法官思维的精确性。在这个意义上，法官被比喻成"制作判决书的机器"，尽管这种说法有失偏颇，但却不失为法官思维精确性的一个生动写照。法官思维的精确性在最大程度上遏止了人性中的非理性因素对司法理性的侵扰，防止法官在判断、裁量中的恣意和任性，从而避免司法走向人治。人治中的司法（如中国古代社

---

〔1〕　［德］古斯塔夫·拉德布鲁赫：《法律智慧警句集》，舒国滢译，中国法制出版社2001年版，第12页。

〔2〕　［日］川岛武宜：《现代化与法》，王志安等译，中国政法大学出版社1994年版，第257页。

〔3〕　王涌："私权救济的一般理论"，载《人大法律评论》2000年第1辑。

会的司法）在法律语言技术上的特点是：语言的模糊性、权利义务的非量化性等。

（二）知识与技术的垄断保证司法自治

现代社会是建基于职业化、类型化、专业化知识上的社会。职业之间之所以不同是因为他们所从事的活动以及他们的活动所涉及的知识不同，而专业化区别与一般职业则在于他们非同寻常的深奥知识和复杂技能——每一个专业都有一个科学的知识体系基础（a scientific knowledge base）。[1] 拥有全面、深奥的法律专业知识，而这些知识可以通过教育和训练获得，体现着是法律职业最基本的属性之一。法律职业知识是一种专门化的知识，它主要由相辅相成的两部分组成：一是制定法中关于法律和规则的知识；另一部分是以法律为研究对象的法学提供的知识。法治不仅在于"明确规则的法治"，而且在于"权利原则式的法治"。[2]

法律之所以要确使每个个人都拥有一个他能够决定自己行动的公知的领域，其目的乃在于使个人能够充分地运用他的知识，尤其是他关于特定时空下的情形的具体知识，而这些知识往往是他所独有的。[3] 由于法律职业术语体系本身的复杂性和难掌握性，他们在构建专业屏障的同时，也导致一个国家"鼓励/制裁（sanction）"的行为：给合格的职业提供时常保护（鼓励），禁止和惩处没有资格的人员从事需要特许的法律职业，这就是法律职业知识体系所形成的垄断性。传统法律话语尤为强调统治阶层的政治对法律和官员的操纵与监控，并不默许法律与官员的自治性发展，"放任"后者成为科层化的意识形态和职业，这也是人治的特征之一。随着社会分工的进一步加深和法学领域的进一步细化，法律知识的垄断性也在不断加强。

法律职业除了其独特的知识垄断属性外，还衍生出一套具有高度形式理性特征的操作性技能，法律家的职业技能，包括法律解释技术，法律推理技术，法律程序技术，证据运用技术，法庭辩论技术，法律文书技术等等。具体来说，主要包括：

第一，对各种社会现象（包括案例）均能够自觉地运用职业思维和法律原理来发现问题、分析问题和解决问题；

第二，较熟练地进行法律推理；

---

〔1〕 Freidon，1994：13，转引自赵康："专业、专业属性及判断成熟专业的六个标准"，载《社会学》2001 年第 1 期，第 53 页。

〔2〕 R. Dworkin, *A Matter of Principle*，Cambridge：Harvard University Press，1985，pp. 11 – 12.

〔3〕 参阅 Smith，W. o. N，. I，421；转引自 ［英］弗里德利希·冯·哈耶克：《自由秩序原理》，邓正来译，三联书店 1997 年版，第 198 页。

第三，熟练地把握各类诉讼程序，能够主持诉讼程序，进行事实调查与取证；

第四，熟练地从事代理与辩护业务，从事非诉讼法律事务（如法律咨询、谈判、起草合同）以及法律事务的组织与管理；

第五，有起草法规的一般经验。[1]

法律职业技术决定着法律运作过程及其结果的质量与效率，也就是所谓"执法水平"的问题。这些技能不同于大众素养，非经法律教育和法律实践的长期训练不能被掌握。因此，法律人职历的长短和年龄本身就成为其素质的一个度量衡。世界各国的法官选任之所以或者从资深律师中选任、或采用自下而上的逐级升任制度，都是基于此种原因。

法律职业的知识与技能的垄断性为司法自治提供了技术上的保障。在法治社会，司法自治的正当性在于，司法制度是关乎保障正义与自由的制度，司法权的行使者在裁决纠纷时往往拥有对生命、财产和自由的生杀予夺的能力。在数千年的人类文明史中发展成型的近现代司法制度已被证明是迄今为止最为有效的在解决纠纷中保障正义实现的制度安排。而这种解决纠纷的制度是如此的复杂，以至于需要有一个经过长期严格的职业知识、职业技术训练的阶层存在并排他地操作这项制度，才能保障它地完美。英国大法官柯克与英王詹姆士一世就国王可否亲自坐堂问案的辩论，是对司法自治的意义的精彩隐喻：

"的确，上帝赋予陛下丰富的知识和非凡的天资；但是陛下对英格兰王国的法律并不精通。涉及陛下臣民的生命、继承、动产或不动产的诉讼并不是依自然理性来决断的，而是依人为理性（artificial reason 又译技术理性）和法律的判断来决断的；法律乃一门艺术，一个人只有经过长期的学习和实践才能获得对它的认知。法律是解决臣民诉讼的金质魔杖和尺度，它保障陛下永享安康太平。"[2]

"我很清楚，您的理解力飞快如电，您的才华超群绝伦，但是，要在法律方面成为专家，一个法官需要花二十年的时光来研究，才能勉强胜任。"[3]

柯克的话明确告诉人们，法律是技术理性，是一门专业性强的知识、技术和思想体系，对它的准确理解，在多数情况下只能被职业法学家阶层垄断。因此，法律就是一个特殊职业垄断的领地。

柯克所谓"自然理性"与"技术理性"之区别，显然道出了基于普遍的道

---

[1] 参阅"法律硕士专业学位研究生指导性培养方案"，载霍宪丹主编：《中国法律硕士专业学位教育的实践与探索》，法律出版社 2001 年版。

[2] ［美］爱德华·S·考文：《美国宪法的"高级法"背景》，三联书店 1996 年版，第 35 页。

[3] ［美］爱德华·S·考文：《美国宪法的"高级法"背景》，三联书店 1996 年版，第 33 页。

德观念而形成的大众逻辑与根据专门的专业思维而构筑的职业逻辑的区别。因此，司法自治的一项重要功能是，在知识上和操作技能上阻隔外行行外人士入侵，减少道德话语的侵入，使法律活动专门化成为技术专家，而不是任何人都可以指挥干预的领域。从而避免司法沦为人治。司法的非专业化、法律与道德的混同以及司法权在整个权力体系中的边缘化而导致的司法领域的附随性往往是诸多人治社会的共性。司法自治、法律职业知识与职业技术的垄断本质在于：法律的问题，作为一个科学的问题来看，是社会技术的问题，而不是一个道德的问题。[1]

而人治社会中的司法犹如一个可以任意打扮的婢女，由于缺乏职业性、知识垄断性的保障，它是一个被强权、道德可以任意摆布、进出自如的领域。即使在较为开明的人治社会中，它至多也只是一个装点门面的花瓶或摆设。

（三）形式理性主义和司法中立

思维是客观事物在人脑中间接的和概括的反映，是借助语言所现的理性认识过程。职业思维是职业技能中的决定性因素，也是职业素养的最重要因素。法律人的职业思维是以完整的法律体系和职业实践为背景的，经过专业的训练才能获得的，它是一种规范性思维方式，与公众思维大相径庭。法律职业思维是法律人之治的核心所在，是区别于人治的质的内在规定性，也是法律人共同体得以自治的形而上的内核。不具有法律职业思维就不是法律人。

季卫东教授在"法律职业的定位"一文中曾分析过法律职业的独特的思维方式，包括："一切依法办事的卫道精神"、"'兼听则明'的长处"、"以三段论推理为基础"[2] 三个方面。孙笑侠教授将法律家的职业思维与政治家的思维区别为：法官运用职业术语进行观察、思考和判断；法官通过程序进行思考，遵循向过去看的习惯，表现得较为稳妥，甚至保守；法官注重缜密的逻辑，谨慎地对待情理与情感等因素；法官注重活动过程以及标准的形式性；法官只追求程序中的相对的"真"；法官的判断结论总是非此即彼这六个方面。[3]

笔者认为，与人治的大众思维相比，法律职业思维具有以下的优越性：

1. 缜密的逻辑思维。法律关系是以数学性正确度而明确严密构成的，逻辑的完整性是法律的基本原理。[4] 逻辑并非法律所特有，但法律逻辑思维较之大

---

〔1〕 ［美］凯尔森："法律与国家"，载《西方法律思想史资料选编》，第640页。
〔2〕 季卫东："法律职业的定位"，载《中国社会科学》1994年总第86期。
〔3〕 孙笑侠："法官与政治家思维的区别"，载《法学》2002年第1期。
〔4〕 ［日］川岛武宜：《现代化与法》，王志安等译，中国政法大学出版社1994年版，第25页。

众逻辑却有更高的技术要求。法律逻辑思维是一种"权利—义务"的词语建构，它明确了各种法律价值判断及其相互之间的关系，在这种思维的作用下，法律体系之中形成了井然的秩序，从而使法律思考和判断实现了合理化。[1]

2. 保持程序优先的思考。麦考密克和魏因贝格尔在其《制度法论》中概括了四种类型的形式正义：相互交往的正义，分配的正义，报应的正义和程序的正义。[2] 法律对利益和行为的调整是在程序中实现的。法治原则要求人们必须通过合法的程序来获得个案处理的实体合法结果，因此，从法律的角度来思考问题，就应当强调程序合法的前提性地位，这意味着违反法定程序的行为和主张，即使符合实体法的规定，也将被否决，从而不能引起预期的法律效果。作为社会控制的一种高度专门形式的法律秩序，是建筑在政治组织社会的权力或强力之上的。但是法律决不是权力，它只是把权力的行使加以组织和系统化起来，并使权力有效地维护和促进文明的一种东西。[3] 麦考密克，魏因贝格尔援引莫里斯·欧里乌的话说："种种制度都是按照法律规则出现、'生活'和'死亡'的。他们的存在来源于法律程序，法律程序调整它们的建立并构成它们的法律基础和保证他们的持续存在。"[4]

3. 形式理性，也就是规则合理性或制度合理性，它是一种普遍的合理性。而实质合理性则只能表现为个案处理结果的合理性。借助于形式合理性来追求实质合理性，依据于这样的认识：对于社会正义而言，普遍性规则的正义或制度正义是首要的和根本性的，离开了规则正义或制度正义，就不可能最大化地实现社会正义。

法律人思维特点的核心在于形式理性主义，无论是逻辑的缜密，还是正当程序，最终都可体现为形式理性—对规则合理性或制度合理性的追求。逻辑是一个纯粹的抽象符号的世界，它最终指向的只能是事物的形式的意义。正如前文所言，法律职业思维的形式理性主义特征不仅是法律人共同体得以自洽的形而上的内核，它还决定了司法制度的基本特征。司法制度通过高度形式化的程序对利益进行调整和分配，它探求正义的标准是高度形式化了的操作性规则，从不以实质性的道德、社会价值为标准，即使在做价值判断时，也力求以形式化的标准将价

---

[1] 法律逻辑思维与大众的因果关系有所不同，它的功能仅仅是对人们所采用的法律判断进行说明，而不进行任何形式的价值分析，这就将边界模糊的道德因素排除在外，实现形式上的真正理性。拉德布鲁赫就曾经说过："法律职业人的工作是一种理智的工作，是通过概念的条分缕析来调控混乱模糊的人际关系。"

[2] 见麦考密克，魏因贝格尔：《制度法论》，周叶谦译，中国政法大学出版社1996年版，第178页。

[3] [美] 罗·庞德：《通过法律的社会控制》，第26页。

[4] 麦考密克，魏因贝格尔：《制度法论》，周叶谦译，中国政法大学出版社1996年版，第37页。

值客观化。正如麦考密克和魏因贝格尔所说，实证主义把正义问题缩小为这样一个问题：行为符合实施的规则，或至少符合根据有效的规则作出形式上平等的案件判决。[1]

因此，在整个社会的实体道德面前，形式化的司法制度是"中立"的。这种"中立"的性质由法律人的形式理性主义的思维所决定，并受它的保障。从某种意义上说，司法制度中的形式主义正是法律人思维的形式主义的延伸和具体化。只有法律人操作下的形式理性化的司法制度才可能是"中立"的。否则，它有可能蜕变为以实质理性为特征的人治下的司法制度。

人治社会中的司法解纷机制主要借助官员的个人理性，一种不受普遍规则约束的"现场理性"来全权社会纷争，法律只是"办事的参考"；人治下的司法轻视形式合理性的价值，实质上是轻视普遍规则和制度在实现社会正义过程中的作用，相反，它把实现社会正义的希望寄在个人品质之上，试图借助于不受"游戏规则"约束的圣人智者来保证每一个案都能得到实质合理的处理。

（四）法律至信与司法优先

在法治社会，司法权是一切社会纠纷的最终裁决者，这不仅表现为现代司法机关通过诉讼制度对民事、行政和刑事案件的裁判，更为引人注意的是，20世纪后半叶出现在西方法治发达国家的"政治问题司法化"潮流。这说明盛行数百年的主权行为司法豁免观念受到了极大的动摇，司法权可以成为政治纷争的最终裁决者。因此，在某种程度上可以说法治社会是"司法优先"的社会。这也是法治社会区别与人治社会的重要特征之一，在人治社会，由于司法权的边缘化，司法权并不具有至高无上的地位，由于司法权附随于行政权之后的卑微地位，司法权在控制公权力、保障人权和社会自由乃至裁判社会纠纷诸方面的能力均十分有限。

法治社会的"司法优先"或司法权的崇高地位首先得依赖于普通民众对法律得信仰。伯尔曼曾经说："一种不可能唤起民众对法律不可动摇的忠诚的东西，怎么可能又有能力使民众普遍愿意遵从法律？""法律只在受到信任，并且因而并不要求强制力制裁的时候，才是有效的；依法统治者无须处处都仰赖警察。……总之，真正能阻止犯罪的乃是守法的传统，这种传统又植根于一种深切而热烈的信念之中，那就是，法律不仅是世俗政策的工具，而且还是生活终极目的和意义的一部分。"[2] 潘恩也认为，"法律必须靠原则的公正以及国民对它感

---

[1] 麦考密克，魏因贝格尔：《制度法论》，周叶谦译，中国政法大学出版社1996年版，第183页。
[2] ［美］哈罗德·J·伯尔曼：《法律与宗教》，梁治平译，三联书店1991年版，第43页。

兴趣才能获得支持。"[1] 这种社会公众的法律情感，以及在此基础上产生的法的神圣性的意识和观念就是法律信仰。

但是，法律人的职业信仰则是维系法治社会"司法优先"地位的制度内的精神保障。由于法律职业者是法律机器的操纵者，是法治文明的传播者，如果法治主体——法律人本身无信仰追求，法治就会沦为纸上谈兵。法律人的法律情感和法的神圣性的观念，是法本身之存在及其具有效力的"合法性"根据，是法律人之治与人治的精神分野。法律人职业信仰对于法治社会"司法优先"的作用主要从表现在：

第一，法律至上。借用著名法学家哈特的术语来说，在法治社会中，社会公众普遍地对法律持有"内在观点"而不是旁观者立场的"外在观点"。但对于法律人来说，法律至上的信念使其产生的是从事法律职业的无上尊荣感和法律规则至高无上的行事原则。这就使得法律人（尤其是法官）无论是在强权或是其他显赫之物面前仍然以法律为至信，这无疑为"司法优先"的实现打下了坚实的信念基础。

第二，法律人的权利本位、权力制约的信念使得法律人在面对权利与权力的冲突时，在面对专横的强权时，挥舞正义之剑，树立司法权的威信。耶林曾经说过："为权利而斗争是自己的义务，也是对社会的义务。"捍卫权利是法律人的旗帜与口号，权利本位是法律人之治的奠基。

第三，强烈的职业荣誉感使法律人能够恪守法律职业伦理。法律职业伦理是指从事法律职业的人在司法实践中必须遵循的伦理规范和伦理原则。秉承人性、人权、理性和司法公正原则，是公共性、职业性的统一。法律职业伦理的忠诚于法律的保守意识、远离舆论的出世性等特征使法律人获得了刻板、理性的社会形象，但也使公众对他们产生了信任感，同时也促成了公众对司法机关的信任。

法律不只是一套规则，它是在进行立法、判决、执法和立约的活生生的人。它是分配权利与义务，并据以解决纷争，创造合作关系的活生生的程序。法律能够为社会提供一种结构，一种完型[2]

——［美］哈罗德·J·伯尔曼

---

[1]　［美］潘恩：《潘恩选集》，马清槐等译，商务印书馆1991年版，第265页。
[2]　［美］伯尔曼：《法律与宗教》，中国大百科全书出版社1991年版，第38页。

四、阻隔人治：法律职业素养对行政法治的保障

近代社会法律的发展过程，涉及的不仅是一种客观权利的简单法律编纂，还是一种法律人的形塑过程，是将客观的法律权利变为一种主观权利的过程。并不是把共和制写入法典，就能造就共和国的公民的，仅仅给出一个自由的框架，人们并不能获得自由。自由的真正实现，是在制度化的过程中，发展出自由的技术，使每个主体都成为自主自愿去寻求自由的个体。在"韦伯式进路"中，官僚科层制的合法性统治是一种理性统治，它要求官僚体制的成员必须具备"受规则约束"、规则至上的观念和信仰，从而形成了具有形式理性办事手段的"官僚行政班子"——具有法律人职业素养的行政官僚的统治，并在统治主体层面上确保了制度与法治精神洽合的可能性。"韦伯式进路"中的"官僚体制"使我们看到了在法治条件下的人与制度的互动关系中，具备特殊法律职业技术和法律职业伦理的"官僚阶层"对保证现代法律体系稳定运行的特殊作用。这种特殊作用在现代宪政制度运行理念中得到了充分显现，进而排除了以宪政为核心的现代法治沦为人治的可能性。

人治最主要的特征、或者说最大的缺陷就是缺乏具备形式理性的制度对权力进行制约。从这点看，法治精神的本质就在于保障人权和控制国家公权力。正如1959 年在印度召开的国际法学家会议所通过的《德里宣言》所宣称：法治应贯彻三个原则，一是保障人权，保障人类的尊严；二是控制国家权力，尤其是为制止行政权的滥用提供法律保障；三是司法独立和律师自由。[1] 人们一般认为，法治的核心，在于宪政精神及宪政制度的实施。宪政是法治区别于人治的第一要义。宪政的终极目的在于保障人权，对人权自由的最大威胁来自国家公权力。于是，能否成功地制约、控制国家公权力是法治所追求的保障人权能否实现的关键。在所有国家公权力中，行政权被认为是最为强大、最具扩张性，对人权和司法独立最具威胁的"怪兽"。因此，现代宪政制度中的控权机制往往聚焦于对政府行政权的控制。[2] 对政府权力的控制也成为实现法治、杜绝人治不可或缺的前提。

行政权是国家或其他权力主体担当的执行法律，对国家事务进行主动、直接、连续、具体管理的权力。与立法权和司法权相比，行政权具有极强的暴力色彩并且富有扩张性。现代社会中行政权的扩张已经成为保障公民权利和实现传统

---

〔1〕 李龙：《宪法基础理论》，武汉大学出版社 1999 年版，第 198 页。

〔2〕 对行政权实施有效控制，并为遭受权力侵害的权利提供救济的司法审查制度往往成为人们判断法治国家的主要标志之一。

民主制度的最大威胁。如何有效地对公权力实施控制不仅在政治道义层面上意义重大，而且在技术操作层面上向行政主体提出了极高的要求。现代公法制度自近代以降，经过两百余年的发展与完善，已从最初的对权力进行单一的"事后"控制的司法审查制度，发展出一整套完善的、系统的控制技术。这些控权制度无一不体现了人类形式理性的完善和对"程序正义"观念的孜孜追求。综合来看，现代法治体系中的控权制度可归结为：第一，体现对行政权实施"事前控制"的行政组织法；第二，体现对行政权实施"事中控制"的行政作用法；第三，体现对行政权实施"事后控制"的行政救济制度。

　　而在这些制度中，发挥控权中流砥柱作用的当属"正当程序"[1]观念统率下、极具形式理性色彩的程序制度。程序制度不仅通过对立面、决定者、信息和证据、对话、结果等要素的设置，[2]发展成为有效限制权力和恣意的机制，而且要求程序中的法律人必须具备程序化、教义化的思维。通过对程序制度的考察，我们或许可以从中洞悉人类法律智慧的高级形态——法律职业的形式理性是如何精密而又合理的制约着人们社会活动中非理性的一面（权力滥用和恣意），并深刻地感知到这一精致的制度必须依赖于一个具有特殊法律职业技术和法律职业伦理的"技术性"官僚群体的保护和维护。它在本质上是"行政官僚"实施社会控制、保障国家与社会之间、国家权力与个人自由之间进行沟通、交涉的理性机制，它在最大程度上杜绝了道德、权力等非法律要素对个人权利和自由的侵害，从而从制度层面上确保了法律人之治不会走向人治。现代行政程序制度的核心内容在于：信息公开、听证和职能分离，兹分述如下。

　　（一）规则至上与信息公开制度

　　"阳光是最好的消毒剂，一切违法之事都是在秘密角落里干出来的。如果将政府的法规规章、行政计划、决策说明向大众公开，让公众进行评述，则可以有效防止专断和腐败"[3]正如美国法学家戴维斯所说："公开是专横独断的自然敌人，也是对抗不公正的自然盟友"，信息公开制度在现代程序法中被称为是实现正当法律程序的根本保障。如果没有公开，任何完美的制度设置都将形同虚设，其效能的发挥将大打折扣。[4]

---

〔1〕　"正当程序"观念的起源可追溯到欧洲、中世纪以前的自然法、万民法和神法，在英国普通法上，它具体表现古老的自然（natural justice）原则，美国宪法修正案第5条的使之正式成为现代法治的一项原则，并产生了广泛而深远的影响。
〔2〕　孙笑侠：《程序的法理》，中国社会科学院2000年博士论文，第16页。
〔3〕　应松年主编：《行政程序法立法研究》，中国法制出版社2001年版，第465页。
〔4〕　（台）罗传贤：《行政程序的基础理论》，五南图书出版社1993年版，第111页。

信息公开制度包括的内容相当广泛，涉及行政法规、规章、行政政策和方针的制定以及行政机关据以作出相应决定的相关规则和材料，行政统计资料的公开与批露，行政和司法机关的工作制度、办事规则和手续等等。所有这些信息和情报资料，只要不属于法律、法规规定应当保密的范围，凡是涉及利益相对人的权利义务的，都应依法定程序、法定规则向社会公开，任何公民、组织均可依法查阅和复制。这既是信息公开制度的内容，也是规则至上法律思维和法律信仰的具体体现，其意义在于：一是有利于公民参政。知政是参政的前提，也是实现民主与公平、保障人权的基石。二是有利于防止腐败，消除专制和特权。而保障权利和制约权力正是防止人治的关键所在。

信息公开制度的顺利运行离不开规则至上的法律思维和法律信仰，更离不开具有上述法律职业素养的制度操作者。尽管各国的信息公开制度为之设立了一定的保障、救济机制，对违反公开义务的行政人员处以惩罚，但是这并不是该制度具有自足性的全部保障。因为行政权力无所不在的扩张性和影响力要摧毁一项制度是轻而易举的。与该制度具有相同价值内核的法律职业素养是保障信息公开制度顺利运作的基石。该制度的操作者，即"官僚行政班子"必须具有规则至上和法律至上的职业伦理，严格按规矩办事的职业精神。社会学的研究表明，任何一项制度的成功运作均取决于受制度约束的人的自觉遵守，而不在于其背后的强制作用。强制在很大程度上是非迫不得已不得使用的能量。在大多数情况下，制度的正常运行由人们的价值倾向性所保证。正是制度的执行者整体的形式理性和严格的规则主义精神使公开制度的效能免于被权力所吞噬，甚至沦为摆设。

另一方面，政治社会学的研究成果告诉我们，权力具有多重的利益属性。首先是权力的代行利益，这是权力的正当利益；其次是权力握有所属阶级和阶层利益以及权力握有者个人的利益，这是权力的非正当利益。公开无疑可以在较大程度上抑制权力的非正当利益，但是要在最大程度上遏止权力的非正当利益就必须对当权者或统治者的职业素养提出高要求。而只有法律人规则至上的职业思维和职业信仰才能满足这种洽合。在具有法律职业素养的行政官僚操作下的行政公开制度能够确保权力对于它所掌握的信息尽可能的处于价值中立的立场。因为权力握有者具有一种牢不可破的规则至上观念，无论信息对于其自身是否有利，只要法律规定应予公开，则一律予以公开。

由此可见，规则至上的法律职业思维在信息公开制度确保权力的正当利益、抑制权力的非正当利益的功能中起到了信仰保障的作用。尽管性恶论的人性观和"一切拥有权力的人必将滥用权力"的定律决定了彻底根除权力不正当利益的不现实性，但是规则至上的职业思维和法律信仰在信息公开制度这项具体的"防恶的艺术"中却可以最大程度地为该制度的正当运作提供智识上和精神上的保证，以达到打破恣意的温床，遏止权力之恶，确保"官僚行政班子"在权限范围内执行职务的法治目的。在西方法治发达国家中信息公开制度最为完善的当属美国，它关于行政公开的法律体系已成为各国立法的范本，这与美国的技术官僚基层大多数都受过正规的法律教育的职业背景是分不开的。

（二）程序思维与听证制度

听证制度是现代行政程序的核心制度，[1] 许多国家的行政程序就是以行政听证制度为基础而建立的。法学界将听证制度定位为：行政机关或立法机关作出影响相对人权益的决定和裁决时，就与该行政决定有关的事实及基于此的法律适用问题，提供申述意见，提出证据的机会的程序。[2] 听证制度的核心内涵是听取当事人的意见，其必然要求和内在体现就是正当程序的法律思维和素养。而正当程序是法治的两大基石之一，它为避免权力的恣意甚至沦为人治提供了合理的交涉机制和坚实保障。

在所有的行政官僚中，听证制度对听证程序主持人的要求最能显现法律职业素养的作用。听证制度是一项以职权主义为中心的权力运作制度。而听证主持人是听证的组织者、指挥者，可以依职权调取证据，主动询问当事人，掌握质证的开始、中止、终结等进程。如英国《联邦程序法》第 556 条明确规定，听证主持人享有广泛的权力，掌握听证的进程及提出证据的方式和时间表，在听证中有权召集证人，进行询问和反询问，充分查明事实的争端等等。[3] 在大陆法系行政听证制度的职权主义表现得更为明显，德国、奥地利、日本、韩国以及中国台湾地区的行政程序法都赋予了行政机关或听证主体以广泛的权力。因此，听证主持人只有具备"两造对抗"、"案卷排他原则"、"法官中立"的法律职业技术和形式理性、程序正义的法律职业思维才能有效的制约和限制权力的滥用，换句话说，听证主持人的法律职业素养直接决定了听证程序是否能实现其"听取针对他们指控并提出自己理由的公平机会"[4] 的目的。

具体来讲，听证程序作为一项以程序正义为主要导向的规则制度，要求听证

---

〔1〕 从听证的起源上看，听证的本质——听取对方意见可以追溯到上帝惩罚亚当之前给予其辩论的机会。听证制度的最早体现在司法听证程序中，后又被引入立法领域，正如迪普洛克勋爵所说，"任何违背这一要求而作出的决定无效"。在行政领域确立听证制度是 20 世纪以后，随着行政权不断扩张，实体法控制日渐式微而程序法日益兴隆的结果。作为行政程序法的可心，听证制度对民主、法治、保障人权的作用越来越突出并受到人们的关注，成为横跨立法、司法和行政三大领域的一项引人注目的制度。

〔2〕 关微译：《日本现代行政法》，中国政法大学出版社 1995 年版，第 178 页。

〔3〕 王名扬：《美国行政法（上）》，中国政法大学出版社 1991 年版，第 50 页。

〔4〕 ［英］韦德：《行政法》，徐炳译，中国大百科全书出版社 1999 年版，第 135 页。

的组织者和主持者具备以下要素：一是法律程序技术的组织、展开与运用。听证程序在"主持和参与程序的进行"、"对立面的较量"、"两种过去的操作"、"对时序和空序的合理运用"以及"角色的分化和分工"等几个方面体现出鲜明的技术性特征，[1] 从而赋予了听证制度以高度的形式理性特征。二是程序的主要操作者——听证主持人必须具备高度的法律程序技术和经验，以及"一切依规则办事的卫道精神"、"兼听则明"、"只追求程序中的真，不同于科学中的真"式的独特的职业思维方式。[2] 听证主持人的法律职业技能和法律职业思维的欠缺将使设置精良的听证规则变质或异化。尤其是在职权主义模式之下，听证主持人拥有很大程度的自由裁量权，其法律职业素养的高低尤其重要，可以毫不夸张地说，在法律程序技术的层面上，行政听证程序是"技术官僚"主宰下的听证程序。听证程序中的交涉机制所发挥的民主参与功能、防止专断和恣意的功能基本上依赖于听证程序主持人的职业素养和职业伦理。

在听证程序最发达的美国，为保证行政听证程序的司法特征和公正性，美国《联邦行政程序法》甚至专门设置了"听证审查官"制度作为听证主持人。1972年，文官事务委员会将听证审查官改称为"行政法官"，表示听证审查官的工作性质。"行政法官"虽属于行政序列，但与真正的司法法官一样具有独立性质，不受机关长官的直接控制。行政法官在任命、工资、任职方面，不受所在机关的控制，而受文官事务委员会的控制。这些规定的目的在于保障行政法官能独立行使职权，不受所在机关的压力。在行政法官的选择任命方面，文官事务委员会只考虑具有律师资格和经验的人，并且必须经过竞争考试。[3] 从这点上看，行政法官是典型的具有高度法律职业素养的行政官员。在美国人的观念里，作为行政执法中确保公正、防止专制的核心环节——听证程序中由具有高度法律职业素养的"技术官僚"行使听证主持权，是实现"正当程序"的必备条件。

（三）法律人素养与职能分工、权力制约

德沃金指出："法律实践最为一般最为基本的关键在于引导和约束政府的权力……法律坚持认为不应适用或阻止强力，无论这样多么有利于眼前的目的，也不论眼前的目的多么有利或崇高，除非源于过去的政治决定所产生的个人权利和责任的许可或要求，那些决定证明集体强力是正当的。"[4] 宪法和法律规则是从

---

[1] 孙笑侠：《程序的法理》，中国社会科学院 2000 年博士论文。

[2] 季卫东："法律职业的定位"，载《中国社会科学》1999 年第 3 期。

[3] 王名扬：《美国行政法》（下），中国政法大学出版社 1991 年版，第 450～451 页。

[4] R. Dworkin, Law's Empire, Cambridge：Harvard University Press, 1986, p. 93.

外部对权力的运作进行制约和限制，而职能分离制度是从内部将行政权力进行分立和设定。职能分离将行政权力划分为决策、执行、监督咨询等数个环节，使之分属于不同的机关或不同的工作人员掌管和行使，[1] 它是宪法上的权力分立原则在行政法领域的延伸。但宪法上的分权强调的是不同性质、由不同机关行使的国家权力的分工和制约，而行政职能分离则是行政权内部的行政分工，它无法像三权分立那样形成不同权力之间的强大的控制机制。因此，职能分离制度的有效运行不能过于倚重不同职业部门之间的制约和牵制，它的成功运作仍然需要一个具有法律职业思维和法律信仰的"技术官僚"阶层的支持。从总体上看，无论是法律制约还是职能分离，两者效能的实现都离不开权力制约的法律职业思维和信仰。尤其是后者，它是权力内部的一种自我监督，这对权力的实施者和运作者提出了更高的法律职业素养要求。

人治环境中的行政人员，其最大的特点就是职能混同与权力集中。他们既没有外部的法律制约和权力分立制度，同时由于法律职业共同体的缺失，也不可能具备内在的分工和制约理念。而法治中的法官、检察官和律师则处于两者兼备的制度环境中。职能分离制度中的技术官僚，与人治中的行政统治者相比，他们同样处于权力的实施和运作地位，同样缺乏足够的外部和监督制约，而让他们得以维系权力正当性的根本保障就是法律职业素养。在缺乏强大的外部力量制约的前提下，为避免权力不自觉的过度扩张而造成职能混同或集中的局面，掌握行政职权的"技术官僚"必须具备一种"权力制约"、"严格按权限办事"、"不得越权"的形式理性主义的法律职业思维和信仰，——这甚至可以起到决定性的作用。权力制约的法律职业素养要求行政法治中的行政官僚以"有限权力"作为其操作权力运行的基本原则，很多情况下这种法律职业素养是法治与人治之间的惟一藩篱。因此，职能分离制度是"技术官僚"统治下的职能分离。

"当事人不能作为自己案件的法官。"[2] 在职能分离制度较为完善的美国，从事裁决和审判型听证的机构或者人员，不能从事与裁决和听证行为不相容的活动，以保证裁决的公平。因此，主持听证和作出裁决的人和机构不能同时是追诉者和调查者，也不能和后者单方面进行接触；追诉活动、追诉前的调查活动以及

---

〔1〕 行政机关在作出一个行政决定之前，必须经过调查、取证程序，若调查取证和决定权集中于一人时，会对相对人造成不公正的待遇，从而走向典型的专制主义。事先参与调查取证的人参与作出决定，必然会着重于他们自己所调查的证据作为决定的基础，而忽视当事人所提出的证据和发复。甚至他所秘密调查没有经过当事人对质的证据，也可作为决定的基础，这对当事人很不公平。事先参与调查，对案件的处理很难有一种超然的客观状态，而这种心理状态和素质是程序正义的先决条件。

〔2〕 王名扬：《英国行政法》，中国政法大学出版社1987年版，第151页。

主持听证和裁决活动，不能集中于一个人或机构。[1] 这与美国行政界的"法律人参政"现象是密不可分的。这些具有良好法律教育背景和法律职业素养的行政官员保证了行政权力运行的合理性和正当性，从而杜绝了行政治理的人治化危险。

从上述论证我们可以看到，现代行政程序的几项主要制度的有效运行均无法离开一个具有良好法律职业素养的"技术官僚"阶层，笔者称之为第二类法律人的技术性支撑。这个"第二类法律人"阶层的统治是实现行政法治，防止专制的关键。从制度层面上说，法治的核心是行政法制或者说是韦伯口中的"官僚体制"，这类"官僚行政班子"对行政程序制度的主宰使其维护了立法者的初衷——高度形式理性的法律程序对权力的有效控制，从而在最大程度上杜绝了权力的专断，防止了恣意的桀骜不驯而使整个社会沦为人治。

余论：中国法学家群体的作用

行文至此，我不能不反问自己：法律人及其法律职业素养从何而来？

尽管法律职业共同体形成于职业活动本身，但是法学院和法学（教育）家群体却是法律人及其职业素养的摇篮。法律职业的养成或法律人的培养离不开法学院以及法学家群体。一个国家或地区的法学教育和法学家群体的成熟度直接决定了法律职业的发达程度和法治的水平，也就是说，法治的进程与法治中的"人"密切相关。处于社会转型期的中国，其法学教育也正在经历着一种深刻的嬗变过程。

中国历来有重视"人"的传统，但探讨问题不是在人的精神存在上开拓，却专在人的德性上下功夫，"大学之道，在明明德"。说到底这种研究类型，于哲学上展开不够，在伦理上却扩张有余。中国人没有把法和道德事实区分开来，两者处于直接结合的状态。[2] 中国传统法律文化形而上的先天不足，导致了知识分子精神品格的失落，这种缺失表现在两方面，一是崇拜权威，二是成为附庸，也就是人治的体现。因此，在中国传统文化熏陶、培养下的"法学人"，本质上都是搞政治或热衷于政治的一群。人生的价值与政治权势如此地贴近，他们不可能产生对此岸权势的超越性格，而只能发生对此岸权势的依附行为。既是依附，就意味着法学家们丧失了独立人格。更妄谈自洽的法律职业素养。于是，他们对法律的研究从一开始，关注的只是对社会治理之术的探索，推崇"经世致用"，散发着一股实用——功利的庸俗味道。中国法律与伦理政治结合，形成了

---

〔1〕 王名扬：《美国行政法》（下），中国政法大学出版社 1991 年版，第 437 页。
〔2〕 ［日］川岛武宜：《现代化与法》，王志安等译，中国政法大学出版社 1994 年版，第 21 页。

法律政治化的特点。套用王亚南《中国官僚政体研究》中的话分析"思想活动乃至整个人生观，都拘囚锢蔽在官僚政治所设定的樊笼中了"。法学幼稚，在某种程度上讲就是法学研究者人文话语的幼稚，是法学职业阶层精神品格的失落，是法律职业素养的幼稚。所以，中国古代的依法而治（rule by law）实际上意味着人治（rule by man）。[1]

法学家是什么？法学家是以关注人的权利，检验实在法的合理性，研究社会管理的最佳模式等为己任的独立的公共知识分子的总称。作为集合概念，它是指这批知识分子的群体。法学家必须具有自身独立的地位。否则必然使法学难以获得独立的学术品格，法学也就只能是在国家权力的设定下，成为政治、权力的附庸，成为传统的"律学"。今天仍然存在一定数量的法学工作者在政治国家的强大机体中，迷失了法学家的方向，遗忘了法学家的社会的公共责任。

要解决这道难题不是一朝一夕的事情，但法律人职业素养的培养与重视却是冰山一角融化的开始。

笔者认为一切宏大的事业的开始都是从渐变和演化开始的。我们无需责备现实，而只能从具体的、微观的、可操作的制度建设开始。所以中国选择了司法统一考试作为司法改革有效的突破口。就此，我的看法是：首先，要改变目前的法学高等教育中的课程考试和以往的律师资格考试只偏重法律术语和法律知识特别是法律规定的状况，全面考核法律语言、法律原理、法律思维、法律技术、法律信仰和法律伦理，在设计司法统一考试时应确立"素养考核中心论"的思想，加大职业信仰和执业道德的考分比例；其次，在大学法学院增加包含职业伦理训练内容的实践课程，增加各课程中的职业伦理内容，使法律职业素养伴随法律人的形成而形成；再次，在法官和律师等职业培训环节，应该开设更高层面法律职业素养培训课程。

法律是一定社会和文化条件下的一种自主力，它是由立法者制定并用于有目的地影响和设计某种社会关系使之形成一定的模式，而立法者的目的显然不同于大多数受法律约束的公众要求。所以，可以这样认为：法律是社会中的某些精英创制的，它不受公众舆论左右。[2]"罗马法学家创造了罗马法"，同样法律职业素养缺陷的法学家只能创造自我意识失落的法学。"论政而不治政"这是西方知识分子的传统，光是思想体现为现实是不够的，现实本身应当力求趋向思想。作为中国法学家们，是否也需要作这样的定位。苏格拉底曾这样阐述过自己的使

---

〔1〕　高道蕴："中国早期的法治思想"，见《美国学者论中国法律传统》，高道蕴等编，中国政法大学出版社1994年版，第215页。

〔2〕　［英］罗杰·科特威尔：《法律社会学导论》，潘大枫等译，华夏出版社1989年版，第75～76页。

命，"我这个人打个不恰当的比喻，是一只牛虻，是神赐给这个国家的，这个国家好比硕大的骏马，可是由于太大，行动迟缓不灵，需要一只牛虻叮叮它，使它精神唤发起来，我就是神赐给这个国家的牛虻，随时随地紧跟着你们，鼓励你们，说服你们，责备你们"，我想，中国的法学家们也应坚守这一立场，忠实于自己的使命，忠于自己神圣的法律职业素养。

第三节　论法律人职业素养的技能性构成

一、信任危机中的中国法律人与缺失的职业内涵

（一）信任危机中的中国法律人

蒲罗东曾经说，权力是"信仰物质"，其基础是"信任"。[1] 西方国家的法律人之因为能够享有此般的荣贵和富足，主要就在于其经过长期的自身努力，取得了普通民众、经济界、当权者的信任和支持。在西方国家的法治初期，律师往往是代表市民社会，对抗专制和暴政，对民主起着巨大作用的学识贵族，因而往往能获得普通民众爱戴和尊敬，得到资产阶级的支持和依倚；西方法治国家的法官，除了在法国大革命和德国纳粹时期为虎作伥，做过一些坏事并为此声誉受损外，他们在近现代的西方基本上还是最受普通民众爱戴的一个权力团体。可以毫不夸张地说，法律职业团体在现代西方的社会生活中，发挥的是类似于贵族阶层的作用。[2]

而在法治的初创时期，我们的法律人受各界评价如此之劣、信任度如此之低，不得不引起我们的忧虑和重视。在法治事业如火如荼、法律人可大干一场的当下，中国法律人自身却陷入了一场严重的信任危机之中。北京零点调查公司于2001年在北京、上海、广州和武汉等11个城市，对5673位18岁以上的城市居民进行多时段随机入户访问得出的一个结论是：整体上赋予法官消极形象的人占约四成。《新闻周刊》作了一个随机电话调查，20个受访者中全部知道"三盲院长"姚晓红，只有一个人知道最高人民法院2000年表彰了100个"全国人民满意的好法官"，具体到先进法官的姓名，他则盲然不知。[3] 社会学家李强在

---

〔1〕　转引自［法］米歇尔·德·塞尔托：《多元文化素养》，李树芬译，天津人民出版社2001年版，第16页。

〔2〕　当然，在当下的西方，呼吁律师和法官的大众化、民主化的声音，似乎也越来越大。

〔3〕　"整体形象偏低法官面临信任危机"，载《新闻周刊》2001年11月29日。

1998 年做的一个职业声望调查中，法官和律师分别被排在第 8 位和第 11 位。[1]
反观西方，法官往往是所有职业中威信最高一个职业，如在日本的职业威信评分
调查中，法官的得分是 87.3，居各行各业之首，高于大公司总裁和大学教授
（83.5）、医师（82.7），而律师的得分也超过了 60.0。另外调查也显示，法院的
公正和信赖度也独占鳌头（达 46%），比居第二位的地方自治体（7%）及舆论
界（4%）都高出了一大截。[2] 更应值得注意的是，我们在谈论信任危机时，在
西方一般仅涉及律师团体（这种不信任更多地由大众伦理和律师伦理的冲突导
致），一般不涉及法官，但我们这里几乎所有的法律人，却无一例外地经受着严
重的信任危机。

　　当然，信任（诚信）危机是中国当下的一个主要社会问题，对法律人的失
望和质疑仅是这场危机的一个侧面。[3] 然而，法律人作为现代法治国家的权掌
者（治国主体）、正义的最后一道防线，其诚信都是如此地值得怀疑的话，我们
可以想像，生活在一个"礼治"或"家族式"的信任资源几乎全遭破坏、法治
的信任基础却又如此脆弱的当下中国，人们在交往中会是怎样的相互警惕，如何

---

〔1〕　李强："转型时期冲突性的职业声望评价"，载《社会学》2000 年第 10 期。

〔2〕　季卫东：《法治的建构》，中国政法大学出版社 1999 年版，第 212 页。

〔3〕　信任是社会生活的基础。没有一个人不懂得什么是信任，没有一个社会不强调和褒奖信任。没有人
　　们相互间享有的普遍的信任，社会本身将瓦解。信任和物质一样，构成了一种资本——社会资本。
　　它"是由社会或社会的一部分普遍信任所产生的一种力量。创建这种道德群体所需要的社会资本不
　　同于其他形式的人力资本，不可以通过理性的投资决策来获得。一个人可以通过"投资"来获得普
　　通的人力资本。与此相反，社会资本的获得要求人们习惯于群体的道德规范，并具有忠诚、诚实和
　　可靠等美德。而且，信任未在成员中间普及之前群体必须整个地接受共同的规范。换言之，社会资
　　本不可能仅靠个人的遵守来获得，它是建立在普遍的社会德行而非个人的美德的基础之上。这种具
　　有社会性的社会资本比其他形式的人力资本更难以获得。从另一角度来说，正是因为社会资本是基
　　于道德习俗，所以它也同样地难以改变或摧毁。"
　　　　当然，信任的意义绝不止于是经济上的，一种的基本的互信不仅是市场经济运转的生命线，也
　　是社会生存和延续的生命线。信任和被信任也给个人带来生活的意义和安逸、幸福的感觉。
　　　　信任可以在一个行为规范、诚实而合作的群体中产生，它依赖于人们共同遵守的规则和群体成
　　员的素质。这些规则不仅包含公正的本质这种深层次的"价值"问题，而且还包括世俗的实实在在
　　的规则，如职业规则、行为准则等。我们信任一个医生不会故意伤害病人，是因为我们期望他或她
　　不违背自己的医德誓言，遵守医生的职业规则。
　　　　参见［美］弗朗西斯·福山：《信任——社会美德与创造经济繁荣》，彭志华译，海南出版社
　　2001 年版，第 30 页。在该书中，福山还指出，在涉及建立和重建社会信任的可供参考的途径和方
　　法时，福山特别注意自发性社会群体、政府和个人之间的中间社会团体的强调，这种社会团体包括
　　诸如宗教团体、宗族组织、俱乐部和自治协会等。这种中间团体对于维系和培育一种信任关系至关
　　重要。这或许对我们解决当下法律人的信任危机问题有所启发。

的惶惶不可终日！[1]

下面让我们首先考察一下，为什么在西方，法律职业会有如此不可一世的地位，并以此来反观我国的法律人——他们为什么如此不受信任？

（二）法律职业的基本特征和条件

1. 法律职业的基本特征。作为一门古老而经典的职业（profession，请注意与 occupation 的区别），在西方，法律人几乎是作为所有工作（occupation）和职业金字塔的顶端而存在的。换言之，即"所有的工作都是连续统一体中的一点，连续体的始端是体力劳动者，而终端是医生、律师"[2] 因此在西方语境中，"职业"（profession）是一个相当神圣且带点神秘的词语。在传统上，社会只承认律师（法律人）、医生、牧师、教师和高级军官从事的事业是一门职业。而除此之外的工作岗位，如公务员、警察、新闻记者、商人、作家等等通常都被排除在"职业"之外。一般认为职业的特征包括（以律师和医生为例）：

专门的知识和技术。这种知识和技术的特点是：庞巨和神秘；结构非常复杂；并建基于深奥的理论基础之上。必须有完备地传授和获得这种深奥理论，及在此基础上的知识和技术的教育和训练机制。

权威。律师和医生掌握专门知识和技术，往往以向其病人或顾客提供权威建议或指导的形式体现——而遵从的顾客和病人，往往无法以其自己的理解力，来判断为什么这是个好的建议；同时，这种建议也往往无视他们不愿遵从的倾向。此外，这些职业的成员也时常以同样的权威化途径，受邀来对与他们专业知识和技术相关的公共政策作出指导。

社会重要性。对于同样需要他们服务的个人和社会来说，由律师和医生提供的专业指导是极端重要的。我们的健康、生命和自由取决于这些职业所提供的服务的质量。

自律和自制。这两项职业与外界的控制有着相对的独立。接纳新成员的标准及维持从业质量的大多数职责也往往归属于职业团体。这些职业除了掌握着让谁成为新成员的权力外，他们还决定着教育和培训的结构。另外，个体律师和医生对于他们所要提供的服务及服务的对象，也有着很大的选择自由。

职业责任。一旦开始从业，这些职业的成员就必须承担有助于其行为合乎职

---

[1] 一个最明显的例子是：我们似乎已经习惯，在买东西的时候总要如此下意识地、无礼地问："你这个东西好像是假的"或"你这个东西真差"（尽管顾客自己根本无法鉴别真假或优劣）。

[2] ［美］肯尼斯·基普尼斯：《职责与公义：美国的司法制度与律师职业道德》，徐文俊译，东南大学出版社 2001 年版，第 13 页。

业身份的道德指导性的一揽子责任。它们包括：促进其顾客或病人的利益或健康的义务；保护和促进社会健康的义务；在工作中使其职业技艺更加卓越的义务；以及视他们的同业者为手足的义务。这些责任或义务，往往被写进由不同的职业组织和成员起草并适用于本身的伦理规则之中。

收益。与其他工作相比，法律人和医生都获得了大量的实质性的收益，包括可观的经济收入、较高的社会特权和影响，以及在有趣和有益的工作中所获得的满足感。[1]

由此，我们似乎可以得到这样的启发：作为一门成熟和典型的"职业"，理想状态下的法律职业最起码应符合如下几个特征：第一，高度的社会需求。在一个遵循习惯和传统的部落来说，懂得烦琐的法律知识和技术的法律人，是毫无意义的。在那种时代下，因为人们对自然现象的无知和对自然力量的畏惧，娴熟于神判的巫师才为其所迫切需要；第二，高深的为常人所难以掌握的职业知识和技术，并且这种知识和技术能够迎合社会的某种特殊需要（如公正和自由）；第三，有着完善的自律和自制机制，并使职业道德和伦理的有效性维持在一个比较高的水平——而这种职业道德能保证其职业的正确行使；第四，社会地位相对较高，经济收入比较可观，生活水准维持在中产阶级的水平以上。

2. 西方式法律职业形成的基本条件。综观西方，单从法学的角度分析，[2]西方式法律职业的形成，一般需要两大方面的前提：外在的制度条件（即苏力所说的外在的激励制度）和内在的素养因素。

外在的制度条件一般包括：第一，社会的普遍法制化，并在这种背景下，对各种权力皆有相应且相对有效的制约。第二，鉴于高度的社会认可而获得国家特许的市场保护。这种市场保护包括禁止未获执业资格者从事法律职业；规定从事法律职业必须以接受过长期、有效的职业培训（如相应的法学学位的取得）为

---

[1] Pete Y. Windt etc. , *Ethical Issues In The Professions* , New Jersey：Pretice-Hall, Inc. , 1989, Preface. 此外，关于职业或法律职业特征的类似性研究还可参见 Mary Seneviratne, *The Legal Profession*：*Regulation and the Consumer* , London：Sweet & Maxwell Ltd. , 1999, p. 5；[美] 波斯纳：《道德和法律理论的疑问》，苏力译，中国政法大学出版社 2001 年版，第 217 页；孙笑侠："法律家的技能与伦理"，载《法学研究》2001 年第 4 期；赵康：《专业化运动理论》，《社会学研究》2001 年第 5 期。他们似乎都赞同，一个职业成熟与否的判断标准，应该有如下五个条件：①能代表其并对其成员实施有效控制和管理的自治性组织；②能经由教育或训练获取的专业知识；③从事职业前必须进行理论和实践训练并通过特定考核（如司法考试）；④能保证其成员高标准遵守的自治规则；⑤让从业者承担首要和特殊责任的职业伦理。

[2] 若以非法律角度分析，其外部前提还包括：市民社会的培育、法律知识的自治、市场经济的发达、理性文化的主导等等。参见张薇薇："职业法律家阶层存在的外在条件分析"，载《北大法律评论》第 3 卷第 2 辑，法律出版社 2001 年版。

前提；在其知识和技术范围尊重其决定和指导（如尊重司法判决）等。第三，国家承认法律职业的独立性，并将部分行政管理权授权给律师协会及法官协会，或者"法律人"协会，同时尊重这些组织的自治权力。第四，在法学教育制度方面，对师资等条件进行严格的规定；同时在国家认可言论自由的前提下，法学获得蓬勃的发展。[1]

内在的素养因素包括：第一，熟练掌握承载着法律知识、技术和精神并使法律人本身获取无穷权力和利益的职业语言。第二，熟知包括实在法规则和复杂理论在内的职业知识。第三，娴熟于繁杂而为外人所无法掌握、不可言说程度较高的职业技术。第四，在法律人特有的思维模式中思考法律问题，处理法律事务。第五，遵循一套使其合乎职业身份，并在大众道德和职业利益之间保持良性张力的职业伦理。第六，在多元化的哲学取向和宗教信仰基础上，信奉法治和法律。这六项内在的素养因素——简称之，即为职业语言、职业技术、职业知识、职业思维、职业伦理和职业信仰，前四项构成也可合称为职业技能——也即我们平常所说的"法律人的职业素养"。[2]

（三）技能与伦理：中国法律人缺失的"职业"内涵

以上述标准来反观中国的法律人，或许事情也就一目了然了：我国的部分"法律人"，在享尽高尚的"职业"所带来的好处（尽管这种好处和收益相比于西方的法律人，还是相对菲薄，甚至可怜的）的同时，却无法以一定的高深知识和技术来回应社会对正义和秩序的需求，给迫切需求的相关服务的社会和具体个人，带来相应的服务和回报（即使有，也往往是通过利用关系及其他非技术性的途径取得）；缺乏相应的职业荣誉感和使命感，不仅失职于对正义的维护，并且还进一步亵渎了正义。用比较俗套的话说，也就是，我们的法官和律师教育程度普遍较低、往往缺乏必要的法律知识和技术、缺乏必要的职业道德和责任感并缺乏对此的有效制约机制。

在技能方面，我国法律人的能力的低下，这已是老生常谈。我们不仅无法指望我们的法律人在专业能力上，如理论思维的能力以及法律推理和法律解释方面的技术，达到理想状态的水平，而且，我们还不得不面对某些法官和律师，连最基本的读写能力也无法具备的尴尬！在这些法官的手下，我们还能指望他们判得

---

[1] 郑戈："法学是一门社会科学吗？"，载《北大法律评论》第 1 卷第 1 辑，法律出版社 1998 年版，第 10 页。

[2] 孙笑侠："法律人的职业素养和司法资格考试"，载《法律科学》2001 年第 4 期；孙笑侠："法律家的技能与伦理"，载《法学研究》2001 年第 4 期；孙笑侠：《程序的法理》，中国社会科学院 2000 年博士论文；孙笑侠：《法的观念与现象》，山东人民出版社 2001 年版。

"显然公平"吗？能够"合乎法律规定"就不错了！以山东省法院系统为例，1998 年该省法院系统在检查的 45 万起案件中，发现明显有问题的就有 3818 起，而至于那些有"不明显"问题的错案，那就更是庞大了。而全国层出不绝的"死刑错判"案，更使人触目惊心。更可笑的是，竟然还会发生"律师找错被告，法院错上加错判"的荒唐事！[1]

而在伦理和道德方面，我们不能排除，我国的法律职业者，特别是法官和检察官的腐败情况有被人为夸大的因素，其社会形象的丑化含有非理性的成分。这种非理性在一定程度上可归咎于我国媒体的煽动性与行政化；[2] 归咎于普通民众"天下乌鸦一般黑"的思维定势。但是，我们还是无法回避这样一个事实：中国法律人的自身素质和不良记录，决定了其在当下无法取得普通民众、主流政治层和商业界的信任——尽管这有"希望越多，失望越深"的缘由——这对于必须得到国家权力和商业界双重强劲支持、本身除了声望而毫无其他权威基础的他们而言，无疑是一个严重的生计问题。以法院为例，1998 年，全国法院对 2512 名违法违纪的法官和其他工作人员做了严肃处理，其中，给予行政处分的 1654 人，给予党纪处分的 637 人，追究刑事责任的 221 人。[3] 反观现代法治国家，法官一般都能够保持清正廉洁。例如，新加坡自独立以来至 1994 年，没有一个法官犯案；德国六十多年来也几乎没有法官犯案；美国建国 200 年来只有 40 名法官犯案。自明治维新以来，尽管日本立法和行政部门丑闻层出不穷，但遭弹劾的法官总共也只有四位，并且大部分是由于道德不检而导致的。[4] 相形之下，我国法官的素质令人忧虑。我国法律职业者的这些恶劣行径固然已严重地降低了公众对法律的信任，失去了对司法公正的信仰，从而极端地降低了司法的权威与效力，同时也影响了公众和官方对扩大司法权、促进司法独立、提高法律人社会地位与福利待遇等措施与呼吁的回应和支持。

（四）法律技能：法律人职业素养的核心

马克斯·韦伯将人类的行动取向作了效果取向和价值取向的区分。他认为，

---

〔1〕 "低级错误全国罕见：律师找错被告法院错案错判"，载中国新闻网 2001 年 7 月 15 日。

〔2〕 无论中外，揭露当权者的腐败，往往是媒体的一个卖点。由于种种原因，我国的媒体对立法机关和行政机关无法实现有效的舆论监督，甚至会为前述两机关转移人们关注腐败的视线，而提供有意或无意的帮助——由此，与老百姓接触比较直接但又显软弱的司法机关，在某种程度上也就成了替罪羊。对此笔者将另作文而叙之。

〔3〕 因法律人素质低下导致的信任危机，在发展中国家是一个普遍的现象。如 2002 年初，在萨尔瓦多就有 289 名法官因为文凭"不正常"而受到调查，而这一数字几乎占了萨国全部法官的一半。参见"萨尔瓦多一半法官持假文凭 289 名法官接受调查"，载人民网 2002 年 2 月 7 日。

〔4〕 "知法犯法嫖宿 3 名未成年少女东京高法一法官被弹劾"，载大洋网 2001 年 8 月 10 日。

效果取向的行为，属于技术、实践性行为的范畴，遵循的是技术性或实用性的命令，是技艺或审慎的规则，指导它的是受物质利益驱动的功利主义原则。与此相反，价值取向的行为，属于规范、实践性行为的领域，遵循的是绝对命令，是受观念利益驱动的规范性原则，它完全独立于对效果的考虑。[1] 将之套用到我们的主题，我们可以说，在法律素养中，职业技能素养（职业语言、技术、知识和思维）是为效果取向为主的法律人的职业行为，提供的必要的技术性命令和规则，对它们的掌握属于认知的领域。

我们甚至也可以说，法律人的职业伦理，也带有强烈的技能性特征。为了摆脱"党派性忠诚"和"追求公益"的两难处境，现代法学采取了把法律人的职业伦理，特别是律师的职业伦理认定为一种"工具性伦理"（instrumental morality）的方法。[2] 这种工具性的伦理规则与其他伦理不同，它是功利主义或者法律重商主义原则和大众道德原则妥协的产物。它的产生，更多的是出于一种被迫：法律职业本身为了得到大众的认可，而迫不得已以技术的实质吸收大众道德的结果。就此意义而言，法律伦理与法律技能的界限非常模糊，并且更多的是法律技能在道德领域的延伸；法律技能的掌握是法律人具备必要的职业伦理和信仰的前提；它是法律人职业素养的核心。

由此，同时也鉴于篇幅的限制，本文将着重对法律人职业素养的技能性构成部分（即被称为"人为理性"的那些东西），作逐一而详细的论述。不过，为了不使本文过于庞大和过分离题，文章对于职业素养的各个技能性构成，将集中于论述其对于法律人从事法律职业的意义，对于一些深层次的问题，如各职业素养（如法律知识）的产生根源、发展过程、相关的理论论述、具体特征等，将尽量以简洁的方式阐述，甚至会完全程度的回避。此外，由于孙笑侠教授已经在其博士论文中对法律思维作了相当深入而成熟的论述，故本文对这部分将予以省略。[3]

二、技能性构成之一：法律语言

任何职业均拥有自己的职业话语体系。法律职业亦不例外，法律语言（legal

---

〔1〕 ［德］施路赫特："信念与责任：马克斯·韦伯论伦理"，李康译，载郑戈主编：《韦伯：法律与价值》，上海人民出版社 2000 年版，第 274 页以下。
〔2〕 季卫东：《法治的建构》，中国政法大学出版社 1999 年版，第 245 页。
〔3〕 孙笑侠：《程序的法理》，中国社会科学院 2000 年博士论文，第二编。读者可参见本书绪论。

language）即是这一世界或帝国的普通话，[1] 它不仅为塑造一个特征鲜明的法律共同体提供了根本性的前提，且使该共同体及其成员获取了对法律及其衍生权力的独占。[2]

下面，我们首先分析一下法律语言在近代的飞跃和现代体系的大致完成，然后再考察法律语言，特别是概念的功能，最后再探讨一下法律语言对于法律人及其共同体的意义，

（一）法的形式化和现代法律语言的形成

我们似乎可以如此理解，模仿数学的逻辑化的现代法律语言的形成，是近现代西方法律形式化的一个前提和产物。法形式化的三个原因（数字化资本主义发展对规则量化的需求、社会价值观多元化而拟制一种形式化共识的需要、面对科学主义意识形态霸权冲击而模仿其语言形式化以重获权力或权威的需要），在某种意义上，也就是催生现代法律语言的三个原因。

1. 科学主义的冲击与法的形式化。如此极度地依赖语言，并如此地不惜牺牲文字的美感来达到"咬文嚼字"的目的，大概是哲学以及社会科学，自然科学的共通之处。但仅法学或法律而言，法律语言在近代及其以前的急剧扩展，主要归因于他们面对自然科学的挑战，寻求确定性、寻求权威的"实证"家园所作的努力和回应，而这种努力的结果则应主要归功于罗马时代的法学家，以及分别发端于法国、德国和英国的注释法学、概念法学和分析主义法学。[3]

在近代启蒙之前，西方的法学与法律也曾经遭遇过失去权威和迷失家园的危机。古罗马时代的法学家，通过不厌其烦地设计和注解法律概念，在简单商品经济的社会里为法律赢取了无上的良誉和权威。但那时及随后的中世纪，毕竟仅仅是些"简单的商品经济社会"，尊奉先验上帝的基督教及其教会，几乎成了整个西方世界的主宰。相应地，"势利"的法律（不势利的法律只会是空文白纸），

---

[1] 德沃金认为"法律的帝国并非由疆界、权力或程序界定，而是由态度决定"。笔者认为，事实上不同群体甚至个体的法律人在具体精神追求和伦理要求上有着极然的不同，如法官与律师之间；从本质上决定法律帝国的"疆域"应是共同语——法律语言的掌握与否，而非其他。[美] 德沃金：《法律帝国》，李常青译，中国大百科全书出版社 1996 年版，第 357 页。

[2] 这种权力的独占，或许也会使法治在对抗传统专制中产生了另一类专制，即法律人的专制。参见刘星：《法律的隐喻》，中山大学出版社 1999 版，第一段自序部分。

[3] 分析法学这一概念在其外延上也具有两个层面的意义，在狭义上，分析法学仅指英美国家的以边沁、奥斯丁为渊源的分析实证主义法学流派，在广义上，分析法学则指法学史上一切以分析实证主义为基本精神和方法的法学流派，所以，在这里，我们也可以将注释法学、概念法学等流派全部纳入分析法学的范畴之中。参见王涌：《私权的分析和建构》，中国政法大学 1999 年博士论文，第 23 页。

在自然法学和教会法学的"率领"下，通过与上帝及传统力量的结姻，找到了"精神的家园"，成功地为法律树立了权威，并为 17、18 世纪的资产阶级革命立下了汗马功劳。

近代自然科学及其技术的发展，彻底改变了人类的生活。西方知识界开始对"思辨性的"学术传统进行批判，人们试图把自然科学的研究方法移植到对人和社会的研究之中，按照科学的基本要求，即以可操作性和尽可能地用数学语言来阐述，从而像控制自然那样规划和控制人类社会。经济学和统计学便是在这种设想的驱动下产生并且服务于这种设想的，它们的出现标志着现代社会科学的诞生。在"现代化"的过程中，法学逐渐失去了探究人类社会生活的条件和规矩的特权，甚至被排除出科学的行列，因为这一名称已经为自然科学以及模仿自然科学追求实证性的学科所专有。

戏剧性的是，尽管近代自然科学的发展，使得法学及法律再一次遭受到了权威的危机——但危机往往也意味着机遇——同时，它也给法学摆脱业已存续了上千年的"确定性危机"指引了方向。[1] 于是，法学家们，特别是包括概念法学在内的分析法学的法学家们，开始另辟其途，再一次以"势利"的姿态，通过继承罗马法经纶奥妙的遗产，模仿科学，以分析实证的方法，寻求确定和逻辑自足，进而寻回迷失的家园（权威）。法学在科学的感召（说感召，还不如说是在其压迫下，为重新夺回权力）之下，实现了其内部的形式化，并为此后的实证化铺平了道路。

2. 可计算的资本主义和社会价值观多元化。无庸奇怪，可计算化是近现代资本主义发展的前提基础。因为，在合理追求资本主义营利的地方，相应的行动将按照资本核算进行调节。这意味着，只要这些是合理的交易，则交易各方的每一项行动都要以计算为基础。[2] 但单纯的可计算化的"资本主义"（商业），在古今中外一切文明国家，都曾经存在过，唯西方国家能在此基础上发展出如此强大的现代西方文明。综合韦伯及其他学者的观点，原因在于西方独有的新教伦理、技术的量化、形式化的法律结构和行政管理结构。[3] 在这其中，形式化的法律结构扮演了极其关键的角色。

可计算的资本主义的另一结果是，随着流动性的逐渐增大，因袭守旧的传统士农社会和"熟人社会"逐渐瓦解，社会利益和价值追求日趋复杂和多元化，

---

〔1〕 当然，在国外法学界，20 世纪的使法学成为自然科学式学科的梦也已经基本结束了，今天人们已日益承认法学更多是或主要是一种"实践理性"——但很少会有学者否认这种形式化对于现代法治的意义。

〔2〕 ［德］马克斯·韦伯：《新教伦理与资本主义精神》，陕西师范大学出版社 2001 年版，第 17 页。

〔3〕 ［德］马克斯·韦伯：《新教伦理与资本主义精神》，陕西师范大学出版社 2001 年版，第 18 页。

基于意识形态的共识的专制权力结构和人治统治模式，也不得不开始向权力相互制衡的法治转化。因为，法治以形式化的法律体系为基础，拟制了一套似乎同一的价值共识——法治——这种价值共识尽管在某种程度上，也是霸权主义和帝国主义的，但它对多元化的包容却是以往任何统治模式所无法比拟，并至目前，也尚无法找到一个更加合适的统治模式来予以取代。[1]

3. 小结。由此，我们可以如此总结法律语言近代飞跃发展的原因：第一，根本性原因在于数字化资本主义发展对规则量化的需求、社会价值观多元化而拟制一种形式化共识的需要、面对科学主义意识形态霸权冲击而模仿其语言形式化[2]以重获权力或权威的需要。第二，广义意义的实证分析主义法学，通过对罗马法传统的继承，为法的形式化、概念化，作出了根本性的努力，使得法律的确定性成为现实，并使法学成为一门自主的学科。第三，法律意志性与客观性的双重性和对立性，使得法律的形式化不得不以语言为依托，并将其作为分析平台。20世纪80年代以来，西方法理学的"语用学转向"，更是确证这一点。[3]

（二）法律概念的基本功能[4]

一般认为，法律语言的学习应该包括三个方面：概念（术语）、句子的运用和逻辑判断、修辞等。由于受笔者思考层次及掌握资料的限制，同时也因为法律概念是构成法律语言的最有专业特色的词语，是其核心成分[5]（唯其一系列众多法律术语的存在，才形成了法律语言）。所以，下文对法律语言意义和功能的分析将侧重法律概念（术语）的角度来展开。

根据德国著名学者拉伦兹的定义，所谓的概念意义在于"将概念所欲描绘之对象的特征，已经被穷尽地例举。"我国台湾学者黄茂荣先生对此则作了进一

---

[1] 季卫东：《法治的建构》，中国政法大学出版社1999年版，第111页。

[2] 尽管这种依靠形式化语言就可进行世界演算的莱布尼茨式乌托邦构想自一开始就招致自然科学界本身的种种质疑，并最终被证之以伪。参见盛晓明：《话语规则与知识基础——语用学纬度》，学林出版社2000年版，第9页。

[3] 传统的自然哲学和康德等的"纯粹意识"哲学，在对象世界和纯粹意识之间，往往选择极端——而现代"语言学转向"后的哲学似乎解决了这一悖论和难题（二元悖论）。它们以语用学为分析平台，只消关注面对语言和符号中所存在的对象——语义学的出现使这种分析成为可能；同时语言分析也具有纯粹意识分析所具有的优点，因为通过句法理论，我们不仅也能揭示意识的内在结构，并且用更现实的手法展现在我们面前。参见盛晓明：《话语规则与知识基础——语用学纬度》，学林出版社2000年版，第1页。

[4] ［德］阿图尔·考夫曼等主编：《当代法哲学和法律理论导论》，郑永流译，法律出版社2001年版，第163页。

[5] 如在后现代观点来看，所有思想都是以概念和观念为基础的，而思想的主体本身是不存在的。参见刘星：《法律是什么——二十世纪英美法理学批判》，中国政法大学出版社1999年版，第248页。

步的解释：

"所谓'概念'已将其所描绘或规范对象之特征穷尽例举的设定之存在基础，并不真在于概念的设计者已完全掌握该对象之一切重要的特征，而在于基于某种目的性的考虑（规范意旨），就其对该对象所已认知之特征加以取舍，并将保留下来之特征设定为充分而且必要，同时在将事实涵摄于概念运作中，把其余之特征一概视为不重要。"[1]

在上文，笔者已就法律语言（法律的形式化）在近代的飞跃发展作了大略的介绍，此处，再从纯法律的角度，对设定和明确法律概念的必要作一分析：

因为语言具有一种模糊性、开放性的特征，而必须由语言来表述的法律具有确定性需要和性质，由此必然导致一种与日常语言相异的语言体系（但仍以日常语言为蓝本），在这一语言体系中，语言的概念都以法条的形式的予以明确（即使法条没有明确，法学理论中一般也会有所指向），以避免发生有关法律具体内容或法律整体概念的争论。否则会产生这样的结果：第一，如果法律概念可以有许多意思，那么便无法实现"相同情况相同对待"；第二，如果不能相对地明确，那么，法律将不再具有客观的权威，并会再现人的任意意志；第三，如果法律语言无法明确或存在模糊性，便不会有可预测性，没有可预测性，人们就无法安排自己的行为，而且还会导致预期行为的成本增加，当事人因危险性增加而对自己的效益目的犹豫不决。第四，如果因为语言的模糊性，不能从法律中推论一个结论，法律适用者推出的结论也许就不是法律预先的规定，这便会产生溯及既往的适用法律的可能性，对义务承担者或受罚者来说则是不公正的。

那么法律概念究竟有那些功能呢？归纳有关学者的论述，大致可归纳如下：

1. 承认、共识及储藏文化、价值及传统。语言的意义是人赋予的，同时，法律或法学是以价值判断为对象，这意味着：除非常技术性的词语外，经价值共认的过程而相约成俗的法律用语通常已在其价值共识的过程中，把价值负荷上去；且必须完成这个阶段，符号才有负载价值信息的能力。此即法律概念储藏价值的功能，它是特定价值经由个别的承认到群体的共识而融入特定文化的过程。因此，现代法学方法对于法律体系与法律概念的了解，一直强调必须取向于该规定或该用语，在形成过程中所负荷上去的价值。[2]

值得一提的是，在法律概念的移植中，要特别注意这些概念在外国法及其社会语境中，对特定价值的承载，根据国情对这些概念所肯定的价值进行筛选和修正，在本国内形成一定的价值共识，再将该价值共识规定在这一概念之上。

---

〔1〕 黄茂荣：《法学方法与现代民法》，中国政法大学出版社 2001 年版，第 39 页。

〔2〕 黄茂荣：《法学方法与现代民法》，中国政法大学出版社 2001 年版，第 51 页。

2. 规范（normative）功能（预设功能）。法律概念，通过对社会实践和事实的和抽象归纳，体现、维护并追求一定的社会关系，具有一定的一般性和普遍性，从而具备一定的规范功能。这首先表现在法律概念所规范对象与此一概念在日常语言中的指称对象相比，往往有扩大、缩小，或者选其一的差距。如"人"一词在法律上，就不同于日常语言所言的"人"。它在民法中，不仅包括自然人，也包括法人及其他主体。而对于法律适用对象来说，在适用和遵守法律时，也必须以法律所规定的"人"来理解，因而也就具备了规范功能。其次，表现在同一法律概念对不同主体的意义。比如说，在抚养法律关系中，从孩子的立场来看，抚养就是"权利"；而从父母的立场来看，它就是"义务"；而从法官的立场来看，不履行该义务便可能会构成"不作为的违法犯罪行为"。

这里，我们重点谈一下"追求一定的社会关系"的"预设概念"的规范作用。

因为，要使法律制度保持活力并不断发展，不仅要在原有的法律结构或概念中增添新的内容（通过涵摄规范对象的其他特征），而且，还要发挥预设的法律概念的创造作用，这种法律概念往往发挥更多的是规范功能。如 19 世纪初期，根据当时经济发展的需要，英国法律制度中出现了一个全新的法律概念——"有限责任公司与其股东在法律责任方面的区别"。正是因为出现了这样一个具有重要意义的法律概念，最终造成了英国现代工商业的整体结构和各公司之间的复杂依存关系。甚至有学者相信，没有这样一个概念，现代英国资本主义的任何发展都是难以想象的。再如，在现代社会中，正是因为法律允许将一件作品的各种版权用不同的方法加以区分，并将其赋予不同的民事主题，所以，一部小说的署名权可能属于一人，连载权属于另一人，修改制片权属于第三人，而播映权属于第四人……等等。这些权利可以由部分所有权人赋予他人使用一段有限的时间，亦可以不加限制允许他人就作品从事某种行为，而获得许可的权利人又可以转授许可，从而使权利的种类不断分化与扩展。就此意义而言，法律概念，特别是预设的法律概念，增强了法律的预测性和创造复杂的社会关系的功能，从而推动了社会的进步与发展。[1]

3. 描绘（descriptive）功能。正如康德所说："想把主题写得大众化是不可想象的；相反，我们却要坚持使用学术性的精确语言，尽管这种语言被认为过分烦琐。但是，只有使用这种语言才能把过于草率的道理表达出来，让人明白其原意而不至于被认为是一些教条式的专断意见。"[2] 法律人在具体适用法律的时

---

〔1〕 ［德］Karl Larenz：《法学方法论》（学生版），陈爱娥译，台湾五南图书公司 1996 年版，第 355 页。
〔2〕 ［德］康德：《法的形而上学原理》，商务印书馆 1991 年版，第 4 页。

候，对案件事实的描绘，尽量并准确地使用法律语言（法律概念），能使得事实更加一目了然。并且，由于法学家或立法者已经对含义不明或多义的日常用语进行了合理的技术加工，对法律概念的规范对象及其某些特征作了必要的技术性筛选，所以，使得法律人对事实的描绘，能够避免一些不必要的繁复，简洁而直奔主题。

当然，这里涉及到一个比较矛盾的问题。有学者认为，法律概念既然承载了一定的价值，所以，它的"描绘客观性"的功能就值得怀疑了，并且用来描绘法律事实，可能就已经存在创建法律概念所有的偏见了。这值得我们进一步探讨。

4. 决定法律推理、思维模式及其内容，减轻法律推理和思维的工作负担。法律思维是个特殊的思考过程，因此就要求有特殊的概念和逻辑作为思考的手段和要素。这种思维往往要求其思考所适用的概念和逻辑构成必须特定，决定思维模式及其内容，减轻思维的工作负担，降低法律人的主观随意性和任意性。法律概念对于法律推理和思维的意义，相当于曲调或音符之于音乐一样，是不可或缺的。

立法者或者法（教义）学家们，为了使各种法律概念的构成适用于法律技术（操作）的目的，一方面，要对含义不明或多义的日常用语进行合理的技术加工，将概念分解为各种要素，划清这一概念与其他概念之间的界线，以便于法官、律师及普通的人使用其去明确地认识事实关系；另一方面，必须努力使其简单、具有高度的抽象性、且要使它的内容具有普遍意义，把很多复杂的考虑隐藏在法律所运用的用词里头，以利于逻辑推论，使得后来者不必重复去考虑这些情事。[1]

（三）法律语言对法律人的意义

由上，我们可以推导出，法律语言对于法律人具有重要的意义：

1. 法律语言是法律人同质的第一步。法律语言不仅使法律人成为一个特殊的语言共同体，而且还使法律群体人成为一个统一的论辩共同体、交往共同体、知识共同体以及文化共同体变得可能。按照后现代理论，它还使得法律人在其之中找到了"自我"，并由此才能具备法律人的职业意识和荣誉感。

法律文化、精神与传统都蕴涵于法律语言之中，只有掌握法律职业语言，法

---

[1] 黄茂荣：《法学方法与现代民法》，中国政法大学出版社 2001 年版，第 38 页。

律人才能开始，并最终完成对法律职业共同体的群体认同历程。[1] 因为，每一传统和文化都体现在某套特殊言语和行为之中，并体现在某些特定语言和文化的所有特殊性之中。掌握了蕴涵同一的法律文化、精神和传统的法律语言，法律人完成了同质——通往法律共同体的第一步。我们甚至可以极端地说，是法律语言而非其他（如伦理或思维）塑造了特征鲜明的法律共同体，

对于后现代学者来说，人们一般设想的具有自我意志自我能动性的"主体"实际上是不存在的。人们明示或默示的"主体"完全是由社会、历史、文化和语言构成的。而一定的语言往往就是一定社会、历史、文化的结果，更极端者会认为"主体"其实就是由语言构成的——与其是"我们说语言"，还不如讲是"语言说我"。[2] 因为，自我感受的"主体"最重要之处在于通过语言和意识才能发觉与认识，而且其本身就存在于语言与意识之中。如加拿大学者泰勒就认为："研究一个人就是研究一个存在，他只存在于某种语言中，或部分地由这种语言构成。"[3]

由此，也可以概括出我们国家法律人为什么缺乏职业精神的原因了：依据泰勒的理论，一个没有掌握法律语言或毫无法律思维的个人，是无法真切地感受到自我的"法律人"之主体性，所以，也必然无法具备作为法律人的"主人翁"的职业意识和荣誉感了。

2. 是法律人及其共同体获取权力与权威的一个途径。[4] 毋庸置疑，法律人正是通过把日常话语转化和重构为"具有普遍适用性的法律话语"（精英话语），并成为法律这一"元语言"的独断诠释者和载体，[5] 才获取了把自身建构为一个独立的、享有很高社会特权和影响的"职业共同体"。[6] 法律人之所以能达到控制权力的目的，在于这一法律职业的载体（语言）里，不仅承载了立法者

---

[1]　[美] 阿拉斯戴尔·麦金太尔：《谁之正义？何种合理性》，万俊人等译，当代中国出版社 1996 年版，第 485 页。

[2]　J. M. Balkin, Deconstruction's Legal Career, 载《公法评论》（www. gongfa. com）2002 年 4 月 20 日。

[3]　[加] 泰勒：《自我根源：现代认同的形成》，韩震译，译林出版社 2001 年版，第 48 页。

[4]　这或许也会成为，非法律人对法律人垄掌法律权力提出挑战的一个致命武器。因为法律概念或原则在某种意义上是理论假设与虚构的结果；这些法律概念和原则在某种意义上，体现了某些强势集团、强国或男性的中心主义与霸权。笔者也认为，我们国家的法律语言或者法律，具有强烈的意识形态色彩——它们在构建时，在某种程度上，边缘化了大部分农民的利益和话语；边缘化了诸多弱势群体的利益和话语。

[5]　福柯认为，"事实上，最终被界定为个人的某些机体、姿态、话语和欲望已经是权力的一个基本效应……权力构成的个人同时是权力的载体"，

[6]　M. Cain, "The General Practice Lawyer and the Client", n The Sociology and the Professions, edited by R. Digwall and P. Lewis, London: Routledge and Kegan Paul, 1983, p. 111.

的规范目的和价值，而且还裹挟了"法律学科知识"和"法律专门技术"，使得外行人在比外语更难的法律语言构建的法律门前，宛如面对庞杂繁复的医学知识和专业职业化的医生，无从知道浩瀚的法律文本的意义，从而不得不把自己的自由和幸福交付给法律人了；同时也因为法律语言的确定性、简洁性、逻辑性、严密性，使得当事人对用职业语言写就的法律文本及其持掌者——法律人产生信赖和敬畏的感觉。

很多学者对法律人以"宏大并构建"一套为常人所无法理解的法律语言，认定为是一种故弄玄虚的职业神秘主义。如波斯纳认为：

"必须强调，一种工作之所以被分类为职业，其关键并不在于其实际拥有社会珍视的专门知识；关键是要有一种确信，即某些群体拥有这样的知识。因为，正是这种确信才使这个群体可以声称其职业性地位，有机会获得因这种地位赋予的独占性特权以及由此带来的个人利益。……当某个职业的实际知识不能把该职业的知识主张之确信正当化时，我们就会有一种"职业神秘"的情况……现在就让我们考察一下它用来保持这种神秘的技巧……一种技巧就是培养出一种风格含混难懂的话语，以便外人无法了解这一职业的研究和推理过程。"[1]

的确，自古以来，各类"法律人"（包括中国古代的"讼师"）常有故弄玄虚的故意和习惯。在当下我国法学界，也有许多学者故意用十分难懂的文言文且是宏篇大论，来讲述一些事实上十分简单的道理。但正如波斯纳在其文之后所指出的，一个职业会培养神秘，这并不代表这个职业就缺乏真正的知识；在某种程度上，职业神秘也是必要的。[2] 事实上，正如上文所论述的，法律语言在近现代的发展，更多的是由于法律实证化、科学化的必要，而非纯粹出于职业神秘性的需要。[3] 因为法律命题具有高度的技术性，因此用通俗的词语去表现法律命题存在着极限。法国民法典是以文风的明快及词语的通俗易懂而著称于世的。可是与德国的民法典相比，法国民法典在技术上的严密性就差了许多；而在解释和适用的过程中，更为严密的技术概念、逻辑又不得不借助判例和学说来进行补

---

〔1〕 ［美］波斯纳：《道德和法律理论的疑问》，苏力译，中国政法大学出版社 2001 年版，第 218 页。
〔2〕 ［美］波斯纳：《道德和法律理论的疑问》，苏力译，中国政法大学出版社 2001 年版，第 220 页。
〔3〕 笔者认为，即使在这样一个后"去魅"的时代，保留一份"神秘"也是必然的——这种"神秘"不是为了骗取权力和尊重，也不是为了掩饰自己的无知和无用——它是艺术的，源于人类对美的追求的一种本能。而艺术总是无法言说。正如：当你被一首诗、一段音乐深深打动的时候，你否感到那像潮水一样漫涨上来的神秘意味呢？作为一种实践，法律里也总有那触动我们但拒绝被概念和逻辑分解的原发体验。在似乎刻板的法律秩序中寻求人类自得的人性化境界，也必将是法治建构初步完成后，未来中国人的一个新的追求。有关神秘主义的必要性，可参见张祥龙："感受大海的潮汐——《西方神秘主义哲学经典》系列总序"，载［美］乔纳森·爱德华兹：《信仰的深情——上帝面前的基督徒禀性》，杜丽燕译，中国致公出版社 2001 年版。

充，其结果使得所谓的普通人读了条文就可"理解"的赞誉，只剩下了法国民法典的轮廓，在审判中所使用的仍然是那些具有高度技术性的、非日常生活性质的逻辑和概念。[1]

3. 法律语言与日常语言的亲密关系，影响了法律的确定与统一，法律人以"解释共同体"的形式维护了该体系的和谐统一，而这种维护是又是通过法律语言来实现的。[2]

通常的法治观点认为，法律应该具有确定性。因为，第一，如果法律可以具有许多意思，那么便无法实现"相同情况相同对待"；第二，法律应该具有客观的权威，否则只能再现人的任意意志；第三，法律如果没有明确性，便不会有可预测性，没有可预测性，人们就无法安排自己的行为，而且还会导致预期行为的成本增加，当事人因危险性增加而对自己的效益目的犹豫不决。第四，如果不能从法律中推论一个结论，法律适用者推出的结论也许就不是法律预先的规定，这便会产生溯及既往的适用法律的可能性，对义务承担者或受罚者来说，则是不公正的。而所有这些，便是要求法律应有统一性和一致性。

尽管我们无法同意批判法学、后现代法学在否定法律具有确定性时，所提出的某些极端的观点，但我们还是不得不看到，由于法律的主要语言渊源是日常语言——这种语言"与数理逻辑及科学性语言不同，它并不是外延明确的概念，而是多少具有弹性的表达方式，后者的可能意义在一定的波段宽度之间摇摆不定……可能有不同的意涵。即使较为明确的概念，仍然经常包含一些本身欠缺明确界限的要素。"[3]——日常语言的多义确实消解了法律的确定和统一。

以"解释共同体"为面目出现的法律共同体，在一定程度上维护或补救了法律体系的和谐统一。按照传统的说法是：通过法学院的教育，使得法律人这一职业群体内形成一定的共识；在这种共识的基础上，法官理解法律，律师预测法律，一起解决纠纷，进而寻找出的可以接受的答案，从而保持了法律的一致性。值得注意的是，法律人解释共同体之所以产生的一个很大原因，是由于法律语言具有的不确定性的一面，但法律人解释共同体解决法律语言的不确定性，却又是通过统一并正确地使用法律语言的确定性（如已有概念的指称限制、使用规则等）的另一面来实现的。同时，这种对语言（特别是概念）的统一使用本身，也是法律人已形成或承认某种共识的表现。

---

[1] ［日］川岛武宜：《现代化与法》，王志安等译，中国政法大学出版社 1994 年版，第 264 页。

[2] 刘星：《法律是什么——二十世纪英美法理学批判》，中国政法大学出版社 1999 年版，第 239、250 页。

[3] ［德］Karl Larenz：《法学方法论》（学生版），陈爱娥译，台湾五南图书公司 1996 年版，第 217～218 页。

4. 对语言，特别法律语言的掌握是法律人的一项必要和特殊的技能，是法律人获取其他法律素养的前提。按照美国实用主义先驱皮尔士的符号学理论，进行思维或获取知识应被视为是一种可以无限制的自我产生的相互联系的符号网络。人所拥有的符号网络愈复杂，对符号之间的关系愈了解，对符际转换愈得心应手，思维就更敏捷，知识就更丰富。而语言是一种"表达概念的符号系统"，对法律语言的掌握，其实，也就意味法律人能在将来的法律工作中，法律知识更丰富，法律思维更敏捷和准确。[1]

维特根斯坦说，要理解一句话，就要理解整个语言，而理解整个语言意味着掌握一门技术。[2] 对于法律人来说，掌握职业语言不仅是发挥法律技术的前提，而且也是技术本身。[3] 对于律师来说，正确而即时地把当事人日常语言式的权利诉求和事实描绘"翻译"成法律语言、在法庭上运用法律语言滔滔不绝并相互辩护，无不都以熟练掌握它为前提。作为一名律师，如果是口齿不清、结结巴巴，那是无法想像的。而法官也是如此。作为一项技能或艺术，法律是逻辑和言语表达式的。法律的确定性、精确性和逻辑性，决定了法律职业者，首先要非常地娴熟于书面语的运用。如果起诉书、判决书乃至立法文件，意思含糊、毫无逻辑，这对当事人或者社会来说，无疑是一场灾难，法律也将全然失去其存在的意义。其次，由于法庭辩论的即时特点，它要求辩护律师要擅长于辩论和演讲，擅长于用精确的类似于书面语的口语，迅速而准确地表达或翻译当事人的观点，而就此而言，对于法官来说，正确地理解当事人及其律师的法律诉求、在判决书中运用法律语言说明判决理由，亦需如此。再次，除法庭辩论之外的法律技术，如法律解释、法律文书制作等，基本上都是一种文字工作，如法律及法律推理运用的是由权利、义务、原则和责任、免责等概念构成的法律语言。如果法律人不能娴熟地运用法律语言，其对法律技术的掌握只会成为一句空话。由此，法律人除了要对自然语言的口语和写作运用，胜人一筹外，还必须对法律语言的掌握达到运筹自如的程度。

然而，语言岂止是技术，一定的语言还意味着一定的生活之道，意味着特定模式的思维、独有的伦理，并可能体现一种特定的信仰。既然，语言本身蕴涵和

---

〔1〕 M. A. k. Halliday and R. Hasan, *language*, *Context and Text*, *Aspects of Language in a Socail-Semiotic Perspetive*, London：Oxford University Press, 1990, p. 121. 另见 Levinson, *Stephen C.*：*Pragmatics*, London：Cambridge University Press, 1987.

〔2〕 转引自［美］列文森：《儒教中国及其现代命运》，郑大华等译，中国社会科学出版社2000年版，第64页。

〔3〕 在西方，甚至有学者认为，"词语技术"与"价值判断"一起构成了法律命题的两大要素。参见［日］川岛武宜：《现代化与法》，王志安等译，中国政法大学出版社1994年版，第256页。

承载了一定的文化和传统，并且是思维必不可少的素材和大前提，所以，特定的语言往往会决定特定的法律思维，同时也会导致特定的伦理，乃至影响一个语言共同体的信仰，

三、技能性构成之二：法律知识[1]

学科构成了话语的一个控制体系，它通过趋同性的作用来设置栏栅。在趋同性作用中，统治永久性地复活了。

——福柯[2]

"知识是为了预见，预见是为了权力。"

——孔德[3]

按照学界通说，法律知识是关于特定社会规范的深奥而繁杂的专业知识，[4]是实在法律规则、实践和传统经验、法学理论的统一。[5] 在纷纭复杂的现代法治背景下，没有经过长期的学习和实践，这种专业知识是无法被基本认知和掌握的。就广义的知识（包括语言和技术等）而言，法律知识还是法律人形成共同体的基础，是其获取权力和权威的主要途径。

当然，现代法律人的从业需要来看，其职业知识内容不应仅局限于纯法律（学）领域的相关知识。政治学、经济学、心理学以及自然科学的一些理论和常识，都为现代法律人所必须具备。当然，法律人对这些非法学的知识，应该掌握到怎样的深度、怎样的范围等问题，是一个非常复杂而目前学界尚无法取得一致的课题，本文限于篇幅，对此就不再展开。下面，本文主要就法律知识的性质、

---

[1] 为了论述方便，本文在"职业知识"部分，在对"知识"作普遍理论性论述时，主要在哲学的层面上使用该概念，其范畴可大到包括本文所谈及的语言、知识、技术，甚至思维（know how, know how to do and know how to think）；而在大部分情况下（特别是在与"法律"一词连用时），主要是在狭义的层面上使用，相当于信息（这种意义上的"知识"为目前我国法学界所通用），哲学意义上的知识与信息概念的具体区别可参见［加］尼科·斯特尔：《知识社会》，殷晓蓉译，上海译文出版社 1998 年版，第 178 页以下。

[2] 转引自［美］华勒斯坦：《学科·知识·权力》，三联书店 2000 年版，第 12 页。

[3] 转引自《自由主义与当代世界》，三联书店 1999 年版，第 3 页。

[4] 郑戈："法学是一门社会科学吗？"，载《北大法律评论》第 1 卷第 1 辑，法律出版社 1998 年版，第 10 页，

[5] 孙笑侠："职业素养与司法资格考试"，载《法律科学》2001 年第 4 期。实践和传统经验在某些方面可以由法学理论来加以概括，所以以下文对实践和传统经验所得的法律知识部分，不再加以详细论述。

法律知识对法律人的意义以及法律人学习法学理论的必要性作一番深入的探讨。

（一）法律（法学）是一门知识吗？

法律或法学是一门知识吗？自古以来，对此问题就存有诸多争议。法学或所谓的法教义学（非直接取向于个案的法学）能否提供知识上的贡献，特别会受到那些相信"知识是真根据之上的确信，所以知识的增长就是在已经确信的东西上增加新的确信"、认为只有纯粹科学性的学科才能提供知识贡献的人们的质疑。[1]

1."知识是什么"与"知识型"理论。探讨法律或法学是否是一门知识，首先得回答"什么是知识"这个问题。而这个问题自古以来即是哲学上的一个难题。如果我们简单地回顾一下哲学史，特别是西方哲学史上对"知识"概念的种种观点和争论后，会发现这一问题远不只是要给知识下一个简单的定义，它涉及到其他复杂而重要的认识论问题，如起源问题、标准问题、性质问题甚至发展问题等。而且，从西方哲学史来看，从古到今在知识概念问题上，更多的是分歧，而不是共识。

所以，"什么是知识"，或者"法律是一门知识"的回答，是一个复杂而开放的问题，不可能一劳永逸地加以解决。作为一个极端前提和棘手的问题，许多应用性学科在回避对此问题的直接问题基础上，运用"知识型"（form of knowledge）理论对此作了描述性、解释性的解决。[2] 这或许值得我们法学界借鉴。

这一以福柯和孔德的"知识型"（"认识型"）[3] 理论为蓝本，并深受波普尔的"进化的知识论"和库恩的"范式"（paradigm）等概念启发的理论认为，对"什么是知识"问题的回答，没有也不可能有一个确定不变和普遍有效的答案，因为这个问题的回答取决于回答者站在一个什么样的文化背景中，由此，对知识问题的考察应从纯粹认识论的视角转换到历史的、社会的和政治学的视角——而"知识型"即是一定历史时期知识生产、辩护、传播和应用的框架，它具有规范性、共同性、历史性、先验性和文化性等特征。[4] 换言之，知识型即是一定历史时期知识的"范式"和"政体"，在知识的生产、辩护方面起到一种规范的作用，它不仅提出知识生产的标准、程序和方法，而且还提出知识辩护的

---

〔1〕［德］Karl Larenz：《法学方法论》（学生版），陈爱娥译，台湾五南图书公司1996年版，第118页；汪丁丁："知识：互补性与本土性"，载《从计划经济到市场经济》，中国财政经贸出版社1998年版。

〔2〕石中英：《知识转型与教育改革》，教育科学出版社2001年版，第20页。

〔3〕［法］福柯：《词与物——人文科学考古学》，莫伟民译，三联书店2001年版，第326页，

〔4〕石中英：《知识转型与教育改革》，教育科学出版社2001年版，第26页。

方法。任何的知识生产、变化都是依赖于一定的知识型的，不参照一定的知识型，我们就不能判断一个陈述究竟是不是知识。

进而，该种学说在孔德知识发展的三段论的基础上，把人类的知识型划分为四个阶段：原始知识型、形而上学型、现代知识型和后现代知识型。在不同的知识型状态下，知识分子创造和衡量知识的方式和标准都是极尽不同的。在原始知识型下，由于对神秘力量的敬畏，一类知识的合法性及可靠性，知识必须通过与"神话"的联姻来获取。如当古希腊历史学家海希奥德在写作自己的史学著作时，为了表明自己所记叙的东西非常"可靠"，经常会说自己的知识是得自奥林匹亚山上的神的启示。而在形而上学阶段，人们往往认可真正的知识一定是由概念和逻辑所构成的命题。凡是不能用这种方式来表达的人类经验都不是真正的知识。真正的知识是抽象、绝对的知识、终极的知识，一旦获得，就永远有效。

到了现代，至少从马克斯·韦伯以来，大部分人似乎认为下述说法是真实不破的教条了：知识是真根据之上的确信，所以知识的增长就是在已经确信的东西上增加新的确信。[1] 这种观点进而认为，只有纯粹科学才能生产出真正的知识。关于价值以及保护价值涵义的事物，不能有学术性的知识。这一教条意指：在涉及人类行为模式、目标、人类活动（诸如工业技术）有无价值以及人类应用的手段、力量之"正当"使用等广大范围内，不可能获得知识。在这种知识型下，知识通过特殊的概念、范畴、符号和命题加以表达。知识具有客观性、确定性和实证性。[2] 我们称这种知识型为现代知识型或者科学知识型。

伴随着20世纪自然科学的革命性发展的不断展开，该世纪下半叶对科学知识型本身的质疑逐渐达到高潮。这些质疑主要集中在知识社会学、科学哲学以及哲学三个领域，而主力军是后现代主义的理论和思潮，它们通过质疑创建了一门新的知识型——后现代知识型或文化知识型。这种知识型认为，知识并非是对客观事物本质的揭示。知识是对人们所选择的认识对象特征及其联系的一种猜测、假设或一种暂时的认识策略。概念、符号与范畴都是一定文化的产物，不反映事物的本质。没有"价值中立"和"文化无涉"的知识，也没有一种普遍有效的知识。

2. 现代知识型中的法律——作为一门知识的法律。必须指出的是，在当今世界，尽管后现代主义诸多理论之影响已渗透至各学科的深处，但后现代知识型

---

[1] 当然，认为知识是一种确信，在西方可上溯至苏格拉底时代。See Plato, *Theaetetus*, Francis M. Cornford, trans., in *Plato's Theory of knowledge*, New York: liberal Arts Press, 1957, p. 141.

[2] 当然此种知识型对客观性的理解并非同一，有很多学者区分了自然科学意义上的客观性和社会科学意义上的客观性的区别。

在知识界尚未取得统治性的地位——如在该种知识型下，法律或法学作为一门知识是无可非议的[1]——但统治世界的，特别是我们这样一个后进的国家的知识型理论，仍是"现代知识型"。所以，我们仍需证明法律和法学或使其具有客观性、确定性和实证性的特征。

基于20世纪的使法学成为自然科学式"科学"的梦的基本结束，弥漫着全球法学的主旨是，人们普遍承认法律和法学形成本身就带有价值判断的成分；法官或行政官作出裁断或多或少都会带有个人或社会的价值判断。在这种前提下，我们能够证明法律或法学作为一门知识或学说，具有客观性、确定性和实证性吗？回答是肯定的，理由如下：

首先，法律规则或法学理论对于学习者来说，是先验存在的，是他定的客观性。其不管是否带有价值取向或主观意志，但对于学习者来说，本身都是"已经被制定的规定"或"已经被论证或提出的理论和学说"，是业已存在的事实，因而其具有相对的"客观性"和"确定性"。在西方，有许多学者以强调法学研究客体即实证法的短暂性，否定了法律或法学的这种确定性。如德国学者 Kirshmann 就认为"立法者修正了三个字眼，整个藏书就变成废纸一堆"。就此，著名法学家拉伦兹作了应答。他在《法学方法论》一书中如此论述：

"确实有许多法律问题受到时间及空间上的限制。一旦出现使问题变重要的条件消失，它们也会消弭无迹。然而，不是所有的法律问题均如此；许多问题会稍为改变其形态而一再出现。在契约法中有好多些这类的例子，于此，下述问题会一再出现：谁可以缔结契约（行为能力的问题），契约如何成立（关于形式、意思表示的'到达'、意思表示的'和致'与不'和致'的问题），契约当事人是否在所有情况下均受契约拘束（契约有效要件以及错误、情势变更或契约不完全履行的影响如何等问题）。不同的法秩序可能在不同的时代对之作不同答复；然而问题本身仍会一再重现。……借前述说明可以证明：的确有一些'法这个事物'固有的问题存在，或者更一般地说，的确有法'这个事物'存在。"[2]

其次，尽管社会规范是人们通过其行为创立出来的，体现着人们的主观意义，但在历史性的社会生活中，规范和秩序的产生绝非每一个人行为结果的简单

〔1〕 波普尔曾经从一个非常简单的命题开始来论证知识论：动物能够知道某些事情；它们能够具有知识。他举了这样的一个例子：一只狗可以知道它的主人在每个工作日的下午六点回家，它的行为会显示出种种迹象，使它的朋友们明白，它期待着它的主人在那时回家。在这种背景和语境下，法律和法学无论其是否是一种"确信"和"真理"，都应该是一门知识。参见［英］波普尔：《走向进化的知识论》，李本正译，中国美术学院出版社2001年版，第226页。

〔2〕 ［德］Karl Larenz：《法学方法论》（学生版），陈爱娥译，台湾五南图书公司1996年版，第130页。

加总，而是一个社会中所有个人行为的共同结果，因此，对于某一具体个人而言，它具有一种不受其主观因素任意左右的"客观性"。

再次，以法律和法学具有很强的价值性，来否定法律和法（教义）学的知识性，并不能成立。

在批驳这个问题前，我们不妨先考察若干带有明显价值取向的法律规范。"偷窃是犯罪行为"，这是以评价为内容的规范表述。从形式的层面看，它呈现为对某种对象（偷窃行为）的断定（断定既可以由肯定的形式，也可以有否定的形式），其结构包括被指称的对象（偷窃）、对象被归入的类（犯罪行为）、以及对两者关系的断定（以"是"肯定对象属于某一类或具有某种性质）。在这里，犯罪行为首先呈现为负面的法律价值，把偷窃归属于犯罪行为，无疑是一种价值的判断；但它并不意味着与事实完全无涉。这不仅在于所断定的对象（偷窃）是一种事实，而且更在于偷窃与犯罪行为的联系，本身也折射了一定历史条件下的社会现实。在社会还存在不同形态的财产所有制的前提下，对他人或群体财产的不正当占有，往往会导致社会的冲突和无序化，这是历史演进过程中已经得到确证的事实，所谓"犯罪行为"，便可以看作是对这一事实的肯定。这里显然不仅涉及价值立场，而且也在实质的意义上，蕴涵着对事实的描述。

法律规范的另一种形式，往往与义务或责任相联系，"违约者应当赔偿损失"，便属于这一类规范。这种规范不同于对行为的评价和断定，而是表现为对主体的要求，因而与事实似乎不直接相涉。然而，进一步的分析则表明，其间的关系并非如此简单。如果以上陈述是有具体意义的，那么它至少蕴涵着两个相关前提：其一，"民事主体"已经许下诺言；其二，按普遍的规范或规则，作出承诺就应当遵守。两者都属于背景性的事实：前者与个体的特定存在情景相联系，后者则表现为广义的社会文化约束。从逻辑上说，当我们对某一个主体作出"你违约所以应当赔偿损失"的陈述时，我们同时也确认了如上两方面的事实。可以这里同样以某种方式涉及对事实的断定。

还要必须指出的是，以立法及审判的形式所做的价值判断，绝不能仅依个人的情感或意愿去进行。它必须如实地反映以社会上某一部分人的利益为基础的价值体系。就此而言，它具有他定的客观性。同时，只要利益团体存在，各种对立的价值体系就都有客观性。[1]

除此之外，拉伦兹还认为法学创造出一些价值导向的思考方法，而这种思考方法不仅具有"客观性"，并且促进了法律和法律判决的确定。[2]

---

〔1〕 ［日］川岛武宜：《现代化与法》，王志安等译，中国政法大学出版社 1994 年版，第 275 页。

〔2〕 ［德］Karl Larenz：《法学方法论》（学生版），陈爱娥译，台湾五南图书公司 1996 年版，第 148 页。

（二）法律知识的内容和分类

正如上文所以及指出，文章在此部分对"知识"一词是在国内法学界通用的狭义含义上使用的，所以在法律知识的内容和分类方面，也引用目前国内法学界的通用分类：即包括具体的法律规则和抽象的法学理论两部分，前者包括现行的法律规则和历史上曾经存在过的法律规则（法制史），此部分也可被认为是字面意义上的"法律知识"；后者包括法教义学意义上的法学理论、法社会学、法经济学、法律思想史、哲学意义上法哲学、纯粹的法理学等等，此部分相当于我们平常所说的"法学知识"。

当然，我们还可以从其他角度来考察法律知识的内容。如美国某位学者如此定义法学或法律：

"法学是一种客观的法律知识。……内容不确定……在法学院里，他们告诉你，法律是一门完美的科学——理性的经典。它事实上是罗马法、圣经、教会法、迷信、封建主义残余、狂乱的小说与冗长死板的法律文本的大杂烩。教授们努力从混乱中得到秩序，在魔鬼都找不到的地方寻求理智。"[1]

不管我们是否同意这种后现代式定义，这起码给了我们这样一个启示：法律知识体系是开放而多样化的，它的体系尽管在某种程度上能够高度的自治和自洽，但明显是一个"大杂烩"的产物。

知识由概念构成，概念的类型决定知识的类型。所以，我们也可以通过概念类型的区分来对法律知识的内容作分类。美国法律人类学家波赫南将概念分为两类，一类是所谓的"民俗的"，另一类是所谓"分析的"。民俗的概念属于一个民族固有的概念体系，是一个民族在其漫长的发展过程中逐渐形成的概念，而分析的概念则不属于任何"民俗体系"，它是社会科学家的分析工具，是"社会学家和社会人类学家多少凭借科学的方法创造出来的概念体系"。

波赫南的理论提醒我们，法律知识也可以分为两类，一类为"民俗知识"，而另一类为"分析知识"。如大陆法系的民法学在很大程度上是一种民俗化的概念体系——主要是罗马民族的民俗产物，当然，罗马法延续至今日，其间也经过了注释法学、概念法学的改造和加工，在罗马法这一民俗的概念体系中已经掺入大量的分析性的概念。而分析的知识，不仅在受过概念法学洗礼的大陆法系之法律体系内，俯拾皆是，而且，在似乎更遵循传统和实用的英美法系，亦是如此，如上文已经提到的，在19世纪初期，根据当时经济发展的需要，英国法律制度

---

[1] 伊弗雷姆·图特语，参见〔美〕波西格诺等：《法律之门》（第6版），邓子滨译，华夏出版社2001年版，第1页。

中出现了一个全新的法律概念——"有限责任公司与其股东在法律责任方面的区别"，从而促进了当时英国工商业的飞速发展。

（三）法律（法学）：从规训（约束）到统治的专门知识

按照后现代学者的观点，法律现代性的背后，是利维坦式的学科知识的"栅栏"（法律知识），它使得外行人根本无法知道、无法判断"法律上的对与错"，并最终得到一种"学科权力"。一旦出现这种情形，不仅意味着在法治的背后不仅是"人的霸权"（人治）问题，而且还有"知识霸权"的问题。后现代学者认为，法律（包括法学）及其他学科是一些属于被规范着的知识，它们借着全心全意于某仔细划定的领域而获得。单就法律而言，它是一套纪律守则，其规范（规训）的对象不仅包括广大的普通人，也包括创造和持掌这一权力话语和知识的法律人本身。它模塑受学者成为一个能坚定控制情绪的人；一个人不能表现得像个专家却同时胡乱撒野。它同时又是用来发号施令、规训性的工具，法律人用其来指令其他人"为"或"不为"，以及"怎样为"，进而获取了统治性的权力。[1]

这里我们暂且不讨论这种以福柯"权力——知识结构"理论为起点的思想的对错。这既不属于本文的主题，也非笔者所能为。我们这里引乓的用意是，这种理论似乎会给我们这样的启发：法律人之所以能够实现一定程度上的自治（有极端者甚至会认为其根本不需任何外部监督），规训性的法律和法学本身就起到了自治性纪律的作用——"学生对权力在他们自己身上运作的积极配合推动了法律知识的车轮，使这个车轮处于不断运动状态"；[2] 同时，法律和法学又为符合一定资格的法律人占据极大的统治性权力铺平了道路。所以，法律知识的有效生产和学习，对于法律人的自治和独立具有非常深远的意义。

（四）抽象理论学习对法律人的必要和意义

1. 作为意识形态的法学理论。首先，防止法律人成为空心的法律工匠。那种只以法律规则或者技术性法律为中心来进行教学的方法和实践，会影响法学院学生的意识形态的敏锐程度，并最终导致"意识形态冷淡"的发展。因为这种所谓的"规则中心主义"所导致的规则理性的向心力会排斥其他形式知识的方

---

〔1〕 ［澳］马格丽特·桑特：《不和谐与不信任：法律职业中的女性》，信春鹰、王莉译，法律出版社2001年版，第74页；刘星："西方法学中的'解构'运动"，载《中外法学》2001年第5期。

〔2〕 ［澳］马格丽特·桑特：《不和谐与不信任：法律职业中的女性》，信春鹰、王莉译，法律出版社2001年版，第75页。

式，从而使他们不再那么关注有关正义的问题，并造成他们在未来的工作中，拒绝思考他们所从事的工作的意义。[1] 这种"规则中心主义"的结果往往是：生产出失却爱心从而对正义毫无追求、仅满足于做工匠型专才、以单纯追逐私利作为其从业目标的"为双方当事人皆可使用高级刀叉"。这种情况或许也能作为解释当下中国法律人的社会评价不高的一个原因。

其次，防止专断。当然，法律理论知识并非仅仅是些"正义"的观念和理论，无论我们承认与否，它都带有一定的科学性，是形形色色的法学家对于真理的探求的不同程度的产物。它的掌握，还能防止法律人，特别是法官的专断和专制，正如 1895 年 9 月 21 日美国法典运动的著名代表人物菲尔德（David Dudley Field）在芝加哥大学法学院开学典礼上一篇题为"法律科学的性质及其重要性"的演讲中所言："法律科学是防止司法正义不被践踏，不被滥用的最大的保障，如果司法判决仅仅取决于法官的意志和他对于正义的观念，我们的财产和生命就会受到反复无常的随意性很强的判决的威胁。"萨维尼在其著名的《论立法与法学的当代使命》一文中也强调："由一种严格的科学的方法所保障的确定性才能根除任意专断。"[2]

2. 作为工具和技术的法学理论（know how to do）。法学理论，特别是法（教义）学意义上的理论，或者用比较传统的说法是，面向实务的方法论和部门法学科的相关理论，往往是法律人处理实务所使用的技术本身。没有法律理论和思想指导的法律制度，是一种没有方向和灵魂的法律制度，法律理论和思想的境界和视野将直接赋予法律制度以生命特征和生命活力，直至决定其命运。套用哈耶克对知识的分类，我们可以说，对实在法规则的掌握，仅仅是一个"know how"的问题，而对法学理论（特别是法教义学意义上的）的深刻理解和掌握，才能使得法律人走向"know how to do"。

法学理论往往会在以下情况变得十分重要：第一，无法律可资适用时，只能通过法理与习惯得到结论（弥补法律漏洞）；第二，对同一事实有两个以上的法律可以适用，但产生相互矛盾的结果时，需要判断哪一个法律较恰当，找到判决结论；第三，对于已经有判决先例，但法院认为先例判决不公允，又没有法律明文可以推翻前判决时，需要法学理论作为理由；第四，逻辑推理可自足的前提下，还会发生逻辑推理和政策考量的冲突，需要法律人巧妙地把政策考量接受到法律推理之中；第五，尽管实在法已有明确的规定，但严格地遵循之可能会造成

〔1〕 ［澳］马格丽特·桑特：《不和谐与不信任：法律职业中的女性》，信春鹰、王莉译，法律出版社 2001 年版，第 71 页。
〔2〕 ［德］萨维尼：《论立法与法学的当代使命》，许章润译，中国法制出版社 2001 年版，第 66 页。

极其严重的社会或道德等方面的危机，需要法律理论在现行法律规则体系内，找到规避或替代的方法和理由；第六，尽管法律有完备的规定，但在法律适用中，特别是在法律解释中，遇到价值观念的矛盾，需要确定的。

对于某些后现代法学家来说，法律理论的目的和功用在于弄清司法实践之本质，是对司法是什么的诠释和说明，它自身并不直接对司法实践发挥作用，而只是我们认知司法实践的工具——外在于具体司法实践的抽象理论在司法实践中不会具有什么结果。但即使这种极端的观点，他们也未直接否认抽象理论的重要性。他们认为，法律规则和法律的抽象理论对于司法判决都无法起到任何的规范作用，因而也无法给司法判决提供所谓的"依据"，但法官和律师判决或论辩中引证一些法律规则和法律理论，也是相当必要的，因为它们能被法官和律师用以加强判决或论辩的说服力和证明力；它们是法官们和律师们在法庭上取之不尽、用之不竭的资源和工具，尽管它们不是判决和论辩的渊源，

四、技能性构成之三：法律技术

的确，即使在现代工业的种种行业中，难以确切表达的知识仍然是技术的基本组成部分。我本人就曾在匈牙利见到过一台崭新的、吹制电灯泡的进口机器。同样一种机器那时在德国已经成功地运行了，而在匈牙利却运转了一年后仍无法生产出一只无瑕的灯泡。

——迈克尔·波兰尼[1]

随着人类社会从"形而上"到向"形而下"的转化，大学的功能也逐渐从培养普遍哲学家式的知识分子，转向培养工匠型的专家和技术人员。作为一门模仿数学而形式化的社会科学，法律更多的是一门技术，是一种用以做事的规则。[2] 如果一个法学院无法教给它的学生一定的从事法律职业的技术，就如一个医学院无法教给未来的医生如何手术和诊断一样，是无法想像的。在现代，英国式的律师学院的逐渐衰落，并不意味着职业技术在法律人素养中重要性的下跌，而是因为，在日益复杂的法律事务面前，法律人的职业技术不仅需要得到日益精深的法律理论的支持，而且其本身也日益精深和复杂——最重要的是，尽管法律技术的不可言说部分仍然占据了很大的比重，但随着法律教义学的不断深化和完备、其他交叉学科（如法经济学、法社会学）的不断兴起，理论性和逻辑推演型（包括某些案例教学法）的教学变得更加的有效和必要。

---

〔1〕　[英] 迈克尔·波兰尼：《个人知识——迈向后批判哲学》，许泽民译，贵州人民出版社2001年版，第78页。
〔2〕　蔡曙山："论技术行为、科学理性与人文精神"，载《中国社会科学》2002年第2期。

（一）　一类缄默和个人化的知识

在哲学界，一般学者多将技术作为知识的一个部分来论述——如果我们赞同波兰尼对知识作显性知识和缄默知识的分类，那么，技术（技能）更多地属于一种缄默知识，这种技术或技能的最大特点是通过遵循一套规则达到的，但实施技能的人却不知道自己这样做了。[1] 因而，在理论并不发达的古代，技术只能通过"学徒制"的方式进行传递，在科学研究中只能通过科学实践中科学新手对导师的自然观察和服从而进行，而在法律实务中只能通过案件处理过程中，新手随从资深者实习的方式来学习——在崇尚传统和习惯法的社会更是如此——这也正是英国律师学院能在中世纪兴起的原因之一。

作为一类缄默的知识，不可言传占很大部分的技术，无法被按其细节进行充分解释，这是事实。技术同样也是异常艺术的——犹如一位钢琴家的触琴方式，如果用物理学的理论来分析，与一位新手的触琴方式是没有什么区别的。同样，我们经常也会有这样的感触和体会，在法庭辩论中，同样的一句话（或规则），由不同的人，在不同的时间提出，其打动法官或陪审团的效果是完全不同的。

由此，技术在很大程度上，属于个人化[2]非被动的经验，它需要知识人带着热情参与，但非随意；怀着责任感和普遍性意图而进行识知活动。同样的，法律技术，在一个法学院里是不可能通过老师填鸭式的课堂教育获得的——它需要每一位准法律人全身心地投入，在实践中通过模仿和体验来主动获取——因此，无论是在遵从判例和习惯的英美法国家，还是在理性构建和立法至上的大陆法国家，课堂上都应该以实例教学法为主要教学内容、除法哲学以外的教师都应该具备一定的法律实践经验；法学院毕业生在从事法律职业之前，还应该在研习所或实际部门实习一段时间，以获取必要的不可言说的种种技术。

同样，也是因为法律技术是一门缄默和个人化的知识，它的发挥多少是带点神秘和潜意识的过程，某些发挥，如法庭辩论中的火花和灵感，往往是一瞬间自发的行为；某些技术，还依赖于从业者的某些天赋，如记忆力、文笔、口语表达能力、逻辑演绎能力等。所以，法律职业既非是人人可为的工种，也非识记性考试优越者皆可胜任。

当然，我们也应该注意到，在现代英国律师学院的逐步衰落和世界范围内法

---

〔1〕　［英］迈克尔·波兰尼：《个人知识——迈向后批判哲学》，许泽民译，贵州人民出版社2001年版，译者序，第6页；正文第73页。

〔2〕　技术的个人化特征，对于法律技术理论的一个负面影响是：尽管有着种种规范和规律，但法律技术还是带有很强的个性化，由此，有可能会对法律的确定性产生消极影响。

学院的兴起，也明示了随着法学理论的发展，如法律教义学的不断深化和完备、其他交叉学科（如法经济学、法社会学）的不断兴起，使得法律技术的不可言说和个人化的部分不断缩小；使得理论性和逻辑推演型（包括某些案例教学法）的教学变得更加的有效和必要。但这丝毫没有改变不可言说部分占据现代法律技术主要比重的局面。[1] 这就如在科学理论"疯狂"扩展的现代工业的种种行业中，难以确切表达的知识仍然是技术的基本组成部分一样。

（二）法律技术的特性

法律技术作为一种技术，既有一般技术的共性，如相对客观性、个人性、缄默性、经验性等，同时也有其作为以解决价值冲突为主要任务的方法的特性。

1. 法律技术的法律性。法律技术首先是关于法律运用的技术。无论是法律解释，还是法律推理；无论是法庭辩论，还是法律文书制作，这些法律技术的目的和任务都是同一的：即使规范与事实得以衔接，使法律适用于社会生活。其次，法律技术所使用的工具，往往就是法律本身，如法律推理中的大前提，就是法律规定本身；法律解释所运用的材料，如理由等，也往往是相关的法律规定。

2. 法律技术的主观性（非至上性）。法律技术具有主观性，首先是因为掌握技术的主体是主观的，什么时候使用及为什么目标使用技术，往往是主观的。如在法律解释中，解释主体在对法律解释之前即有一个基本的观点：他认为这个法律是需要解释的，是含糊的或不公正的。在他形成法律是"含糊的"或"不公正"的这一观念的同时，他实际上就已经形成了他对该法律解释的目标，并围绕这一目标开始"找法"。由于受解释目标的制约或解释者个人自身情况的影响，不同的解释者对不同的案件事实和法律自然会产生不同的认识，他必然会自觉或不自觉地选择有利于达到设想目标的解释方法，甚至自己习惯使用的一种或几种解释方法。其次，由于某些技术在使用过程中，不可避免会掺入主观的因素。如在法律推理中，大前提（法律规定）、小前提（案件事实）的形成，到目前为止，尚未有完全预防主观随意性渗透和侵蚀的机制。

3. 社会性和经验性。法律是一门"实践理性"，它处理的是复杂的价值矛盾和人情关系。所谓法律不外乎人情——人情关系总是非常微妙的——所以法律人要在其中游刃有余，不仅需要具备高深的法律知识和理论，而且还要以一定的

---

[1] 如德沃金就说："好的法官往往把类推、技巧、政治智慧和自己的责任融会在一起，指出直觉判断；他领会法律，更甚于他能解释法律；所以，无论怎样仔细思索推敲，他总是不能将自己领会的东西充分地形诸文字。"转引自张志铭：《法律解释操作分析》，中国政法大学出版社1999年版，第35页。

社会经验、年龄、智识为前提。法律事业并不仅仅是智力的活动，而且需要一种人生经验，对人生有深刻的感悟，并具备一定的人文涵养。颁布于 2001 年的《中华人民共和国法官职业道德基本准则》第 35°条规定："法官应当具有丰富的社会经验和对社会现实的深刻理解。"而世界各国的法官和律师也都有类似的规定，这正说明了法律技术对人文涵养和社会经验的要求。

在西方，担任法官或扮演这种裁判官角色的人一直至少是中年人或壮年人，"嘴上没毛，办事不牢"是一种典型的概括。有一个广为流传、笔者在实习时也曾经碰到类似情景的故事或许能够深刻地说明法律技术的社会性和经验性：一位刚毕业不久的大学生在人民法庭做婚姻调解，说了好半天，也不能打动年轻的妻子；而一位陪审员，六十多岁的老妇女主任，也说了一通话，最后只说了一句："姑娘哟，你不听奶奶的，听谁的？"就这一句话，两人就和好了。[1]

4. 法律技术的局限性。法律技术与任何作为手段的方法一样，有着自身局限性，这种局限性表现在：第一，再好的技术总有其不能解决的问题，有些法律问题需要立法解决，还有些法律问题需要的是社会经验甚至社会的发展去解决。第二，人的认识是非至上的，法律技术也是发展的。法律技术基本是人们在司法实践中发现和发展起来的，这种发展是无止境的，我们永远都无法说某种技术是最好的。第三，法律技术要综合结合，才能最大程度地实现技术的功能。并且法律技术个人的经历、知识、环境及天赋对其的运用影响也是非常大的。

（三）法律技术的内容和分类[2]

如果试图对法律人的职业技术之内容作一个简单的概括，是相当困难的——这种技术非常全面，从而不同于大众技术和其他职业技术，对于行政官，一般情况下是不会有这么全面的要求的；并且，对于不同的法律人，特别是律师和法官之间，需要掌握的技术也是大不相同的。不过，笔者认为，作为一个合格的法律人，所以，以下技术是必须和前提的：法律解释技术、法律推理技术、法律程序技术、证据运用技术、法庭辩论技术、法律文书制作技术、法律起草技术等等，

如果我们对于法律人寄以更高的期望——希望法律人能够在一个社会里起到中流砥柱的作用的话，那么他应该具备更高级的"技术"，如当涉及法律制度

---

〔1〕 苏力：《送法下乡》，中国政法大学出版社 2000 年版，第 365 页，注 33。

〔2〕 由于法律技术对于法律人的意义，在法律语言、法律知识及各具体的法律技术的论述已有详细的论及，所以，本文此处不再展开。这里附带说一下的是，在法律人的职业素养中，对于中国法律人职业化影响最大、对其最为重要的，应该是法律技术——但这却是我国法学界研究的一个弱项或者忽视的地方，如法律推理、法律解释、法律文书写作等等，无不如此。这是否跟我国法学界的学风有关，不言自明。

时，他们需要具有处理经济、政治、意识形态等问题的能力。一个有能力的律师不仅必须有能力在不同法律规则中重新界定法律问题，而且要有能力在可选择的经济学方法中转换法律对话的方式；应当明确如何正确构建其客户案中的哲学基础；面对一些合同显失公平的案件，法官需要从某些先决条件中寻找界定，诸如合同被侵害方的教育程度、收入、信息以及相关的交易权利是否存在来界定、判断。[1] 有美国学者更是认为，律师不仅仅是一个诉讼代理人，他或她还应该能成功扮演以下角色才算称职：参谋、总指挥、协调员、教师、精神辅导员、综合顾问、沟通联络员等，[2] 而事实上，现代律师业务的非讼化实践和趋势，已证明了这一点。在这种背景下，一个法律人还要掌握一定的教育技术、管理技术等其他非"法律"的技术。当然，这涉及到法律人角色定位等极复杂而广泛的问题，在此不再作进一步的展开。

1. 法律解释技术。[3] 所谓法律解释技术是指法律人运用专门的多种方法对法律文本的阐释。[4] 它是将法律和事实相衔接的一个主要途径和桥梁，其与裁判中的法律选择相联系，其结果将对他人或社会的利益造成重大影响。就此意义而言，法律解释技术是所有法律技术中最为前提的一类。

学界一般认为，法律本身的天然局限性是法律解释的根源。这种天然局限性表现在：首先，无论立法者多么高明，规章条文也不能网罗一切行为准则，不能覆盖一切具体的案件；其次，法律规定往往比较僵化，一方面，死扣条文可能导致个体及实体不义，另一方面，"法律永远是昨天的法律"，法律往往落后于事态的发展，故此，需要解释来发现、补充和修正，以获得运用自如、融通无碍的弹性。

一般认为，作为一门技术，法律解释需要解决以下四个基本问题：第一，解释的可行路径问题——以什么方式、从什么角度进行解释或者说提出解释主张或论点；第二，解释活动的规范问题——进行解释活动应该遵循什么准则或规则；第三，解释结果的形态问题——提出什么样的解释主张或论点；以及第四，解释结果的理由问题——为什么要作出这样的解释。[5]

---

[1] ［美］罗宾·保罗·麦乐怡：《法与经济学》，孙潮译，浙江人民出版社1999年版，第138页。

[2] ［美］苏珊·奥尼尔、凯瑟琳·斯巴克曼：《美国律师实务入门——从学生到律师》，黄亦川译，北京大学出版社1998年版。

[3] 当然，对于许多大陆法系法学家来说，法律解释主要是一个"法学方法论"的问题。至于法学方法论和法律技术（特别是法律解释）的区别，笔者认为，法教义学意义上的"法学方法论"，在某些时候和法律技术是重合的——这在英美法系表现最为突出，因为，在该法系下，法教义学的工作主要是通过法官而非法学研究者完成的。

[4] 孙笑侠："法律家的技能与伦理"，载《法学研究》2001年第4期。

[5] 张志铭：《法律解释操作分析》，中国政法大学出版社1999年版，第72页。

对于法律人来说，法律解释具有这样的技术性意义：第一，正确适用法律，贯彻立法者的意志；第二，弥补立法缺陷和漏缺；第三，在法律有完备规定的前提下，解决价值观念的矛盾；第四，尽管实在法已有明确的规定，但严格地遵循之可能会造成极其严重的社会或道德等方面的危机，通过必要的解释手段，在现行法律规则体系内，找到规避或替代的方法和理由。此外，在意识形态方面，法律解释还是法律人，特别是法官排斥其他团体或个人干涉法律事务、或者说独断司法权力的一种手段，是法律人对立法权"暗渡陈仓式"攫取的途径。可以认为，在法律解释者的解释活动中，法律最终形成了——一定意义上，法律存在于解释之中，

2. 法律推理技术。所谓法律推理是关于法律依据选择与适用的一种基本方法和技术，法律推论的实质意义不仅仅是一种通往正义的方法和"道路"，而且还是为了论证法律裁决的理由。按照国内某位学者的归纳，法律推理具有如下四个要素：第一，按照法律体系的特征，利用相关材料构成法律理由是法律推理的基础；第二，法律推理是逻辑推导和经验论证相结合的过程，前者保证了法律推理的形式合理性（逻辑一致性），而后者则保证法律推理的实质合理性（合理的可接受性）；第三，法律推理是一种证成过程；第四，作为一种证成方法，特定法律工作者的法律推理具有权威性。简言之，即是：法律理由、推导与论证、权威性以及证成方法。[1]

法律推理是法律解释的后续工作，它有实践性、循环性和保守性等方面的特点。它具有以下功能：第一，逻辑推导；第二，辩论说理；第三，提供何为法律的明证；第四，协调社会变革与法律稳定性之间的工具。更确切地说，法律推理具有的是预测、劝说、论证、学习和批判的功能。[2]

作为一个把法律适用到案件，以完成立法目标的动态过程；作为一个对法律判断作合理性论证，以说服及影响他人的方式；作为一个促成法律人相互之间预期有效性最大化的途径，我们可以说，法律推理是法律技术的核心。遗憾的是，在我们国内，法律推理仍然是法理学界，乃至整个法学界研究的一个弱项所在。[3]

3. 法律程序技术。法律程序技术是指法律程序的组织、展开和运用的技术。

---

〔1〕 解兴权：《通往正义之路——法律推理的方法论研究》，中国政法大学出版社 2000 年版，第 23 页。
〔2〕 解兴权：《通往正义之路——法律推理的方法论研究》，中国政法大学出版社 2000 年版，第 45 页。
〔3〕 当然，国内法学界已经认识到这一点。但到目前为此，以法律推理为题仅有三本，其中两本专著、一本译著。参见：张保生：《法律推理的理论与方法》，中国政法大学出版社 2000 年版；解兴权：《通往正义之路——法律推理的方法论研究》，中国政法大学出版社 2000 年版；［美］伯顿：《法律和法律推理导论》，张志铭、解兴权译，中国政法大学出版社 1999 年版。

学界一般认为，现代的法律程序由对立面、决定者、信息和证据、对话、结果等要素构成，是一种限制恣意，通过角色分派与交涉而进行的，具有高度职业自治的理性选择的活动过程。[1] 对于法律人来说，充分理解程序对决定者恣意限制的意义，并善于运用程序的各种要素和机能来处理法律事务，是十分必要的。

程序至少在以下几个方面体现出技术的特征：

第一，主持和参与程序的进行。毋庸置疑，法官或裁判官在诉讼程序的主持是非常需要技巧和经验的。法官或裁判官在主持中，作为纠纷结果的决定者，他（她）必须像位节目主持人，准确而合理地操纵审判这一"舞台剧"进行的节奏，同时也要注意他（她）作为中立者和权威者的仪态和言行，既不可"喋喋不休"，参与辩论，也不可任由控辩双方无限制、无休止地辩论下去。而对于律师来说，参与程序，听从法官指挥，进行辩论和证据展示等，都是一门技术。就此而言，证据运用技术和辩论技术也可以算是程序技术的一个组成部分。

第二，对立面的设置。程序参加者如果完全缺乏立场上的对立性和竞争性，就会使讨论变得迟钝，问题的不同方面无法充分反映，从而影响决定的全面性、正确性。在对立面的设置，起码有如下几个情况要求法律人，特别是法官具备相应的技巧：首先，在"两造"力量比较悬殊时，应适当地扶持和帮助弱者以保证程序对立面的平衡——而这种帮助主要通过指定诉讼代理人、豁免诉讼费、举证责任的倒置等技术性的方式实现；其次，在非公法诉讼中，如何利用妥协机制，以使结果最终利于当事人双方；再次，在诉讼中，如何使控辩双方把辩论的核心集中在案件本身或者对于判决结果有意义的问题，并制止或防止一些涉及人身攻击的辩论；等等。

第三，两种过去的操作。程序提供了一次重塑过去的机会。经过程序加工的过去才成为确定的过去。这意味着在程序中，事实上的过去和程序上的过去并存，并且发生着由前者向后者的转化。程序的布局基本上是围绕这两种过去的操作而展开的。而这种操作也是需要特定的知识、经验和技巧的。

第四，对时序和空序的合理运用。程序的应用和启动，并不是一成不变的，也不是惟一的。律师在代理时，有时需要在当事人的立场为其选择一种最有利的程序——如仲裁、听证、复议和诉讼程序的挑选问题；如有两个以上法院具有管辖权时，对法院的选择问题；在诉讼中，让调解程序在何时启动或是否启动的问题；等等。这种程序的不同选择，对于当事人来说，有时往往会意味着相反的判决结果；有时则意味着巨额的费用的差异——它也往往是优秀的律师和低劣的律师的一个区分标准。

---

[1]　孙笑侠：《程序的法理》，中国社会科学院 2000 年博士论文，第 16 页。

第五，角色的分化和分工。对于现代程序来说，角色的分工占据了非常重要的位置——它本身就是职业主义安排的结果，同时也促进了法律人的专业化、规范化。因为，程序中的每个人都是以抽象的身份出现的，如原告、被告、法官、辩护律师等。而不同的角色，在根本上决定了参与者，特别是法律人要具备特定角色的技术和技巧。

此外，对于法官来说，如何对参与者进行分化和分工，也是其需要掌握的一门技术。首先，尽管对角色的分工，相关的诉讼法会有详尽的规定，但最终的确定，还是有赖于法官，比如一些第三人的确定等。其次，即使确定了相关的角色，但在庭审中，还要对相关的诉讼权利进行分配，这也需要技巧。

对于律师来说，掌握分化的技巧也非常重要。因为，他们往往可以利用角色之间的微妙关系，如冲突或协调或统一的关系，来达到为自己当事人谋利益的目的。

第六，如何启动程序，以便把非法律问题转化为法律问题。比如，如何把一些非常敏感的政治问题，通过修枝剪叶，运用法言法语，来转化为法律问题。当然，这已经不局限于是一种程序技术了。[1]

此外，法律技术，还包括证据运用技术、法庭辩论术、法律文书制作技术等。如证据运用技术是指掌握证据的原理、特性和规律，运用证据法规则来审查判断证据并在程序中证明案件的真实的各种方法。法庭辩论术是指律师在程序中综合运用法律专业语言词汇、法律专业知识和法律职业思维，根据案件事实进行辩论的技术。法律文书制作技术是司法官制作司法裁判文书、律师制作业务文书、诉状等文书的重要技术。对于司法官而言，文书的制作具有一定的原理，也具有一定的技术因素。比如判决书中的判决理由的阐释就包含者重要的制作原理，判决理由是判决成立的前提，它是以法律推理和法律解释为基础的。限于篇幅，本文对该三种技术就不再展开，

结　语

苏力曾引用"一盆水洗脸，一桶水也洗脸"来形容法科生在基层法院工作的知识浪费。其实，在中国法律实务界，更多的是类似于"一盆水洗脸，一桶冰块无法洗脸"的问题。我们不应否认，我们的法律人在法学院里接收的信息也是大量的——但却往往仅局限于信息；这种信息往往也仅仅是一种"信息"——未能或尚未转化为技术和思维——这像未曾融化的冰块，不仅无法

---

[1]　孙笑侠：《程序的法理》，中国社会科学院 2000 年博士论文。

"洗干净"，而且"即使能洗也会让人感觉很难受"，由而使得人们不得不舍却一桶已有的"冰块"，而另外去攫一盆水。

但这不足于成为我们赞同当下司法资格考试不限制专业的理由。从上文我们可以得出这样的结论：法律人的职业素养，特别是技能性构成，围绕的核心及目标是如何"做事"（know how to act）。所以，这种科班毕业生不如"半路出道"者的异常现象，很大程度根源于我国法律教育和法学研究本身的问题。因为，我们当下的法学院教给学生的，往往仅是一套"完全静态"式的实在规则，而这对于法律人从事职业是远远不够的。

法律更多地决定于法律人的理念与思想；而法律人的理念与思想则更多受制于法学教育的质量。[1] 要使未来的法律人懂得如何做事，这就要求法学院在培养学生的时候，除了要使教育对象懂得实在规则外，还应该掌握法律语言的特殊的用法规则，理解法律概念所承载的价值和规范目的，谙熟于法律语言背后所蕴涵的丰富的法律文化和精神；除了要使未来的法律人掌握现行的法律规则外，还必须对法学界通行的理论、法律规则背后蕴涵的法律原则和精神进行传授；要通过大量的案例教学，使学生娴熟于繁杂而为外人所无法掌握、不可言说程度较高的职业技术；通过种种教育方式，使得未来的法律人具备特有的思维模式，并习惯于以这套思维模式来思考各种问题。当然，仅靠法学院的教育，对于培育合格的法律人，是远远不够的。它还依赖于司法研习制度的完善。

所以，一个仅仅突击学习了几个月法律规则的人，即使是一个学富五车的哲学博士后，也不能算是一个合格的法律人——由此，强调当下红火的司法资格考试应只局限于有专业背景的"法科生"，并增加能体现考生对法律技术、法律思维以及法学理论等方面掌握的考题，如主观题等，也就成了一件万分必要的事情。

---

〔1〕　See Mark Warren Bailey, *Early Legal Education in the United States：Natural Law Theory and Law as a Moral Science*, in *Journal of Legal Education*, Volume 48, Number3（September 1998）.

第二章　法官职业化

第一节　论法治国中法官权威的基础

前　言

人类文明社会的发展史，从某种意义上讲，就是一部追求光明、科学和正义的历史。在追求正义的过程中，人类选择了法律，期望通过法律实现正义。[1] 众所周知，"徒法不足以自行"。法律作为社会控制和实现正义的工具，最终发生作用，需要通过执行法律的人来实现，其中尤以法官为典型代表。正如德国法学家古斯塔夫·拉德布鲁赫所指出的："法官是法律由精神王国进入现实王国控制社会生活关系的大门。……法律凭借于法官而降临尘世。"[2] 法官在法治社会具有十分重要的作用。在西方人看来，法院和法官是法律制度的心脏和中心。美国当代著名的法理学家德沃金曾意味深长地宣称："在法律帝国里，法院是法律帝国的首都，法官正是法律帝国的王侯。"[3] 按照法治社会为法官划定的角色，法官充当着对社会纷争的最终裁决者和"护法使者"。法官除解决对立当事人之间的纷争之外，并通过判决而使法律得以执行，从而使社会大众的正义感获得满足。毫无疑问，法官若要有效地发挥上述的作用，就必须具备足够的权威。法官的权威是司法得以有效运作的基础和前提。从某种意义上讲，作为"法律的代言人"的法官具有权威，实际上表明了法律的权威性。尤其在当今社会，"社会治理和社会控制的重心主要转移到国家或权威的力量之上。在国家或权威这一要素中，司法的作用愈显突出，社会治理过程对司法的仰赖空前加重。换言之，司

---

〔1〕　庞德曾指出："法律的工作，可以说是一种社会工程的艰苦工作，它是一种能努力满足众人的需要及欲望，能为众人所分享生活必需品一样的工作，这就是因为法律的目的旨在实现社会正义。"转引自王利明：《司法改革研究》，法律出版社 2000 年版，第 211 页。

〔2〕　［德］拉德布鲁赫：《法学导论》，中国大百科全书出版社 1997 年版，第 100 页。

〔3〕　［美］德沃金：《法律帝国》，中国大百科全书出版社 1996 年版，第 361 页。

法成为社会治理和社会控制的重心。[1] 而司法要想承载这样的社会使命，法官必须具备必要的权威。"[2] 可见，法官权威不仅是法治社会的必然要求，[3] 也是当今社会治理过程的实际需求。还有一点值得指出的是，需要加强法官权威的另外一个重要的理由是"司法权一直是分立的三权（立法权、行政权、司法权）中最弱小的一个"，[4] 而且容易受制于比其强大的其他两种权力，成为一项性情极为懦弱的权力，从而无法扮演法治社会对其所要求的法、权利、正义的"守护神"的角色。正由于上述的原因，"树立法官权威"才会被人们不厌其烦地加以倡导、并不惜代价地付诸实践。

　　在法治社会，我们反对人治就是反对树立人的权威，但我们又主张树立法官的权威，这是否矛盾呢？[5] 回答应该是否定的。因为法治国中法官权威是一种制度性权威，是法官个人人格权威的制度化，而不同于个人的权威。在法治社会中，法官权威不是指法官个人的权威，而是指作为职业的权威。一般来说，制度性权威以严格的形式化法律为基础，通过一整套制度而得以实现。制度性权威在很大程度上可以克服个人所难以摆脱的感性因素的影响。因此，不管他或她是一个怎样的人，只要按照法定条件和法定程序获得了法官职位，那就具有权威。而如果这个人一旦离开了法官职位，那就会丧失其职务所赋予他的任何权威。[6] 更为重要的是，法治国中法官权威是一种有限的权威，它被限制在适度的范围。这与个人权威不同，个人权威是一种无限制的权威，经常有扩张为淫威的趋势。所以，法治国中法官权威并不等于法官的暴政。作为一种制度性的权威，法治国中法官权威体系往往被视为一种反权威体系。美国学者小杰弗雷·C·哈泽德曾经指出，"依据裁判制度建立的权威体系实为一种反权威体系"。[7] 法治国中法官受制于有界定功能的法律。这就是为什么人们将法院概括为政府中"最不具

---

〔1〕　在中国，大规模立法的时代终究会过去，司法中心的时代将要到来。

〔2〕　顾培东："中国司法改革的宏观思考"，载《法学研究》2000 年第 3 期，第 4 页。哈贝马斯也有相似的论述："随着法律手段干预之幅度、范围和微细性的扩张，它导致了一种向社会生活的不断'司法主宰化'（juridification）迈进的总体运动。而这便是所谓'现代化'过程的一个重要方面。"参见郑戈："法学是一门社会科学吗？"，载《北大法律评论》第 1 卷第 1 辑，第 13 页。

〔3〕　夏勇先生曾将司法权威作为法治的十大规诫之一。参见夏勇："法治是什么？——渊源、规诫与价值"，载夏勇主编：《公法》第 2 卷，法律出版社 2000 年版，第 21、22 页。

〔4〕　［美］汉密尔顿：《联邦党人文集》，商务印书馆 1980 年版，第 395 页。

〔5〕　孙笑侠教授曾提出这一疑问，并对此问题作了否定的回答。具体参见孙笑侠："法律家的技能与伦理"，载《法学研究》2001 年第 4 期。

〔6〕　W·萨默塞特·莫钱在《月亮与六便士》中写到："人们常常认为，一个在野的首相只不过是雄辩滔滔的演说家……。"参见［美］约翰·肯尼思·加尔布雷思：《权力的分析》（中译文），河北人民出版社 1988 年版，第 29 页。

〔7〕　小岛武司等：《司法制度的历史与未来》（中译文），法律出版社 2000 年版，第 44 页。

威胁力"的机构。[1]

通观西方许多发达的法治国家，无一不具有一群享有权威的法官。我们可以看到，一些西方国家的法官，身着宽大的腥红色法袍，头戴卷曲马鬃毛假发，温文飘逸，姿态优雅，连他们手里不时敲响以维持法庭秩序的那把法锤，也似乎散射着无上的权威，令人不无敬畏。梅利曼先生曾这样描述普通法系国家里的法官们："他们都是有学问的伟人，甚至有慈父般的尊严。"[2] 在这里，人们不仅仅在理智的层面上认同并接受法官，而且在情感的层面上尊重并信任法官。这与我国的法官形成了鲜明的对比。虽然我国现在的表层司法制度都是西化的，但是由于中国几千年来一直沿袭的政审合一、司法从属于行政的体制和观念的影响，再加上我们在过去的法制建设实践中，相对忽略了对法官权威的精心培植，以至我国法官缺乏必要的权威。"由于我国法官缺乏足够的权威性，导致法院缺乏应有的公信力。许多当事人对法官的判决的公正性缺乏必要的信赖，即使对公正的裁判也不愿意自觉履行，执行难已成了困扰我国司法的最大的难题之一。"[3] 时值今日，国人认识到了加强法官权威的必要性和迫切性。在今天的社会中，关键的问题是如何采取有效的措施，使法官的权威得以加强。我国目前所采取的"法官更换新制服"、"修改《中华人民共和国法官法》"、"司法资格统一考试"、"制定《中华人民共和国法官职业道德基本准则》"、"庭审敲响法槌"[4] 等司法改革举措，从某种意义上讲，就是试图加强法官权威的一些极有意义的尝试。

基于上述考虑，在中国司法改革正逐渐深入的现阶段，很有必要围绕"法官权威"这一主题进行认真的探讨。对法官权威的讨论可以选择不同的角度，采用不同的方法，而每一个角度、每一种方法都有一定的道理和意义。在政治学和社会学中，枚举权威得以行使的基础或资源是研究权威的通常方式之一。[5] 本文也试图从权威基础的角度，对法治国中法官权威进行探讨和分析，其目的仅

---

〔1〕 ［美］万斯庭："美国法官的工作"，载宋冰编：《程序、正义与现代化——外国法学家在华演讲录》，中国政法大学出版社 1998 年版，第 282 页。

〔2〕 ［美］梅利曼：《大陆法系》，顾培东等译，知识出版社 1984 年版，第 11 页。

〔3〕 王利明：《司法改革研究》，法律出版社 2000 年版，第 137 页。"据统计，到 1999 年 6 月，中国有 85 万个法院裁决没有执行，占法院裁决总量的 1/3。"参见"中国司法改革成为当务之急"，载《参考消息》2001 年 11 月 16 日第 8 版。

〔4〕 "本报北京 1 月 18 日电从 2002 年 6 月 1 日起，法官审理案件时将使用法槌。"见"最高法院日前出台规定 6 月 1 日起开庭用法槌"，载《人民法院报》2002 年 1 月 20 日。

〔5〕 "所谓权威基础是指权威赖以支撑的基石或根源，包括权威的来源和人们赖以获得权威的资本或资源。权威的基础着眼于权威主体，并不着眼于他行使权威的原因与动机，而是着眼于使他获得权威的各种基础或资源。"参见 ［美］丹尼斯·朗：《权力论》，陆震纶等译，中国社会科学出版社 2001 年版，第 148 页。

是为重塑现代中国法官权威提供一些有意义的思考。众所周知，权威关系一般建立在诸多基础之上，而其基础往往难以被举例穷尽。因此，本文只想对法治国中法官权威的三个主要基础（即体制基础——法官的独立地位、专业基础——法官职业技能和伦理基础——法官职业道德）进行探讨。笔者认为，在法治国中，"法官的独立地位"这一基础意味着要想确立和维护法官权威，必须赋予法官必要的权力——独立的权力；"法官职业技能"这一基础意味着要想确立和维护法官权威，必须要求法官具备足够的能力，从而力求"胜任"；[1] 而"法官职业伦理"这一基础则意味着要想确立和维护法官权威，必须科以法官合理的义务，对法官进行必要的约束。赋予法官必要的权利是树立法官权威的前提。而满足社会对法官的基本要求是维护法官权威的根本保证。与法治国中法官权威不同，中国传统法官权威的主要基础则是：第一，体制基础——政治集权；第二，技能基础——行政能力；第三，伦理基础——大众道德。中国现行法官制度深受传统因素的影响。这在一定程度上影响了中国当今法官权威的确立和维护。因此在当今中国，要想确立法官权威，必须改变那些中国传统法官权威的基础。基于以上的问题意识，本章主要由以下几部分组成：首先，探讨法官权威的内涵；其次，分析和探讨法治国中法官权威的主要基础，即法官的独立地位、职业技能和职业道德；再次，对中国传统法官权威的基础进行概要的论述；最后，在结语部分，对重塑现代中国法官权威问题作一简述。

一、法官权威的内涵

（一）一般权威的界定

法官权威是一个组合概念，"法官"是对"权威"的限定。因此，要想弄清什么是法官权威，先要弄清什么是权威。在古汉语中，权威意味着"权力威势"。比如《吕氏春秋·审分》："万邪并起，权威分移。"《现代汉语词典》对"权威"一词有两种解说："一是使人信服的力量和威望；二是在某种范围里最有威望、地位的人或者事物。"[2] 在英语中，权威是 authority，其意思是 power or right to give orders and make others obey（作出命令使他人服从的权力或权

---

[1] "所谓'胜任'是在法官职业的行为道德框架内，根据一定的标准，运用知识和技能解决特定问题的能力。"参见万斯庭："美国法官的工作"，载宋冰主编：《程序、正义与现代化——外国法学家在华演讲录》，中国政法大学出版社 1998 年版，第 284 页。

[2] 参见《现代汉语词典》（修订本），商务印书馆 1996 年版，第 1048 页。

利）[1] 法学、政治学上使用的"权威"（authority）一词，源于拉丁文 Auctoritas，其原意是指威信及创始人，含有尊严、权力和力量的意思，后来演变为泛指人类社会实践中形成的所具有的威望，要求人们信从和支配作用的力量和决定性影响。

在当代社会科学中，权威既被视为个人、群体或者更大社会结构拥有的一种品质或属性，又被视为个人或集体参与者之间互动关系的指标。[2] 作为个人、群体具有的属性或品质，权威常常被视为一种使人遵从的威望、力量、影响力或能力。[3] 而从作为一种社会关系的角度（社会学的角度）来看，权威实质上是一种命令和服从关系。[4] 在权威关系中，发布命令方是权威主体，服从方是权威对象。作为一种命令和服从的社会关系，权威具有主从性和互动性的特点。[5] 所谓权威的主从性意味着权威主体发布命令，权威对象服从命令，而不是相反。而权威的互动性则是指权威主体与权威对象之间存在相互交流、影响和作用。权威是权威主体与权威对象之间形成的关系样式，只有权威主体，而没有权威对象对其的服从，就形不成权威。然而，权威主体对权威对象的命令是权威的真正意蕴和决定因素，而权威对象对权威主体的服从在这一概念中是从属的。换言之，权威对象的服从只是权威主体的命令而导致的一种结果，它只表现着权威，并不决定权威。

在对权威概念的讨论中，最容易引起分歧的问题是"权威"是否等同于"合法的权力"。[6] 在社会科学中，对权威的研究历来存在着经验理论与规范理论的二元化的张力。在权威的规范理论中，通常把权威看作是权威对象出于同意而服从的关系，这种同意是基于他认为有义务服从，换言之，出于信任命令和服

---

〔1〕 《牛津现代高级英汉双解词典》，商务印书馆、牛津大学出版社 1988 年版，第 70 页。

〔2〕 两者并不矛盾。它们是同一事物的两面，并且相互隐含着对方。因为权威作为一种力量或能力，只有在社会生活中才能显示出来。权威只能存在于人与人的相互关系之中，单独的个人无所谓权威。

〔3〕 例如，卢少华、徐万珉在《权力社会学》一书中写到："权威……是指由于个人的素质、才能、品格或作出的贡献而形成的一种使人信从的威望和力量。"见卢少华、徐万珉：《权力社会学》，黑龙江人民出版社 1989 年版，第 59 页。

〔4〕 恩格斯在论及权威时指出："……权威是指把别人的意志强加于我们；另一方面，权威又是以服从为前提的。"转引自薛广洲："权威特征和功能的哲学论证"，载《浙江大学学报》1998 年第 9 期，第 23 页。

〔5〕 薛广洲："权威特征和功能的哲学论证"，载《浙江大学学报》1998 年第 9 期，第 23、24 页。

〔6〕 "合法一词的含义比'法律上的'更深刻些，它含有正当和正确的意思。"见〔美〕加里·沃塞曼：《美国政治基础》，陆震纶等译，中国社会科学出版社 1994 年版，第 6 页。

从关系的合法性。[1] 这种权威定义仅仅把权威限于基于同意的遵从，而排斥了这样一种关系，即其中权威对象服从权威主体仅仅出于害怕如果拒绝服从就会遭受惩罚或经济剥夺。与权威的规范理论不同，权威的经验理论则是从经验研究的角度对既定的社会事实加以认定，即在现实社会中，任何成功的、稳定的命令和服从关系都是权威的实例。例如，现代美国社会学教授丹尼斯·朗在《权力论》一书中把权威定义为"任何命令与服从关系"，认为"人与人之间的一切命令和服从关系都是权威的实例。"[2] 他把出于害怕惩罚或者愿意奖励的动机而服从和由于发布命令者的固有社会或心理品质而自愿服从都纳入权威这一总称之下，强调命令和服从关系的共同特点。丹尼斯·朗认为："命令和服从是权威的必要条件，不管权威对象遵从的原因和动机是基于他感觉到的权威主体的品质、地位、声誉、个人魅力，还是肉体上或经济上惩罚的恐惧。"[3] 在丹尼斯·朗看来，合法的权力当然是权威的一个特例，但没有什么理由将基于武力威胁的权力关系（强制性权威）排除出权威的范畴之外。[4] 本文将采用丹尼斯·朗上述的说法。其理由更多的是出于权宜之计。因为像丹尼斯·朗这样的较宽泛的权威概念（它既不会在它的领域内排除强制性和合法性，也不会认为两者何者更重要，更具有终极性）能够涵盖更多的东西，如中国传统法官的权威。

从以上的分析中，我们可以看出，权威主要具有相互联系的两个方面：其一是一种力量（或尊严等）；其二是由这种力量（主要以命令的形式）必然引致的服从。

（二）法官权威的内涵

法官权威是权威的一个子类型，同样具有权威的上述两个方面。因此，所谓法官权威就是指法官所拥有的一种品质和属性，即法官所具有的能够使人们服从其命令的一种力量。同时，法官权威也表明着法官与其他主体之间的一种命令和

---

〔1〕 许多学者论述权威时，持这一观点。他们总是把权威与合法性联系在一起。例如，布劳曾说："合法的权力是权威。"见〔美〕布劳：《社会生活中的交换与权力》，华夏出版社 1988 年版，第 231 页。与此类似，著名的社会学家帕森斯也把权威定义基于权威对象同意的遵从，以区别于基于武力的权力。

〔2〕 在丹尼斯·朗教授看来："所谓权力是某些人对他人产生预期效果的能力。权力有四种不同的形式，其中之一是权威，另外三个分别是武力、操纵和说服。权威是权力的一个特例。"参见〔美〕丹尼斯·朗：《权力论》，陆震纶等译，中国社会科学出版社 2001 年版，第 3、28 页。

〔3〕 同上，丹尼斯·朗书，第 43 页。

〔4〕 丹尼斯·朗根据服从的不同动机，将权威区分为五种不同权威形式，即强制性权威、诱导性权威、合法权威、合格权威和个人权威。参见〔美〕丹尼斯·朗：《权力论》，陆震纶等译，中国社会科学出版社 2001 年版，第 29 页。

服从关系。在我国法学著作中，往往侧重于前一层含义。一般习惯上将法官权威理解为"法官享有的威信和公信力"。本文当然也赞同这一观点。但是如上文所述，法官权威的这两层含义并不矛盾，而仅是从不同的角度来看问题罢了。在法官权威关系中，法官是权威主体。而法官权威的内容（或表现形式）则是多方面的。其中服从法官的命令是其最主要的内容。在这里，法官的命令主要表现为判决（以及裁定、决定）的形式。当然法官的命令还有其他的形式，例如法官在法庭上行使指挥权时所作出的口头命令。这里需要指出的，除服从法官的命令外，尊敬法官的一些非命令性的行为也是法官权威的重要内容之一。例如，法官进入审判席时，法庭中全体人员要起立行注目礼等。

众所周知，法官权威是一个历史性概念。在不同的历史时期，法官权威具有不同的特性。比如，中国传统法官权威与法治国中法官权威就存在明显的差异。经验表明，法治国中法官权威应该是一种"合法权威"。在法治国家中，法官权威并不单纯仰仗强力。法官只有当它在一定程度上反映了社会的共同意志和普遍利益，在人民内心得到认同的时候，才能够赢得权威。法官权威的问题在某种程度上可以转换为司法公正问题来处理和探讨。法官权威来源于确信和承认。对于理性的现代人而言，确信是由证明过程决定，承认是由说服效力决定。法治国中法官权威为人认可的主要原因是形式的公平。人们认为很多时候所谓的实质正义是无法获得，形式正义是退而求其次的最佳选择。下面就法治国中法官权威的对象、领域和强度三个方面作一简要分析，以便能够对法官权威有一个更为具体的理解。

所谓权威对象是指在权威关系中处于服从地位的一方。在法治社会，法官权威的对象主要包括两个方面：一是当事人；二是其他机关、社会团体和个人。对于当事人来说，法官依法作出的判决具有权威性。判决一旦作出，必须对争议双方产生严格的拘束力，当事人对已经生效的终审判决必须自觉履行。对于行政机关、立法机关、社会团体和其他个人等来说，他们也必须要尊重和服从法官依法作出的判决。当然，律师和检察官也是法官权威的主要对象之一。

所谓权威的领域是指权威对象的行为受权威主体控制的特定范围或领域。众所周知，权威是一个闭合系统。权威主体往往只在一个特定的领域内具有权威。正如著名法国社会学家莫里斯·迪韦尔热所说的："每个有权威的人都有一个明确的权力范围，超出这个范围，他就是一个平常的人，别人不再服从他。"[1] 在法治社会，法官权威的领域只限于审判领域。法官只在该领域内是至高无上的，而在其他领域（例如政治、行政、立法、道德或国际关系等）里，社会不允许

---

[1] ［法］莫里斯·迪韦尔热：《政治社会学》，华夏出版社 1987 年版，第 123 页。

法官独享权威。法官所主管的事务范围因为法律本身而受到限制。法官权威的领域表明了法官权威与其他权威之间的关系。在一定程度上讲，法官权威的领域的大小影响着法官权威的确立。

所谓权威的强度是指在特定领域内权威主体能使权威对象产生遵从行为的范围极限。无限制的权威在当今社会已经不值得信赖和提倡。基于理性的权威都要求在一个有限的范围内行使。在法治社会，法官权威也是一种有限制的权威。法官权威被限制在适度的范围内行使。也就是说，只有在遵从法律规定的各种条件，法官所作出的判决才会具有权威性。法官的司法活动方式是有限的。例如，首先法官的司法权的被动性，不告不理是现代司法的一项重要原则。其次，法官必须针对具体案件进行审判，不能对一般原则进行宣判。再次法官必须以审判的方式进行，法庭是它的活动场所。四是各种程序规则为法官权威的行使设置了空间和时间的范围。

二、法治国中法官权威的体制基础：独立的地位

（一）概述

在社会科学家对权威的分析中，经常探讨权威和社会地位之间的关系。许多学者认为，社会地位是权威的一个重要基础。例如，罗伯特·达尔（Robert Dahl）在研究政界人士的权威时，把社会地位也列入“供政界人士影响他人的资源”（即权力或权威的基础）清单。[1] 德国学者达伦多夫认为：“……权威总是与社会地位和角色相联系。”[2] 卢少华、徐万珉在《权力社会学》一书中写到：“从广义上理解，权威就是指以个人的社会地位或作用以及个人素质为基础的权力。”[3] 在社会学中，所谓社会地位，是指“社会关系空间中的相对位置以及围绕这一位置所形成的权利义务关系。”[4] 社会地位是人们互动影响力的主要源泉和基础。社会地位可以分为正式的社会地位和非正式的地位。“正式的社会地位是指那些长期存在并同其他相关地位发生稳定的制度化关系的位置或属性，例如职业。非正式的社会地位是指那些偶然的或临时性的、同其他相关地位之间处于易变的、非制度化关系的位置或属性，例如个性类型、道德素质。”[5]

---

〔1〕［美］丹尼斯·朗：《权力论》，陆震纶等译，中国社会科学出版社 2001 年版，第 148 页。

〔2〕罗德里克·马丁：《权力社会学》，陈金岚、陶远华译，河北人民出版社 1992 年版，第 58 页。

〔3〕卢少华、徐万珉：《权力社会学》，黑龙江人民出版社 1989 年版，第 60 页。

〔4〕郑杭生主编：《社会学概论新修》，中国人民大学出版社 1994 年版，第 285、286 页。

〔5〕同上，郑杭生主编，第 286 页。

一般来说，一个人（如政界人士）的权威性与其社会地位的高低相对成正比。美国的一项试验曾经表明，陪审员当中社会地位较低者——诸如文化程度较低和收入较低的陪审员——一般要比社会地位较高者缺乏权威性。[1]

上述说法虽然仅是从个人的或掌权人物的权威这一角度出发的，但从中我们却可以得到一些有益的启发。因为，与此相类似，法官权威与地位也有着十分密切的关联。只不过这里的地位主要是指法官这一社会角色在国家权力结构中以及在审判过程中所处的地位。西方法治国家的成功经验表明，法官的独立地位是法治国中法官权威的一个重要基础。[2] 法官的独立地位是一种制度设计。[3] 正式的法律制度赋予法官的独立地位对法官权威具有相当重要的意义。一般来说，公共权威以法律规范为先决条件。公共权威首先需要借助法律来确立自己的地位，即法律可以赋予权威主体拥有公认的发布命令权利，而使权威对象有公认的服从义务。例如，詹宁斯指出："现在，法院几乎毫无例外地是法定机构，行使着制定法赋予的职能。"[4] 当然，有些公共权威起初可能是一种社会长期发展过程中自发发生的。但而后必然需要法律将其规制为正式的制度构造。从某种意义上讲，法律认同在名义上表示了得到社会的普遍认同。换言之，表明了社会以明示或默示的方式赋予、承认权威主体具有权利。法官也是如此。法官若想赢得权威，必须需要法律制度赋予必要的权利——独立的权利。正如雷万来所指出的，"法官需要法律来突显其地位之崇高。为建立司法的威信，在制度上似应彰显国民对司法官之信赖关系。"[5] 法官独立是一个历史的发展，是诸多社会因素集合的结果。在一定意义上，它不是建立的，也不是仅仅通过文字规定就可以建立起来的。需要指出的是，对法官权威产生直接影响的是法官的现实地位。

（二）法官的独立地位之内容

法官的独立地位主要是指法官身份与实质两个方面的独立，同时涉及法官的法律地位、社会地位以及政治地位等领域。[6] 从某种角度来看，法官独立问题

---

〔1〕 ［美］唐纳德·布莱克："司法社会学导论"，韩旭译，载《外国法译评》1996 年第 2 期。

〔2〕 孙笑侠教授曾提出："独立是专业法官的职业本色之一，也是专业法官权威的一个基础，独立是指地位意义上的。"参见孙笑侠："法律家的技能与伦理"，载《法学研究》2001 年第 4 期，第 4 页。

〔3〕 贺卫方在"通过司法实现社会正义"一文中写到："在表层上，司法独立是一种制度设计，而在更深的层次上，实在不过是一种力量对比所引出的后果而已。"见贺卫方：《司法理念、制度和技术》，中国政法大学出版社 1998 年版，第 6 页。

〔4〕 ［英］詹宁斯：《法与宪法》，龚祥瑞、侯健译，三联书店 1997 年版，第 167 页。

〔5〕 雷万来：《司法官与司法官的弹劾制度》，五南图书出版公司 1993 年版。

〔6〕 孙笑侠：《程序的法理》，中国社会科学院 2000 年博士学位论文，第 81 页。法官独立与司法独立是两个不同的概念。司法独立有较高标准和较低标准之分。法官独立是较高标准意义上的司法独立。

就是指法官与社会生活的其他各个方面的分界、重叠、交叉、融合和渗透的关系。因此，它不应当仅仅指社会政治生活对法官职业活动的干涉，而且应当包括社会生活的其他方面对法官职业活动的干涉。法官的独立地位的内容可以归结为如下两个问题：一是法官独立于什么？二是何种程度的独立？从严格意义上讲，法官的独立应该包括两个方面，即法官享有独立的权利和法官负有保持独立的义务。本文这一部分主要侧重于权利方面的探讨，而有关义务方面将在法官职业伦理中予以分析。本文下面将对"法官在国家权力结构中的独立地位"、"法官的身份独立"、"法官的实质独立"三个方面进行简要的分析和概括。

1. 法官在国家权力结构中的独立地位。所谓法官在国家权力结构中的独立地位，其实就是司法权的独立。在国家权力结构中，法官的司法权独立于立法权和行政权。具体地讲，司法权不从属于或控制于任何其他国家权力，与其他国家权力之间是一种相互分立、相互制衡的关系。汉密尔顿不仅强调司法权独立，而且特别强调司法权在对立法、行政部门方面的制衡作用。这种意义上的独立是一种静态的独立，表现为一种权能的赋予。这种层面的独立是以权力分立为前提的，没有权力的分立，司法权独立就无从谈起。在当今西方法治社会，司法权的独立已经作为一项"宪法性规则"被接受。但是西方各国对司法权应该有何种程度的独立则有不同的理解。有人根据独立程度的不同，将"司法权的独立"分为"积极主动型的司法权独立"和"消极被动型的司法权独立"。美国采用"积极主动型的司法权独立"，司法权独立于立法权、行政权，可以对立法的合宪性和行政行为的合法性进行审查。"积极主动型的司法权独立"意味着"你肯定不能管我，但我却可以管你"。法国采用"消极被动型的司法权独立"，司法权的独立意味着既不能干涉立法行为，也不能染指行政事务。法国人设立了宪法委员会和行政法院系统分别处理立法的合宪性和行政诉讼问题。"消极被动型的司法权独立"意味着"井水不犯河水"。在英国，司法权向行政权独立，有权审查行政行为的合法性。英国介于两者之间，但更接近美国。[1]

2. 法官的身份独立。所谓法官的身份独立是指为了确保法官不受政府干涉，法官职位的条件及任期等有适当的保障。在法官独立的早期历史演进中，诸如不被随意免职和高薪等保障法官个人独立的措施非常重要，直到现在，这些措施在世界各国仍然起着重要的作用。西方学者普遍认为，法官独立具有"制度上的特点"，如果不实行法官终身制和最低工资制，不可能实行法官独立。[2] 法官的身份保障为法官解除后顾之忧，使其免受外部干扰而依法行使职权，使其能独立

---

〔1〕 杨一平：《司法正义论》，法律出版社 1999 年版，第 126 页。
〔2〕 转引自王利明：《司法改革研究》，法律出版社 2000 年版，第 88 页。

地依据法律进行审判，确保裁判的公正。法官身份的独立需要一系列制度予以保障和落实。为了保障法官身份的独立，各国都有一些基本标准的规定，具体包括以下主要内容。一是适当的薪金。在汉密尔顿看来，薪俸固定是除职务固定之外，最有助于维护法官独立。他认为，"对某种生活有控制权，等于对其意志有控制权。"〔1〕二是任期或终身制。对前途尤其是职业前途是否预期是人类行为主要考虑因素之一。法官的任期时间应该有法定的期限，在期限届满之前，除非证实法定丧失工作能力等方可免职。三是惩戒、免职程序的正当化。法官在正常工作期间内，不受到随意惩处，而且受到惩处时有充分的抗辩权利。合理的法官惩戒弹劾制是法官身份独立的最重要的内容之一。四是法官选任及升迁的规范化。使法官的选任和连任免受或少受外界影响。五是法官调动须经过法官本人的同意。六是国家应该确保法官及其家庭安全并提供相应的具体保护措施。

3. 法官的实质独立。所谓法官的实质独立，是指法官执行司法职务时，除了受法律及其良知拘束之外，不受任何干涉。也就是说，法官有能力在一个特定的案件中针对特定的事实选择、解释和适用其认为适当的既定的法律规则，而不受来自于任何可能会影响其裁判的外来的影响和压力。法官的实质独立是在身份独立的基础上的要求。在这一层面上，法官独立的对象是多样的。"一般来说可以包括政府、立法机关、检察机关、政党、团体、社会舆论，此外，还有上级法院、法院院长等都可能成为干涉司法独立、法官独立的因素"〔2〕德国法学者Paul Gulland 曾列举了八项：第一，独立于国家和社会间之各种势力；第二，独立于上级机关；第三，独立于政府；第四，独立于议会；第五，独立于政党；第六，独立于新闻；第七，独立于国民之声望；第八，独立于自我、偏见及激情。〔3〕法官的实质独立首先表明，法官行使审判权应该仅仅服从于法律。正如马克斯所说的，"法官除了法律就没有别的上司。"〔4〕法官在依法行使审判权的过程中，不受行政机关、立法机关、社会团体、新闻媒体、社会舆论、同事、法院院长等主体的干涉。当然需要指出的是，所谓的法官独立仅是一种相对性的独立。一般认为，下面种种行为都属于对法官审判的干涉，应该予以排除和禁止。第一，强制性或非强制性行为。强制性行为是要求、指令法官必须遵守其意旨的行为。非强制行为则是以请求等柔性方式出现的行为。第二，直接行为和间接行为。直接行为是以明示方式向法官表达意愿的行为。间接行为是以暗示方式委婉

---

〔1〕 ［美］汉密尔顿：《联邦党人文集》，商务印书馆 1980 年版，第 396 页。

〔2〕 孙笑侠：《程序的法理》，中国社会科学院 2000 年博士论文，第 81 页。

〔3〕 同上，孙笑侠文，第 81 页。

〔4〕 转引自王利明：《司法改革研究》，法律出版社 2000 年版，第 86 页。

表达观点，施加影响的行为。第三，宏观行为与微观行为。司法政策的制定等为影响手段的行为。微观行为是指针对个案处理而采取的行为。第四，利益引诱行为和非利益引诱行为。利益引诱行为是指给予法官若干利益的行为。[1]

需要指出的是，由于各国具体情况不同，影响法官独立的因素存在一定程度上的差异。在当今的我国，影响法官独立的因素主要包括四个方面（这些因素既包括制度内的制约，又包括非制度的制约）：一是来自人民代表大会的干预。如四川省某基层法院的副院长在谈到一些地方人大与司法的关系时这样说道："若案子一旦告到人大，人大则提议案质询，甚至把纠纷各方、法院、公安、检察等召集在一起来定案。法院让当事人依法上诉，人大却要求法院直接再审改判，人大代表甚至于把案卷调上去看。有的人大代表是案件当事人，他通过其他代表向法院提议案，法院很难办。有一个乡镇企业所在镇党委书记是区人大副主任，他召集部分代表以人大法工委名义提出意见。"[2] 在我国，人大有权监督、制约法官的司法活动，除通过任免法院的审判员、庭长、院长，定期对司法机构工作的评议等形式外，还可以实行"个案监督"。人大的监督确实能够防止司法权失控，遏制司法专横及司法腐败的滋生与蔓延。但这种监督又往往使人大的权力过于扩张进而影响法官独立地行使审判权。二是来自政府的干预。如《法制日报》1998 年 4 月 3 日报道："黑龙江省铁力市制定了行政与司法的《协调立案通知书》和《协调执行通知书》，名为'协调'，实为法院向政府'请求'，因为'通知书'中规定部分案件的立案和执行要事先经市政府主要领导人签字后方能进入'法律程序'。"[3] 在我国现行体制下，司法机构的物资资源来自于同级政府。尽管从理论上说政府不能直接支配法官的司法活动，但政府经常出面干预法官的审判活动。政府在案件管辖权即立案、案件审理和执行等多方面进行影响。三是来自法院内部的干预。这种影响主要是由于我国司法的行政化而产生的。法官的过分等级化、领导审批审判方式等等有关司法的行政化形式严重破坏了法官的独立性。四是来自党委的影响。如在一份调查访问中，一位被调查的法院院长就坦率地承认法院和法官受党委的影响，他说："在中国现行体制下，法院工作很现实，工作常常需要当面向区委书记汇报，法院客观上是党委、政府的

---

[1]　左卫民、周长军：《变迁与改革——法院制度现代化研究》，法律出版社 2000 年版，第 42 页。

[2]　转引自左卫民、周长军：《变迁与改革——法院制度现代化研究》，法律出版社 2000 年版，第 181 页。

[3]　转引自郭道辉："实行司法独立与遏制司法腐败"，载信春鹰、李林主编：《依法治国与司法改革》，中国法制出版社 1999 年版，第 85 页。

一个职能部门。"[1] 五是来自媒体的影响。当前我国传媒自律体制尚不健全，加上我国传媒不成熟，诸多原因使得传媒对司法的关注时常经意不经意地发生越位甚至错位，而致司法于尴尬的处境。众所周知，中国当今传媒都是官办的传媒，有某种权力做后盾和指导，传媒的报道往往受制于其背后的权力机构的意志。因而，它对司法的监督方式与效果与西方传媒是有区别的。在当代中国，传媒的干预面窄是西方人难以想像的，而传媒的影响力之大也是西方人所难以想像的。

（三）法官的独立地位对法官权威的意义

考察司法制度的演变历史，我们可以发现，司法权在国家权力结构中处于什么地位，直接影响法官的权威。例如，在中国传统社会，一直维持着司法和行政合一的政权体制。司法权从属于行政权，司法活动只是行政权的组成部分，最高司法权由皇帝所控制。因此，中国传统法官的权威只是皇权的一种延伸。需要指出的是，中国传统法官虽然缺乏独立性，但并不意味着他们全无权威，比较确切地说，他们缺乏的是像法治国中法官所享有的那种权威。进入近现代后，西方许多国家实行"三权分立"的政治体制，司法权在国家权力结构中的地位有了根本的变化。司法权改变了以往的从属地位，与行政权、立法权形成相互分立制衡的关系。在这些国家中，法官在审判领域享有了最高的权威，即使立法机关和行政机关也必须尊重和服从他的判决。在法治国中，司法权在国家权力结构中具有独立的地位，为法官获得显赫的权威提供了根本的基础。

1. 为什么"独立的地位"惟独是法治国中法官权威的基础？首先有必要探讨这样一个问题，即为什么"独立的地位"惟独对法治国中法官权威具有如此重要的意义呢？而为什么没有人提出"独立的地位"是行政官的权威或立法者的权威的基础呢？[2] 其理由是司法机关为分立的三权中最弱的一个。汉密尔顿曾对此有过论述："在分权政府中，行政部门不仅具有荣誉、地位的分配权，而且执掌社会的武力。立法机关不仅掌握财权，而且制定公民权利义务的准则。……司法部门既无强制、又无意志，……司法机关为分立的三权中最弱的一个，与其他两者不可比拟。司法部门绝对无从反对其他两个部门，故应要求使它

---

[1] 转引自左卫民、周长军：《变迁与改革——法院制度现代化研究》，法律出版社 2000 年版，第 200 页。

[2] 与此类似，孙笑侠教授曾经在"再论司法权是判断权"一文中谈到，"在这近三个世纪的历史长河中，为什么没有人提出'立法独立'或'行政独立'，恰恰是'司法独立'却被人们不厌其烦地加以倡导、并不惜代价而付诸实践？"参见孙笑侠："再论司法权是判断权"，载信春鹰、李林主编：《依法治国与司法改革》，中国法制出版社 1999 年版，第 422 页。

能以自保，免受其他两方面的侵犯。"[1] 在历史上，司法曾一度从属于王权、行政权，直至现在，司法还是经常容易受到各种力量的侵扰。"司法独立在近代资产阶级革命中是作为一种政治原则被提出来的。其目的在于彻底背弃和否定革命前司法审判中王权、教权与审判权合一的制度，特别是否认王权和教权对审判权的干预，从而保证法律及其施行过程的权威性"[2] 可见，行政权和立法权先天就具有优越的地位，从而要树立其权威无须担心地位是否独立。换言之，它们一般不缺乏这种资源。另外需要指出的是，行政官员的权威恰恰不是建立在独立的地位上。相反，"职级"对支持行政官员的权威有着重要的作用。[3] 而先天的弱小司法权——"几乎没有什么权力"[4]——则不同，它时常会受到外来力量的侵犯，丧失独立的地位，从而丧失权威。如上所述，在法治国家，法官权威的对象包括立法机关和行政机关在内。如果法官隶属于或受控制于立法机关或行政机关，那么法官权威在立法机关和行政机关面前则毫无权威可言，而且最后还会影响到整个法官权威的。所以要想维护法官权威，就必须要赋予和保障其独立的地位，否则其他的一切努力将会是徒劳无功的。因此，法官的独立地位对法官具有重要的意义。美国法学家亨利·米斯曾经对法官与独立地位的关系作了精辟的表述："在法官作出判决的瞬间，被别的观点，或者被任何形式的外部权势或压力所控制或影响，法官就不复存在了。"[5]

2. 法官权威系统的封闭性与法官的独立地位。法官的独立地位之所以是法治国中法官权威的基础，首先可以从如下的角度予以分析。从理论上讲，权威是一种社会现象，它以其影响力所及范围而构成自己的系统。在这个系统之内，它不允许有其他的权威介入，一旦有其他权威介入，则维持对原有权威的服从便不可能，原有的权威系统将会分解。因为权威的形成即是以意志施加者（权威主体）的影响力和辐射力而达到的，其他权威的介入，即是其他意志开始影响到原有的意志服从者（权威对象），那么原有权威将不再具有其存在范围了。作为权威的子类型，法官权威当然也是如此。权威系统的封闭性特点要求法官必须有独立的地位。在法治社会，法官权威与其他权威体系并存。要想维护法官权威，必须禁止其他权威的介入法官权威系统。如果行政机关、立法机关等其他主体经

---

[1] ［美］汉密尔顿：《联邦党人文集》，商务印书馆 1980 年版，第 391 页。

[2] 李步云主编：《宪法比较研究》，法律出版社 1998 年版，第 896 页。

[3] "支持行政官的威信的基础可能会是政绩、民意、职级。"参见孙笑侠："法律家的技能与伦理"，载《法学研究》2001 年第 4 期，第 4 页。

[4] ［法］孟德斯鸠：《论法的精神》上册，商务印书馆 1995 版，106 页。

[5] 转引自郭道辉："实行司法独立与遏制司法腐败"，载信春鹰、李林主编：《依法治国与司法改革》，中国法制出版社 1999 年版，第 80 页。

常能够左右法官行使审判权，法官权威就会分解。因为人们看到法官在审判过程中，处处听命于他人，那很难相信法官能够按照他们自己意志作出判断。《中国青年报》1997 年 12 月 1 日的一篇有关地方党委、政府干预法官的司法活动的报道充分说明了这一道理。该报道的内容是："陕西省渭南市临渭区民主路法庭副庭长赵焕池依法向一家企业法人代表发出的传票，却被原样退回，理由是'未经区领导同意'，因为根据中共临渭区委办公室、区政府办公室联合下发的《渭南市临渭区 1997 年扶持骨干企业'抓大'实施方案》之规定：'凡被确定为骨干企业的法人代表，公、检、法等部门不得以任何理由干扰其行使正当职权，法人代表在不触犯法律、法规的情况下，公、检、法等部门不得随意传唤法人代表，如有必要传唤法人代表，必须征得区委、区政府主要领导的同意并出具有主要领导签发的书面通知方可执行。'后来赵庭长不得不请示分管政法的杨副书记，并经其批示后，方使那家被列为'骨干企业'的法人代表的委托代理人到庭。"[1] 在此个案中，这种法官的司法活动受制的窘态使法官的权威会完全地分解。稍有智识的人都会认为享有权威的是党委和政府，而不是法官。这使人们很难会尊重法官所作出的判决。

3. 法官的独立地位与司法公正。法官的独立地位之所以是法治国中法官权威的基础，其最主要的原因是法官的独立地位能够保障司法公正得以实现。众所周知，司法公正与否是当事人是否选择、社会是否认同法官裁判的关键所在。西方学者普遍认为，法官的独立地位与司法公正有着密切的联系。这主要由司法权的本质所决定。因为"司法权是判断权——司法权的判断性要求它排除干扰和利诱，"[2] 换言之，司法权的性质要求法官在审判中必须保持独立的地位，只有这样才能保证法官的判断是公正的。在法治国家中："法官独立的政治目的性已经更主要的为其技术性价值所取代。……法官独立的技术性价值还有这样一层意义：亦即保障司法行为的公正性。"[3] 人们认为，一个独立的不受外界干预影响的法官和法院，更可能作出公正的裁决。不独立的法官往往容易给人不公正的感觉，虽然实际上并非不公正。事实也证明，司法公正很大程度上依赖于法官的独立地位。如夏普洛（Martin Shapiro）认为："只有独立才能使法院成为中立的第三者，否则法院是没有资格进行审判的，不独立的结果必然会形成法官支持一方对付另一方，造成诉讼中的'二比一'的状况，这种诉讼不管裁判结果是否合

---

〔1〕 转引自左卫民、周长军：《变迁与改革——法院制度现代化研究》，法律出版社 2000 年版，第 181、182 页。

〔2〕 孙笑侠："再论司法权是判断权"，载信春鹰、李林主编：《依法治国与司法改革》，中国法制出版社 1999 年版，第 422 页。

〔3〕 李步云主编：《宪法比较研究》，法律出版社 1998 年版，第 896 页。

理都是不公正的。"[1] 尤其在政府作为一方当事人的案件中，法官是否偏袒政府，很大程度上取决于法官是否独立。如果法官被政治权力所左右，他就会不公正地维护政府单方利益，这就必然影响到法律和法官的权威。换言之，一个独立的不受外界干扰和影响的法官，更可能作出公正的裁判。无数经验表明，在不独立的情况下，法官的不当裁判极容易发生。总而言之，法官的独立地位不仅能带来实际上的公正性，而且也能给人们感觉上的公正性。在法治社会，给予法官的独立地位以保障司法公正是当事人和社会的强烈要求。法官的独立地位能够满足重要的社会目标——维护公众对司法不偏不倚的信心，而这一信心对维持法庭制度的有效性是不可或缺的。

三、法治国中法官权威的专业基础：职业技能

（一）概述

在普通言谈中，"权威"一词用作专门知识或专长所有者的同义语，譬如我们说某人是行政法上或现代哲学上的权威。这种用法虽然没有直接涉及到权力或权威关系，但是它至少意味着权威与专门知识或技能有着某种联系。在社会科学家对权威的分析中，许多学者认为，权威主体可以凭借自己的专门知识或技能获得权威。换言之，专门知识或技能是权威的一个基础。例如，美国现代社会学教授丹尼斯·朗在论述权威时，认为专门知识或技能是权威基础之一，并将基于专门知识或技能的权威称为合格权威（或专家权威）。[2] 詹姆斯·M·伯恩斯等在《民治政府》一书中也曾写到："官僚政治权力的基础当然是官僚的知识和专门技能。一般说来，官僚们对于他们的计划以及他们所从事的工作的后果比其他任何人了解得更多。"[3] 专门知识或技能之所以能够成为权威的基础，主要是因为专门知识或技能具有某种类似与"说服"或"诱导"的功能。这种"说服"或"诱导"的功能表现为专门知识或技能能够使人们相信它能够提供一种他们所需求的服务。权威总与功利存在着某种密切的联系。[4] 按照丹尼斯·朗的说法，

---

〔1〕 转引自王利明：《司法改革研究》，法律出版社 2000 年版，第 113 页。

〔2〕 ［美］丹尼斯·朗：《权力论》，陆震纶等译，中国社会科学出版社 2001 年版，第 59 页。

〔3〕 ［美］詹姆斯·M·伯恩斯等：《民治政府》，陆震纶等译，中国社会科学出版社 1996 年版，第 768 页。

〔4〕 "亚里士多德曾经表明，权威的行使首先是为了被统治者的利益，正如我们在医学、体育以及一般地说艺术中看到的那样，只是偶尔关心艺术家自身的利益。……权威对象的从属他人是出于相信这是为他的自我利益服务的，而不是为掌权者的意旨或'更高的'集体利益和理想目标服务的。"参见 ［美］丹尼斯·朗：《权力论》，陆震纶等译，中国社会科学出版社 2001 年版，第 61、62 页。

基于专门知识或技能的权威，"其中对象服从权威主体的指令是出于信任权威主体有卓越的才能或专门知识去决定何种行动能最好地服务于对象的利益与目标"〔1〕当然，其中还需要这种专门知识或技能具有某种程度的稀缺性。专门职业者由于拥有专门的知识和技能，能够做普通人无法胜任而又必须面对的事情。医生的权威是"合格权威"或"专家权威"的一个典型例子。医生是运用自己的医学知识或技能而工作的。他的医学技能是其权威的主要来源。病人遵守医生的医嘱是出于对医生卓越技能的信任，相信医生的技能能够为他治病作出正确的判断。

与此类似，法官职业技能对法官权威具有同样重要的意义。随着社会生活的日益复杂，为了方便和效率，社会分工日益细碎，法官职业活动的专业化也就随之出现。法官职业活动的日益专门化，使得法官必须是经过严格的职业训练，具有娴熟的审判技能、扎实的基本功，成为法律方面的专家。现在，法官具备专门化的职业技能已经基本为当今社会接受为一种社会生活的必需。正如埃尔曼所指出的："早期法律秩序通常能在没有适当训练而获得实体法规与诉讼程序知识的专家们的情况下得以维持；但是，在现代社会中，随着社会日趋复杂化，法律规范也变得愈来愈具有抽象性和普遍性，因为只有这样它们才能协调组成社会的各种集团的利益与价值，由于同样的原因，解决纠纷或对其可能的解决方式提出建议的工作变得更为困难，更需要专门的训练。"〔2〕由于法官工作是一项极其复杂的智力劳动，专业性、技术性很强。法官职业与其他专门职业相似，在某种程度上，都是以专门的知识和技能（职业技能）作为自己的力量源泉的群体。西方法治国家的经验表明，法官职业技能是法治国中法官权威的一个重要基础。

（二）法官职业技能的内容

法官是一个特殊的阶层，有着特殊的职业技能。在柯克看来，法官的职业技能是一种"理性技术"，而不同于"自然技术"。〔3〕"理性技术"是一种有赖于在长年的研究和经验中才得以获得的技术。"这种知识和技术的特点是：庞巨和神秘；结构非常复杂；并建基于深奥的理论基础之上。必须有完备地传授和获得这种深奥理论，及在此基础上的知识和技术的教育和训练机制。"〔4〕法官职业技

---

〔1〕 ［美］丹尼斯·朗：《权力论》，陆震纶等译，中国社会科学出版社 2001 年版，第 60 页。

〔2〕 ［美］埃尔曼：《比较法律文化》，贺卫方译，三联书店 1990 年版，第 104 页。

〔3〕 关于法官所掌握的"理性技术"与"自然技术"之间的的区别，法官柯克爵士与国王詹姆斯一世之间的一段对话对此作了明确的区分。具体参见季卫东："法律职业的定位"，载《法治秩序的建构》，中国政法大学出版社 1999 年版，第 200 页。

〔4〕 Pete Y. Windt etc. , *Ethical Issues In The Professions* , New Jersey: Pretice-Hall, Inc. , 1989, Preface.

能主要在法官的职业活动中产生和积累的。按照朱苏力的说法，法官既是法官职业技能的消费者，又是法官职业技能的生产者[1] 从西方历史上看，法学家对法官职业技能的形成也有相当大的贡献。在西方历史上，法学一直是作为一种"理论性"的法律实践活动而存在的，法学家向来都是法律职业群体中的一员。法学家与法律实践经验之间具有某种难以割舍的关系。"法学家们所从事的主要工作（之一）是从经验，从特定的案件、事件和问题中推出现实效果的结论并把这些结论整合为一个系统化的知识体系。例如，通过对社会中现有的规范性因素进行收集、概括和总结，创造出一套抽象的法律概念和法律原则，从而为法律实践活动或法律职业活动提供一套共享的符号体系"[2] 法官职业技能包括哪些具体内容呢？孙笑侠教授在《论法律人的职业素养》一文中对法律人的职业技能作过分析，认为法律人的职业技能包括职业语言、职业知识、职业技术和职业思维四个方面[3] 笔者认为这一观点值得采用，它比较全面的概括了法律人的职业技能的具体内容[4] 因此，本文将按照孙笑侠教授的思路对法官职业技能的具体内容作一概括性介绍。

1. 职业语言。任何职业均拥有自己的职业话语体系。这些话语由专业词汇构成，形成专业领域，进而形成专业屏障。职业语言在职业技能中占有相当重要的地位。维特根斯坦曾经说过："要理解一句话，就要理解整个语言，而理解整个语言意味着掌握一门技术。"[5] 法官是法律职业共同体中的一员，法官职业语言就是法律职业语言。法律职业语言就是他的职业语言。法律职业的语言是一种特殊的语言，其中的术语由两部分组成，一是来自制定法规定的法律术语，一是来自法学理论的法学术语。法律是一种专门的技术知识，法律术语是这门专门知识中的最基本的要素。法律语言是一套既不同于日常语言、又的确来自法律实践的语言。例如，"在法律的国度里，'人'、'物'和'行为'这些日常生活和社

---

[1] 朱苏力：《送法下乡——中国基层司法制度研究》，中国政法大学出版社 2000 年版，第 265 页。

[2] 郑戈："韦伯论西方法律的独特性"，载《韦伯：法律与价值》，上海人民出版社 2001 年版，第 14、15 页。

[3] 孙笑侠："论法律人的职业素养"，载《法律科学》2001 年第 4 期。

[4] 当然，法官除掌握职业技能外，还必须有相当丰富社会生活经验和对人情世故的深刻理解。正如美国著名法学家博登海默曾指出："法律工作者必须首先是一个具有文化修养和广博知识的人，如果法律的主要目的在于确保和维护社会机体的健康，从而使人民过上有价值的活跃的生活，那么就必须把法律工作者视为'社会医生'，其服务工作应当有益于法律最终目标的实现。如果法官只是个法律工匠、只知道审判程序之方法和精通某实在法的专门规则，那么它还不能成为第一流的法官。可以说，一个好的法官，首先必须是一个成熟的社会人。他必须了解社会，洞察社会。"参见博登海默：《法理学：法律哲学和法律方法》，中国政法大学出版社 1999 年版，第 506、507 页。

[5] 转引自［美］列文森：《儒教中国及其现代命运》，郑大华等译，中国社会科学出版社 2000 年版。

会理论中的核心概念都被赋予了特殊的含义，这种含义服务于法律归类体系的目的，具有便利法律职业活动的特点"。〔1〕法律职业语言与大众语言不同。大众话语具有情绪化、理想化的特点，而职业话语则具有理性化、专门化的特点。法律职业的语言特征就是法律人才能够娴熟运用法律术语和法学术语进行观察、思考和判断。

2. 职业知识。法官职业知识就是指法律知识。哈耶克将知识分为两大类：一是"知道如何行事"的知识，即 know how to act；另一是"知道那个"的知识，即 know that。而且哈耶克明确认为，在自生自发秩序的形成过程中，"知道如何行事"的知识，亦即实践性知识具有极为重要的作用。〔2〕法律知识就属于一种实践性知识，它主要由两部分构成，一是制定法中的关于规则的知识，另一部分是法律学问中的关于原理的知识。法官首先要掌握本国先行的具体法律规则，而且还要掌握隐藏在法律条文背后而且支配着法律条文的精神内核。学习制定法中的规则知识，是低层次的要求。因为关于规则的知识是暂时的，立法者大笔一挥就会改变这种知识，更何况关于规则的知识是机械的，有缺陷的，比如法律漏洞。这就需要法官运用普适的法律原理来处理关于规则知识的局限性。

3. 职业技术。法官职业技术主要包括法律解释技术、法律推理技术、法律程序技术、证据运用技术、法律文书制作技术等等。这种技术非经法律教育和法律实践的长期训练，是无法被掌握的。所谓法律解释技术是指法律职业运用专门的多种方法来阐释法律文本及规则，甚至包括按照法律规则或原则来解释法律现象。法律推理技术是关于法律依据选择与适用的一种基本方法和技术，法律推论的实质意义不仅仅是一种方法，而是为了论证法律裁决的理由。法律程序技术是指法律程序的组织、展开和运用的技术。证据运用技术是指掌握证据的原理、特性和规律，运用证据法规则来审查判断证据并在程序中证明案件的真实的各种方法。法律文书制作技术是司法官制作司法裁判文书、律师制作业务文书、诉状等文书的重要技术。对于法官而言，文书的制作具有一定的原理，也具有一定的技术因素。比如判决书中的判决理由的阐释就包含者重要的制作原理，判决理由是判决成立的前提，它是以法律推理和法律解释为基础的。

4. 职业思维。思维是客观事物在人脑中间接的和概括的反映，是借助语言所在的理性认识过程。思维是职业技能中的决定因素。法官具有理性的思维，"这是指法官思维判断力的理智与成熟，表现为法官的意识、观念或态度的自主

---

〔1〕 郑戈："韦伯论西方法律的独特性"，载《韦伯：法律与价值》，上海人民出版社 2001 年版，第 14 页。

〔2〕 邓正来：《自由与秩序——哈耶克社会理论的研究》，江西教育出版社 1997 年版，第 149 页。

性法，法官在思想上是自由的。"[1] 法官职业思维是独特的。关于法律职业（包括法官）思维的特点，季卫东教授在《法律职业的定位》一文中将法律职业（法官）的独特思维方式归纳为"一切依法办事的卫道精神"、"'兼听则明'的长处"、"以三段论推理为基础"三个方面。[2] 孙笑侠教授在《法律家的技能与伦理》一文中认为法律家的思维方式特征有："第一，运用法律术语进行观察、思考和判断；第二，通过程序进行思考，遵循向过去看的习惯，表现得稳妥，甚至保守；第三，注重缜密的逻辑，谨慎地对待情理等因素；第四，只追求程序中的真，不同于科学中的求真；第五，判断结论总是非此即彼，不同于政治思维的权衡特点；等等。"[3] 贺卫方认为法官的思维方式可以概括为下面几个特点："第一，法律家当然要以追求正义为自己的最高使命，然而，这种追求总是通过法律的途径，运用法律的方式去实现的。第二，法律家注重程序的意义。第三，注重事实问题与法律问题的区分。第四，时刻注意司法标准的统一性。"[4]

在我国，法官的职业化程度不高。法官被看成是一种大众化职业。长期以来，我国一直忽视法官的技术性。有关法律对法官的专业素养的要求极不明确，任职的资格条件要求也较低。贺卫方在《通过司法实现社会正义》一文中曾披露了一位中级法院院长对法官素质偏低的抱怨："在我国，司机可以转干当法官，军队转业干部可以当法官，工人可以转干当法官。一天法律没有读的，跟法律一点儿都不沾边的，一转呢，都来当法官。……没有经过政法部门锻炼、没有办过案子、没有读过法律专业的人，（学历）包括初中，小学当然太低了，这样的人，可以到法院当院长。当院长之前或之后，送到高级法院培训中心，培训一至三个月，取得合格证，就可以当法官了。"[5] 从上面的谈话中，我们可以看到，法官所独有的职业技能的价值未获得普遍认同。法院大量引进非法律资历的人员，短期培训即可上岗操作审判表明法官职业的专业技能并非被看成高度复杂，而是一学就会的知识。由此，在我国当今的法院系统里，虽然法官们都在同一个场所里共事，但彼此语言不同、无法沟通的情形并不少见。法官们缺乏法官职业技能的情形使得人们很难相信法官能够作出公正的裁判。

---

[1] 孙笑侠："法律家的技能与伦理"，载《法学研究》2001年第4期，第8页。

[2] 季卫东："法律职业的定位"，载《法治秩序的建构》，中国政法大学出版社1999年版，第199、200页。

[3] 孙笑侠："法律家的技能与伦理"，载《法学研究》2001年第4期。

[4] 贺卫方："外来和尚与中国法官"，载宋冰编：《程序、正义与现代化——外国法学家在华演讲录》，中国政法大学出版社1998年版，第469、470、471页，

[5] 夏勇主编：《走向权利的时代》，中国政法大学出版社1995年版，第240页。

（三）法官职业技能对法官权威的意义

我们翻开美国的《法官大全》一书，就可以看到，高超的职业技能往往是法官被法律同行们（律师）钦佩和尊重的一个重要因素。譬如，律师们对道格拉斯·W·海尔曼法官和安斯伦法官的有关评语："律师们对海尔曼法官的业务水平评价甚高：'他是律师们的诉讼法官'；'他是一位超众的法官，勤于学习，对法律是如此的精通'；'他在各方面都令人尊敬'……"、"律师们总体上赞赏安斯伦法官的业务水平。'他很出色，对法律很了解。'……"[1] 在律师们对法官的评语中，律师对法官的评价总首先关注法官的职业技能是否高超。在法治社会，法官职业技能对法官权威具有相当重要的意义。

1. 法官职业技能与司法公正。如上所述，专业技能之所以能够成为权威的基础，其中的一个原因是人们相信它能够提供一种他们所需求的服务。法官的职业技能也具有相同的情形。法官职业技能之所以能够成为法治国中法官权威的一个重要基础，其原因之一就是法官职业技能为人们提供了一种有价值的服务。例如，法官可以运用职业语言（法言法语）把所有的社会问题（无论它们来自民间还是官方、不论具体还是春秋大义还是鸡毛蒜皮）转化为法律问题进行分析判断。[2] 甚至连不容易或不应当转化的政治问题也可能被转化为法律问题而提交法院解决。托克维尔在1834年访问美国时就发现并指出："在美国发生的未曾解决的政治问题，迟早都会变成司法问题。"法官职业技能为人们提供的有价值的服务就是公正的司法。海德格尔曾经指出："工具性被认为是技术的基本特征。如果我们一步步探究被认为是工具的技术到底是什么，我们就会达到于这个'去蔽'。所有产生性的制造的可能性，皆在于去蔽。因此，技术不只是工具。技术是一种去蔽的方式。如果我们注目于此，工具以外的技术之本质的另一境域，将向我们公布出来。这就是去蔽亦即真理的境域。技术是一种去蔽之道。在揭示和无蔽发生的领域，在去蔽、真理发生的领域，技术趋于到场。"[3] 从某个角度来讲，法官职业技能也是一种工具性技术。但法官职业技能是一种实现司法公正的手段。法官职业技能与司法公正有着密切的联系。众所周知，司法公正是人们服从法官的最主要、最根本的原因。罗尔斯曾说，"不正义的行为之一就是法官及其他有权者没有运用恰当的规则或者不能正确地解释规则。"[4] 在复杂的

---

〔1〕 乔钢良：《"现在开庭！"》，三联书店，1999年版，第27、29页。

〔2〕 孙笑侠、应永宏："论法官与政治家思维的区别"，载《法学》2001年第9期，第5页。

〔3〕 ［德］海德格尔：《人，诗意地安居》，郜元宝译，广西师范大学出版社2000年版，第102页。

〔4〕 转引自贺卫方：《司法理念、制度和技术》，中国政法大学出版社1998年版，第3页。

审判现实中，可以肯定地说，公正的裁判背后总有公正的法官；颠倒黑白的裁判总是出于不公正的法官之手。但人们认为，法官仅有朴素的公正愿望是绝对不够的，还必须掌握实现司法公正的学问和技能，称职的法官需集公正的意识、良好的品质与娴熟的职业技能于一身。法官的职业技能决定着司法的质量和效率。在法治社会，任何法官即使道德上无可挑剔，同时具有高度的责任心和超过一般人的知识能力，他也无力完全凭自己的经验、知识和智慧明察秋毫地解决现代社会中的复杂案件，甚至会好心办坏事。

　　司法公正历来是受人关注的一个话题。然而怎样才算司法公正？众所周知，不同民族、不同时代，具有不同的司法公正的观念。在法治国家里，人们习惯上用理性的标准来看待司法公正。一般认为，评价司法公正的标准有两个，即真实和合法，也就是平常所说的认定事实清楚和适用法律正确。适用法律正确应包括"实体合法"和"程序合法"。司法公正的首选标准应是"程序合法"。"认定事实清楚"应该是"法律事实"清楚。法官职业技能对法官实现司法公正具有极其重要的意义。法官职业技能是围绕着"如何实现司法公正"这一问题而形成的。从某种意义上讲，法官职业技能是一门如何实现司法公正的学问。法官在从事裁判的过程中，必须要对各种证据作出正确的认定，对各案件事实进行准确的分析，才能在此基础上作出公正的裁判。法律解释技术、法律推理技术保证了法官适用法律正确。证据运用技术保证法官清楚地认定事实。法律文书制作技术保证法官能够充分地说理。法律程序技术的价值是很大的。它不仅是实现实体公正的工具，其本身也体现出一种公正（程序公正）。法律技术的高超表现在：它在不可能讲理的情况下讲理、与"不讲理"的人讲理；既要法官能动地审理案件，又要防止法官专横审理。法律解释技术、法律推理技术、法律程序技术、证据运用技术、法律文书制作技术能够让具有理性的人们相信法官的裁判是正确的和合法的。

　　从另外一个角度看，法官职业技能保证了法律运行的稳定性和自主性，从而使法律更显得是一种社会公正的象征。正如朱苏力所说的："由于专业化程度的提高，法律将越来越多地体现为一种专门的技术知识。一旦形成一种专门的技术知识，法律和法律活动就会较少直接受社会生活的波动而激烈变化，而受法律团体的话语实践的制约；即使有变化，法律现有的知识传统和实践传承也会使法律和法律活动保持相当大的连续性。换一个角度看，这样的法律运行会显示出相当程度的稳定性和自主性。这种稳定性和自主性会使法律日益显得中立，显得是一种社会公正、正义的象征。"[1] 法官职业技能的稳定性和自主性使人们在某种程度上相信法官的裁判是公正的。

2. 法官职业技能的垄断性。法官职业技能的专业化促使了法官同质化，从而促使法官职业共同体意识和制度的形成。由于法官职业共同体的形成，出现了事实上和法律规定的专业垄断。"从历史上看，法律职业在尚未充分发展的阶段，便已开始关注自身的既定特权。官僚由于时刻关注保护自己的特权，从而不得不进行两条战线上的争斗：一方面，急切希望扩大自己对大众的控制；另一方面，希望获得某种摆脱君主控制的独立性。这种特权尤为表现在学科知识权力话语的扩张与对'他者'知识的排斥上。"[2] 职业技能垄断的结果是：没有接受训练的行外人被法律学科知识挤向边缘，而接受过训练的人则在权力等级中占有了一席之地。随着法律技能的专门化，法律技能逐渐成为控制大众，但又远离普通大众的深奥难懂的庞大巨兽，法官也成为地位优越，掌握法律专业技能的权力的特殊群体。德国学者 Max Weber 曾暗示，一旦社会中的法律大规模地复杂化和多样化，法律专家的需求就会逐步增加，而法律专家的权力也将不可避免地日益膨胀。[3] 另外，法官职业技能还是维护法官的独立地位的一种力量源泉。法治社会成功的经验表明，法官的力量来自于它内在的统一和内部的团结，而统一与团结并不是因为组成这个共同体的成员出身的一致，而是由于知识背景、训练方法以及职业利益的一致。因此，法官职业技能在一定程度上使得法官们凝聚为一个"共同体"。这个共同体可以使法官阶层成为一个足以向政治社会施加反影响的集团。

3. 法官职业技能具有"智力认证"上的优势。法官职业技能之所以是法治国中法官权威的基础，还在于学习和掌握法官职业技能的难度比较大。法官职业技能依托于人类长期以来处理纠纷的经验及其法律规范。法官职业技能不同于其他职业。除非经过严格的专门训练的法律家，常人是难以掌握或无法完整掌握法官职业技能的。由于这种法官职业技能是经过专业的训练才能获得的，所以十分特别的，带有几分神秘感，甚至令法官在社会上具有某种先天的'显贵'地位。当然，在当今西方法治国家，这种难度更多地含有人为的因素。我们可以以日本法官作为一个例子。日本的法官选拔制度借鉴了我国的科举制度，一个人要当法官，他必须要显示他人中之龙的那种能力。"本世纪 60 年代以来至近年的改革

---

[1] 朱苏力："论法律活动的专门化"，载《法治及其本土资源》，中国政法大学出版社 1996 年版，第 138、139 页。

[2] 刘星：《法律解释中的大众话语与精英话语》，载 http://www.laweach.com/flmw_7.asp。

[3] 同上。

为止，虽然日本司法考试的应考人数增长了数倍，但合格者的名额却长期一直限定为 500 人，其中有 10%～15% 加入法官行列，另有 10%～15% 成为检察官，其余都当律师。……司法考试合格者的平均年龄达 28 岁，大学毕业后平均要经过 6 年的复习和挫折。"[1] 贺卫方在论述科举制度时说"由于官员选拔上的平等，就导致了官民不平等的的合法基础得以建立，由于官员在智力'认证'上超过一般民众，所以他们能够使百姓服气，……它有居高临下的合法性基础。"[2] 日本司法考试（继承了中国的科举制度中所看到的考试信仰）影响了法官的地位。因为如此激烈的竞争很容易使法官产生一种自我和他人都承认的精英意识。因此，可以通过严格的司法资格考试和培训，加大担任法官的难度，使社会公众普遍认为法官是社会的精英，从而树立起法官在社会公众中的权威性，同时也增强了法官的荣誉感。

四、法治国中法官权威的伦理基础：职业道德

（一）概述

在权威关系中，权威对象对权威主体的服从，可能是由于后者的社会角色的品格。德国著名社会学家马克斯·韦伯在论述权威时，将权威划分为感召力权威、传统权威和合法权威。其中感召力权威也称为卡里斯玛权威。[3] "卡里斯玛"是马克斯·韦伯在其社会学理论中提出来的一个重要概念，它是指一种特殊的、在并非人人都可企及的意义上被理解为"超凡"的个人品质。[4] 所谓卡里斯玛权威是指基于个人的品质和魅力基础上而形成的权威类型。在马克斯·韦伯看来，卡里斯玛就其纯粹性而言，只能是个人的品质。[5] 但是当代许多学者如塔尔科特·帕森斯等扩大了马克斯·韦伯的卡里斯玛的概念，把它看作不仅是个人属性而且也是地位或角色、组织和机构的属性。[6] 从马克斯·韦伯的卡里斯玛权威的概念中，我们可以看到，权威与个人的品质和魅力或广义的规范品质有着某种程度的联系。在当代社会科学中，经常讨论权威与品质之间的关系。例

---

[1] 季卫东："法律职业的定位"，载《法治秩序的建构》，中国政法大学出版社 1999 年版，第 207 页。

[2] 贺卫方、萧翰："司法改革与中国未来"，载夏勇主编：《公法》第 2 卷，法律出版社 2000 年版，第 358 页。

[3] 罗德里克·马丁：《权力社会学》，陈金岚、陶远华译，河北人民出版社 1992 年版，第 116、117 页。

[4] 冯钢：《马克斯·韦伯：文明与精神》，杭州大学出版社 1999 年版，第 196 页。

[5] 同上，第 215 页。

[6] [美] 丹尼斯·朗：《权力论》，陆震纶等译，中国社会科学出版社 2001 年版，第 69 页。

如，卢少华、徐万珉在《权力社会学》一书中写到："权威……是指由于个人的素质、才能、品格或作出的贡献而形成的一种使人信从的威望和力量。"[1] 从另外一个角度来看，权威主体具有优良的品质常常被看成是权威得以确立和维护的一个内在因素。

法官的品质也是法官权威得以确立和维持的一个重要的内在因素。法官权威在很大程度上是依赖于法官公正、清廉、正直的品质。在中国历史上，许多"清官"就是以自身的高尚品质而赢得民众的尊崇。在法治国家，法官扮演社会争端最终裁决者的角色。社会公众对法官的职业道德要求、期望非常之高，远远超出普通的道德标准。西方有位哲人曾说过这样的一句话："如果社会上追求完人的话，那么法官就是完人。"有关法官的品质问题涉及法官职业伦理。法治国中法官有着一套独特的职业道德准则。法官职业道德对法官权威具有相当重要的意义。西方法治国家的成功经验表明，法官职业道德也是法治国中法官权威的一个重要的基础。

（二）法官职业道德的内容

任何职业活动都得有自己的职业道德。法官也有一套自己的职业道德准则。[2] 法官职业道德是指法官为确保其司法职责得到正当履行必须具备的法官职业所特有的道德要求。法官职业道德就是法官与这些主体交往时应该遵守和承担的义务。"法官是一个特殊的阶层，具有特殊的专业技能，需要特殊的职业伦理来匹配。"[3] 法官职业道德与大众道德不同。法官除了普通职业道德中共通的要求之外，还包括法官职业特殊的道德。法官职业特殊的道德来源于法官职业的专门逻辑。法官职业（程序中）道德的内容涉及面相当广泛，涉及的不仅是行为的道德规范，还涉及法官的道德良心、道德情感、道德荣誉、道德节操和幸福感。那么，法官职业道德具体包括哪些内容呢？

作为法官的行为规范，法官职业道德内容可以从各种伦理关系的角度来分析。贺卫方教授认为，法官的职业道德应当着重法官与同事之间的关系、法官与

---

[1] 卢少华、徐万珉：《权力社会学》，黑龙江人民出版社1989年版，第59页。

[2] "道德"和"伦理"在一定词源涵义上，可以视为同义异词，都是指社会生活和人际关系符合一定的标准和次序，从而使社会生活变得和谐而有秩序。但严格意义上又有所区别。道德侧重指人们之间的道德关系；伦理侧重指人们这种关系的道理。通常认为司法"职业道德"的概念比司法"职业伦理"在内涵上要广泛。前者包括法律人的职业行为规范、道德品质以及调整法律工作中社会关系的道德规范。参见沈忠俊等编著：《司法道德新论》，法律出版社1999年版，第3、18页。

[3] 孙笑侠："法律家的技能与伦理"，载《法学研究》2001年第4期，第3页。

当事人之间的关系以及与法院之外的一般社会之间的关系。[1] 孙笑侠教授认为法官的职业道德应当包括法官与同事之间的关系、法官与当事人之间的关系、法官与律师之间的关系以及与法院之外的一般社会之间的关系。法官职业道德可根据是否在实在法中有明确规定为标准，划分为两种："其一，已经在实在法中规定的职业道德，数量很少，只是职业道德的少部分。这一部分的特点是法律要求与道德要求相互重叠，这些内容是法官职业道德中基本或重要部分。它具有法律效力，一旦违反则应该发生法律责任问题。其二，没有在实在法中规定的法官职业道德。这种道德是大量的。一般以法理学说、法律谚语、司法惯例、职业规范、职业观念等等为表现形式。"[2]

历史上有许多法学家对法官职业道德作过具体概括和列举。例如，英国法学家霍布斯认为良好的法官的条件是："第一，须对自然律之公道原则有正确之了解；此不在乎多读书，而在乎头脑清醒，深思明辩。第二，须有富贵不能移之精神。第三，须能超然于一切爱恶惧怒感情之影响。第四，听讼须有耐性，有注意力，有良好之记忆，而且能分析处理其所闻焉。"[3] 德国 Schwabenspiegel 曾揭示法官须具备正义、贤明、刚毅、节制等四种德性。[4] 台湾学者雷万来曾将法官的基本职业道德归纳为："一是法官必须具备刚毅而独立的性格；二是法官须具备一定水准的学识与能力；三是取得国民的信赖。"[5] 在众多的职业道德中法官职业道德与其他职业道德相比最为独特。国内许多学者也对此作过概括和列举。[6] 例如，贺卫方认为法官的职业道德应当包含以下八点："一是法官必须体现公正和正义的风范；二是不允许以偏见影响司法的过程和结果；三是禁止单方面接触当事人；四是要避免司法拖延；五是法官应该维护司法的独立性；六是法官应不断提高自己的学理修养和人格魅力；七是法官要与商业生活保持应有的距离；八是法官有义务推进法律教育的发展。"陈卫东认为，法官职业伦理应包括以下几个方面："一是公正；二是独立；三是廉洁；四是行为正当；五是勤勉尽责、忠于职守。"王晨光将法官职业道德归结为："一是法官应当具备中立性、公正性和客观性。二是法官应有社会良知和责任感；三是法官应当刚正不阿，不畏权势，具有法律至上的理念和崇高的人格魅力；四是法官应具有高度的自律性，经得住诱惑，洁身自好。"有人认为："关于法官职业道德的具体内容，中

---

[1]　贺卫方：《法边馀墨》，法律出版社 1998 年版，第 66 页。
[2]　孙笑侠：《程序的法理》，中国社会科学院博士论文，2000 年，第 91、92 页。
[3]　同上，孙笑侠文，第 100 页。
[4]　转引自雷万来：《司法官与司法官的弹劾制度》，五南图书出版公司 1993 年版，第 169 页。
[5]　同上，雷万来书，第 170 页。
[6]　参见"共话法官职业道德"，载《人民法院报》2001 年 5 月 28 日。

外司法实践中已经形成了一些基本准则，其中主要包括：坚持和维护司法独立；确保公正裁判案件和正当履行其他司法职责；坚持公开审判；提高司法效率；勤勉敬业；清正廉洁；遵守司法礼仪；维护司法尊严与公信力；理解社会现实；提高个人素养；严格约束职务外活动等。其中每一项准则都十分重要，并且具有丰富内涵。"[1] 现行的《美国法官行为守则》共有 7 条：

第一，法官应该维护司法正直和独立；

第二，法官在所以活动中应该避免不当的行为或可能被视为不当的行为；

第三，法官应该公平和勤奋地履行职务；

第四，法官可以参与司法以外的活动以改进法律、法律制度和司法行政；

第五，法官应该约束司法以外的活动，尽量减低与法官职务冲突的风险；

第六，法官应该定时申报他所从事法律有关及司法以外活动所得的酬报；

第七，法官应该克制自己的政治活动。

有学者认为，法官职业道德的内容远远不止限于书上或规范中所写的这么几条，我们无法对法官职业道德进行全面归纳和概括。其理由主要有："第一，法律家程序伦理内容涉及面广；第二，程序伦理与实在法、程序规则密切相关，难以分离；第三，法律家呈现伦理依赖特殊的原理——法理，离开这种原理，程序伦理是无法列举的；第四，有的呈现伦理具有地域性和文化性；第五，有的程序还带有其他的性质；第六，程序伦理中还存在许多无法截然定论的主题。"[2]

我国在 2001 年 10 月 18 日最高人民法院发布《中华人民共和国法官职业道德基本准则》前，一直没有重视法官职业的特殊性，缺乏一套法官应遵守特殊的行为规则。可以与之沾点边的规定也屈指可数，主要有：1987 年 7 月 11 日《最高人民法院关于严明纪律的通知》；1993 年 10 月《中央政法委关于政法部门干部十不准》以及 1998 年 4 月《中央政法委四条禁令》。这些规定没有区分法官与一般干警，也缺乏可操作性。由此，我国法官缺乏一种合理而有效的职业道德约束。

（三）法官职业道德对法官权威的意义

"法官的独立地位"是从赋予法官权利的角度来探讨的，而"法官职业道德"则是从科以法官义务的角度来分析法官权威。赋予权利和科以义务这两者对法官权威的确立都具有相当重要的意义。人们曾对法官的人性作过不同的假设。在神明裁判的时候，法官是以神的形象出现，因此他不但具有不可置疑的神

---

〔1〕 蒋惠岭："司法职业道德意味着什么"，载《人民法院报》2001 年 4 月 30 日。

〔2〕 孙笑侠：《程序的法理》，中国社会科学院 2000 年博士论文，第 101、102 页。

圣的权威和俯瞰众生、惠及公众的公正立场，还具有一种天然的合法性。这种对法官的神圣化是建立在对法官的认知理性和道德人格的彻底认同和无限乐观的基础上的，认为法官不是人而是神，因此就不会受人的自然的局限，也无需外在的或内在的约束。这种神话在近代逐渐被另外一种神话所代替。新的法官神话就是对法官的理性人的假设。[1] 理性人的假设意味着法官能够屏除自然的冲动和私人的偏见，能够摆脱各种感性欲望的约束，能够认识和把握社会生活和法律世界的各种内在规律，从而能够客观公正地适用法律。法律现实主义消除了法官的理性神话，强调法官行为的现实性与经验性，否定了对法官人性的理性假设。法律现实主义以"经验人"取代了"理性人"的设计，揭示了法官现实存在的另一面。法律现实主义认为，法官在判决中是不可能消除非理性的因素的，法官如何判决不是取决于他的理性而是取决于他的个性、经历、态度、信念和对价值是偏爱；法官不但不被设想为一个理想的化身，而且被认为是一个极其世俗的人，难以排除自身的各种偏见，也无法抵抗社会的各种压力。其实确切地说，法官应该是理性人和经验人的统一。[2] 因为法官具有自然的任意性，就有了对其进行道德约束的必要性；又因为法官是理性的，又有了对其进行道德约束的基础和可能。既然法官的个性在判决过程中起着一定的作用，那么就潜在着法官作恶的可能。因此，需要一套职业道德规范来塑造称职的法官。法官职业道德对树立法官权威有如下的意义：

1. 法官职业道德可以抑制"司法暴政"的产生。由此可见，如果只赋予法官以独立的地位，而不对法官一些合理的制约，其结果很可能是法官权威变成了"司法暴政"。法国启蒙思想家蒙德斯鸠认为，自由只存在于权力不被滥用的国家，但是有权者都容易滥用权力却是一条万古不变的经验。"有权力的人们使用权力一直到遇到界限的地方才休止"。[3] 美国法官波斯纳谈到司法独立时曾经指出，"如果独立性仅仅意味着法官按照他们的意愿来决定案件而不受其他官员的压力，这样一个独立的司法机构并不显然会以公众利益为重；人民也许仅仅是换了一套暴政而已。一旦法官获得了独立于显贵的政治干涉之后，法官将从何处寻找指导？他们将仅仅作为不受一般的政治制约的政客来活动，还是将受到职业规范的某种约束？有没有一套客观的规范（或者是实在法，或者是自然法）或一

---

〔1〕 "对法官的理性人的假设具有如下特点：一是法官的理性人假设并不否认法官本性中的非理性因素。二是法官的理性人假设包括认识理性和实践理性，也就是说，法官在审判过程中，不但具有认知与事实有关的各种联系及规律的能力，而且能将判决置于理性的绝对命令之下。三是法官的理性人假设具有理想化的特征。"见曹刚：《法律的道德批判》，江西人民出版社 2001 年版，第 136、137 页。

〔2〕 曹刚：《法律的道德批判》，江西人民出版社 2001 年版，第 138 页。

〔3〕 ［法］罗伯斯庇尔：《论革命法制和审判》，赵涵译，商务印书馆 1986 年版，第 30 页。

套分析方法（法律推理）来保证司法决定客观、确定、非人情化？如果没有，法官是否就仅仅是通过命令来裁决，而这些命令之所以令人难忘，只不过是由于审判中神圣的舞台技巧——高高的审判席、法官袍、法庭誓言以及律师术语和雄辩？"[1] 法官职业道德可以抑制法官权威扩张为司法暴政。一般来说，伦理具有以下三种功能："伦理是一种自我约束力，对主体之任意性起到一种约束作用；伦理是一种内在的感召力；伦理是一种人际的亲和力。"[2] 法官职业道德可以塑造称职的、令人信任的法官。爱德华兹法官曾指出："美国法院之所以拥有巨大的权力，是因为我们总是仔细地限制这些权力。在美国，法院的判决和命令不存在执行难的问题，除了法院具有崇高的地位之外，更因为它的权力只是在有限的范围内行使。"[3] 需要指出的是，法官职业道德准则不仅仅是对法官的制约，从另外一个角度来看，它也保障了法官的独立性。因为在法治国家中，对法官的违纪违法进行惩戒时，必须首先要遵循法官职业道德准则。

2. 法官职业道德能体现出一种伦理美。法官职业道德首先体现了法官的人格魅力。众所周知，人格魅力本身能够产生一种力量，即容易让人们产生一种美感。这种美感使人们愿意服从他。从法官职业道德的内容来看，法官应具有清廉、中立、超然（当然还有其他）的人格魅力。法官的清廉、中立、超然等品质是法官权威得以确立和维护的重要内在因素。法官的人格魅力与司法公正有着密切的联系。下面就法官的清廉、独立、中立和超然等品质与法官权威之间的具体关系进行简要分析。司法的理论可以容忍一个才智平平但廉洁的法官，却无法容忍一个才智超群但腐败的法官。我国台湾著名法学家史尚宽先生曾说："虽有完美的保障审判独立之制度，有彻底的法学之研究，然若受外界之引诱，物欲之蒙蔽，舞文弄墨，徇私枉法，则反而以其法学知识为其作奸犯科之工具，有如为虎傅翼，助纣为虐，是以法学修养虽为切要，而品格修养尤其为重要。"[4] 古人说，唯公则生明，唯廉则生威。法官只有清廉才能够换取民众的信赖和认同。法官清廉，就使得法官的审判活动不掺杂任何金钱交易和物质诱惑。法官的公正很大程度上依赖于法官的廉洁无私。换言之，法官能否作到依法办案、刚正不阿、铁面无私，很大程度上取决于其能否作到廉洁奉公。在中国历史上，许多"清

---

[1] ［美］波斯纳：《法理学问题》，苏力译，中国政法大学出版社1994年版，第8、9页。

[2] 引自章剑生教授在浙江大学宪法与行政法学重点学科活动上所作的题为"公法的道义基础"的演讲稿。

[3] 宋冰编：《程序、正义与现代化——外国法学家在华演讲录》，中国政法大学出版社1998年版，第7页。

[4] 转引自左卫民、周长军：《变迁与改革——法院制度现代化研究》，法律出版社2000年版，第236页。

官"如包公等都以清廉、简朴的美德而称著。美国学者约翰·小努南曾比较过普通法国家历史上几位最伟大的法官，即布莱克顿、科克、培根、马歇尔、霍尔姆斯、卡多佐等，他发现这些人都具有一个共同特点，即不仅以公正无私而称著，而且以简朴的生活方式而称著。[1] 对独立性和中立性的警告首先是法官的誓言。法官的中立、超然的品质也对法官权威有着重要的作用。法官的超然性直接给当事人和社会公众留下独立与否、公正与否的印象。所谓法官的超然性主要是针对法官受案活动、审判方式、"主管"范围、"服务"功能和活动种类等方面，要求做到超然，用民间的话来说就是"出世"或"脱俗"。[2] 法官的超然性还表示法官应该与社会保持一定的距离。正如有位学者所说的："法官的超然性容易带来魅力化。因为距离产生美，'月朦胧，鸟朦胧，水朦胧，人朦胧'，这就是美。"[3] 众所周知，美能够产生一种令人信服的力量。法官的中立性的基本内容是法官对两造当事人不能有偏见。[4] 法官的中立性至少在视觉上让人们感到了公正。法官休厄特（Hewart）有句名言："不仅要主持正义，而且要人们明确无误地、毫不怀疑地看到是在主持正义，这一点不仅是重要的，而且是极为重要的。"[5] 当正直的人认为，法官偏袒时，信任就遭到破坏了。美国学者唐纳德·布莱克对法官中立性与法官权威之间的关系也作了论述："第三方（法官）通常是站在亲密程度的等腰三角形顶点。这个三角形的面积预示着案件将如何处理：第三方的权威性与第三方和当事人的关系距离成比例。第三方与当事人的关系越疏远——表示亲密程度的三角形顶点就越高——案件处理结果的权威可能就越大。"[6] 总之，法官上述的人格魅力对法官权威的作用主要有两个方面，即法官的人格魅力本身给人一种力量；另外是法官的人格魅力与司法公正的密切联系。

3. 法官职业道德与法官职业技能。法官职业伦理能够使法官纯粹技能的功能得以发挥。韦伯在论述近代专业化官僚产生的时候说："近代官吏团体已经发展成一支专业劳动力，经过长期的预备性训练后有专业。并且近代官僚集团出于

---

〔1〕 ［美］约翰·小努南："法官的教育、才智和品质"，吴玉章译，《法学译丛》1989 年第 2 期，第 55 页。

〔2〕 孙笑侠：《程序的法理》，中国社会科学院 2000 年博士论文，第 81 页。

〔3〕 郝铁川："法官的个性：孤独化、魅力化、贵族化"，载 http://www.sinolaw.net。

〔4〕 "戈尔丁在试图为程序公正确立某些标准时，赋予中立性以非常重要的地位，其中有三点是涉及中立性：一是'与自身有关的人不应该是法官。'二是结果中不应含纠纷解决者的个人利益。三是纠纷解决者不应有支持或反对某一方的偏见。"参见杨一平：《司法正义论》，法律出版社 1999 年版，第 183 页。

〔5〕 转引自杨一平：《司法正义论》，法律出版社 1999 年版，第 180 页。

〔6〕 ［美］唐纳德·布莱克："司法社会学导论"，韩旭译，《外国法译评》1996 年第 2 期，第 47 页。

廉洁正派考虑，发展出一种高度的身份荣誉意识，若是没有这种意识，可怕的腐败和丑陋的市侩习气，将给这个团体造成致命的威胁。没有这种廉洁正派，甚至国家机构纯粹技术性功能也会受到威胁。"[1] 如果没有法官职业伦理，就会影响到法官的职业技能的有效发挥。因为法官的职业技能是一种有意识地排斥道德与政治等诸种法外因素是所谓"人为理性"或"技术理性"，其中的道德的含量很低。[2] 法官职业道德可以对法官职业技能中所存在的弊端有抑制的作用。这种对法官职业技能所存在的弊端的抑制，可以使法官纯粹的职业技能得以有效的发挥，从而能够实现司法公正。

五、中国传统法官权威的基础评析

纵观世界历史，可以说中国传统社会——自秦朝开始，直至清末的二千多年的中国社会——的法文化极具独特性。著名学者昂格尔曾把中国的法文化视为处于与欧洲法文化对极的位置上。[3] 在中国传统法文化中占有重要地位的司法制度在世界范围内也是独一无二的。一般来说，中国传统社会的司法机构分为中央和地方两级。以明朝为例，中央司法机关主要由刑部、都察院以及大理寺（统称三司）组成；地方司法机关由府（州）、县衙门以及省按察司组成。[4] 在地方司法机关，一般由知府、知县等行政长官掌握或亲理司法事务。[5] 由于中国现行的法官制度及理念在一定程度受到中国传统因素的影响，因此对中国传统法官制度进行探讨是相当必要的。本文这里试图对中国传统社会的司法制度的基本形态，以及在此种司法形态下法官权威的基础进行简要的探讨，并对中国传统法官权威的基础进行若干的反思。

（一）中国传统司法的基本形态

关于中国传统社会的司法制度之基本形态，学界已经有很多的研究。[6] 本文这里试图从另一个角度来分析中国传统社会的司法制度之基本形态，即主要侧

〔1〕 ［德］马克斯·韦伯：《学术与政治》，冯克利译，三联书店 1998 年版，第 68 页。

〔2〕 孙笑侠：《程序的法理》，中国社会科学院 2000 年博士论文，第 93 页。

〔3〕 滋贺秀三等：《明清时期的民事审判与民间契约》，法律出版社 1998 年版，第 3 页。

〔4〕 张晋藩：《中华法制文明的演进》，中国政法大学出版社 1999 年版，第 515、516、598、599 页。

〔5〕 "宋以前，从地方行政长官虽然握有司法权，但通常他们不必亲自决狱，而由他们的佐官代劳。宋太宗至道元年起，宋的地方行政长官都必须亲自审判，开创了我国地方长官亲自坐堂问案的先河。"参见郝铁川：《中国历代著名法官评传》，山东人民出版社 1998 年版，第 2 页。

〔6〕 瞿同祖：《瞿同祖法学论著》，中国政法大学出版社 1998 年版；贺卫方："中国的司法传统及其近代化"，载苏力、贺卫方主编：《20 世纪的中国：学术与社会》（法学卷），山东人民出版社 2001 年版；左卫民、周长军：《变迁与改革——法院制度现代化研究》，法律出版社 2000 年版。

重于中国传统司法制度的基本形态对中国传统法官权威的基础之影响。基于已经掌握的研究资料，笔者将中国传统社会的司法制度之基本形态归纳为以下六个方面：集权式而非分权式、缺乏独立性、非对抗性、司法功能单一、规范性和非规范性相结合、非专业性。

1. 集权式而非分权式。集权与分权是权力形态的两种基本形式。"集权"概念确定了这样一个政治组织的原则，即权力（立法、行政、司法）都集中于最高统治者一人手中。而"分权"则意味着权力被分为几个不同的、对等的国家职能，分别由不同的、相对独立的机关来行使。中国传统社会不存在权力划分的制度安排。从秦朝开始一直到清末，中国社会长期处于高度专制集权状态。作为最高统治者的皇帝，在名义上总揽了立法权、行政权和司法权。与此类似，中国基层的政府也是一个全权的政府。州县官在其管辖的州县内，是独揽了立法权、行政权和司法权。贺卫方曾对此有过论述："每一个政府管理的社会里都只有一个首长，这个首长对整个社会的管理起到全方位的作用，用瞿同祖的话来说就是，他既是立法者，同时也是当地的首席行政官，同时他还是法官，还是首席检察官、税务官、警官，所有的职务集于一身。"[1] 中国传统社会的司法同样具有浓重的集权化色彩。这种集权化首先表现在皇帝对重大案件的正常控制以及其他案件的特殊控制。[2] 如在中国传统社会，在法律上重大刑事案件（如死刑）的决定权都掌握于皇帝手中；还有京控亦成为使案件诉诸皇帝的普遍而有效的方式。其次，这种集权化表现在具体的司法过程中。如瞿同祖所描述的："州县官听理其辖区内所有案件，既有民事，也有刑事。他不只是一个审判者。他不仅主持庭审和作出判决，还主持调查并且讯问和侦缉罪犯。用现代的眼光看，他的职责包括法官、检察官、警长、验尸官的职责。这包括了最广义上的与司法相关的一切事务，未能依法执行这些职务将引起（正如许多法律法规所规定的）惩戒和处罚。"[3]

2. 缺乏独立性。在中国传统社会中，司法几乎不存在独立性。在皇帝高度专制集权而非分权的体制下，司法缺乏独立性是很自然的。中国传统政治采用的

---

〔1〕 贺卫方、萧瀚："司法改革与中国未来"，载夏勇主编：《公法》第2卷，法律出版社2000年版，第355页。

〔2〕 左卫民、周长军：《变迁与改革——法院制度现代化研究》，法律出版社2000年版，第160页。

〔3〕 转引自贺卫方："中国的司法传统及其近代化"，载苏力、贺卫方主编：《20世纪的中国：学术与社会》（法学卷），山东人民出版社2001年版，第177页。

是人治—吏治模式，〔1〕 皇帝拥有至高无上的特权，各级官吏对皇帝必须绝对的服从，官僚集团与高高在上的皇帝存在一种"恭顺关系"。〔2〕 这种绝对服从型结构以皇帝为惟一至上之中心，一切事务的最终决策权都归于皇帝。皇帝之下的官吏也是严格按等级排列。在这样的统治格局里面，司法权要受行政和皇权的控制，掌管司法权的官吏（法官）根本无法获得政治体系内部的独立。例如，清代康熙皇帝就曾随意变更司法判决。《清史稿》卷八《圣祖本纪三》有下列记载："（康熙五十三年）二月甲戌，诏停今年秋审，矜疑人犯，审理具奏，配流以下，减等发落。……（康熙五十五年）冬十月丁亥，诏刑部积岁缓决长系人犯，分别减释之。停本年秋决。……"〔3〕 另外，中国传统法官还要受到非正式和非法的外在干预，而且这种干预同样可能影响到其对案件的处理。"最为典型的非法方式是金钱贿赂，即以物质利益赠于法官及辅助人员。由于中国历代王朝在观念上与正式制度上都倡行'低薪'制，官员的正式收入往往不足以维持其一家人的必要开支，更遑论被当作私人参谋的幕友。所以非正式乃至正式地从当事人、民间收取钱财已成为历朝（尤其清朝）公开的秘密。由于这种形式的外部影响与其他形式的因素，很难保证法官独立地进行审判活动"。〔4〕

3. 非对抗性。在中国传统社会，司法是没有对抗性的。在司法过程中没有律师的参与。诉讼参与人无法对法官的诉讼活动进行有效而充分的参与，被告人更是处于诉讼客体的地位，其人格尊严和基本权利得不到尊重和维护。〔5〕 这与中国传统的政治结构有着密切的关联。中国传统的政治结构实际上是一个拟制的亲属结构。顾准在《希腊城邦制度》一书中曾写到："（中国传统社会）的专制主义政体自以为'抚民如赤子'，亦即一切阶级无论其厉害如何，均被视为皇帝的子民。"〔6〕 这种政治性的亲属结构在司法过程中就表现为这样一种景观，即中国传统法官以"父母官"的身份，采用"坐堂问案"的方式审理案件。滋贺秀三就曾将中国传统法官的活动的基本方式定位于"父母型诉讼"，即类似于父母申斥子女的不良行为，调停兄弟姐妹间的争执，法官为政如人父母，视民为赤

---

〔1〕 "'吏治'即是君主通过官吏集团对国家实行的统治，它包括了两层内容，一是官吏对人民的统治，二是君主对官吏集团的控制。"见梁治平：《寻求自然秩序中的和谐——中国传统法律文化研究》，中国政法大学出版社 1997 年版，第 69 页。

〔2〕 它近似于马克斯·韦伯对传统型统治的描述——行政管理班子与统治者存在"恭顺"关系。参见马克斯·韦伯：《经济与社会》上卷，林荣远译，商务印书馆 1997 年版，第 252 页。

〔3〕 转引自张中秋：《中西法律文化比较研究》，南京大学出版社 1999 年版，第 290、291 页。

〔4〕 左卫民、周长军：《变迁与改革——法院制度现代化研究》，法律出版社 2000 年版，第 160 页。

〔5〕 陈瑞华：《刑事审判原理论》，北京大学出版社 1997 年版，第 339 页。

〔6〕 转引自梁治平：《寻求自然秩序中的和谐——中国传统法律文化研究》，中国政法大学出版社 1997 年版，第 28 页。

子，其工作是照顾一个地方的秩序和福利，司法工作亦作为其中一部分施与人民。[1] 虽然中国传统社会一直有讼师这种行业。"但是讼师在当时的司法制度中所起的作用与当今社会中的律师所起的作用存在很大的不同。讼师不可以像律师那样代表两造当事人，辩论与公堂上。几乎他们所有的工作，都在庭外进行的。……专业人士之间势均力敌的对抗导致法官的中立和司法权的消极行使也难以获得，这样，中国传统社会的衙门只能是法官居于强势的主导地位的'超职权主义'的机构了。"[2]

4. 司法功能单一。中国传统社会的司法功能是单一的，只限于解决纷争的作用，从而达到社会控制的目的。正如瞿同祖在讨论法律在中国社会的作用时曾指出，"中国传统社会的法律的目的在于维护政治、社会秩序，主要是维护皇权，巩固中央集权的专制主义，维护父权和夫权，维护家族主义。"[3] 中国传统社会中的司法不具备权力制约、公共政策的制定等等功能。中国传统社会的司法功能的单一性还表现在解决纠纷的范围很狭小。中国传统法官的工作主要侧重于以刑事制裁方式来处理犯罪行为，而以民事方式解决民事纠纷不是其工作的重心。在中国传统社会，"刑、法、律同义，而刑与法的基本作用是'兴功惧暴'"。美国学者塞尔兹尼克和诺内特在分析古代国家和极权国家时指出，这些国家所倡行的法律模式是"压制性法"，它的首要目的是公共安宁，由此，刑法成为法官关注的中心。[4] 这完全可以运用于对中国传统司法的功能描述。

5. 规范性和非规范性相结合。中国传统社会中的司法兼具规范性与非规范性的双重性。"中国传统司法的规范性，在于中华法系重视国家制定法，同时又运用判例断案以作为制定法的补充"[5] 唐、明清律都有"断罪引律"条。例如《大清律·断狱·断罪引律令》曰："凡（官司）断罪，皆须具引律例。违者（如不具引）笞三十。……若辄引（比）致（断）罪有出入者，以故失论。"[6] 重罪案件常常要求依法而判。同时，中国传统司法具有不规范性的特点。滋贺秀三认为，绝不是所有的案件或大多数案件引照国法，从数量上看，未提及国法便得出结论的案件更多；在判语中，有关案件的民事处理中引照任何审判先例的，

〔1〕　滋贺秀三等：《明清时期的民事审判与民间契约》，法律出版社1998年版，第16页。
〔2〕　贺卫方："中国的司法传统及其近代化"，载苏力、贺卫方主编：《20世纪的中国：学术与社会》（法学卷），山东人民出版社2001年版，第184页。
〔3〕　瞿同祖：《瞿同祖法学论著》，中国政法大学出版社1998年版，第403页。
〔4〕　塞尔兹尼克、诺内特：《转变中的法律与社会》，中国政法大学出版社1994年版，第31页。
〔5〕　左卫民、周长军：《变迁与改革——法院制度现代化研究》，法律出版社2000年版，第163页。
〔6〕　转引自张晋藩：《中华法制文明的演进》，中国政法大学出版社1999年版，第5页。

都仍然是几近于无。[1] 中国传统司法的不规范性主要表现在以下几个方面："其一，无法司法现象普遍存在，尤其以民事审判为甚。其二，情、理、习惯等成为司法的考虑依据。其三，司法官员拥有很大的自由裁量权。"[2] 中国传统法官在审理案件时所适用的，乃是由法律、伦理规则以及所在社区习俗组成的混合体。无论在刑事审判还是民事审判中，司法官都要考虑情、理和习惯等因素，以之作为处理的重要标准。

6. 非专业性。中国传统社会的司法缺乏专业化。有学者将中国传统社会的司法缺乏专业化归结为以下几个方面："首先，司法长官缺乏法律知识与经验。其次，法学未有繁荣昌盛。再次，法律职业集团未能形成。最后，司法方式未成为独特的技术与技巧。"[3] 中国传统法官是通过科举取士的方式而选拔出来的。由于科举考试长期以单一的儒家学说以及诗文技巧为考试的基本内容。对于法律知识则未作过多要求。在中国传统社会，法官对法律知识通常没有专门的研究。在司法审判方面，"不谙刑名"、"不知案牍为何事"是他们的普遍现象。因此，传统法官在审理民事、刑事案件时，通常由幕友辅佐。"不过幕友的训练在很大程度上是技术性的，而不可能培养法律家阶层所追求的法律的内在逻辑，诸如案件处理所依据准则的一致性，法律思考与道德思考的适度区分，等等。"[4] 科举考试极大的妨碍了知识的分化。在司法领域，一直实行着外行知识的统治，没有形成必要的专业化。

（二）中国传统法官权威的主要基础

在中国传统司法的基本形态下，中国传统法官权威其实是皇权的一种延伸。比较确切地讲，它是一种行政官的权威。由此，中国传统法官权威的基础有其独特性。如上所述，中国传统司法具有集权式而非分权式、缺乏独立性、非对抗性、司法功能单一、规范性和非规范性相结合、非专业性的特点。这些特点明显地表明了中国传统司法是一种"行政型"的司法。这种行政化的司法形态决定了中国传统法官权威的体制基础不同于法治国中法官权威的基础。中国传统司法的集权式而非分权式、缺乏独立性、非对抗性等特点表明中国传统法官权威的体制基础是政治集权，而不是独立的地位。中国传统司法的非专业化和行政化则决

---

〔1〕 滋贺秀三等：《明清时期的民事审判与民间契约》，法律出版社1998年版，第13、14页。

〔2〕 左卫民、周长军：《变迁与改革——法院制度现代化研究》，法律出版社2000年版，第164、165页。

〔3〕 同上，左卫民、周长军书，第167、168页。

〔4〕 贺卫方："中国的司法传统及其近代化"，载苏力、贺卫方主编：《20世纪的中国：学术与社会》（法学卷），山东人民出版社2001年版，第180页。

定了中国传统法官权威的技能基础和伦理基础分别是行政能力和大众道德，而不是所谓的法律专业技能和法律职业道德。因此，笔者认为，中国传统法官权威的基础主要是：第一，体制基础——政治集权；第二，技能基础——行政能力；第三，伦理基础——大众道德。

1. 体制基础——政治集权。与法治国中法官权威不同，中国传统法官权威的体制基础是政治集权。众所周知，君主专制主义和中央集权制是中国传统的政治制度的两大主要的基本特征。在中国传统的政治结构中，权力是高度集中。国家的最高政治权力完全被皇帝个人所占有。在中国传统社会，政治制度中角色之间的关系，是一种集权化的"权力——依附"模式。这种模式主要体现在以下几个方面："第一，国家最高统治者（皇帝）与官僚集团的关系。官僚的政治地位和权力，是皇帝赋予的。官僚只有依附于皇帝，才能得势。第二，官僚集团内部上级与下级的关系。从中国政治制度的发展演变来看，其中政治机构的设置、撤销，官员的晋升、罢免、奖励、惩罚以及监察制度等等，都反映出上级官员对下级官员的管辖和统属权。按照这种'权力——依附'模式，一方面强调上对下的绝对统属权，突出上对下的权力，另一方面则强调下对上的依附与服从，排斥下对上的监督、申诉与驳议的权利。"[1] 在中国传统政治结构中，存在着严格的等级制度。中国传统的司法制度与政治、经济以及其他社会制度之间具有价值倾向上的一致性。中国传统的司法功能是政府功能的有机组成部分。这种高度的集权化"权力——依附"模式同样体现在司法制度之中。中国传统社会一直沿袭着政审合一，司法从属与行政权。传统法官一般集行政权和司法权于一身。中国传统法官制度存在着严格的等级特点。一般来说，等级对中国传统法官权威具有十分重要的意义。中国传统法官就是基于这种政治集权的体制而建立起权威。因此，中国传统的法官权威体系表现为一种严格的等级权威体系。

2. 技能基础——行政能力。中国传统法官权威的技能基础是一种行政能力，而不是专门的法律技能。中国传统司法是集权式而非分权式，司法职能分化程度相当有限。在中国传统社会，法律职业角色缺乏必要的分化，缺乏专业化。如上所述，中国传统法官既是当地的首席行政官，还是首席检察官、税务官、警官，所有的职务集于一身。在中国传统司法过程中，法官不只是一个审判者。他不仅主持庭审和作出判决，还主持调查并且讯问和侦缉罪犯。用现代的眼光看，他的职责包括法官、检察官、警长、验尸官的职责。中国传统法官的职责包括了最广义上的与司法相关的一切事务。综观中国传统司法制度史，我们可以发现，中国

---

[1] 曾小华：《中国政治制度史论简编》，中国广播电视出版社 1991 年版，第 5、6 页。

传统法官不具备专门的法律知识与法律技能以及独特的法律思维方式。[1] 中国传统法官所运用的审判技能可以说是一种行政技能。

中国传统法官所具备的这种行政能力具有如下的特点:[2]

第一,中国传统法官普遍使用的语言属于大众话语的范畴,他们运用大众的词语进行观察、思考和判断。

第二,中国传统法官的态度和活动往往具有主动性和倾向性,而不是被动性和中立性。中国传统法官积极主动地干预人们的社会活动。在他面临的各种社会矛盾之前,其态度有鲜明的倾向性。[3]

第三,中国传统法官在逻辑与情理之间偏重情理,注重司法结果的实质性。中国传统法官在断案时,其基本方法是"衡情度理",其断案的普遍原则是"法本原情"。[4] 有学者这样描述中国传统法官:"中国传统社会的法官基本上是儒家化的法官。他们自幼便饱读儒家四书五经,科举考试又重经义和诗赋,特别是明清时期,科举考试局限于儒家经书,因此,中国传统社会的法官对法律条文并不十分熟悉,对儒家说教倒是烂熟于心。"[5] 中国传统法官审案,向来注重情理,不拘守法律条文。例如:"海瑞充分重视法律的作用并且执法不阿,但是作为一个在圣经贤传培养下成长的文官,他又始终重视伦理道德的指导作用。"[6] 中国传统法官常常依据社会上的一般公正理念为准则,依据其个人对世态人情的洞察、个人化知识累积断案。他们熟悉所谓的"情"、"理"和"习惯"。[7]

第四,中国传统法官重视运用直觉思维方法。一般来说,中国古代法官习惯

---

[1] "由于在中国传统社会,法律与道德、政令等因素没有分离,那么它就不上'可计量的'法律,所以不需要专门的法律职业技能如法律解释和推理逻辑。"参见孙笑侠:《程序的法理》,中国社会科学院 2000 年博士学位论文,第 5 页。

[2] 孙笑侠、应永宏:"论法官与政治家思维的区别",载《法学》2001 年第 9 期。孙笑侠:"司法权的本质是判断权——司法权与行政权的十大区别",载《法学》1999 年第 8 期。

[3] 例如,海瑞就是用下面的斟酌标准来执行法律:"凡讼之可疑者,与其屈兄,宁屈其弟;与其屈叔伯,宁屈其侄。与其屈贫民,宁屈富民;与其屈愚直,宁屈刁顽。事在争产业,与其屈小民,宁屈乡宦,以救弊也。事在争言貌,与其屈乡宦,宁屈小民,以存体也。"见黄仁宇:《万历十五年》,三联书店 1997 年版,139 页。

[4] 孙笑侠:《程序的法理》,中国社会科学院 2000 年博士学位论文,第 2 页。

[5] 郝铁川:《中国历代著名法官评传》,山东人民出版社 1998 年版,第 4 页。

[6] [美] 黄仁宇:《万历十五年》,三联书店 1997 年版,第 139 页。

[7] "所谓习惯,按照梁治平的观点,其特征在于,均生成于民间,以调节'户婚田钱债'以及日常纠纷为宗旨,有别于普通的风俗或常规,但又不同于国家法。所谓'情',通常是指活生生的平凡人之心,通常人可以估计对方怎样思考和行动,彼此这样相互期待,也相互体谅,这就是'人情'所代表的意见。所谓'理',是指思考事物时所遵循的,也是对同类事物普遍适用的道理。这种道理被视为'天理',也是执法者所不能忽视的,情、理、习惯都可能体现在法律之中。"参见滋贺秀三等:《明清时期的民事审判与民间契约》,法律出版社 1998 年版,第 36、37 页。

运用直觉思维形式，而西方法官则习惯运用逻辑思维方式（归纳、演绎）。这是中西文化差异的一个表现。西方法官运用逻辑思维来办案，与他们注重行为人的行为而不太注重行为人的动机有关。而中国古代法官习惯运用直觉思维来办案，与当时中国人特别注重行为人的动机有关。中国古代法官习惯运用直觉思维形式。唐、宋、明、清的法律都规定，法官在审案中，应"以五声听狱讼，求民情。一曰辞听，二曰色听，三曰气听，四曰耳听，五曰目听"，也就是说，法官在审讯过程中，要注意当事人的谈吐、气色、呼吸、听觉、眼光是否正常，以此判断当事人是否有罪。运用直觉思维最容易考察出一个人的内心境界，所以中国传统社会的统治者要把它写进法典中，成为一种法定的审判方式。例如，张船山在审案中，善于运用"五声"式的直觉思维审讯方式。[1]

3. 伦理基础——大众道德。在法治国中，法官职业的技术理性本身导致了法官职业道德不同于大众的普通道德。它们两者之间可能会存在某些抵触。这里的抵触并不是指法官职业道德违背大众的普通道德，而是指两者存在隔阂或不完全相融。[2] 但是不难发现，由于中国传统法官没有形成专业化和职业化，从而缺乏独特的职业道德。在中国传统社会，没有区分司法权和行政的职能特性。因此，社会大众要求法官在审判过程中必须做到合乎大众的普通道德。从中国历代史籍对于"清官"（一般来说清官具有权威性）事迹的记载来看，中国传统社会的民众一般认为好法官应该具有这样一些品质，如刚正不阿、铁面无私、清正廉洁、忠于君主、体恤民情等。例如，商鞅就是信赏必罚、不阿权贵、铁面无私。张释之具有秉公执法、刚正不阿的秉性。狄仁杰任职期间，对那些谄媚逢迎、恃宠沽权的人进行了坚决的斗争。包公不畏权势，为民请命、以身作则，大义灭亲。社会大众对法官评价的基本标准，就是看他能否公正执法。例如，张释之的官最初是用钱买来的，不那么光彩，但他担任法官后执法如山、不别亲疏贵贱的精神，同样赢得了人们的崇敬。在中国传统社会，在社会大众的眼里，法官是百姓的父母官，他应该代表着一般的价值或道德体系。

（三）对中国传统法官权威的基础之反思

如上所述，在集权式而非分权式的体制下，中国传统法官权威其实是皇权的一种延伸。比较确切地讲，它是一种行政官的权威。在中国传统社会，皇权至上的思想已经成为人们的一种心理积淀。封建的君主专制制度是不允许出现有独立意志的法官。因此级别对中国传统法官权威具有极为重要的作用。与法治国中法

〔1〕 郝铁川：《中国历代著名法官评传》，山东人民出版社1998年版，第160页。

〔2〕 孙笑侠：《程序的法理》，中国社会科学2000年院博士学位论文，第96页。

官权威不同，中国传统法官更多的是凭强制力和法官个人的魅力获得权威。一般来，在中国传统社会，皇帝对法官的要求往往只考虑政治上是否忠诚可靠，而不大在意他们是否掌握了法官必须具备的法律专业知识和纯熟的司法技能。需要指出的是，中国传统法官权威是中国特定的传统社会的产物，它与中国传统社会的政治、经济、文化相吻合。中国传统法官权威的基础基本上是符合当时社会大众的要求。换言之，中国传统法官权威的基础也是人们理性选择的结果，是理性的积累。

但是随着社会条件的变化，中国传统法官权威的基础已经不符合社会的需求。也就是说，在当今社会，如果还是基于那些传统法官的基础，法官就不可能保持其权威。我国目前正在建立社会主义的市场经济，而市场经济要求的是建立一种与其相适应的法治国中法官权威。从我国的现实状况来看，中国传统法官权威向现代法治国中法官权威的转化是一种实实在在的现实运动。

根据李凯尔特的看法，现实的基本特征是连续性和异质性的统一。[1] 梁治平对中国的现实也有过类似的论述："传统的与现代的，过去的与未来的，老是纠缠在一起。这是中国人始终面临的一种摆脱不了的矛盾。传统之于中国人，并非死了的过去，而是活着的现在。人们天天可以触摸到它，感觉到它。"[2] 因此，传统性基因与现代化表征决定了中国当今法院制度呈现双重特征。虽然中国法院追求现代化的努力是清晰可辩的，但是传统性因素时常渗入法院体系中。正如有学者所说："中国现在的表层司法制度都是西化的，但是我们骨子里的运作过程，我们所遵循的一些准则，我们自觉不自觉所采取的一些方法，都还是我们两千年来所一直采取的方法。"众所周知，阻碍我国法官权威的建立的因素是多方面的。但其中传统因素渗入法院体系之中，阻碍（法治国中）法官权威的建立，已是一种不可否认的事实。虽然在当今中国，法院制度改革取得一定的成功，这是有目共睹的事实。但是适应市场经济发展状况的法官权威还远未建立。因此在当今中国，要想确立法官权威，必须改变那些中国传统法官权威的基础。

余论：重塑现代中国法官的权威

以上有关法治国中法官权威的三大重要的基础，即独立的地位、法官职业技能和法官职业伦理的探讨不仅仅是一种理论假设，而更多的是对成功经验的一些总结。通过以上的论述，我们知道，在法治国家中，法官权威并不单纯仰仗强力。法官只有当它在一定程度上反映了社会的共同意志和普遍利益，在人民内心

---

〔1〕 冯钢：《马克斯·韦伯：文明与精神》，杭州大学出版社 1999 年版，第 39 页。

〔2〕 梁治平：《新波斯人信札》，中国法制出版社 2000 年版，第 10 页。

得到认同的时候，才能够赢得权威。西方法治国家的成功经验表明，法治国中法官权威与独立的地位、法官职业技能和法官职业伦理等有着密切的联系。独立的地位是树立法官权威的前提。而法官职业技能和法官职业伦理则是社会对法官的基本要求。

以此返观我国当前的司法制度，不难发现，我国法官缺乏上述法治国中法官权威的三大极其重要的基础，即独立的地位、法官职业技能和法官职业伦理。众所周知，我国现在的司法制度是学习西方的结果。然而，我国法官却并不像西方国家的法官那样具有权威。其中的原因是多方面的，一个原因是传统文化的遗留问题；另外一个原因则是我们在过去的法制建设实践中，相对忽略了对法官权威的精心培植，以至于出现时下这样普遍性的法官信用危机。我国司法制度中所存在的不利于法官权威确立的因素很多，其中存在体制上的缺陷，同时也表现为一些具体制度上的弊端。有些是以前就已存在的，而有一些是近来才出现的。[1]下面将列举一些具体例子来说明这个问题。

个案一：20名身着法官服的法官端坐在会场内，他们作为辽宁省大连市人大常委会的评议对象，将接受来自权力机关的监督。法官相继走上报告席作述职报告。41位常委会组成人员在听取了各组评议后，开始投票测评。测评结果，16名法官的称职票超过了常委会组成人员的半数，另外4名法官"落马"。会议决定由人大常委会主任会议对这4名法官进行讨论研究，并提出意见。[2]

个案二：审判人员实行案件黄牌警告制度。所有案件从立案受理起，便将案件审理各阶段、各环节的情况输入电脑网络中的审判管理系统内，对案件实行全流程的管理和监督。同时，由立案庭对审判期限即将到期的案件向主审法官发出黄牌警告。[3]

个案三：据一份调查报告表明，"一法院大学本科毕业生4人（其中3人毕业于政法大学，另有1名毕业于大学中文专业）；毕业于全国法院法律业余大学的拿到大专文凭的24人；通过读电大、自考、专升本等其他方式拿到法律大学、大专文凭的有28人；另有1名财会大专毕业生；1名工业大专毕业生；中专生、高中生3名。这些人员当中，审判员39人，助理审判员4人，法警5人，无业务职称的13人。也就是说，在全院中，法律科班出身的法官只占4.91%，通过

---

〔1〕　时下，国人已经认识到了加强法官权威的必要性和迫切性，同时采取了一些有益的改革措施，并取得了一定的成功。但是我国目前仍有一些做法并不是朝这个目标努力，有时甚至南辕北辙，做了一些不利于法官权威确立的事情。

〔2〕　朱延青："法官称职否　人大来评议"，载《法制日报》2001年3月29日。

〔3〕　见"'三项活动'在宝安"，载《人民法院报》2000年1月5日。

其他方式获得法律大学、大专文凭的法官占 85.25%。[1]

个案四：最高人民法院与人民日报、新华社、中央电视台、中央广播电台、法制日报共同举办的首届"全国十大人民满意的好法官"评选活动今天揭晓：得票数列前 10 名者孟宪福、王永松、赵萍、罗立波、刘诚、王家新、齐爱香、罗东川、齐素、孙即华当选。[2]

个案五：长春市中院组织的"第三届春耕生产法律服务月"活动近日在长春市两级法院全面展开，审判干部深入农业生产第一线，走访农民，宣传中央农村工作会议精神和有关法律，开展法律咨询，调查摸底，主动收案，调处纠纷，开展公开审判，严惩破坏农村社会治安秩序的犯罪分子，促进春耕生产，受到了农民和农村干部的欢迎。[3] 另据一则图片报道：一位名叫周晓明的法庭庭长"一年 365 天时间有 300 天在村社农家'转悠'。大多数案子，当事人农务忙，周晓明就在他们的'炕头'开庭审结。"[4]

这样的例子实在还很多。这些例子很明显地让我们感受到，我国法官缺乏法治国中法官权威的那些主要基础（即独立地位、法官职业技能和法官职业伦理）。在个案一和个案二中，"人大评议法官是否称职"和"黄牌警告制度"，虽然是出于对法官的监督，但是它们与维护法官的独立地位是背道而驰的，在一定程度上破坏了法官独立的地位。法官是否称职不应该由人大来评议。"人大评议法官是否称职"容易使法官受制于人大，以人大为惟命是从，影响法官独立地进行裁判，从而导致法官权威的分解。法院内部的行政化是法官内部不独立的典型例子。"黄牌警告制度"也损害了法官的内部独立。法官在审判过程中，不应当受到法院内部的其他人员（包括院长）的干预。而"黄牌警告制度"则是在"审判期限即将到期"时就对法官予以警告。这是一种事中的监督，容易让人认为是对法官独立审判的干预。对法官的监督一般应该采用事后监督的方式。从个案三中，我们可以看到，我国过去长期倡导法官职业大众化，即非专业性。我们的法官法律素质方面存在相当严重的问题。很明显，直到今天，法院乃是各行业中外行人较为容易进入的一个机构。不必说法律专业文凭，基本的法律常识的具备也没有被作为法官的任职标准。这种观念使得我国法官的整体素质相当低下，从而影响法官权威的树立。学历低和法律素养缺乏的法官（如高中毕业的）首先很难让人们相信他们有足够的能力作出公正合法的裁判。另外学历的低下也影

---

[1] 左卫民、周长军：《变迁与改革——法院制度现代化研究》，法律出版社 2000 年版，第 193 页。
[2] 见"首届'全国十大人民满意的好法官'评选揭晓"，载《人民法院报》2000 年 2 月 2 日。
[3] 贺卫方：《司法理念、制度和技术》，中国政法大学出版社 1998 年版，第 48 页。
[4] 同上，贺卫方书，第 68 页。

响人们对该职业的评价，影响了该职业的声望。根据有关调查的分析，教育影响法官职业声望得分的决定因素之一〔1〕个案四和个案五显示，我国一直没有注意到法官的法官职业伦理的独特性。我国一直没有形成一种与法官的职业相符合的独特的职业伦理。这种将法官设计得和普通人无所区别的做法，使得法官的权威荡然无存，使得人们对法官的尊重也无所依凭。我国近来常常举行评选人民满意的好法官活动。从某种程度上讲，评优活动不利于法官权威的确立。大约五、六年前，台湾有些人士也曾发起了一个荐举模范法官的活动，当时由新闻界、律师界同法学界共同票选出了五位法官，可这几位法官全都婉拒受奖。活动发起人当中为首的陈水扁请出了当时台湾"司法院"首席大法官翁岳生教授（现为台湾"司法院长"）进行劝说，法官们终究不为所动，并且引用翁教授当年在大学行政法课堂上的训诲响应了他们的恩师："法律人的尊荣，在于法律人的寂寞"！〔2〕这话道出了法官应当是一种适度超然于社会的角色。评优活动极容易损坏法官的超然性。法官权威要求法官在公众心目中有超越凡俗的一面。因为没有适当的距离就无从谈美。我们的法官主动进入群众当中，为群众普法及解决纷争。当然，法官与群众的密切联系可以增进民众对法官以及司法制度的了解，但是法官与社会之间过于贴近，对于法官权威的权威是很不利的。时下，我国采取了许多司法改革措施如"修改《法官法》"、"司法资格统一考试"、"制定《中华人民共和国法官职业道德基本准则》"等，对上述情形予以了一定的纠正。

以上这些体制上和具体制度上的问题严重阻碍了我国当代法官权威的建立。当前中国法治现代化的建设已经积极地展开，法院制度改革成为其中极为关键、重要的环节。从某种意义上来讲，我国当前的司法改革的主导任务，就是通过制度创新，建立和维持司法权威，从而实现司法公正的最终目标。在司法改革的进程中，有关改革路径的选择是一个值得探讨的问题。贺卫方曾指出："建立法治的路径与程序从何开始？这又是一个不大容易说清楚的问题。这里似乎存在着类似'解释的循环'一般的怪圈——如果不首先改变大的体制的话，具体制度就无从建立；但与此同时，如果没有具体制度的积累及其影响，大的体制变革将没有意义。……第三条道路，那就是把宏大的价值关怀与不嫌徵末的制度建设结合起来的道路。"〔3〕

树立法治国中法官的权威，无疑是中国法治建设的追求目标之一，也是国人

---

〔1〕 园田茂人、张汝立："职业评价的中日比较"，载《社会学研究》2000 年第 1 期，第 119 页。
〔2〕 林霈："法律人的尊荣，在于法律人的寂寞"，载 http：//www. sinolaw. net。
〔3〕 贺卫方："'外来和尚'与中国法官"，载宋冰编：《程序、正义与现代化——外国法学家在华演讲录》，中国政法大学出版社 1998 年版，第 469 页。

的努力方向。但它非一朝一夕即可实现。它需要我们在确立法官权威之初保持冷静的心态，不可期望过高，急于求成，而应当通过不断的思想启蒙及其相应的点滴改革慢慢地濡染侵淫民众心理，直至把法治国中法官权威的精神化为我们的文化的一部分后，树立中国法官权威的总体目标才有望"水到渠成"，圆满实现。

第二节　法律解释：方法、制度与实践

前　言

一般说来，学术热点的出现乃是源于实践对知识的渴求，法律解释也是如此。如果说自 1978 年以后的将近二十年的时间，中国的法律制度主要是集中于成文法的制定，使之能够"有法可依"，那么自提出"司法改革"以来，中国的法律制度则是越来越倾向于考究具体的司法裁判。而近年来随着市场经济的逐步深入，新问题新现象也越来越多，先前所制定的成文法越来越不能面对这个变化了的世界：

……

足球场上吹"黑哨"的裁判是不是属于受贿罪的主体？"第三者"有没有权利接受其情人遗赠的财物？在家看黄碟到底属不属于违法？

……

这样的疑问，还有很多。当我们面对司法实践给法律出的难题之后，我们的第一个反应就是：立法不完善，应当修订法律。但显而易见的是，法律永远不能涵盖社会生活的全部，立法永远是落后于实践。那么，我们该怎么办？

让我们将眼光转向西方。自 1787 年美国制定《宪法》至今，美国宪法的内容未有多少增加，但是直到现在该宪法还能游刃有余的面对与两百多年前有着天翻地覆的社会生活。那么，美国宪法是如何在时代的变迁中保持自己的生命力呢？

如果我们再仔细看其中的条文，我们会发现有个现象耐人寻味：美国宪法中同样的一个条款，但是在不同的年代却有着截然不同的解释。这又是为什么？

两相对比，问题很快就出来了：美国是通过法律解释从而使过去所制定的法律不断的适应现代，而中国往往是出于制定法的迷信而主张修改法律从而适应新的实践。有学者对此种现象提出了尖锐的批评，"我们习惯于修改宪法，而不习惯于解释宪法，不知道如何从已经确立的法律秩序中生长出新的规则，"而我们的法学家"一方面惊呼人民对法律丧失了信仰，希望建立稳定的法律秩序和信仰法律的心态，可另一方面却将目光盯在未来可能建立的那个完美的法律制度，而忘却当下已经存在的法律制度"。[1]

已经有不止一个学者指出过法律解释在法学中的地位了，凯尔森认为："法律科学基本上是一种解释的学问，人的行为的法律意义只是在与法律规范相关的解释之中存在，因而法律规范的功能就如同一幅解释的图表。"[2] 而有学者更是指出：

"西欧传统意义上的法学主要指法解释学。这一学科与其说具有'科学'的性质，还不如说更接近于神学。法解释学作为社会生活中无处不在的解释过程之一种，具有将解释的对象、解释的空间、解释的主体等特定化，使解释的方法技术得到专门化、体系化等特点。"[3]

但是在中国，有相当长一段时间内我们的法学研究只是围绕着"立法"而产生的各种问题而展开，但是现在法律解释在法学中终于从灰姑娘变为白雪公主了！[4] 值得庆幸的是，已经有不少学者关注了法律解释的问题，并且在该领域做了不少颇有价值的贡献，但是我们同时发现，关于法律解释的表述却又是如此的不一致，[5] 这究竟是什么原因？

至少可以肯定的是，法律解释概念表述的多样表明了法律解释内容的丰富。在我看来，法律解释至少可以包容以下的几个部分的内容：方法、制度和实践。所谓方法，乃是指在解释法律时所要遵循的一定的规则，也就是法律的意义该通过何种方式而获得；制度乃是指法律解释的宏观框架，它可以说明在一定制度下的法律为何会以该种方式解释；而实践，则是法律解释最为本质的特征，它表明法律解释是为了解决司法中的个案而产生的，而不是学者们的坐而论道。

基于这个思路，本文的第一部分将对法律解释的方法作一论述。我将假设本文的读者对一些基本的法律解释方法已经有所了解，因此在这个部分中我将主要从意图论、文本论和动态论这三种解释方法展开，因为在作者看来，这三种方法最具有代表性：意图论所代表的是立法者的视角，文本论则是从法律文本的视角

---

〔1〕 强世功："宪法司法化的悖论——兼论法学家在推动宪政中的困境"，载《中国社会科学》2003 年第 2 期。

〔2〕 转引自李步云编：《法理学》，科学文献出版社 2000 年版，第 700 页。

〔3〕 王亚新："民事诉讼中的依法审判原则与程序保障"（代译序），参见谷口安平：《程序的正义与诉讼》，王亚新、刘荣军译，中国政法大学出版社 2002 年版，第 15 页。

〔4〕 这是埃斯科里奇形容法律解释在当代美国的地位，但是在作者看来用来形容中国也是恰如其分，See William N. Eskridge, *Dynamic Statutory Interpretation*, Cambridge：Harvard University Press，1994，p. 1.

〔5〕 张志铭教授曾经对法律解释的九种概念进行过分析，请参见张志铭：《法律解释操作分析》，中国政法大学出版社 1999 年版，第 11～16 页。

进行理解，而动态论则注重的是当代人对法律的解释。而其他的解释方法，比如说语法解释、逻辑解释等具体的解释方法都可以在这三种方法之中展开适用。

在本文的第二部分，作者将从法律解释的制度实践史入手开始对作为制度的法律解释进行理解，因为在作者看来，现存的制度往往是历史的继续，如果不能掌握"来龙"也就不可能对"去脉"有所把握，对于法律解释制度也是如此。接着该部分还分别介绍了以英美两国为代表的普通法系和以德法两国为代表的大陆法系的法律解释制度，并设法找出产生其制度差异的原因。最后，作者还将对法律解释方法所体现的制度意义进行阐述，因为在作者看来，一定的方法总是有着一定的制度的背景，脱离具体的制度理解抽象的方法往往会陷入"只见树木，不见森林"的困惑之中。

在本文的第三部分，作者首先阐述法律解释为什么是实践的，并从中概括出作为实践的法律解释的几个特点，并在该部分的最后对由于解释的实践性而导出的法律解释的知识属性作一简要的论述。在本文的结语部分，作者还将对当代中国的法律解释作一简短的评述。

需要说明的是，虽然作者在本文中力图对大陆法系的法律解释制度和英美法系的法律解释制度作一对比，但是由于语言能力所限，本文的参考书目中并没有一手的法语和德语的著作，因此读者对这种基于"二道"甚至"三道"转手后的资料的可信度要保持一种警惕。

虽然本文是以法律解释为题，但是本文的目的并不是为了提供一种法律解释的方法，也并不试图解决现实中存在的一些问题，更不是为法律解释建构一种宏大的理论。本文只是想从方法、制度和实践三个视角对法律解释进行一种思考，或者说是为解读法律解释这一现象提供了一种分析的可能。至于该种分析方法能否成立，还请各位同行不吝赐教。

一、作为方法的法律解释

（一）方法之于法律解释

谈到法律解释，也许我们脑海中的第一个印象就是，该采用什么样的方式对法律进行解释？而这个时候的"什么样的方式"，实际上就是法律解释的方法，而所谓的方法，则是"关于解决思想、说话、行动等问题的门路、程序等"[1]古人有云："工欲善其事，必先利其器。"具体到法律解释，所谓的"器"就是

---

[1] 《现代汉语辞典》（修订本），商务印书馆1996年版，第353页。

法律解释的方法。法律解释是和方法联系在一起，如果没有方法，那么法律解释就失去了存在的意义[1]。方法在法律解释过程中为什么会具有这样的重要的作用？

我们知道，法律是由一系列有意义的文字构成，所谓的文字——数字除外——并不是只是"语法结构而无需解释"的词语的集合，[2]事实上，法律规范中几乎每一个词汇都被赋予了特殊的涵义，而作为裁判者的法官，就是要在这些纷繁复杂的意义中找到适用于特定的事实的规范，于是，问题随之发生，法官该怎样确定法律文本的意义？

"规则并不会自动适用，即使是那些最为明确的案件中也需要人对规则的适用"[3]。于是，当规范的含义不是很明确的时候，方法的重要性就在此凸现。尤其是在一些所谓的疑难案件中，如果我们选择不同的方法，那么，案件就会有截然不同的后果。试举一例。在 19 世纪末期的美国曾经发生过这样一起案件：纽约的一个教堂和一个英国人签订了一项合同，合同规定由该英国人担任该教堂的牧师。但是不料此举受到了联邦政府的干涉，并裁定该项合同违反了联邦法律的规定，因为该法律规定任何人"以任何方式资助或者鼓励从外国进口货物或者移民……进入合众国，……以合同或者协议……使得前款规定的从外国进口或者移民……，在合众国境内从事任何形式的劳务或者服务活动"都是违法的。于是，初审法院认为该教堂应当承担法律责任。但是最高法院却推翻了这项判决，那么让我们来看看联邦最高法院是如何来阐述他们的理由：

"必须承认，教堂和牧师之间的是一种服务关系，这就意味着一方要付出劳动，而另外一方则要得到相应的报酬。在制定法中，既不存在着一般意义上的劳动和服务的词汇，也不存在着"任何种"关于该语词的狭义和广义的解释，并

---

[1] 在英美法国家中，所谓的法律解释通常被认为是制定法解释（statutory interpretation 或者 interpretation of statutes，也有被称为 construction 的），而制定法解释是和方法紧密的联系在一起的。比如说在 L. B. Curzon 在《法律字典》一书中谈到：当制定法的语词在不明晰和不确定时，法院则被要求对其进行解释。在此种情况下，应当遵循如下规则：①语义规则——除非语词本身会引发与此相反的结论，那么制定法都应当按照字义进行解释……②黄金规则——在解释中应当避免荒谬的结论出现……③法律必须被看作是一个整体；④假定不能够改变法律和废除已有的判决；⑤法院必须采纳那种可以纠正所通过的制定法的谬误的解释……，See L. B. Curzon, *A Dictionary of Law*, Macdonald & Evans, 1979, p. 176. 在《牛津法律指南》和《布莱克法律辞典》中都可以见到相类似的表述，See Henry Campbell Black, Black's Law Dictionary, St. Paul Minn: West Publishing Co., 1979, p. 734 or 1266; David M. Walker, The Oxford Companion to Law, Oxford: Clarendon Press, 1980, p. 644.

[2] José Juan Moreso, *Legal Indeterminacy and Constitutional Interpretation*, Boston: Klumer Academic Publishers, 1998, p. 131.

[3] Martin Stone, "Focusing the Law: What Legal Interpretation is Not?", in Andrei Marmor ed., *Law and Interpretation*, *Essays in Legal Philosophy*, Oxford: Claredon Press, 1995, p. 38.

且……（该制定法）的第 5 条特别规定了一些例外，他们是职业演员、艺术家、演说家、歌星和一些家政服务者，特别强调了任何一种其他的劳动和服务都受到本法律的规制。有足够的证据可以表明，我们不能得出立法者的本意就是惩罚如本案中的行为。因为这不符合法律的精神，更不是立法者的意图。在成文法中往往有一些规则是制定者所认可，但是却并不直接行诸于文字。"[1]

于是，法院就从立法史的只言片语中得出该法律的意图只是限制体力劳动——而这些都不是演员、艺术家、演说家和歌星的共同特征。当然，牧师也是如此。[2] 接着判决书中还说在法律解释中"被委曲的解释并不能被认为是正确的"。[3] 并举出了这样的理由：

"本案表明确定含义所具有的局限，由于立法者经常使用具有特定意义的普通语词来达到其目的，但是不可否认，普通语言能够包含这个国家的历史和生活所确认的情形和行为，并且这些都不是立法者本意所反对的。于是，在该种情况下，法院的责任就是确定制定法语言的范围，看哪些行为虽然是在法律文本中有所体现但却又不是立法者的意图，因此，它就不能得到法律的确认。"[4]

在本案中，联邦最高法院的法官采取的是一种立法者的意图论（intentionlism）的解释方法，本判例也是由此判定了原告胜诉而联邦政府败诉，但是对于这样一个结果很多人持有非议。如现在美国联邦最高法院的大法官斯卡利亚（Scalia）就认为本案中法官的判决是对法律的篡改，因为他是信奉文本论（textualism）的解释方法，而该种解释方法是绝对的承认法律文本的字面的意义，用他自己的话来说就是，"我认为只要是制定法的文字中所包含的行为就应当是制定法的"，[5] 而所谓的立法者的意图是不可靠的，也是不可捉摸的。

在本案中，由于解释者所切入的角度的不同，相同的条文竟然导致了截然不同的后果，真可谓是"失之毫厘，谬之千里"。这并不是美国这一普通法国家所特有的案例，在我国也同样存在。如，在热闹一时的"王海知假买假"案中，《中华人民共和国消费者权益保护法》中"消费者"的含义也让人头痛不已，时至今日，还有人专门撰文要求全国人大常委会对"知假买假"的行为作出界定。方法的重要性由此可见一斑。

当发生一起疑难案件需要我们对法律进行解释的时候，我的问题是，我们需

---

〔1〕 143 U. S. 458 – 59（1892），转引自 Antonin Scalia, *A Matter of Interpretation：Federal Courts and the Law*, New Jesery：Princeton University Press，1997，p. 19.

〔2〕 Id.

〔3〕 143 U. S. 472（1892）.

〔4〕 Id. at 20.

〔5〕 Id.

要解释什么？我们——中国人——的第一个反应也许是，立法者在制定法律的时候，它是怎么说的？它为什么会这么说？如果能够探求到立法者的原意，那么，法律解释的难题不就是能够迎刃而解了？但是，立法者的意图是那么容易获得的吗？退一步说，就是得到了立法者的原意，它真的是那么可靠吗？也许，还会有人会争辩，"文本一旦产生，作者就死了"，伽达默尔的这句话表明：在文本面前，所谓的立法者和阅读者都是平等的主体，那么，不管是立法者、还是执法者，他们都只是理解的一个视角而已，他们之间并不存在着绝对的真理。因此，法律文本的意义最为重要。但是，这个看法也会招致人家的质疑：如果说法律文本的字面意义都能够确定的话，那么我们还有必要再去参考其他的解释方法吗？因此，疑问又回到了起点。以上的疑问表明了在立法者、文本和解释者之间存在着一定的张力，甚至在有些时候他们关系会紧张到水火不相容的地步。那么，法律文本的意义究竟该如何确定？鉴于解释者视角的不同会给法律解释的意义带来很大的变化，故本文将从立法者、法律文本和社会环境出发对法律解释的方法作一分析和归纳，而不仅仅是一个意义的决定与被决定之间的关系。

需要说明的是，本文所选取的一些主要的例子都是来自美国，之所以这么做，是基于以下考虑：第一，中国法院的判决书，往往是一个"不说理"的过程。[1] 因此，旁人就很难从中明白法官在此案中所持的态度和使用的方法。这并不是我个人的主观判断，而是当代中国的法律制度的一个反映；当然，不说理并不意味着现在的法官的判决是无理的，这只是说明中国的制度事实限制了法官的说理，对此，苏力先生有过非常精辟的分析。[2] 也许法官的不说理对于中国的司法实践来说是很"合理"，但是对于旁观者——尤其是爱较真的分析者来说——这是很不利的，这意味着作者在对案例进行分析往往要加入自己的很多想像的成分，而这就丧失了中立的分析立场，因此，作者不得不以已经有定论的美国的判例作为分析的对象；第二，经过几百年的制度实践，美国的法律解释不仅仅是在实践上，就是在学理上也具有很大的代表性，而且许多学者已经对这些案例进行了收集和整理，正是如此，在既有成果的基础上进行研究，对于研究者来说是一条捷径。当然，不选用中国的案例并不意味着这样的案例对于中国就没有意义，相反，在很大程度上还显得很重要，因为当代中国正在进行大规模的制度和法律的移植——虽然有很多人反对移植，而这是一个"后进"的国家在追赶"先进"所不得不进行的选择。正是如此，许多美国的案例——甚至是 100 多年前的案例——对当代中国的审判实践也很有意义。当然，选用美国案例的合理性

---

[1] 苏力："判决书的背后"，载《法学研究》2001 年第 3 期。

[2] 同上。

并不表明不需要对这些案例鉴别，由于两国在制度上的差异，很多东西是无法模仿的，这也是本文所力求避免的。

（二）意图论

意图论（intentionalism）[1] 是法律解释中最为普遍的也是最为原始的方法之一，[2] 一些国家在法典中明确规定了法律解释应当按照立法者的意图进行。[3] 有人认为立法机关是由一些有理性的人以理性的方式行事，只要立法者按照宪法和法律规定的程序进行，那么他们将会制定出对公众有益的法律。[4] 于是，意图解释就是要求解释者解释时要寻找或者复制立法机关的原始意图，作为要解释问题的答案。正是由于这个特征，又有学者称意图论是一种考古式的解释方法。[5]

那么，原意为什么可靠？原意又该怎么获得？

首先，法律是由人制定的，而人是有思维能力的，那么法律就是意识作用下的产物，既然是有意识，那就必定有意图。[6] "而立法行为是立法者的意思行为……立法者透过立法来不表示自己的看法和企图……借助于法律追求他们的社会目的"。[7] 在我国的法律中，第一条必定是首先指明立法意图，如我国的《立法法》第一条规定："为了规范立法活动，健全国家立法制度，建立和完善有中

---

[1] 意图论具有不同的称呼：意图论（intentionalism）、原意论（originalism）和目的论（purposive），但是我在本文中一概以意图论加以统一。关于三者的区别，请参见 H. Jefferson Powell，Rules For Originalists，73 Va. L. Rev. 659，659.（1987），国外也有学者将这三者合而为一的，See Carlos E. Gonzalez，Rethinking Statutory Interpretation，74 N. C. L. Rev. 585，594（1996）。为了研究方便，本文也采取了这种划分方式。

[2] 我国不少学者也赞同此种解释，如"法律解释应该是一种整体性的阐释，是根据法律整体所体现的法律目的或法律整体所进行的解释。"沈敏荣：《我国法律解释中的五大悖论》，《政法论坛》2000年第4期；也有学者认为，"司法机关的职责既是审判，就应当准确地将立法意旨适用于每一件争议"，参见陶凯元：《中国法律解释制度现状之剖析》，《法律科学》1999年第6期。而在张志铭教授列举的九种法律解释的概念当中，就有三种是要求按照立法的意图或者原意进行解释。参见张志铭：《法律解释操作分析》，中国政法大学出版社1999年版，第12~14页。

[3] 如意大利民法典第二章"一般法律的适用"第12条规定："在适用法律时，只能根据上下文的关系，按照词句的原意和立者的意图进行解释，而不能赋予法律另外的意义。"参见《意大利民法典》，费安玲、丁玫译，中国政法大学出版社1997年版。

[4] William N. Eskridge，*Politics Without Romance：Implications of Public Choice Theory for Statutory Interpretation*，74 Va. L. Rev. 275，276.（1998）.

[5] Williamn. N. Eskridge，*Dynamic Statutory Interpretation*，135 U. Pa. L. Rev. 1479，1483（1987）.

[6] 比如在一段时间内常说的"没有无缘无故的爱，没有无缘无故的恨"就是一个明显的例子，此处的缘故实际上就是"意图"。

[7] 黄茂荣：《法学方法与现代民法》，中国政法大学出版社2001年版，第265页。

国特色社会主义法律体系，保障和发展社会主义民主，推进依法治国，建设社会主义法治国家，根据宪法，制定本法。"此处我们即可见到立法者的意图，那就是"为了规范立法活动，健全国家立法制度，建立和完善有中国特色社会主义法律体系，保障和发展社会主义民主，推进依法治国，建设社会主义法治国家"。

其次，立法的原意是可以探究的。既然法律有意图，那么就必定可以通过一系列的方法得以探究。有原意论得以成立的一个前提是立法者在制定法律的时候是以的一个基础就是那么，我们该如何获知立法者的意图？

一般而言，认为依据立法史料就可以"探求立法者在制定法律时所根据的事实、情势、价值趋向、目的等"，[1] 而所谓的立法文献则主要包括"立法过程中的一切记录、文件，如预备资料、预备草案、草案、立法理由书，参与起草部会的有关记录，立法机关之大会及其审查委员会的记录"，[2] 而我国的立法以及司法的实践也多少说明了这一点。

但是，立法真的会形成一个共同的意图吗？而且意图也真的那么可以捉摸吗？很多学者对此表示了怀疑。如果作为个人，那么我们确信我们的每句言语都可以找到其意图，因为人是会思维的动物，人们所作出的每一个行动都是受到大脑的中枢神经系统控制的。因此，我们往往会从个人的意图或者目的出发来考察个人的行为，从而对个人的行为进行褒奖或者贬抑。

但是如果我们将个人的意志放大到一个集体——尤其是放大到一个立法决策的过程当中来，那么答案就并不那么明确了。我们不妨来看这样一个例子：一个小镇的市议会正在为"任何交通工具（Vehicles）都不得在公园中行驶"这一规定而举行表决。而市议会的成员则是由艾丽斯、芭芭拉、查尔斯、戴维和伊迪丝组成。这五位成员基于各自的理由而作了赞同或者否定的表决。艾丽斯认为现在的公园中充斥着各种各样的交通工具，从而会导致许多行人、尤其是儿童的危险系数增加，基于这样的考虑，艾丽斯投了赞成票。芭芭拉也投了赞成票，但是她是从审美的角度反对机动车在公园中行驶，因为在她看来，穿梭不停的机动车会破坏公园的宁静美。查尔斯也投了赞成票，只不过他是基于以下的原因：因为查尔斯和一些人对小镇中日益增多的滑板车感到不满，但是查尔斯个人并不能够阻止那些滑板车在公园中横冲直撞，于是，只有通过制定法律的方式才能杜绝那种行为，而在查尔斯看来，此处所谓的交通工具必然是包括滑板车在内。但是戴维和伊迪丝却对此项决议表示反对。因为戴维是一个滑板运动爱好者，在他看来，

---

〔1〕　张文显主编：《法理学》，法律出版社1997年版，第379页。
〔2〕　黄茂荣：《法学方法与现代民法》，中国政法大学出版社2001年版，第277页。

此中的交通工具必然包括滑板，因此，他的投票必须能够反映那些爱好滑板运动的市民的意愿。伊迪丝也投了反对票，因为她是一个无政府主义者，她反对任何形式的规制，而且她也对以安全为由来禁止交通工具在公园中行驶表示怀疑。当然，投票的结果很快就出来了，以 3：2 的票数通过了该项决议[1]。但问题是，通过该法案，我们能够找到立法者的内在的意图吗？显然，对该问题的回答并不是那么轻松。我们暂且不论赞成票和反对票之间的差别，就是在仅有的 3 票的赞成票中，他们的意图并不是一致，对于反对票来说也是如此。注意，这仅仅是存在一个仅有 5 人组成的市镇议会中，如果我们将这个人数放大到 50、甚至 500，那么会发生什么样的结果？于是，有人认为"意图对于自然人来说是难以捉摸的，对于集体来说则是虚幻的"[2]。

为什么这么说呢？这是有理论支持的。自从上世纪五六十年代以来，以关注政治决策过程为主要目标的公共选择理论提出了一种与传统完全对立的理论：该理论证明了理性的立法者是不存在的，而立法纯粹是一种"无浪漫情调的政治"，其代表人物布坎南认为"公共选择理论以真实的观念替代了原先关于政府运作的浪漫的和虚幻观念"[3]。经过公共选择理论给立法过程的去魅，许多法学家对传统的依据立法意图之上的法律解释理论给予了重新的审视[4]。那么，公共选择理论的内容是什么呢？

公共选择理论是西方经济学中的一个分支，其规范形态是福利经济学中的社会选择。它关注两个焦点问题是：集体行动的难题和偏好汇总的难题。也就是追求自我利益的个人如何组成共同体以及国家或其他共同体如何发现和实现其成员的共同意图[5]。根据公共选择理论，任何个人都是为自己的利益而行动的理性人。具体到立法过程中，所有的议员都是为了自己的本人的利益而行动，根本就

---

〔1〕 对于该案例的具体的描述，请参见 Larry Alexander, All or Nothing at All? The Intentions of Authorities and the Authority of Intentions, Andrei Marmor（ed）, Law and Interpretation, Essays in Legal Philosphy, Oxford：Claredon Press, 1995, p. 357～358.

〔2〕 Frank H. Easterbrook, *Text, History, and Structure in Statutory Interpretation*, 17 Harv. J. L. & Pub. Pol'y 61, 68（1994）.

〔3〕 Buchanan, "Politics Without Romance：A Sketch of Positive Public Choice Theory and Its Normative Implications", in The Theory of Public Choice——II, at 11（J. Buchanan & R. Tollison ed. 1984）, quoted in William N. Eskridge, *Politics Without Romance：Implications of Public Choice Theory for Statutory Interpretation*, 74 Va. L. Rev. 275, 276（1998）.

〔4〕 其中包括波斯纳法官、伊斯布鲁克法官（Frank Easterbrook）、法博教授（Daniel Farber）、弗里科伊（Philip Frickey）, 麻塞（Jonathan Macey）, See William N. Eskridge, *Politics Without Romance：Implications of Public Choice Theory for Statutory Interpretation*, 74 Va. L. Rev. 275, 276～77 （1998）.

〔5〕 郑戈："法律解释的社会构造"，载梁治平：《法律解释问题》，法律出版社 1998 年版。

不存在为了公益这一目的。[1] 因而，决策的结果往往也只是一个各方利益妥协的结果，不可能是存在一个绝对的存有意图的结果。

公共选择理论给法学界带来的冲击是巨大的，甚至有学者认为"公共选择理论已经成了当代法学界的主流"，[2] 而现代社会的政治实践也从另一方面揭穿了立法者意图的神话。如果说早期"立法史至少是真实的而不是人为的——它们是立法史的真实的一部分，在这个意义上，它们是形成议案的一部分，它们是那些试图通过和反对这个议案的努力的一部分。"[3] 但是现代社会则不然。因为现在的立法已经不是原先主权者一人定夺的过程，而是各方力量互相博弈的过程。以美国为例，"三读"是制定一项法律所必不可缺少的一个步骤，而在其间往往会有一些院外集团的游说。那么在涉及到议会辩论、委员会报告、听证、以及其他的一些资料时，法官判定哪些是立法者的意图，哪些又不是立法者的意图？[4] 而且，随着社会分工的发展，政治家的工作也显得越来越专业化了，现代社会再也不会发生如汉密尔顿、麦迪逊那样的政治家在报纸上为自己的政治观点笔耕不辍，许多原先需要职业政治家事必亲躬的事务到现在已经由专业的秘书人员所代劳，比如说政治家的演说辞、或者是议员在议会中的发言。那么，一旦这些事务都是由秘书或者书记员代劳的时候，我们又怎么能够确定这些材料就是属于议员个人的意志？[5] 而法院又该怎样确定这些材料的效力？

于是，有些学者，尤其是文本主义者认为由众多主体构成的立法机关中实际上并不存在真正的集体意图，他们对通过立法史来获得"立法意图"的做法提出了不少的批评。"具有讽刺意义的是，法院越是依赖于立法史，那么他们所取得的成果就是越少"[6] 当然，也有学者和法官则对此持有不同意见。他们认为，即使这些文件是由秘书或者其他人员作出，那么这些材料还是可以成为立法

---

[1] 在布坎南的《同意的计算——立宪民主的逻辑基础》一文中，布坎南认为集体并不是有机的构成，而是由一个个独立的个体构成。而在经济学的视野中，所有的个人的行为都是受到个人私利驱动，他认为这种情况不仅存在于经济生活中，而在政治生活中也同样存在。在他看来，经济选择的理论完全可以适用于政治决策过程。参见〔美〕詹姆斯·M·布坎南、戈登·塔洛克：《同意的计算——立宪民主的逻辑基础》，陈光金译，中国社会科学出版社2000年9月版，第11~34页。

[2] Edward L. Rubin, *BooK Review*, 81 Calif. L. Rev. 1657, 1657. (1993).

[3] Scalia, supra note 10, at. 34.

[4] Stephen Breyer, *On the Uses of Legislative History in Interpreting Statutes*, 65 S. Cal. L. Rev. 845, 845 (1992).

[5] 比如说，有研究表明，绝大部分的议员都不是由他们本人起草那些由他们所作的文件，甚至有研究表明很多议员都不知道自己所签署的文件的真实的含义。参见 Victoria F. Nouse & Jane S. Schacter, *The Politics of Legislative Drafting：A Congressional Case Study*, 77 N. Y. Rev. 575, 585. (2002).

[6] Scalia, supra note 10, at 34.

史的一部分。[1] 他们还举法院中的法官助理制度作为论证的武器：现在法院中广泛存在着法官助理给法官捉刀的现象，但是谁又能否认这些判决书的效力呢？[2] 虽然如此，立法意图论在法律解释方法中的沦落是一个不诤的事实。[3]

（三）文本论

既然立法的意图是靠不住的，或者是说根本就不存在立法者的意图。那么，应该依照什么标准对法律进行解释呢？许多人提出了自己的看法，而在斯卡利亚法官[4]看来，文本论是解释法律的最好方法。

提到文本，很多人首先会想到文字。但是在斯卡利亚看来，文本论（textualism）与基于文字（literal）而产生的字义解释者（literalist）是不同的。字义解释是简单的逐字逐句的一种拘泥于文字的严格解释，但是文本论则不然。因为斯卡利亚他看来，一个文本并不应该被严格解释，也不应该被宽泛的解释，它应当是通过在一定语言结构下的文字本身的平义得到合理的理解。[5] 并且斯卡利亚举了这样他自己所经历的一个案件为例来说明文本论和严格解释的区别。根据美国法律的规定，如果被告人在"参与或者与毒品犯罪有牵连……"的案件中"……使用了枪械"，那么，这就是属于从重的情节。在本案中，被告人用一支没有装有子弹的枪与毒贩作交易，注意，被告人只是想用这支枪来换取毒品。但很不幸的是，联邦最高法院有 6 个法官认为这是属于"在毒品交易中使用了枪械"，于是，该被告就很不幸的被延长了监禁的时间。斯卡利亚本人在这个案件中是属于少数派，因为他认为有"使用枪械"这个词的本意并不是说通过正常的方式就是使用武器，这就好比当我们问一个人"你使用拐杖吗？"一样，这时候我们并不会将一个年轻人用一支拐杖作为玩具而认为他就是"使用拐杖"。在斯卡利亚看来，文本论并不是刻板的适用法律的文字，它也不应该是"固执

---

[1] Victoria F. Nouse & Jane S. Schacter, supra note 35, at 607. (2002)

[2] 关于美国法院中法官助理（Clerks）的作用，请参见信春鹰："法官助理制度：法官职业化的第一步"，载信春鹰编：《公法》（第 3 卷），法律出版社 2001 年版。

[3] 据埃斯科里奇教授统计，美国联邦最高法院通过立法史的参考从而得出立法意图的判决已经从 1986 年的 7% 下降到 1991 年的 2%，See William N. Eskridge, supra note4, at 227. 而波普金教授（William D. Popkin）也认为意图论的黄金时期是 20 世纪六十年代以前，See William D. Popking, *Statutes in Court：The History and Theory of Statutory Interpretation*, Durham：Duke University Press, 1999. p. 115. 。

[4] 安东尼·斯卡利亚（Antonin Scalia），文本论的主要代表人物之一，1986 年被里根总统任命为联邦最高法院法官。关于斯卡利亚学说或者观点，可以在美国最高法院史网站中找到 http：//www. supremecourthistory. org/myweb/justice/scalia. htm。

[5] See Scalia, supra note 10, at 23.

的”、“没有想像力的”、“呆板的”，也应该与时代的需求相适应。[1] 因为严格解释是要严格的遵守法律的字面意义从而对法律进行解释，而文本论则是在遵守字面意义的前提下，然后还要根据上下文的语境，从而对达到对法律的理解。

但是，适应时代的需要并不意味着文本论就不受文字的约束。而这就是文本论者与立法意图论者的最大的去别。在文本论者看来，适用时代的需要只能从文本本身获得，而不能通过其他的方式去获得，比如意图论者的通过立法资料，或者是进化论者的根据同时代人的需要。在斯卡利亚看来：“一个好的文本主义者不会过于呆板的而不去追求制定法所设计的或者是可能设计的社会目标，它也不会服务于这个目标；他也不会过于死板而不能认识到新法律在新时代的需要。他只需要坚持这样一个信念，那就是法官并没有权力去追求这些这么宽泛的目标或者是重新理解这些法律。”[2]

为什么呢？在文本论者看来，法治社会是受法律的统治，而不是受人的统治，因此，我们不必受立法者的统治，遑论那个子虚乌有的立法者意图。斯卡利亚对意图论的否定表明他对法律史料的作用持怀疑态度，他认为法律解释过程中的惟一依据就是已经制定的法律文本以及与该文本相关的法律。[3] 斯氏本人认为法治社会就是要遵守公开制定的法律，而所谓的文本并不代表任何人的意图。[4] 正是如此，德沃金认为文本论其实就是一种法律形式主义（formalism）。[5] 对此，斯卡利亚本人毫无意见，并且认为这是对文本论的最无想像力的批评，[6] 因为在某种程度上现代法治的一个最根本的要求就是要通过形式化的法律来对社会进行治理。[7] 而所谓的形式仅仅意味着“追求一种具有普遍性、

---

[1]　Ibid.

[2]　Ibid.

[3]　比如斯卡利亚大法官在 1992 年 3 月的一个异议中写道：“惟一可信的可被合法采用的资料——确切的说——是法律的文本，其余的资料都是有必要保持怀疑。”参见美国最高法院史网站中关于斯卡利亚大法官介绍 http：//www. supremecourthistory. org/myweb/justice/scalia. htm.

[4]　John F. Manning, *Textualism As a Nondelegation Doctrine*, 97 Colum. L. Rev. 673, 696 （1997）.

[5]　如德沃金就是以新形式主义来形容斯卡利亚的哲学立场，See Ronald Dworkin, Must Our Judges Be Philosophyers? Can They Be Philoshpers? Http：//www. culturefront. org/culturefront/dworkin. html.

[6]　See Scalia, supra note 10, at 25.

[7]　昂格尔认为，在现代西方法治的历史上，有一个压倒一切并包容一切的问题，即法律中的形式问题。参见［美］昂格尔：《现代社会中的法律》，吴玉章、周汉华译，中国政法大学出版社 1994 年版，第 189 页。而“形式主义”法律，其要求在于：将法律与法律外的思量区别开来。非形式的法律具有这样的特点：法律问题与非法律问题（如道德问题）处于不分离状态，人们总是有意识或无意识地把它们纠缠在一起进行考虑，混淆法律内的合理标准与法律外的合理标准。

自治性、公共性和实在性的法律"。[1] 具体到法律解释的过程之中，则是要求通过对文本的理解，而不去考量立法者的意图，这恰恰表明了对公开制定的法律的遵守，因为那些所谓的立法者的意图是隐藏于文字的背后而不被绝大多数的公众所知悉，从这个意义上说，选择文本论就是选择形式化的法治。

从这个意义上说，文本论偏重于法律解释的确定性和客观性，因而在很大程度上分享了现代社会与民主政治和法治相联系的正当性的资源。[2] 也正是如此，文本论在法院审判过程中获得了广泛的支持。[3] 在有学者看来，它至少有以下三个作用：

第一，由于缺少了意识形态的分歧，而对法律文本这一客观存在物的专注将有助于法官在工作上更加合作；

第二，由于律师知道法官将依照法律的文本作出判决，那么法官的判决将更具有稳定性，从而有助于法官对法律职业的引导作用；

第三，对法律文本的遵守将更能维护法治的正当性和分权的政体。[4]

但是，这并不是说文本论并没有自己的软肋。有学者指出文本论者认为法官是如实验室的精密机器一般遵守法律这一前提就是错误，而英美法的实践更是证明了法官实际上并不仅仅是发现法律，而且还是创制法律。[5]

正是如此，如果以为文本论能够解决所有的疑难案件，那就高估了文本的力量，或者说是低估了现实中其他因素的复杂性。文本论要发挥最大的作用，需要这么几个前提条件：首先，语言——尤其是文字——能够与现实生活的一切一一对应；其次，法律的逻辑是能够自给自足的，也就是无论社会生活发生什么案

---

〔1〕 ［美］昂格尔：《现代社会中的法律》，吴玉章、周汉华译，中国政法大学出版社1994年版，第189页。

〔2〕 See Frank H. Easterbrook, *Textualism and Democratic Legimacy：Textualism and the Dead Hand*, 66 Geo. Wash. L. Rev. 1119（1998）；or See JERRY L. MASHAW, *Textualism，Constitutionalism，and the Interpretation of Federal Statutes*, 32 Wm and Mary L. Rev. 827,（1991）. 当然也有对文本论持怀疑态度的，See Jeffrey Rosen, *Textualism and the Constitution：Introduction*, 66 Geo. Wash. L. Rev. 1081（1998）, Peter L. Strauss, *The Courts and the Congress：Should Judges Disdain Political History？*, 98 Colum. L. Rev. 242（1998）；相关中文论述请参见张志铭：《法律解释操作分析》，中国政法大学出版社1999年版，第48页。

〔3〕 与文本解释相关的一个因素是斯卡利亚经常采用词典的含义对语义进行解释。据统计，近年来借助词典解释解决诉讼的观点急剧增加。在1958年到1983年间，最高法院引证词典仅25次，但1987年到1992年，最高法院引证词典年均不少于15次。参见焦宝乾："文本论：一种法律文本解释方法的学说考察——以美国法为中心"，载陈金钊、谢晖编：《法律方法》，山东人民出版社2002年版。

〔4〕 David Tucke, *Textualism：An Australian Evaluation of the Debate between Professor Ronald Dworkin and Justice Antonin Scalia*, 21 Sydney L. Rev. 567, 596.（1999）.

〔5〕 Stephen A. Plass, *The Illusion and Allure of Textualism*, 40 Vill. L. Rev. 93, 100.（1995）.

件，均可依照逻辑方法从现在的法体系中获得解决，不存在如哈特所说的"空缺状态"（the open texture of law），也就是法"必须主要的指向多类人、多类行为、事务和情况"；法对广泛社会领域的成功运作取决于把个别行为、事物和情况认定为法所作的一般分类的实例这样一种广泛扩散的能力。"〔1〕 最后，法律的听众，或者说是受众需要具备相同的经历和知识背景，这样，面对同样的语词，大家才会具有同样的理解力。如果能够满足以上三个要求，那么，文本论就能够解决所有的疑难案件。

但不幸的是，以上的三个条件在现实中都不具备。首先，现代的语言学研究表明，在词与物之间并不具有那么必然的联系。甚至在有些时候，两者之间具有一定的紧张关系。而且很多时候，同一个词汇在不同的时代就会被赋予不同的意义。比如说"人民"一词，在不同的时期就具有了不同的意义。具体到法律中来，我们也会发现这样的困惑。比如说在我国的民事诉讼法中规定"各民族都有使用本民族语言、文字进行民事诉讼的权利。"〔2〕 那么，在这环境下，我们首先会遇到这样的问题，什么是"中国的各民族"？是不是仅仅指汉、满、回、蒙等在内的 56 个民族？如果是那样的话，一个原先是外国籍的但现在已加入中国国籍的人（非华裔），他/她又是属于什么民族？那么他/她的民族语言又是什么？虽然现在中国的法律认为中国是由 56 个民族构成，但是谁能够保证在以后的时间中这 56 个民族会发生流变呢?〔3〕 历史上并不缺乏这样的例子，很多在历史上强大一时的民族到现在已经不见踪影，比如说辽王朝的建立者契丹族现在已经不见踪影了。文字的出现使得人与人的交流成为可能，但是文字的出现也带来了另一个困惑，那就是文字的表面涵义与它所要阐明的目的之间总是存在一定的脱节。任何的成文法都是以文字为依托的，文字的局限性也就不可避免的带到了成文法中。"只要语言的发展还不足以表达一般性规则，就不存在任何能够传播这些规则的其他方法"，〔4〕 而这是文本论者致命的缺陷。

其次，法律中的逻辑并非是自足的。法律逻辑自足是概念法学的一厢情愿，而那种盼望发明一种能够"投入的是法条和事实，吐出的是判决结果"则是该种思想的集中体现。事实上，社会事实千变万化，法律制度中广泛的自由裁量的存在。而且在很多时候，在不同位阶的法律中经常会发生冲突。无论文字是多么

---

〔1〕 ［英］哈特：《法律的概念》，张文显等译，中国大百科全书出版社 1996 年版，第 124 页。

〔2〕 参见《中华人民共和国民事诉讼法》第 11 条。

〔3〕 有学者还对中华民族的"民族融合"作了反思，参见麻阳："对于'民族融合'话语画镜的反思"，载《战略与管理》2002 年第 5 期。

〔4〕 ［英］弗里德里希·冯·哈耶克：《法律、立法与自由》（第 1 卷），邓正来译，中国大百科全书出版社 2000 年版，第 120 页。

严谨，但是在生动的社会事实面前，那些所谓的理论总是会黯然失色。

而要让法律的受众具有相同的知识背景和经历则更是勉为其难。早就有研究表明，个人在阅读特定的文字时，总会将自己的"前见"带到自己的理解之中，所谓的前见"是一种长期学习过程的成果，这个过程包括其法学养成过程，也包含其后他藉着职业活动或职业外的经验取得的知识，特别是与社会的事实及脉络有关的知识"。[1] 因为在很多时候文字并不能自己陈述一切，文字在很多程度上是需要阅读者的理解，不是说"一千个读者就有一千个哈姆雷特"吗？虽然法律的语言较为严谨，力求避免歧义，但是"智者千虑、必有一失"。比如说德国联邦最高法院就曾经为"盐酸是不是武器"而发生过争论，而根据考夫曼的分析，之所以会对盐酸是否是武器产生争议，只有把这个行为的前理解为可能是严重抢劫案，才会遭遇这个问题。假如人们是另外地看待此案，如，将其"前理解"为企图谋杀，那么，盐酸是不是武器的问题，完全无甚意义。[2] 而我们知道，不同的知识背景、不同的人生经历对一个人的理解力则会发生很大的影响。当我们今天谈论"饥饿"这个词时，80 年代出生的人与 50 年代出生的人所作的反应一定不一样，而有些 90 年代的出生的人或许不知道饥饿为何物。

正是这些问题的存在，导致了文本论者在解释法律的时候也不能将这个原则一以贯之，斯卡利亚本人对许多案件的判断也表明了这一点。[3] 虽然斯卡利亚力求文本论与"新法律在新时代"的需求相吻合，[4] 但是，如果仅仅依靠文本本身而不借助外部的力量，这还只是一个高贵的梦。

（四）动态论

既然立法者的意图不能统治文本的意义，而文本又不能自足，那是不是意味着作为裁判者的法官在解释法律的时候不受约束？那么，法官应该依照什么样的

---

〔1〕 ［德］卡尔·拉仑兹：《法学方法论》，陈爱娥译，台湾五南图书出版公司 1996 年版，第 99 页。

〔2〕 案情大致是这样：一个男人将盐酸泼在一位女收款员的脸上，然后抢走了钱盒。关键的问题是，盐酸是不是为严重抢劫含义上的"武器"，如果是，那么，则犯罪嫌疑人就是重罪，反之则不然。联邦最高法院在此案中认定盐酸为武器，但遭大多数人反对。于是，立法者将该条"行为人……携带武器进行抢劫……"修改为"……携带武器或别的危险工具，用其他的工具或手段……"，争议才告平息。参见 ［德］阿图尔·考夫曼、温弗里德·哈斯默尔主编：《当代法哲学和法律推理导论》，郑永流译，中国政法大学出版社 2002 年版，第 183 页。

〔3〕 比如说斯卡利亚在 Bob Jones University v. United States 案中的判决表明，他也是一个不坚定的文本论者，See William N. Eskridge, & Philip P. Frickey, *Statutory Interpretation as Practical Reasoning*, 42 Stan. L. Rev. 321, 340. (1990); Stephen A. Plass, *The Illusion and Allure of Textualism*, 40 Vill. L. Rev. 93, 100. (1995); David M. Zlotnick, *Justice Scalia and His Critics：an Exploration of Scalia's Fidelity to His Constitutional Methodology*, 48 Emory L. J. 1377. (1999)

〔4〕 Scalia, supra note 10, at 25.

方法解释如何解释法律？而方法的不确定性是不是意味着法官在解释法律的时候可以为所欲为，不受约束？

实际上，并没有人声称可以靠一个方法包打天下，而方法之间实际上也并不是水火不相容，毋宁是一种"融合"的过程。[1] 而在众多的学说当中，美国学者埃斯科里奇教授的动态法律解释（dynamic interpretation）理论是集大成者。[2] 所谓动态的法律解释，乃是指对制定法进行解释的时候要依据"社会的、政治的和法律的语境（legal context）"来进行。[3]

在埃斯科里奇看来，原先的所谓的原意解释和平意的解释前提是将制定法看作是静态（static texts）的而且文本的意义固定的，这就意味着后来的法官在解释法律的时候要受先前的立法者的意图的控制，但这是对现实的一种误读：实际上不仅仅是宪法、还有普通法的解释都不仅仅是为了发现原意而存在。[4] 在他看来，文意是不固定的，且总是要与具体的环境联系在一起，而且随着岁月的变迁法律的范围和意义都会发生变化。[5] 当一部法律历经几百年之后，我们还期望原先的意义还能够统治现代的我们的行为吗？一部两百多年前的法国民法典至今还在规范着法国的最基本的民事行为，但是我们能够肯定现在的行为是与立法者当初所预想的一致吗？如果非要强求现在的行为要适用于两百多年前的法律，这是不是一种削足适履？正是如此，"（法律）解释并不是静态的，而是动态的。法律解释并不是考古发现，而是辨证的创造。解释并不仅仅是对历史的细微之处的注解（exegesis），而是一种将过去的意义适用于当代的问题和环境的诠释

---

〔1〕 张志铭教授认为："在解释活动中，立法原意、法律语义和解释者的理解是三个不可相互替代的因素，它们构成三种不同的'视界'，在确定法律文本的意思时，它们之间的关系是互相制约、互助互动的融合关系，……解释的最终结果是立法者、法律文本和解释者之间的'视界融合'，你中有我，我中有你……这种对法律解释的认识，可以称之为'融和说'或'融合模式'。"参见张志铭：《法律解释操作分析》，中国政法大学出版社 1999 年版，第 57 页。而在世界范围内，大陆法系的解释方法逐渐从严格解释过渡到自由解释，而英美法系也存在着从从严解释到从宽解释的过渡，参见郭华成：《法律解释比较研究》，中国人民大学出版社 1993 年版，第 26～30 页，第 51～54 页；孙笑侠：《法的现象与观念》，山东人民出版社 2001 年版，第 222～229 页。

〔2〕 埃斯科里奇教授（Williamn. N. Eskridge）现为美国耶鲁大学教授，在法律解释问题上他的论著颇多，并且有着很高的引注率，是动态法律解释理论的创立者，其代表作是有关《动态法律解释》一书，See Williamn. N. Eskridge, supra note 4. 有关该教授的中文资料，可参见李洪雷："法律解释中的真理与方法——加达默尔诠释学与法律解释"，载《法大评论》第 2 卷，中国政法大学出版社 1993 年版，也可参阅耶鲁大学埃氏的个人网页 http://www. law. yale. edu/outside/html/faculty/wne2/profile. htm。

〔3〕 Williamn. N. Eskridge, *Supra note* 21, p. 1479.

〔4〕 See Williamn. N. Eskridge, *Supra note* 4, p. 9.

〔5〕 Ibid.

(hermeneutics)"[1] 我们知道，法律解释和法律诠释是不同的。从根本上说法律解释学归于认识论范畴，而法律诠释学是属于本体论的。[2]

为了让过去所制定的法律能够更好的反映当代人的生存状态，达成对动态的社会理解，动态法律解释理论在解释法律的时候追求的是一种方法论上的无政府主义，实际上埃斯科里奇本人也认为在实践中法官并不总是受到某种宏大理论（Grand theory）的影响，而实践中的律师也不会仅限于某种方法，他们的方法往往是折衷的，而在埃氏来看这是解释法律的最好的方法。[3] 同时在埃氏看来，动态法律解释理论中的法律甚至是一种"超制定法"（Super-statutes），也就是一种并不局限于静态的法。[4] 这意味着在所谓的法律在动态法律解释者的眼中并不是固定不变的，只是达成合理的审判目标的一个方法而已。

埃斯科里奇的动态法律解释理论主要集中在《动态法律解释》一书中，在该书中埃斯科里奇详细的阐述了他的理论，下面我将就动态法律解释理论作一简要的介绍。埃氏的理论主要由三个部分构成：

1. 实用的动态主义（Pragmatic Dynamism）。这主要是指制定法要适应变化了的环境。实用主义认为法律的文本并不是封闭的，而且法律文本的意义会随着周围环境的变化而发生变化，于是在法律解释上就不可能仅限于一种方法，从这个意义而言法律解释是一种实践理性（Practical Reasoning），并且埃斯科里奇在这个部分详细的分析了各种方法在法律解释中所处的位置。

由于程序的限制，制定法律需要一定的时间，而且法律文本的表现方式是原则和抽象的，但是适用法律的环境却是明确的和具体的，几千年前的亚里士多德就曾表示，当法官将一般性的规则适用于立法者未经预见的案件的时候，解释者应当"纠正这种疏漏——那就应当假设立法者在现代将会怎么理解，并且将法律视为是解释者已经明白"。[5] 而动态的法律解释理论正是以此为其理论的基点。因为法律所生存的环境已经与法律制定得时候不相一致了，正是如此，法律制定者的预期总似乎不能与变化了的环境相一致。所谓在法律解释上就不可能仅

---

[1] Williamn. N. Eskridge, *Supra note* 21，p. 1483.

[2] 郑永流教授从"学科基础、主客体关系、解释对象、法官角色"等九个方面对法律诠释学与法律解释学的关系进行了区别，参见郑永流："出释入造——法律诠释学及其与法律解释学的关系"，载《法学研究》2002 年第 3 期。

[3] William N. Eskridge & Philip P. Frickey, *Statutory Interpretation as Practical Reasoning*，42 Stan. L. Rev. 321，321～22（1990）.

[4] 关于超制定法的内容，See William N. Eskridge & John Ferejohn，*Super-Statutes*，50 Duke L. J. 1215，1216（2001）.

[5] Aristole，The Nicomachean Ethics，bk. 5，chap. 10（W. D. Ross，trans.，revised by J. O. Urmson，rev. Oxford ed. 1984）. 转引自 Williamn. N. Eskridge, *Supra note* 4，p. 9.

限于一种方法，在这个意义上而言法律解释是一种实践理性。而埃斯科里奇和弗里科伊（Philip Frickey）在观察了美国联邦最高法院的判决之后以实证的资料得出了他的判断，实际上联邦最高法院并不仅仅是以一种视角来解释法律。[1]

2. 诠释学意义上的动态主义（Hermeneutic Dynasmism）。在这个部分主要是从解释者的批判性视角而言。哲学诠释学在分析了当代的读者和历史的文本之间的关系之后得出结论，认为不同的读者对同样的文本具有不同的意义，而文本和读者之间是具有一定的紧张关系。法律作为一个过去留给现代的文本，其意义也会随着读者的不同而发生变化，因此，从解释者的角度对法律进行观察就显得很有必要。而动态法律解释的诠释学模式则表明：从历史的角度、文本的角度和进化的角度分析之后我们会发现法律文本的意义并不总是一直不变，它们还会发生一定程度的断裂。[2]

3. 制度性的动态主义（Institutional Dynamism）。由于法律解释总是处在一定制度框架之中作出的，那么制定法解释实际上是一项前后连续的过程（Sequential Process）。

从实践的视角和文化的视角表明了法律解释是一动态的过程之后，埃氏从政治的视角来对法律的动态性做了一个阐释。在他看来，我们应该停止那种仅仅将法律解释从最高法院这个角度进行分析的做法，取而代之的是一种"从下往上"（Bottom - up）的视角，这种做法是以诉讼当事人、代理人和下级法院为视角，因为有证据表明一个案件的结果往往是与下级的行为紧密联系的，如果没有他们，那么这起案件就不会提交到法院，而下级法院的态度对上级法院的判决也是很有影响力的。如果我们采取的是"自上而下"（top - down）的视角，我们就会发现：实际上法院并不是处于最高层，处于金字塔尖的是同时代的国会和总统，而国会和总统不顾（override）最高法院的判决能够影响或者限制最高法院解释制定法的行为。

从"自下而上"和"从上往下"这两个角度，我们知道了实际上并不仅仅是只有法官在解释法律，实际上法律的解释者还包括普通公民、利益集团和行政机关。而解释者的多样性表明法律并不仅仅会随着时间的流逝而发生语言的变异，而从不同的角度观察法律也会降低法律意义的相似性。也许最为矛盾的是，法律解释将会通持续的政治博弈（sequential political game）而终结，作为动态的法律解释，也许司法机关会更加偏重同时代的国会和总统的意见，而不是那些

---

[1] Id. p. 50 - 57.
[2] Id. p. 58 - 68.

历史视角所倚重的法律的最初的原意。[1]

埃斯科里奇教授正是从这三个知识传统——实用主义、诠释学和实证的政治理论（positive political theory）——来解释了法律的动态解释。通过以上的分析，我们大致可以得出这样的看法。

动态法律解释理论表明法律是一个开放的文本，从不同的角度出发就会产生不同的意义，从社会变迁的角度看这确实是正确的描述了法律解释的现象。但是，它始终没有回答这个问题：在相同时代，动态的法律会不会造成法律解释的不确定性？而这是不是与法治所要求的预期相背？

同时我们应该看到，动态法律解释与美国的法律制度很有关系，或者是说该理论只是局限于三权分立的国家。试以美国为例，美国最高法院的公共政策功能，实际上扮演的是一种准立法的角色，正是如此，才会有立法机关、行政机关和司法机关会在同一平面（Horizons）上观察法律的可能。[2] 但是如果将这一理论套照搬到中国，那么所谓的动态理论也只能是变成一个僵硬的外壳。因为中国的权力体制是属于简单的决定与被决定的关系，法院只是处于权力结构的边缘，法院的决策还远未达到让立法机关遵守的地步。

如果将文本论与动态法律解释相比较，我们不难发现，文本论注重从法律自身的逻辑和文义等方面来解释法律，但是动态法律解释并不如此，显然是"功夫在诗外"，它总是借助于政治或者社会话语来寻求法律结果的正当性。而埃氏本人在阐释动态法律解释理论的时候也是要尽了三十六般武艺，这样作的一个好处是能够促进学科之间的融合，但是理论的全面性并不能解释实际中审判视角的单一性。如果审判实践中法官如果是借助外部视角来对法律进行解释，那么该解释的正当性是很受质疑的。而且，追求外部话语来寻求解释的正当性也不会有助于建构一个独立的法学体系话语，[3] 而这在当代中国的司法实践中表现的尤为明显。

而且在我们看来，只有将动态的法律解释放在一个大的历史场景中的时候，我们才能够理解这个方法的意义。但是法官个人在解释法律的时候却不是动态的，总是要遵循一定的方法。所以我们观察到：在审判实践中很少有法官宣称自

---

[1]　Id. p. 69 – 80.

[2]　Id. p. 9.

[3]　强世功："宪法司法化的悖论——兼论法学家在推断宪政中的困境"，载《中国社会科学》，2003 年第 2 期；外文可参阅 Sanjay Mody, *Brown Footnote Eleven in Historical Context：Social Science and the Supreme Court's Quest for Legitimacy*, 54 Stan. L. Rev. 793 (2002).

己是坚持动态法律解释理论，[1] 在我看来它只是学者的一种关于法律解释的理论而已，并不能成为法官在解决实际法律纠纷时候解释法律的方法。

（五）小结

以上我们简要介绍了关于法律解释的几种主要的方法，但是有心的读者一定会发现，虽然本节的主题是"作为方法的法律解释"，但是我对具体的方法的具体的介绍却是着墨不多，而是把更多的篇幅花在了为什么采用这个方法，或者是采用这个方法的正当性的介绍上。之所以这么做，是有理由的。在我看来，所有的方法都是为了一定的目的而存在的。世界上没有脱离目的的方法，具体到法律解释的方法，最重要的就是涉及法律解释方法的正当性的问题。如果一种方法存在正当性的危机，那么藉希望解决的问题也是徒然。而历史和实践都表明，方法的正当性是极端重要的，比如说在当代中国如果有法官宣称要采取动态的方法来解释法律，那么我们会发现这些方法都是"镜中花，水中月"，因为当代中国的制度事实并不允许存在这样的解释方式。

通过对这几种解释方法的梳理，我们至少可以得到以下几个结论：

首先涉及到具体的法律问题，也许并不存在着一以贯之、放之四海而皆准的方法，在不同的时候、不同的环境下对同一个问题，或者是对不同的问题，总会用不同的方法来解决，所谓的"兵无常势"是也。但是，方法的变化不定并不意味着法官判决的不可确定性。这是因为：

第一，解释难题的总是发生在遇到所谓"疑难案件"的时，而在一般情况下，律师、当事人和法官是不会和学者一样拿那些粗放型的法律条文较真的。而在绝大部分的情况下，公众对同一个法律条款总是保留着共同的预期。虽然在学术探讨上经常会出现那么多的疑难案件，但这并不是社会生活的真实反映。因为学者在讨论问题的时候，总会放大一些常人所忽视的问题，也许这是学术的贡献，但是对于社会实践来说却是如一池平静的春水而可以忽略。即使在现实中存在很多疑难的案件，也并不会一定通过法院审判的方式得以解决，有学者的研究

---

〔1〕 这只是笔者就小范围的阅读之后所得到的一个印象，匿于外文文献的缺乏，必定存有疏漏。如有实证资料，敬请指正。

表明，在司法实践过程中存在着经济学意义上的"逆向选择",[1] 而逆向选择的现象表明，由于信息的不对称，那些最为难办的案件也许并不是通过法院审判得以解决，而是当事人双方通过其他的更能够接受的、对其更为有利的途径得以解决，也许是和解、或许是调解。

第二，虽然解释的方法是不定的，但是这并不意味着法官的判决结果是飘忽不定。一个法官在解释法律的时候，仅仅有方法是不够的，而且任何方法都不存在不证自明的正当性，因此法官在解释还要注意通过该方法所得出的结果能不能被整个社会所接受。对于同样的一个案件，在不同的国家可能会有不同的判决结果，同样的结果在不同的国家也会有着不同的反响。比如说："胎儿拥有自己的权利和利益吗？如果是，这些权利中有包括免于被杀害的权利吗？甚至继续怀孕会引起母体的不利或者是伤害到母体的时候还是否享有这项权利？如果不是，那么各州的禁止或者是规制堕胎的正当性何在？"[2] 在美国，这决不是一件简单的刑事或者民事的案件，其中还涉及到整个宪政制度，比如说罗伊诉沃德案（Roe v. Wade）就波及美国朝野，成为该国政治斗争中的一个焦点，比如说在共和党的执政期，历届总统都将推翻罗伊判例作为他们在任期那的主要政治目标之一，而在大选中，关于堕胎合法与非法的争论更是党派竞争的焦点话题。[3] 但是如果在中国的话这根本不是一个问题，很难想像在我们的法官会断定"堕胎"是违法，是属于一种谋杀行为。但是而法律解释方法的选择会对结果的产生决定性的因素，而这又是关乎他人、甚至整个社会的利益。因此，解释方法的选择不可能是脱离具体的文化背景和制度框架，正是如此"它不应该也不可能只是解释

---

〔1〕 张维迎、柯荣柱："诉讼过程中的逆向选择及其解释——以契约纠纷的基层法院判决书为例的经验研究"，载《中国社会科学》2002 年第 2 期。Akerlof 在 1970 年的旧车市场模型开创了逆向选择理论的先河（参见 Akerlof, "The Market for 'Lemons': Quality Uncertainty and the Market Mechanism". Quarterly Journal of Economics, vol 84, issue 3, 1970）。其内容大概是这样：在旧车市场上，逆向选择问题来自买主和卖主有关车的质量信息的不对称。卖主知道车的真实质量，买主不知道，只知道车的平均质量，因而只愿意根据平均质量支付价格，但这样一来，质量高于平均水平的卖主就会退出交易，只有质量低的卖主进入市场。结果导致了市场上出售的旧车的质量进一步下降，买主愿意支付的价格也就进一步下降；更多的较高质量的车退出市场，依此类推。这种逆向选择效应广泛地存在于经济现实之中。Akerlof 本人因为这方面的开创性贡献而获得 2001 年的诺贝尔经济学奖。

〔2〕 Ronald Dworkin, "Must Our Judges Be Philosophyers? Can They Be Philoshpers?", See Http: //www. culturefront. org/culturefront/dworkin. html.

〔3〕 关于此案，中文资料可参见方流芳："罗伊判例中的法律解释问题"，载梁治平编：《法律解释问题》，法律出版社 1998 年版。外文资料可以参见 Burton M. Leiser, *Values in Conflict: Life, Liberty and the Rule of Law, Macmillan* Publishing Co., Ing, pp. 30~94, Danel A. Farber, William N. Eskridge, Philip P. Frickey, *Cases and Materials on Constitutional Law: Themes for the Constitution's Third Century*, St. Paul: West Publishing Co. 1993, pp. 503~535.

者个人对法律的一种理解和认知活动，而更应该是解释者在一定的制度框架和法律文化传统中所从事的一种规范化操作"，[1] 它更应该考虑到特定制度框架和文化背景的人通过该方法所得到的结果的可承受力。从这个角度而言，法律解释的方法又是确定的。

第三，合理的审级制度确保了法律解释方法的确定。现代诉讼制度的一大特点就是具有合理的审级制度，通过上诉和再审，导致了在一定区域内对于具体的案件法官的解释方法的采用是一定的。因为对于同样的案件，作为上级法院总是想以一个统一的面貌出现，从而保持方法和结果上的一定的确定——这在法官身份不甚独立的中国来说更是如此，法官个人的影响总是尽可能的降低到最低的限度，因此它会尽可能的推翻下级法院中与其不一致的案件。这种制度对于保持区域内的方法的确定具有很大的作用，如果用动态的眼光去看的话，我们会发现这样的区域会随着审级的不断上升而逐渐扩大。由于涉及到各种利益，下级法院的法官总是出于各种各样的考虑，尽量不让自己的案件被上级法院所推翻，这样做的一个后果可能会导致下级法院丧失自己的判断立场，但是从另一个角度看，这何尝又不是保持法律解释确定的一种方式？

其次，方法的多样性表明了在立法者、解释者和文本之间并不存在着简单的绝对的决定和被决定的关系，它们的关系毋宁是一种开放的而且相互融合的过程。动态的法律解释理论深刻的表明了这一点。但是需要注意的是，虽然从外部视角看法律解释是一个开放而相互融合的过程，但是具体到司法实践中的个案，法律解释的正当性资源只能够从法律体系的内部获得，而这往往是我们过去所忽视的。

最后，也许是最重要的，从表面上看，对法律方法的追求是为了获得语义上的一致性，但是如果作深层次的探究，我们会发现意义并不在于此，实质上对方法的追求主要是为了获得一种论证的正当性。接下去我们会发现在每种解释方法的背后都隐藏着一定的权力话语，或者是受到一定的制度事实的钳制。而这，恰恰是本文在下一部分所要探讨的问题。

二、作为制度的法律解释

（一）问题的由来

1999 年 6 月 26 日，也就是中华人民共和国香港特别行政区成立二周年的纪

---

〔1〕　张志铭：《法律解释操作分析》，中国政法大学出版社 1999 年版，第68页。

念日即将来临之时，全国人民代表大会常务委员会颁布了对《香港特别行政区基本法》第 22 条的解释，而这项解释否决了香港特别行政区终审法院对入港居留权案件所作的解释。为此，此前存在的关于"入港居留权"而引发的法律上的争议终于以中央政府的出面干预而结束。但是，案件的终结并不意味着对此的争议也告平息，相反，却有愈演愈烈之势。尤其是来自学界——香港的学界——的不同声音却从来没有停息过。[1]

现在我们来回顾这起事件，并不是在事件已有定论之后来做事后诸葛，更不是对全国人大常委会解释法律的正当性提出质疑。本文只是想提出这样的疑问：法律解释仅仅是方法吗？如果仅仅是方法问题，那么，全国人大常委会和中央政府值得为之大动干戈吗？显然，这也不仅仅是有学者所认为的内地的以大陆法系为传统的理念和香港特别行政区以普通法为传统的解释理念的碰撞。两地的法律理念固然有差异，但，为什么仅仅会在这事件上体现并且爆发？

所以，在我看来这场冲突毋宁是两个制度的冲突，是以立法机关为主体的法律解释制度与以普通法院为主体的法律解释制度的冲突。如果我们从这个角度对法律解释进行分析，我们会发现，法律解释并不仅仅是一种方法，同时它还是一种制度，一种实实在在的但又经常被人所忽视的制度。

何谓制度？为什么要将法律解释放在制度的视野中进行理解？对此，我们有必要先来讨论一下什么是制度。制度是人们常常讨论的一个话题，不过要对制度进行一个准确的定义却并不是一件很容易的事。[2] 一般而言，中文所说的"制度"可以从两个方面进行理解：第一，要求大家共同遵守的办事规程或行动准则；第二，在一定历史条件下形成的政治、经济、文化等方面的体系。[3] 第一层意义上的制度在英语中可以用"institution"来表示，比如现在被大家广为关注的制度经济学就是研究"经济学以及制度在经济生活中的作用"，此处的制度所指的就是"由人制定的规则"，而制度的主要作用就是"抑制人际交往中可能

---

〔1〕 大陆学者的看法似乎以肖蔚云先生的意见为代表，主张香港终审法院无权解释基本法。请参见肖蔚云："略论香港终审法院的判词"，载《浙江社会科学》2000 年第 5 期；而香港的学界则表示了相反的看法，具体可参见林来梵：《从宪法规范到规范宪法：规范宪法学的一种前言》，法律出版社2001 年版，第 390 页；陈弘毅：《法理学的世界》，中国政法大学出版社 2003 年版，第 334 页。

〔2〕 如康芒斯所言："要给所谓'制度经济学'规定一个范围，颇有困难，因为'制度'这个名词的意义不确定。有时候一个制度似乎可以比做一座建筑物，一种法律和规章的结构，正像房屋里居住人那样，个人在这结构里面活动，有时候它似乎意味着居住人本身的'行为'。有时候凡是古典或者快乐主义经济学以外的、或者是对他们批评的东西，都被认为是制度的。"〔美〕康芒斯：《制度经济学》（上册），于树生译，商务印书馆 1962 年版，第 86～87 页。

〔3〕 参见《现代汉语词典》，商务印书馆 1996 年版，第 1622 页。

出现的任意行为和机会主义行为"〔1〕第二层意义上的制度相当于英语世界中的"system"，它指的是一个体系，如平常所说的法律制度实际上指的就是法律体系。〔2〕

本文所指的"制度"首先是从"体系"上进行理解，通过本文的研究，我们会发现一定制度下的法律解释与一个国家的政治制度密切相关，它不是偶然的产物，而是政治制度中各方力量——尤其是司法权和立法权博弈的结果。〔3〕同时，一定的法律解释制度将会反作用于一个国家的政治制度。

但是，法律解释制度还是一种"规则"或者"行动准则"，这是对法律解释中方法的选择这个角度而言，通过本文的论述我们会发现法律解释过程中方法的选择总是要遵循一定的规则，即受制于一定的制度事实（体系）。

（二）法律解释的制度实践史：史的概观

在开始探讨制度在法律解释的制度意义之前，我们有必要从历史对此进行回顾。因为在作者看来，现存的制度都可以从历史中找到自己的影子。但是为了本文结构需要，作者只对古代中国的法律解释和古罗马的法律解释和中世纪欧洲的法律解释制度作一介绍，而英美法等国的法律解释制度则在下一节中专门列出。

传统中国法律的渊源主要是成文法典，这已经成了学界的公认。而要将成文法要落到具体的案件之中，法律解释就显得必不可少。而解释的主要任务就是阐明国家的制定法条文的主要意义，如果从学说史上分析中国古代的法律解释是属

---

〔1〕　［德］柯武刚、史漫飞：《制度经济学：社会秩序与公共政策》，韩朝华译，商务印书馆2000年版，第32页。

〔2〕　有趣的是，许多以"制度"为题名的著作恰好反映了这两层不同的意义。如麦考密克和魏因贝格尔的《制度法论》（An Institutional Theory of Law）就是的一层意义上的，参见［英］麦考密克、魏因贝格尔：《制度法论》，周叶谦译，中国政法大学出版社1994版；而弗里德曼的《法律制度》则是第二层意义上的，参见［美］弗里德曼：《法律制度》，李琼英、林欣译，中国政法大学出版社1994年版。而德沃金先生在《认真对待权利》中将权利分为"制度性权利（institutional rights）"和"背景性权利（background rights）"，参见［美］德沃金：《认真对待权利》，信春鹰译，中国大百科全书出版社1998年版。

〔3〕　有学者分析了西方9个主要国家的法律解释之后得出这样的一个结论，各国之间的法律解释之所以有各种不同的表现，主要是受到以下几种因素的影响，它们分别是：政治理论、制度结构（institutional structure）、法律文化、概念的框架以及人员的素质（其中包括知识背景的差异和培养的不同），但是本文将仅就相关部分作论述。See D. Neil MacCormick & Robert S. Summers ed., Interpreting Statutes：A Compararive Study, Aldershot：Dartmouth, 1991, p. 463. 在我国也有不少学者指出了法律解释与政治体制的密切关系："由于法律解释涉及立法权与司法权的关系问题，所以，它与一国政治体制必然有着密切的联系。它们表现在法律解释权的分配体制上，呈现了法律解释权的大小问题。"孙笑侠：《法的现象与观念》，山东人民出版社2001年版，第228页。

于"注释律学",[1] 那么传统中国的法律解释制度则是始终笼罩在国家权力的影子之下。

与西方相比,中国古代的律学很早就摆脱了宗教神学观的束缚,一度出现了百家争鸣的繁荣景象。但是自商鞅改法为律和以吏为师以后,对法律的注释就一直就处于国家的宏观控制之下,官府垄断了法律的解释权,而秦朝的"法律答问"则可被视为是中国法律解释制度的最早的雏形。其后虽有各种变化,但是大都摆脱不了其中的影子,而且中国的私家的注律却是受到严格的限制。国家垄断了对法律的解释权,其后虽有反复,但是在总体上法律解释却总是牢牢的掌握在国家权力之中。[2]

虽然各个朝代的具体的制度有所差别,但是在实践中官方对于法律文本并不是最为看重,有学者认为:"关于法律解释的主流学说的出发点基本上不是法律决定论而是主观主义,或者更准确地说是通过轻重区分地制度设计把机械地法律适用与随机应变地权衡结合在一起的统筹处理。"[3] 而"引经解律"与"春秋决狱"的制度则是对这一结论提供了佐证。

但是瞿同祖先生却提供了与之相左的陈述:"所有判决必须遵从现行的法律。皇帝就一个特定案件所发诏谕裁判未颁布为法律者,不得引作判决依据。……判决也不得依据未被宣布为成例的往昔判例。仅总督巡抚有权引用旧例并要求刑部认可。"[4] 但是如果我们仔细观察一下,其实两者并不矛盾。瞿先生的研究表明了在实际判决的结论上要以官方的律例为准,而季卫东的研究表明了在判决推理的过程中裁判者总是寻找来自法外的资源来强化该判决的正当性,两者合在一起,这就让官府的判决能够被更多的人所接受。由此可见,中国传统的法律解释总是要求在法意与民情之间寻找一个完美的结合。[5]

在以非常粗的线条对中国的法律解释制度作了介绍之后,我们将对西方的法律解释制度的历史主要是古罗马和中世纪时代的法律制度作一回顾。之所以采取这样的方式,因为在作者看来,当然西方的法律制度——无论是大陆法系还是英

---

[1] 何敏:"从清代私家注律看传统注释律学的实用价值",载梁治平主编:《法律解释问题》,法律出版社 1998 年版。

[2] 比如说在西汉以后自晋魏一度出现了私家注律,但是到了魏晋以后释律的权威又复归于国家。

[3] 季卫东:《法治秩序的建构》,中国政法大学出版社 1999 年版,第 120 页。

[4] 瞿同祖:《瞿同祖法学论著集》,中国政法大学出版社 1998 年版,第 459 页。

[5] 而根据黄宗智先生对巴县、宝坻以及淡新等州县衙门档案的研究表明,"清代的审判制度是根据法律而频繁地并且有规则地处理民事纠纷",而实际上在每起案件中一般都会涉及到法律与道德的妥协。参见黄宗智:《清代的法律、社会与文化:民法的表达与实践》,上海书店出版社 2001 年版,第 106 页。

美法系——都可以从这两个时期的制度中找到自己的影子。[1]

1. 古罗马的法律解释制度。

（1）前成文法时代。在法律非公开的时代，法律是属于立法者用以压迫守法者的利器，表明上这样的目的是为了神话法律，更重要的是为了神话主权者的权威。法律被认为是神的旨意，既然是神的意志，那么一般的民众就没有必要也没有能力去获得其内容，于是，法律被作为一种秘密而被当权者垄断。而神官则被认为是沟通人和神之间的信使，充当了法律解释的功能。[2]

（2）成文法时代。由于社会的发展、文字的广泛传播以及其他因素的影响，成文法逐渐诞生，成文法诞生之后就意味着所有具有文字识别能力的人可以用自己的眼光来看待法律，更意味着打破了权贵阶层对法律知识的独占。但是由于当时法律条文难懂，识字者也是仅限于小范围的阶层之中，因此，各方面急需了解法律的知识。因此，就出现了专门的教授法律知识的人，由于法律不再为神官贵族所独享，于是产生了世俗之学的法解释学。在学者看来，这一段时间是属于法律解释的发生期。[3] 而这大概是发生在公元前 600 年至公元前 27 年之间。

到了公元前 27 年，鉴于罗马共和政体后期法学的自由发展导致法律适用的混乱并严重损害法的安定性的情况，古罗马的奥古斯都大帝创设了"解答权制度"，所谓的解答权，乃是授予特定学者解答法律的资格，从而法学者的解释活动第一次与国家权力发生了关系。而国家权力也以此为契机将法律解释纳入到政权体系之中，从而意味着法律解释并不仅仅是一项知识，一个个人的理解，而是被打上了国家权力的深深印记。而解答权制度也随着时代的变迁转换为不同的形式，在我看来，东罗马帝国时期出现的"五大法学家解释法律"的现象也是它的一个翻版而已。而这些制度的建立，表明了国家已经牢牢的垄断了法律解释的权力，作为单个的学者个人的解释，已经不能对法律的官方的适用产生较大的影响，而这也意味着法律解释终于被纳入到了制度框架之中，并且一直影响到后世，从此法律解释已经成了国家权力的一部分。

需要注意的是，在古罗马时代，司法官吏只是严格的执行法律，不得在判决

---

[1] 在《论语》中有这样的一个对话：子张问曰："十世可知也？"子曰："殷因于夏礼，所损益，可知也；周因于殷礼，所损益，可知也。其或继周者，虽百世，可知也。"如果将古罗马、中世纪的法律解释制度与当代英美法系、大陆法系的法律解释制度作一番对照，我们会发现"其损益"也是"可知也"。正是基于这样的考虑，所以我就不对中世纪以后的法律解释制度作详细的介绍。此其一。第二个原因乃是因为当代欧美的主要国家的法律制度自中世纪以后都保持着一定的联系，实际上当代的制度就是古代制度的一个缩影而已。正是基于这两个方面考虑，作者省去了用以描述当代欧美各国的笔墨。

[2] 梁慧星：《民法解释学》，中国政法大学出版社 2000 年版，第 4 页。

[3] 同上。

中注入自己的见解，对此，西塞罗曾有形象的比喻："行政官是会说话的法律，法律是无声的行政官。"[1] 而且自查士丁尼（Justinianus）皇帝即位后，进行了全面的法典编纂。在法典编纂完毕后，他认法典已经完美无缺，于是命令禁止对法典进行注释何评论，这时不仅是法官，就是连法学家的解释都是受到了限制。[2]

2. 中世纪时期的法律解释制度。中世纪整个欧洲笼罩都笼罩在神学的阴影之下，不可避免的法律解释的理论也都渗入了神学的思想，促成了"学问与基督教信仰的统一，形成了经院式的态度和方法"，而有学者认为中世纪的经院式的法学也成为大陆法学——法解释学奠定了基础。[3] 而经院式的方法，则是指对古代传下来的文本——圣经、罗马法大全、亚里士多德等著作——的理解，也就是对这些文本的说明方法。[4]

但是遗憾的是，国内目前有关中世纪时期的法律解释，大多是以解释学的角度阐述，而鲜有专著论述当时的法律解释制度，只是在梁慧星教授的《民法解释学》中以极小的篇幅谈到了在12世纪末以后在意大利北部和中部各都市实行的一种"sindicatus"制度，该制度是对司法、行政官吏实行一种严格的责任制，要求各官吏在任期终了的时候要接受都市法律顾问的严格审查，由此出现了裁判官为了避免责任追究，在判决之前需向法学者请求咨询。这从一个侧面表明了当时的法律解释还是属于一种民间的学术、国家权力还是一种单薄的势力。[5]

（三）法律解释权的制度分配

国家的成文法为什么能够被机构或者个人解释？法律解释的权力从何处而来？那么权力的界限又在哪里？这是在探究法律解释的时候所必须要回答的，否则其正当性就会受到质疑。

一般来说，在大陆法系国家之中法律解释权限的获得是来自于法律的规定。如在我国，在宪法中我们规定全国人民代表大会常务委员会"解释宪法，监督宪法的实施"和"解释法律"的职权，[6] 而在2000年制定的《立法法》也认

---

〔1〕 转引自张乃根：《西方法哲学史纲》，中国政法大学出版社1993年版，第49页。
〔2〕 陈新余："古罗马的法律解释——一个历史的考察"，载《法大评论》，中国政法大学出版社2003年版。
〔3〕 梁慧星：《民法解释学》，中国政法大学出版社2000年版，第17页。
〔4〕 同上。
〔5〕 梁慧星：《民法解释学》，中国政法大学出版社2000年版，第25～26页。
〔6〕 《中华人民共和国宪法》第67条，

为"法律解释权属于全国人民代表大会常务委员会",[1] 进一步将我国法律的解释权限给细化了,由此可以看出我国是属于立法机关垄断法律解释——至少在表面上是如此。[2]

法国是大陆法系国家的典型的代表,自 1789 年大革命以来,三权分立一直是其传统,在国家机构中严格的划分立法和司法之间的界限,而法律解释被认为对立法权的僭越。在 1790 年,法国曾经通过这样一条法律,规定"当法院认为有必要解释一项法律或制定一项新法时必须请求立法会议",司法机构"不得直接或间接的行使立法权力",或"阻碍或中止议会法令的执行。"[3] 这表明议会牢牢的控制了法律解释的权力,而在其后的法国民法典也确认了这一体制:"法官对于其审理的案件,不得适用确立一般规则的方法进行判决,亦不得用遵循先例的方式进行判决。"[4] 因此,当拿破仑听到法国出版了第一本关于法国民法典的评注的论著之后,就发出了"我的民法典完了!"的感叹。[5]

正是如此,法国设立了一个与其他国家颇为不同的法律解释制度。法国的最高法院由法国革命时期设立,其最早的名称是"最高法庭",它的首要职能就是协助立法机关,而不是行使一般法院的职能,它的任务就在于监督各类法院,防止司法偏离法律条文,从而侵占立法权。而它的另外一项的重要功能就是实行对法律的解释。因为从某种意义上说,如果法官有解释法律的功能那就意味着法官具有了一种"再立法"的功能,而这是与权力分力的原则相抵触的。于是,法院就只好将涉及立法缺陷的法律交由作为立法结构附属的最高法院。而最高法院由于不是司法部门,因此它不能对具体的案件作出自己的裁判,而只能够撤销在它认为解释法律不当的判决,而各级法院并不受最高法院的强制约束,而是可以对发回的案件作一个与原来完全相同的判决。[6] 这样的传统一直保留到了现在。也就是最高法院只能够撤销而不能够改变下级法院的判决,而该制度在实践中也逐渐发生了变化,到了最后,它成了司法系统的一部分,成了最高上诉法院,由此,司法系统因接纳了这个本来用以限制与取消司法解释的机构而获得了司法解

---

〔1〕 《中华人民共和国立法法》第 42 条。

〔2〕 关于我国的法律解释体制,将在下文中有专门论述。

〔3〕 张千帆:《西方宪政体系》(下册),中国政法大学出版社 2001 年版,第 7 页。

〔4〕 [美] 罗斯科·庞德:《普通法的精神》,唐前宏等译,法律出版社 2001 年版,第 127 页。

〔5〕 [英] J·梅利曼:《大陆法系》,顾培东、禄正平译,西南政法学院 1983 年印行,第 8~9 页,转引自张志铭:《法律解释操作分析》,中国政法大学出版社 1999 年版,第 26 页。

〔6〕 See D. Neil MacCormick & Robert S. Summers ed., Interpreting Statutes: A Comparative Study, Aldershot: Dartmouth, 1991, p. 171.

释权。〔1〕 虽然在学说上法国的法律解释经历了从概念主义法学、自由主义解释再到平衡主义的解释，但是在制度上还是严守传统的模式，那就是严格限制法官个人对个案的法律作出解释。〔2〕 而法官在进行司法裁判的时候更多的被认为是"适用"（qualification）法律而不是一种"解释"（interpretation）法律，因此有人形容法国的法官是一个"好的仆人"（bonnes moeurs），而不是"好的主人"（bon pere de famile）。〔3〕 而德国的情况与法国的也是大同小异。〔4〕

以上说的是大陆法系国家的法律解释体系，但是在英美法国家则是另外一种景象。美国是严格按照启蒙思想家三权分立原则来构建自己的宪政体系，国会、最高法院和总统各司其职，形成了分权制衡的格局，而分权制衡的核心就是对不同的政府机关分配权力，而这些机关是相互独立的，但是又行使相互控制的职能，从而防止其中任何一个机关滥用权力。正是由于美国政体的独特性，赋予了美国独特的法律解释制度。按照宪法，联邦最高法院司审判之职，那么解释法律毫无疑问就是法院所特有的权力。而且美国的法律解释制度的一个最为明显的特征就是法官可以以个人的身份对法律进行解释，而在判决书中可以对多数人的意见表示异议（dissent）并且作为判决书中的一部分而公布。正是制度的激励作用，美国的许多法官同时又是卓越的法学家，而伟大的法官一般都有自己的解释哲学。〔5〕

现在我们来看英国。从宏观上看英国法律解释制度的分配中议会是具有举足轻重的作用，因为上议院是英国的终审法院，享有最后的裁判权，如果据此认为英国的法院没有独立的地位，那就错了。虽然在理论上上议院议员都是这个最高

---

〔1〕 参见郭华成：《法律解释比较研究》，中国人民大学出版社 1993 年版，第 25～26 页；参见 [德] K·茨威格特、H·克茨：《比较法总论》，潘汉典等译，法律出版社 2003 年版，第 140～145 页；

〔2〕 比如说在 1970 年法国还在法律中还有这样的规定：法官负有义务，必须将法律解释或适用法律中的疑难问题提请立法机关解决。参见 [意] 桑德罗·斯奇巴尼选编：《正义与法》（民法大全选译），黄风译，中国政法大学出版社 1992 年版，第 52 页。当然也有人表示了不同的看法，"在法国，法官不喜欢让人感到自己是在创造法律规则。当然，实践中，他们的确是在创造，法官的职能不是也不可能是机械地适用那些众所周知的和已经确定的规则。但是法官却千方百计让人们感到情况是这样：在判决中，他们要声称适用了某项制定法，只有在极其罕见的情况下，他们适用有关平等的不成文的一般原则或格言时，才会让观察者感到法官具有了创造性或主观能动性。" [德] K·茨威格特，H·克茨：《比较法总论》，潘汉典、米健、高鸿钧、贺卫方译，贵州人民出版社 1992 年版，第 233～234 页。

〔3〕 See D. Neil MacCormick & Robert S. Summers ed., Interpreting Statutes: A Compararive Study, Aldershot: Dartmouth, 1991, p. 204.

〔4〕 关于德国的情况，可以参见郭华成：《法律解释比较研究》，中国人民大学出版社 1993 年版，第 26 页，外文文献可参阅 D. Neil MacCormick & Robert S. Summers ed., *Interpreting Statutes:A Compararive Study*, Aldershot: Dartmouth, 1991, pp. 73～123.

〔5〕 如当代文本论的最有代表性的人物就是联邦最高法院的大法官斯卡利亚。

上诉法院的当然法官，但是实际上则不然。一般说来，实际上只有十名经英王任命的具有法律知识和经验的终审议员才是真正行使上议院司法权的法官。而且英国的法律制度体系十分庞杂，法律的历史非常悠久，导致了一般的民众都不能正确的了解法律术语，柯克勋爵与国王的对话更是折射出这一点，[1] 所以法律解释的权力还是牢牢的掌握在法律人的手中，法律实践被认为是一种"实践理性"而为法律人所独享。至于英国为何形成了这种制度，我们将在下文中进行分析。

那么，为什么不同的国家会形成这样截然不同的制度呢？在我看来，大致有以下几个因素。

一方面是由于学理上的影响。传统的大陆法系的国家严格的区分立法、行政和司法三者之间的权力，而人民主权的原则更是赋予了议会至高无上的地位，不容许其他任何机构对它所制定的法律进行解释。洛克深信"在一切场合，只要政府存在，立法权便是最高的权力"，因为"谁能够对另一个人制定法律就必须在他之上"。[2] 在洛克的眼中，司法权还不是一个独立的权力，还只是从属于行政权之中。现代的三权分立的理论到了孟德斯鸠那里才算完成。佀是两者相同的是，都赋予了立法权以最突出的位置，因为自卢梭以来，人民主权的理论就深入人心，而议会——民选的议会——自然是人民主权的合理的代表者，任何机关都不能超越它的地位，司法机关也不例外。所以"国家的法官不过是法律的代言人，不过是一些呆板的人物，既不能缓和法律的威力，也不能缓和法律的严峻"。[3] 这些理论深深的影响了法国和德国的制度。

美国是孟德斯鸠三权分立理论的彻底的实践者，[4] 但是美国并不仅仅是照搬启蒙思想家的理论而已，而是在"分权"的同时，又形成了"制衡"的特点。

---

[1]　在这次对话中，柯克法官认为法"不是根据自然理性，而是根据有关法的技术理性和判断。对法的这种认识有赖于在常年的研究和经验中才得以获得的技术。"参见季卫东：《法治秩序的建构》，中国政法大学出版社 1999 年版，第 200 页。

[2]　[英] 洛克：《政府论》（下篇），叶启芳等译，商务印书馆 1964 年版，第 92 页。

[3]　[法] 孟德斯鸠：《论法的精神》（上册），张雁深译，商务印书馆 1961 年版，第 163 页。也有人将这句话翻译为"一个民族的法官，只不过是宣布法律语词的喉舌，他们既不能变动法律的效力也不能修正其严格性。"转引自 [美] 本杰明·卡多佐：《司法过程的性质》，苏力译，商务印书馆 2000 年版，第 77 页。

[4]　1776 年，在《论法的精神》发表 28 年之后，在威廉斯堡的大会上宣布了弗吉尼亚州政府的组织形式。它一开始就大声宣布，弗吉尼亚的善良的人民命令"立法、执行和司法部门应当分力和区别，因此谁也不行使之属于其他部门的权力；除了县法院的法官可以成为任何一院的成员外，将没有人和个人同时行使一种以上的权力。"这可以说是三权分立的最早的实践。随后，佐治亚州，马萨诸塞等州也开始了他们的政治实践。到 1787 年制宪会议通过《美利坚合众国宪法》的时候，三权分立原则在美国的政治制度中得到了彻底的实践。参见 [美] M·J·C·维尔：《宪政与分权》，苏力译，三联书店 1997 年版，第 112 页。

按照美国宪法的规定，参众两院是属于立法机关，法院作为审判机关，在议会、行政机关和法院之间并没有一种绝对的最高权力。或许是刚刚从殖民地的桎梏中解放出来之故，美国人对于权力总是保持着一种警惕。为了防止议会对民众的权利造成侵害，需要在立法、司法与行政之间形成一种牵制作用。但是哪个部门能够充当这个责任呢？经过慎重的思考，美国的制宪者将目光扫到了司法部门。在他们看来：

"司法部门既无军权、又无财权，不能支配社会的力量与财富，不能采取任何主动的行为。故可正确断言：司法部门既无强制、又无意志，而只有判断；而且为实施其判断亦需要借助于行政部门的力量。"[1]

正是由于司法机关的弱小且没有扩张性，由它来监督议会在人民授权的范围内行事成了最为可靠的选择。正是弱小，不会对其他机关造成侵害，才使得其他两个机构都能够放心的将这个权力授之于它。而为了便于法院审查国会和行政机构的行为，解释法律也就自然而然的成了法院的法定职责。但是作为整体的法院的独立并不能够保证司法机关的独立、公正的审理，于是，法官个人的独立也就成为必不可缺。为了确保法院作为"限权宪法限制立法机关越权的保障出发，司法官员职位固定的理由即甚充足，而除此之外，并无任何其他的规定更能促使法官得以保证其独立性"。[2] 自然而然的，法官个人也获得了解释法律的权力，当然，这个权力只有是在进行司法审判的时候才能作出，因为法官不得就抽象的争议作出裁判。

仅仅将大陆法系与英美法系法律解释制度从继受学说的不同来进行理解还不够，否则就很难理解美国的三权分立制度为什么会产生法官个人的巨大的权力而同样是信奉三权分立的法国、德国就没有这种情况。因此，还必须考察另外一个因素，那就是：不同国家的不同的法律传统与实践也加剧了它们之间的差异。

"在普通法系国家，法律一开始并非经一批权威颁布的应该和不应该做什么的行为规则，相反，它似乎是作为一种解决纠纷的过程开始的，英国国王首要关心的是赢得公众对法院系统的信任，其办法是促成那些有助于提高该系统在案件处理结果上的公平和效率的诉讼程序和实际做法。这样势必把制定规则以划定个人行为被允许的范围的任务，留待岛国人民广泛共有的价值去完成"。[3]

---

〔1〕 ［美］汉密尔顿、杰伊、麦迪逊：《联邦党人文集》，程逢如等译，商务印书馆 1980 年版，第 391 页。

〔2〕 ［美］汉密尔顿、杰伊、麦迪逊：《联邦党人文集》，程逢如等译，商务印书馆 1980 年版，第 394 页。

〔3〕 ［美］卡尔文·伍达德："威廉·布莱克斯通爵士与英美法理学"，载肯尼斯·W·汤普森编：《宪法的政治理论》，张志铭译，三联书店 1997 年版，第 77 页。

　　这是一位学者对 18 世纪时候英国法律制度的描述。从中我们可以看出，在普通法系国家，法官面对的是一大堆在外人看来"既古老又不完善，既费解又专横，既不安全又不平等"的判例法，[1] 而这种制度与海峡对岸的成文法具有相当大的区别。而这种法律制度是产生于普通法院，它在很多程度上是律师学院的成员、也即在范围有限的实际诉讼中作业的出庭律师和法官的创造。[2] 正是如此，英国法律很难被外人所了解，有人形容它是"除了律师和法官自己或者所有律师学院的成员以外，没有人知道法院已有的主张是什么以及它们的判决意味着什么。"[3] 这样，我们就很好理解为什么在英国是法官垄断了对法律的解释，而不是议会或者其他。[4] 而对英国的议会来说，制定法律并不是它的主要任务，它的任务是"控制并管理政府"，[5] 甚至在相当长一段时间里，英国国内大学所讲授的是罗马天主教教会的教会法以及作为此基础的罗马法。虽然后来布莱克斯通以罗马法为样板对法律的形式进行了改造并在大学进行讲授，但是这并不能改变英国的法律是法律人的法律这一历史事实。而且习惯的力量往往是异常强大，于是法官解释法律的传统一直保留到了现在，或许习惯成自然就是对英国法律解释制度的最好的注解。

　　美国是从英国的殖民地中解放出来，因此很自然的继受了英国的普通法的传统，但是美国对英国的法律制度又有所改进。"美国人令人赞叹的成就在于，他们不仅接受和理解了他们所继承的政制理论和经验，而且他们运用了这一遗产，有效地并成功地对之加以改造，以满足一个新的、非同寻常的困难境况"，[6] 比如说美洲早期的殖民地有不少的地区是按照英国的政体模式所建立的，[7] 但是这些地区也一直在摸索一条最适宜于本地区的模式。而美国宪法则更被视为是这

---

〔1〕　这是边沁对英国普通法的评价。请参见张宏生、古春德编：《西方法律思想史》，北京大学出版社 1990 年版，第 321 页。

〔2〕　卡尔文·伍达德："威廉·布莱克斯通爵士与英美法理学"，载［美］肯尼斯·W·汤普森编：《宪法的政治理论》，张志铭译，三联书店 1997 年版，第 76 页。

〔3〕　卡尔文·伍达德："威廉·布莱克斯通爵士与英美法理学"，载［美］肯尼斯·W·汤普森编：《宪法的政治理论》，张志铭译，三联书店 1997 年版，第 73 页。

〔4〕　按照英国法律的规定，上议院是最高审判机关，每个议员都是这个最高法院的当然法官，但是实际上只有那些精通法律的议员才行使这项职能。这一点虽然没有法律明文规定，但是惯例却将那些没有法律知识的人摒弃于司法权之外。曾经有一次一个上议院议员没有自知之明跑去参加这种审判，结果常任法官不加理睬，弄得自讨没趣，狼狈退席。参见龚祥瑞、罗豪才、吴撷英：《西方国家的司法制度》，北京大学出版社 1980 年版，第 44 页。

〔5〕　［英］弗里德利希·冯·哈耶克：《法律、立法与自由》，邓正来译，中国大百科全书出版社 2000 年版，第 198 页。

〔6〕　［美］M·J·C·维尔：《宪政与分权》，苏力译，三联书店 1997 年版，第 115 页。

〔7〕　比如在北美殖民时期，马萨诸塞的议会就是充当了终审机关。

个国家的一个创举。通过美国的宪法，美国的联邦最高法院拥有司法权，而通过司法的审判权，最高法院又通过解释宪法获得了对行政机关的违宪审查权，从此美国的法官对美国的法律具有了举足轻重的作用。正是如此，有人说"我们是依据宪法行事的，但宪法却是法官所解说的东西"，[1] 法官在美国的作用可见一斑。

反观大陆法系国家，法国也好，德国也好，虽然司法机关的权力在不断的增强，但是由于历史的原因，两国的司法机关总是笼罩在强势的议会的影子之下。我们知道，自法国大革命以来，法国的立法机关对法官总是保持着一种不信任，总是千方百计地限制着法院的司法影响。对此，有学者认为法国的权力分立是一种特殊的情况，因为法国宪法中规定司法权并不是一种特殊的第三种"权力"（judicial power），而只是一种"职权"（judicial authority）而已，[2] 因为传统的观点认为司法的功能仅在于执行法律，那么它当然是附属于议会的，而法国的司法独立只是表明司法机关是独立于行政机关——因为它也是执行法律，并不是独立于立法机关。[3] 而这样的政治传统反映到法律解释上来必定导致了一种弱势的司法权，因为对法律的解释被认为是一种对法律的修正，而这是一种专属于议会而严格禁止其他机关行使的权力。虽然自 1958 年的宪法以后赋予了宪法委员会（constitutional council）以审查法律的权力，但是对于传统的司法机关来说并不意味着权力的增加。因为法院还是没有权力审查法律，解释法律是否违宪，只能够将诉讼当中的法律提交给宪法委员会审理。[4]

如果我们从法、德两国法官的构成与美国法院的构成人员作一番比较还会发现更有趣的现象。一般来说法、德两国的法官都是职业法官，法官一般都是直接从大学毕业通过司法考试的人员中选拔，一般来说法官在任职前并没有从事过其

---

〔1〕 ［美］路易斯·亨金：《宪政·民主·对外事务》，邓正来译，三联书店 1996 年版，第 136 页。

〔2〕 See D. Neil MacCormick & Robert S. Summers ed. , *Interpreting Statutes : A Compararive Study* , Aldershot : Dartmouth, 1991, p. 203.

〔3〕 Ibid.

〔4〕 Id. p. 204.

他职业的经历。[1] 因此法官从事的是纯粹技术型的工作，缺乏政治判断的能力。[2] 虽然这个现象在近年有所改变，[3] 但是制度性的因素却非一朝一夕所能更改，因此我们也不可能指望大陆法系的法官都具有如美国联邦法院的法官那般的政治判断力。

纵观不同国家的不同的法律解释制度，我们大致可以得出以下简短的结论。

1. 从制度设计来看，由独立的司法机关行使法律解释职能将是法律解释制度发展的一个趋势。由立法机关充当法律解释机构固然有助于解决法条与法条之间的不一致，能够在宏观上消除法律（条文）之间的紧张关系，但是它无法回答微观的个案中事实与法律的联系，或者是会导致法律的"失真"，用经济学的术语说就是"供需不一致"，因为通过立法机关的解释需要一系列繁琐的程序，这在很大程度上就不能够对来自实践中的需求作出灵敏的反应。比如说在我国法律解释的程序是这样规定的：首先是有关主体在实践中遇解释难题之后向全国人大提出法律解释的要求，其次是常委会工作机构研究拟定法律草案，由委员长会议决定列入常务委员会会议议程；接下来法律解释草案经常务委员会会议审议，由法律委员会根据常务委员会组成人员的审议意见进行审议、修改，提出法律解释草案表决稿；最后才是将该表决稿交由常委会讨论，如果半数通过，则由常务委员会发布公报予以公布。[4] 因此在实践中鲜见全国人大常委会解释法律。而如果将这项权能交由司法机关进行的话，那将会极大的缩小供需之间的矛盾，提高司法的效率，从而更为有效的适用法律。

2. 司法权和立法权在法律解释制度中一直是处于一个此消彼长的博弈过程

---

[1] 而在法国，法官被认为是公务员（civil servant），而不是一个独立的序列。在任职之前，法国的法官都必须在法国的国家行政学院（Ecole Nationale d'Adminstrative）接受教育，法国的法官也不是终身任职，一般来说 68 岁是其服务的最终年限。See D. Neil MacCormick & Rcbert S. Summers ed. , *Interpreting Statutes:A Compararive Study* , Aldershot：Dartmouth，1991，p. 208. 关于德国法官的情况，也可参见宋冰编：《读本：美国与德国德司法制度及其司法程序》，中国政法大学出版社 1998 年版，第 152~68 页。

[2] 有学者指出法国的法律教育制度对形成独特的法国司法文化也起了相当大的影响，自 19 世纪以来，在大学和法学院中的法律系总是处在一种边缘的地位，它们与其被视为是一种从事学术研究的系（scholarly faculties）还不如说是一种技术学校（technical schools），一个明显的例子就是在法律系中都没有法理学这门课程。而绝大多数的法学著作都是属于传统的教义学性质上的，而他们的这种风格和法官在法庭上所使用的推理风格是极为相似的，在法学著作中也很少涉及一些价值或者政策的争论，于是这就自然而然的影响了法国的法律文化。See D. Neil MacCormick & Robert S. Summers ed. , *Interpreting Statutes:A Compararive Study* , Aldershot：Dartmouth，1991，p. 211.

[3] 宋冰编：《读本：美国与德国德司法制度及其司法程序》，中国政法大学出版社 1998 年版，第 572 页以下。

[4] 参见《中华人民共和国立法》第 43 条至第 46 条。

当中，而从长远的趋势来看司法权必将居于法律解释的主导地位。但是如果说司法权处于法律解释的核心地位就意味着立法权地位的削弱的话，那么该结论则未免过于简单化了。在我看来，权力的退缩并不意味着权力的削弱，而在有些时候往往还能增进权力。立法机关失去了对法律解释的权力，但是却获得了法律正确的前提，而法官只能在承认法律的前提下才得以进行解释，而这恰恰从另一个方面尊重了立法机关的权力。在我看来，一个权力的强大总是要以相应权力的退缩为前提。法律解释的权力从立法权中剥离出去，往往会加强立法机关的立法权。如此以来，立法者也不必为自己的"错误"的解释而忙碌，可以有更多的精力投入到立法工作之中，而这样的结果只能是强化了立法机关的权力。

（四）法律解释方法背后的制度意义

如果说从制度的规定可以看到法律解释的宏观结构，那么从法律解释的方法进行深究，我们则可以从微观的角度对法律解释的制度意义有着更为具体的印象。以下将以意图论、文本论和动态法律解释等三种解释方法为代表对他们所体现的制度意义作一分析。

1. 意图论。意图论是关于法律解释理论中最为常见的一种，[1] 该理论的一个前提是法院是由立法机关产生的，法律也是立法机关制定的，那么法官在解释法律时首要的任务就是发现立法者的意图，成为国会的忠实的仆人。[2] 当然，意图论得以成立的一个基础就是法律文本的意义并不总是确定的，只有在这个时候，才是意图论者大显身手的时候。霍姆斯有句名言："如果我的同胞想下地狱，我会帮他们，这是我的工作。"[3] 这是对意图论的最好的解释。

意图论要得以成立，必须在制度上具备这样的条件：首先，立法是民主的，而且民主的立法能够代表人民的意志；其次，立法的过程是民主的，是理性的。反之，则不成立。我们将以英国和美国为例，对该种方法所蕴含的制度意义进行

---

〔1〕 我国不少学者也赞同此观点，如"法律解释应该是一种整体性的阐释，是根据法律整体所体现的法律目的或法律整体所进行的解释。"沈敏荣："我国法律解释中的五大悖论"，载《政法论坛》2000年第4期；也有学者认为，"司法机关的职责既是审判，就应当准确地将立法意旨适用于每一件争议"，参见陶凯元："中国法律解释制度现状之剖析"，载《法律科学》1999年第6期。而在我国的不少教科书中也这么认为："法律解释是指有权的国家机关依照一定的标准和原则，根据法定权限和程序，对法律的字义和目的所进行的阐释。"张文显主编：《法理学》，法律出版社1997年版，第374页。

〔2〕 William N. Eskridge & Philip P. Frickey, *Statutory Interpretation As Practical Reasoning*, 42 Stan. L. Rev. 321, 325 (1990).

〔3〕 Holmes-Laski Letters 249 (M. howe ed. 1953), quoted Cass R. Sunstein, *Interpreting Statutes in the Regulatory state*, 103 Harv. L. Rev 405, 407 (1989).

分析。

在英国的政治框架中，议会具有至高无上的地位，曾有人形容英国的议会除了不能将男人变为女人之外，它可以作任何的事。这表明了英国议会在该国政治生活中的重要作用。我们知道，英国的终审法院乃是议会的上院，因此，从这个意义上而言，英国的法院是属于"立法机构"的一部分，而且没有推翻立法的权力。[1] 正是如此，法院在解释法律的时候总是笼罩在议会的阴影之下，只能惟议会意图马首是瞻。英国的意图论的传统甚至可以追溯到布莱克斯通时代。他在《英国法评述》中这样写道：

"解释立法者意图最公正的和最为理性的方法就是考察立法者在那个制定法律时候所具有的意图，而法律的意图通过以下中立的和可获得的标记我们就能得到，它们可以是法律的文字，也可以是法律的语境……法律的效果和后果，也可以是法律的精神和推理。"[2]

在布莱克斯通看来，法律的意图是很好发现的，因此按照立法意图来解释法律则是再为自然不过了。当然，在英国也有不少人对方法解释中的意图论可保持怀疑，主要是三个原因：第一，表明了司法机关是附属于议会；第二，议会的意图是一个值得怀疑的命题；第三，为了法律的确定性的考虑，立法意图是不可取的。[3]

从以上我们可以知道，英国的意图论解释方法是与英国代议制的政体紧紧联系再一起，如果脱离了"议会主权"这个大的制度背景，那么我们对英国法解释中的"意图论"盛行的原因的深究都是徒然。

现在让我们把目光转向美国，自 19 世纪后半期。随着制定法在美国法律中比重的上升，立法意图在法律解释中地位逐渐上升，最为明显的是 19 世纪末期联邦最高法院的"圣三教堂案"（Church of the Holy Trinity v. United States），在该案中最高法院以立法者的意图排斥了法规的字面意义，认为牧师并不是普通的

---

〔1〕 ［英］W·Ivor·詹宁斯：《法与宪法》，龚祥瑞、侯健译，三联书店 1997 年版，第 167～168 页。

〔2〕 Blackstone，*Commentaries on the Laws of England（facsimile of 1st edition of 1765）*，Chicago：University of Chicago Press，vol. 1，p. 59，quoted in Rupert Cross，John Bell & George Engle，*Statutory Interpretation*，London：Butterworths，1987，p. 21.

〔3〕 See Rupert Cross，John Bell & George Engle，Statutory Interpretation，London：Butterworths，1987. pp. 28－30.

服务人员。〔1〕随后，美国的联邦最高法院并频频用意图论进行解释。后来美国兴起的法社会学与法律现实主义的宗旨也与意图论者不谋而合，比如说美国的法律现实主义对制定法曾经展开了激烈的批判，但是对于制定法却是持乐观态度，它也赞同法官同立法者合作，从而找到法律的目的。如弗兰克（Jerome Frank）在他的《法律和现代思维》一书中就谈到立法是有目标，通过它就可以排除错误，弥补不足。〔2〕如果说法律现实主义是为意图论提供了思想上的准备的话，那么 20 世纪 60 年代的法律过程主义则是为意图论者提供了物质上的准备。法律过程主义的代表人物哈特（Hart）和萨克斯（Sack）〔3〕在其代表作《法律过程》（*The Legal Process*）一书中详细的阐述了他们的立场，他们认为，"除非出现相反的明显的错误，法院应当假设立法机关是由一些理性的追求理性目标的理性的人组成"，而法官的责任就是发现其中的意图。〔4〕而富勒更是坚信法律一定存在着自己的意图（目的），否则法律将变得不可理喻。〔5〕他们都从不同的侧面论证了立法者意图的存在。而此时的美国联邦最高法院在法律解释的过程中，也频频参照立法史，一种强烈的目的论占据了此时制定法解释的主流。〔6〕

通过以上的分析，我们大致可以将立法意图论认为是严格的代议民主制之下的反映。因此，凡是在法律解释中追求立法者意图的国家，都需要这样的政治土壤：那就是议会在整个国家制度中具有压倒性的地位，比如说英国。还有一个条

---

〔1〕 法院是这样阐述它的理由的："必须承认，……教堂和牧师之间的是一种服务关系，这就意味着一方要付出劳动，而另外一方则要得到相应的报酬。在制定法中，既不存在着一般意义上的劳动和服务的词汇，也不存在着"任何种"关于该语词的狭义和广义的解释，并且……（该制定法）的第五条特别规定了一些例外，他们是职业演员、艺术家、演说家、歌星和一些家政服务，特别强调了任何一种其他的劳动和服务都受到本法律的规制。有足够的证据可以表明，我们不能得出立法者的本意就是惩罚如本案中的行为。因为这不符合法律的精神，更不是立法者的意图。在成文法中往往有一些规则是制定法所认可，但是却并不直接行诸于文字。"法院接着得出了许多文本中并没有包含的结论——甚至包括从立法史的只言片语中推导（这在当时是非同寻常的举动），它说制定法的意图只是限制体力劳动——而这些都是演员、艺术家、演说家和歌星的共同特征。于是就得出了牧师并不是服务人员的结论。关于该案件的具体的讨论，请参见本文的第一部分。

〔2〕 See William D. Popking, *Statutes in Court：The History and Theory of Statutory Interpretation*, Durham：Duke University Press, 1999, pp. 144 – 145.

〔3〕 需要注意的是，此哈特是 Henry Hart 而非哈特非 H．L．A．Hart，国内有学者在介绍该作者的作品时将他等同于英国的法理学家哈特。参见管金伦："法官的法解释"，载陈金钊、谢晖编：《法律方法》（第 2 卷），山东人民出版社 2003 年版，第 274 页。

〔4〕 See William D. Popking, *Statutes in Court：The History and Theory of Statutory Interpretation*, Durham：Duke University Press, 1999, p. 148.

〔5〕 See Lon Fulle, *The Morality of Law* pp. 145 – 151 (2d ed. 1969), quoted Anthony D'Amato, *The Injustice Of Dynamic Statutory Interpretation*, 64 Cin. L. Rev. 911 (1996), note 14.

〔6〕 焦宝乾：《文本论：一种法律文本解释方法的学说考察——以美国法为中心》，载陈金钊、谢晖编：《法律方法》（第 1 卷），山东人民出版社 2002 年版。

件就是整个社会的思维较为同质，公众对同一问题较为容易的形成一致的意见，从而立法者的意志得以以"人民"的名义出现。如果失去了这样的条件，那么立法者的意图就不可能在法律解释中占据支配地位，而意图论在美国的兴衰也大致反映了这一点。[1]

2. 文本论。文本论者认为法律是与立法者相分离，法律是没有意图和目标，[2] 法律仅仅是法律，是供法官适用解决纠纷的文本，法律的文本是解决纠纷的惟一的依据，当然，法官在解释法律的时候也就不能考虑公平正义或者政治权衡。而法官的角色仅仅是一种裁判者，法官不能是立法者。法官为什么不能是立法者呢？首先这是从权力分立的角度考虑。孟德斯鸠说：

"当立法权和行政权集中在同一个人或同一个机构之手，自由便不复存在了；因为人们将要害怕这个国王或议会制定暴虐的法律，并暴虐地执行这些法律。……如果司法权同立法权合而为一，则将对公民地生命和自由施行专断地权力，因为法官就是立法者。如果司法权同行政权合而为一，法官便将握有压迫者的力量。"[3]

正是基于这样的考虑，所以法官只能够按照法律文本的意义来考虑，只能够是发现而不是创造规则。[4] 如果我们从另外一个角度看，如果法官对法律的解

---

〔1〕　而据埃斯科里奇介绍，20 世纪 60 年代中期以后的美国社会与以往显得截然不同，美国社会在许多诸如战争、家庭和公民权等基本的问题上丧失了共识；经济形势低迷而石油价格的猛涨；政府则经常成为许多问题的出气筒。而所有的这些都不可避免的影响到了制定法解释的方法论。参见 William N. Eskridge & Philip P. Frickey, *Cases and Materials on Legislation : Statutes and the Creation of Public Policy* pp. 752 - 758（West 2d ed 1995），562（cited in note 32）discussing In re Sinclair, 870 F2d 1340（7th Cir 1989）.

〔2〕　据斯卡利亚大法官统计：被移交到法院的法律争议中，有将近 99. 99% 的法律并不存在立法者的意图，所以他们所提供的许多立法者的意图都是基于一个错误的假设之上。See Scalia, *supra note 10*, p. 29.

〔3〕　［法］孟德斯鸠：《论法的精神》（上册），张雁深译，商务印书馆 1961 年版，第 153 页。需要注意的是，中文中关于该段文字有不同的表述，有人将这段话翻译为："当立法权和行政权存在同一个人或同一个机构之手时，自由便不复存在了，因为人们会害怕这个国王或议会制定暴虐的法律，并以暴虐的方式对他们行使这些法律。如果司法权同立法权合二为一，公民的生命和自由将会遭到专断的统治，因为法官就是立法者。如果司法权同行政权合而为一，法官就会像压迫者那样横行霸道。"［美］汉密尔顿、杰伊、麦迪逊：《联邦党人文集》，程逢如等译，商务印书馆 1980 年版，第 248 页。

〔4〕　对于普通法国家的法官到底是"发现"还是"创造"法律，自古以来就是仁者见仁、智者见智。哈特说美国的法理学有两个不同的极端，一个可称为惊人的梦，它主张法官始终在创造法律而不是发现法律；另一个称为高贵的梦，它主张法官从来没有创造过法律。前一个梦说的是美国的现实主义法学，后一个则是德沃金的理论。See Hart, "American Jurisprudence Through English Eyes : The Nightmare and the Noble Dream", *Essays in Jurisprudence and Philosophy*, Oxford : Clarendon Press, 1983, p. 144.

释超越了文本而寻求其他的资源，那么当事人在遇到纠纷的时候就会对他们之间的争议感到困惑，他们究竟是该受到什么样的法律的制约？实际上，法官对于超越法律文本的解释就是一种特殊的立法。法官是人，那么他就会对他所要面对的特殊案件产生偏见，从而产生特别的结果。于是，法律就不能为当事人的行为提供一个合理的预期。正是如此，法律不能够被法官自由的解释，而是需要依托于法律文本。

现代社会的法律是由经民主选举而产生的议会所制定的，虽然文本论者并不认为法官并不须受司法机关控制，但是法官有理由对经民主选举的议会表示尊重，因为这就表明了对人民主权的尊重。而公民的权利是严格的受法律保护的，假如法官能够脱离法律文本对法律进行自由的解释，那么这就僭越了裁判者的角色转化成了立法者，从而会造成解释权力合法化的危机，并且在有些时候会间接的侵犯当事人的权利和自由。美国联邦最高法院曾经对宪法修正案中的第6条的"直接面对证人（或者译为与原告证人质证）"发生争议。多数意见认为被告、法官和陪审团则通过闭路电视来观看原告的作证也是一种"当面的质证"。但是斯卡利亚并不这么看，他认为质证必须是"面对面"的，而不能够通过其他的方式，否则，这就造成了对被告一方权利的侵害。[1]

另一个方面，也是最为重要的，那就是文本论是与法治社会的精神是最为吻合的。所谓的法治就是规则的统治，而不是人的统治。具体到法律解释中，那就是只能够按照法律文本的字面的意义进行理解，而不是深究文本背后的"人"的意图。法治从来没有要求人们需要遵守立法者的"意图"，而只是遵守立法者制定的法律。而在现代社会中法律的载体是文字，因此只有法律文本才是法官进行法律解释时候的依据。而文本背后的一切都是不可靠的，因为传统的立法意图在经过公共选择理论、法律的经济学分析等现代的分析方法下纷纷土崩瓦解：立法者的意图被认为是一个虚构的神话。

从深层次上说，文本论还要求司法机关保持一种司法克制：它要求法官不得擅自寻求法律文本以外的资源作为论证的依据，只有经公众认可的法律才是裁判的依据。也就是所谓的"尽可能的少让法官做事"（Giving Judges as Little to Do as Possible），而这样所作的一切都是为了保护公民的基本权利，这正如斯卡利亚所说的：

---

[1] 案件的情况大致是这样的：在联邦最高法院受理的一起上诉案件中，受害者———位小女孩——由于害怕直接与加害人接触，因此要求法院在被上诉人不在庭的时候陈述事实，最后法庭同意了她的请求，通过闭路电视的方式审理该案件。对此，斯卡拉亚法官表示了他的不同意见。See Scalia, *supra note* 10，pp. 43 –44.

"如果说法院有重新书写宪法的自由，那么，他们将会以上帝的名义写下大部分人的意愿，而任命和确认法官的过程都将通过这种方式。当然，这就意味着人权法案的终结，而人权法案是承认任何人都有权利反对大多数。"[1]

而斯卡利亚本人也正是以此为标准是小心翼翼的审理那些争议较大的案件——比如说焚烧国旗案，虽然也有人批评法院这样做并不能拯救"大多数人于水深火热之中"。[2]

3. 动态解释。动态法律解释被称为是近几年来美国颇为流行的法律解释学说，[3] 如果说意图论反映到制度上是法院作为议会的"忠实代言人（honest agent）"，文本论是严格的权力分立者的形象，[4] 那么坚持动态解释论的司法机关则是一个能动的司法机关，既然法律的标准是动态的，这就意味着法院可以通过不同的标准来衡量法律的意义，从而间接的起到了改变它和议会、行政机关的关系。

由法院来协调法律字面意义与实际含义的差距，这是英美法国家所特有的一个现象，是有着深刻的制度背景的，这也是动态论得以在近年来流行的原因。观察普通法的历史我们会发现，美国的法官在形成普通法的过程中起到了非常重要的作用。一般认为，在早期普通法中的法官仅仅是遵守普通人的习惯从而解决所争议的纠纷，法官仅仅是被认为是整个社会所接受的实践的注释者。就是到了普通法的成熟期以后，也就是商业社会以后，众所周知的商业习惯和社会实践构成了法院判决的基础。但是从一个较早的时期来看——如年报（Year Book）中所记载的那般，该年报所记载的从 13 世纪晚期到 16 世纪早期的英国的司法判决表明，除了"遵守先例"的教条需要遵守司法判决中的"习惯"，任何将习惯等同于普通法之中的做法都已经停止。[5] 从中我们可以看到，从普通法开始之日，法官实际上就扮演了创制法律的作用，事实上在普通法的形成过程之中，许多杰出的法官在审理案件过程中所得出的结果也一直得到后世的尊重从而在审判实践中得以遵守，实际上他们所起到的作用也就等同于大陆法系中的议会的功能。而在相当长一段时间之内美国的法学院的课程设置表上见不到有关成文法的课

---

〔1〕　See Scalia, *supra note* 10 , p. 47.

〔2〕　See William D. Popking, *Statutes in Court*：*The History and Theory of Statutory Interpretation* , Durham：Duke University Press, 1999, p. 175.

〔3〕　William N. Eskridge, *Ontributions*："*Fetch Some Soupmeat*" , 16 Cardozo L. Rev. 2209, 2218（1995）.

〔4〕　当然，也有学者认为不论是文本论还是意图论，它们反映都反映了法院只是议会的忠实代言人的角色。See Carlos E. Gonzalez, *Reinterpreting Statutory Interpretation* , 74 N. C. L. Rev. 585, 585（1996）.

〔5〕　See Scalia, *supra note* 10 , p. 47.

程，[1] 即使在现代法官的判决书还是英国法律学子研习法律所不可缺少的工具。[2]

到了 19 世纪以后，随着成文法的增加，民主思潮的涌动，纯粹的法官造法逐渐失去了不证自明的正当性，转而法官主要通过依靠解释法律的手段来达成立法的实质后果。因为根据美国宪法的规定，美国的审判权是由法院来行使，而联邦法官"除非渎职，任职终身（life‐tenure）"的规定更是赋予了法官对抗立法权的能力。正是因为如此，美国的联邦法官才可以通过当代人的眼光来衡量过去所制定的法律。也正是这个原因，距今已经 220 多年美国宪法还能通过法官的解释从而游刃有余的应付当代人的要求。[3] 如果我们仔细追究的话，我们会发现其中的很多内涵都发生了变化，如制宪者眼中"法律面前人人平等"的涵义和当代人的眼中的"平等"决不是同一回事。[4]

而社会意识形态的分化也是动态法律解释论得以成立的一个前提。如果整个社会的意识形态高度一致的话，那么法官根本就没有必要、也没有必要通过"动态"的解释达致法律的理解，立法机关完全可以通过频频的立法来制定新的法律来反映整个社会的新的合意。[5] 社会意识形态的多样化说明了立法机关很难通过一致的决议进行立法，只有借助于法官个人的理解才能在新的时代赋予新的生命，而法官个人的高度的独立是确保这个制度得以运行的物质基础。否则我们难以想象同样的堕胎为什么在不同的法院会有不同的结果。[6]

在法律解释时对法律赋予的新的理解才能够得到因此，我们不妨大胆的下这么一个结论：之所以存在动态法律解释，乃是因为该国存在着一个独立的强势的

---

[1] See Leon H. Keyserling, *Social Objects in Legal Education*, 33 Colum. L. Rev. 437, 447 (1933).

[2] 霍姆斯的名著《普通法》是法学院新生的必读书目，在该书中仅以很小的篇幅谈论了德国和英格兰的早期习惯，但是却以较大的篇幅谈论了每个法院的判决，而其中却包括一些糟糕透顶的判决。See Scalia, supra note 10, at 4.

[3] 而方流芳教授给这个现象是这么解释的："最高法院的宪法解释使宪法文本具有适应社会变化的灵活性而成为活的法律，最高法院的宪法解释容纳了合法性竞争，不失时机地承认了通过合法竞争而站稳脚跟的正当利益，而无论宪法文本是否表述、立法意图是否包含这种正当利益。因此，修改宪法成为无关紧要地问题。"方流芳："罗伊判例中的法律解释问题"，载梁治平编：《法律解释问题》，法律出版社 1998 年版。

[4] 作为美国宪法第 14 修正案的重要组成部分，"平等保护"条款的主要目的是禁止各州政府的种族歧视。但是自 1880 年以来的一系列的案件中，这项条款总是受到很大的限制。最为著名的是马萨诸塞州最高法院于 1850 年的"平等隔离"（Separate-but-Equal）理论，但是到了一百多年以后的布朗诉教育部案中，联邦最高法院却认为"隔离就是不平等"。详见张千帆：《西方宪政体系》（上册），中国政法大学出版社 2000 年版，第 286～296 页。

[5] 比如说在我国现行宪法自 1982 通过以来，已经有了 4 次修改。

[6] 方流芳："罗伊判例中的法律解释问题"，载梁治平编：《法律解释问题》，法律出版社 1998 年版。

司法机关，而且法官个人在审判过程中享有最终的决定权。离开这一切去空谈法律的动态解释，都是徒然。这也是该种解释只在美国开花，而不在其他国家发芽的原因。因为其他国家并不存在这样的一个提供其生长的土壤。

通过对三个法律解释方法的分析，我们可以得出：方法之争的实质是关于立法机关和司法机关在国家权力机关中的地位之争。是"忠实的代言人"还是积极的创造者？这是法律解释者在选择方法时所受到的制度约束。而且，方法的选择还必须放在该国的一定的社会场景下才能被理解。这样我们就能够理解为什么不同的年代为什么会被不同的解释方法所主导，才会明白法律解释方法的选择之间中也存在着"各领风骚数百年"的情况。[1]

（五）小结

通过本部分的阐述，我们大致可以得到以下几个结论：

1. 法律解释制度的形成是一个国家之中立法权和司法权不断竞争的结果。各个国家政体的不同导致了法律解释制度也不相一致，具体到一个国家之中，该制度的形成乃是该国立法权和司法权之间的不断竞争和妥协的结果。在现在法治国家，法律解释的职能一般都是由司法机关行使。这主要是因为，由中立的司法机关行使法律解释权可以免受简单多数的政治的偏见，起到了钳制立法权的作用，进而可以防止大多数人的暴政，维护少数者的权益。

2. 尽管法律解释制度是受制于一定的政体，但是，这两者之间并不仅仅是决定和被决定的关系，甚至某些时候一定的法律解释可以改变一个国家的制度框架，"马伯里诉麦迪逊案"让美国的司法审查制度从理论走向了制度实践。[2]从中我们也可以看出两者之间在某些时候还是一种互动的关系，正是通过这种互动不断的完善了一个国家的法律解释制度框架，也许这就是经济学意义的"制度激励作用"。

3. 一个国家的制度安排会对法律方法的选择产生非常重大的影响。一定的法律解释方法，总是一定制度的产物。法律解释方法不能脱离具体的制度背景，同时还与当时的社会意识形态紧密相关，这是我们对法律解释方法所隐含的制度

---

〔1〕　根据 William D. Popking 的介绍，美国的法律解释方法自建国以来大致可以分成这么几个阶段：从独立革命到建国阶段，19 世纪，20 世纪初期到 60 年代等几个阶段，而在这几个阶段占主导的法律解释方法都是不一样的。See William D. Popking, *Statutes in Court：The History and Theory of Statutory Interpretation*, Durham：Duke University Press, 1999. pp. 31 – 151.

〔2〕　对于这个问题，苏力教授在《制度是如何形成的》一文中对此作了详尽的分析，请参见苏力：《制度是如何形成的》，中山大学出版社 1999 年版。更多的背景资料，请参见张千帆：《西方宪政体系》（上册），中国政法大学出版社 2000 年版，第 32 页。

意义的分析得出的结果。

三、作为实践的法律解释

（一）为什么法律解释是实践的？

法律解释并不仅仅是方法，它也并不只是在理念的层面上存在，法律解释更不只是一个宏观的制度而已。它从诞生之日起，就被赋予了很浓厚的实践的色彩。这个我们可以从中外的历史当中得到验证。我们知道，在法律解释诞生的初期，它的目的性就非常明确——为了适用法律。[1]

法律解释为什么是实践，而不仅仅是其他的？对于这个问题，我们可以从三个方面来进行理解。首先，从法律的性质来看，法律的诞生并不是为了贡献知识，它是为了解决纠纷。这一点在中国法律的历史当中也可以得到验证。[2] 在某个程度上法律天生就不仅仅是为了学术而存在的——我们甚至可以说法律的存在不是为了学术，而是实用。正是如此，许多学者认为法律是一种实践理性，因为"法律不仅仅是一种或一些被理性之光照亮的抽象的一般原则，而且也能够是在行动者个人内在的意志和理性意识指导下的实践原则和行动准则，同时，由行动者个人组织起来的政治共同体必然具有理性实践的能力"。[3] 法律从来不是靠简单的逻辑就能够解决实际问题，法律需要实践者的智慧和其他方面的因素。正是法律的这个特征，决定了法律解释也是一项实践而不是其他。[4]

其次，从法律解释产生的目的来看，法律解释是为了解决实际问题——解决

---

〔1〕 在世界范围内而言，十二铜表法的制定意味着法律的公开化，同时也意味着法律知识垄断被打破。在这种情况下，法律知识得到了传播。在公元前254年的时候，平民出身的库洛康尼乌斯担任神官长，开始讲授法律的文言解释及法发现的步骤。从这个时候开始，法律解释正式的开始形成。从中我们也不难看出，法律解释的诞生并不是为了学术，而是为了诉讼的需要。参见梁慧星：《民法解释学》，中国政法大学出版社2000年版，第4页。

〔2〕 在中国法律历史中关于法律的产生可以有各种各样的说法，其中包括"定分止争""刑起于兵"，通过以上我们可以得知，无论是何种方法，都注意到法律是为了致用而产生的，而法学一开始也就不是一门玄学，而是实用之学。

〔3〕 葛洪义：《法律与理性——法的现代性问题解读》，法律出版社2001年版，第297页。

〔4〕 实践理性最早来自于亚里士多德对知识的划分，亚氏将知识划分为三类：纯粹理性、实践理性和技艺。所谓的实践理性是人们在实际活动中作出选择的方法，用来确定命题之真假、对错和行为善良与否。参见苏力："知识的分类与法治"，载《读书》，1998年第3期。实际上不同的学者对所谓的实践理性也有着不同的观点，比如说波斯纳就认为对于"实践理性"不存在着一致的看法，甚至可以说没有一个一致的答案。即便如此，但是将实践理性理解为一种方法论恐怕不会引起异议。在波斯纳看来，具体到法律，常用的实践理性的方法主要是依据权威和类比推理。参见〔美〕波斯纳：《法理学问题》，中国政法大学出版社2002年版，第99页。

审判过程中发生的对法律适用困难的问题，正如法律本身一样也不是为了贡献知识。拉伦兹说，从法教义学的角度看，法律解释的任务在于："清除可能的规范矛盾，回答规范竞合及不同之规定竞合的问题"。[1] 从这里我们也可以看到，法律解释的目的就是为了解决现存法秩序中不一致的地方，然后得出可以适用于具体审判的结论。对于法律解释来说，知识上的贡献永远只是附属品，而不可能是目的。

最后，法律解释是存在于司法实践活动过程中，是随着实践的疑问而产生的，因此也必须通过实践得到解决，这一点也就将法律解释与单纯的思辨作了区分。为什么为产生法律解释？因为实践生活的多样性与法律条文之间存在着或多或少的区别，而法律文本本身并不能够自己进行法律适用。在某种意义上说，法律本身的天然局限性就是法律解释学的根源。反过来，法律只有通过解释来发现、补充和修正，才会获得运用自如、融通无碍的弹性。[2] 从这个意义上说，法律解释的实践是伴随着法律文本本身的漏洞而存在的，只要法律还需要通过文字的方式来表达，那么法律解释就永远不会消失。对于法律解释来说，解决法律规范之间的冲突、在法律事实和法律条文进行穿针引线永远是它的任务。[3]

正是基于这方面的考虑，本文认为作为实践的法律解释有以下几个特点，首先，法律解释的主体是特定的，其次，法律解释的时间和场合也是特定的，再次，法律解释的结果是特定的，非经正当程序不受改变。正是以上几个特点构成了实践的法律解释的独特性。

（二）作为实践的法律解释的特点

1. 主体的特定。与纯粹思辨的学理解释不同，作为实践的法律解释要受到很多的限制。首先，它的主体是特定的。谁是法律解释的主体？对此历来就存在着比较大的争议。有学者认为法律解释的主体是"有权的国家机关"，[4] 在许多学者看来，法律解释的主体不是特定的，只不过有效解释的主体是特定的，那就是立法解释、司法解释和行政解释——这是依照解释者的主体的不同而作出的区分。[5] 在这里，我们将法律解释的主体定位是特定的而不是任意的，是基于

〔1〕 ［德］卡尔·拉伦兹：《法学方法论》，陈爱娥译，台湾五源出版公司1996年版，第218页。

〔2〕 沈宗灵："论法律解释"，载《中国法学》1993年第6期，第58页。

〔3〕 在孙笑侠教授看来，如果说立法（立法者）意图是起点，司法（法官）是终点，那么，法律解释是连接两端的中间环节。参见孙笑侠：《法的现象与观念》，山东人民出版社2001年版，第218页。

〔4〕 张文显主编：《法理学》，法律出版社1997年版，第374页。

〔5〕 在现行的有关法律解释的各种著作中，一般都将法律解释分为法定解释（有效解释）和任意解释（学理解释）两大类。

以下考虑。

首先，法律解释既然具有实践的特点，那么实用必然是它的归宿。从实用的角度而言，法律解释的主体只能够是那些对具体案件中定罪量刑有影响的人和机关，只有他们的解释才可以称得上是有权的主体。反之，无论其他任何人都不可能是解释的主体。

其次，从历史来看，我们可以看到国家是严格控制法律解释的主体，这个现象并不仅仅限于中国，就是在国外也存在这种现象。我们一般将商鞅改法为律和以吏为师是中国法律解释的开始，它的特点就在于阐明律的统一适用的必要性，树立律的权威，并建立官方释律的制度，"法律答问"是为注释律学的滥觞，私家注律受到禁锢，虽然在以后有过短时间的私家注律，但是在长久的历史当中，法律解释都是归之于国家，这绝不仅仅是说明了封建的专制，更重要的是表明了司法权在一个国家当中的重要地位——虽然在我国要在司法权、行政权和立法权之间作出一个区分并不是一个简单的事情。而从古罗马的实践来看，也存在着这样一个问题。公元 1 世纪前后，罗马皇帝奥古斯都鉴于罗马共和政体后期法律解释的自由发展导致法律适用的困难，损害法律的安定性，首创了法律解答权制度。他授予了一些业绩优秀的法学者负责解答法律问题的资格，从而使法学者的活动与国家权力结合在一起。自法学者的解释被授予解答法律问题资格的时候始这个时候，法律解释的任意性就得到了限制。[1] 虽然作出解释的人还是依旧，但是两者的效力却是不可同日而语，一个是作为个人的解释，另一个则是代表了国家的强力。综观古代中国和古罗马的法律解释，我们可以得出这样一个结论，法律总是与一定的国家权力联系在一起的。

当然，我们在强调法律解释主体特定的时候并不排斥我们可以在学理上对法律进行探讨，作为公民个人可以对特定主体所作的法律解释保持不一致。只不过这个时候的解释已经失去了法律解释的特性，我们毋宁说它是一种学理上的或者是智识上的探索，学者个人对有关法律作出的解释，在我看来毋宁是一种有关解释的评论，或者说是有关法律解释的理论，而不是法律解释。同时，法律解释主体的特定性也不能够得出一个结论说其他人所作的解释就是没有意义，这是很荒谬的。我们甚至可以说，如果没有学理上的探讨，没有法学者对法律所作的解释，那么，具有法律效力的解释也将会失去它的生命力。这在我国早已经得到了

---

〔1〕 何敏："从清代私家注律看传统注释律学的实用价值"，载梁治平编：《法律解释问题》，法律出版社 1998 年版。

明证。[1] 既然如此，我们为什么还要对法律解释的主体进行限定呢？

第一个理由，是秩序的需求。在中国古代和古罗马奥古斯都时代存在着的对法律解释的限定主要是为了秩序的考虑。我们知道，秩序是法律的基本价值之一，而在有些学者的眼中秩序甚至就是法治，[2] 对此种观点我们可以持保留意见，但是这也从侧面或多或少的说明了秩序对于法律的重要意义。而具体到法律解释来说，假如法律解释的主体——有效的法律解释的主体——不是特定的话，那么在具体的案件当中很有可能会造成法官适用法律的困难。法官到底该适用什么样的法律解释？什么样的法律解释才是对当前的这个案件是有效的？这些都是问题。只有将法律解释的主体进行限定，才能够解决法律适用的难题，当事人之间的纠纷才会得到解决。也许有人会对主体的限定产生一定的疑问，那就是那些被限定的主体所作出的法律解释是不正义的时候该怎么办？比如说在 19 世纪末的普雷西·弗格森一案中，作为黑人的弗格森被剥夺了和白人一起上学的机会，但是法院的判决却说这是合法的："如果各州提供的是隔离但却平等的公共设施，那么这就符合该条款（平等保护条款）的规定。"[3] 不正义的法律解释该如何对待？这确实是个问题，因为自古以来法律就是与正义紧紧的联系在一起，或者说正义是法律的正当性的基础。但是在某种程度上说这又不是一个问题，难道不限定法律解释的主体就会避免这个问题吗？由于司法权是国家独占性的这个特点，决定了在相同的时间维度之内的权威主体只能是惟一的。如若让法律解释的主体可以如商品那般在市场中竞争，那么我们所能够得到的只是这个世界的无序。当然，如果将法律解释放在一个相当长的时间段中，我们会发现存在着各种各样的理论之间的竞争。比如说在以上刚刚举到的那个案例如果时间推后五十多年，那么它的结果也许就是不一致，著名的布朗诉教育部案就是明证。[4] 这个时候的解释的主体还是同一个——都是联邦最高法院，但是由于当时社会形势与五十年前发生了变化，所以法官作出了与先前不相一致的判决。从这里我们甚至可以说，世界上没有存在着绝对的正义，存在的只是被权力机关认可的正义。正

---

[1] 比如说中国古代由于严禁私家注律，所导致的最明显的一个后果就是在中国古代没有发展出繁荣的法学。

[2] 苏力先生在他的著作种曾经多次谈到过法治对秩序的重大作用，他认为，"当代中国对法治的呼唤，可以说就是对秩序的呼唤"，苏力："现代化视野中的中国法治"，载苏力：《阅读秩序》，山东教育出版社 1999 年版。

[3] 关于该案件，请参见 ［美］德沃金：《法律帝国》，李常青译，中国大百科全书出版社 1996 年版，第 27 页。

[4] 关于布朗诉教育部案件，请参见 ［美］德沃金：《法律帝国》，李常青译，中国大百科全书出版社 1996 年版，第 27 页。

是从这个意义上，我们可以说"不正义胜于无秩序"。[1]

接下来的一个理由也与秩序相关，甚至可以说是秩序的副产品，那就是独占的法律解释可以提供一种法律的预期。法律可以预期，这也是法治的一个基本功能之一，如果法律不能够被预期，那么社会生活将会失去秩序，法律解释也是这样。我们可以想像一下，假如说在现行的法律解释制度中对同样一个法律条文和事实之间存在着众多的解释主体，我们可以想像的到案件的当事人会是如何的尴尬，他该怎么适用这些解释来对自己的权利作出辩论和辩护？谁是具有最终的决定权？虽然在现阶段中我们知道存在着众多的法律解释的主体，甚至立法解释的效力要高于司法解释的效力。但是具体到审理案件的时候，对具体的特定的法律和案件事实之间能够作出有权解释的主体总是惟一的，那就是审理该案件的法官。如果在此存在着多极的主体，那么势必会造成当事人在选择时候的困难，我们甚至可以说法律秩序在此也就坍塌了，而公众对法律的信任也就难以为继，剩下的只是社会生活的茫然，而这是现代法治社会的一大忌讳。

当然，法律解释主体的特定会产生一个问题，那就是垄断法律解释的主体的特定性会导致解释的独特性，也就是会造成解释的专业性，从而会与大众思维发生一定程度的脱节。为什么会发生脱节呢？这里边涉及到这三个方面的原因：第一，社会分工的结果导致了法律思维会与大众思维之间形成一种屏障。孙笑侠教授曾经专门撰文指出法律家和政治家思维的区别，[2] 当然，这个区别不仅仅存在于法律家和政治家之间，同时也广泛的存在于法官和民众之间。第二，法律解释的对象的特定性。我们知道法官对所要进行解释的对象都是纳入到现有的法秩序范围之中进行考虑，法官对于法律秩序之外的事物是很少涉及的。因此，我们就很有可能看到法官在作法律解释时就有可能会与一些大众道德相悖，甚至是极不相符。比如说欠债还钱是天经地义的事情，但是将它放在法律的视野中这个道理则是很有疑问，原因就是法律中存在的时效制度。第三，法律解释的方式是程序中的解释。法律程序的一大作用就是让进入程序的事物和外界进行适当的隔

---

[1] 不公正胜于无秩序是取自尹田教授的一篇相似论文题目。在该文中，尹田教授认为"在现代民法上，以交易安全及其他有关价值为代表的秩序之地位的不断提升，感觉到民法关注点的某种变化趋势，感觉到民法在其对公平正义价值的追求过程中，越来越多地受到社会整体利益地制约、支配和控制。"鉴于此，尹田教授对公正和秩序作了区分后得到这样一个结果："秩序胜于公正。因此，不公正胜于无秩序。"参见尹田："不公正胜于无秩序"，载北大法学院编：《价值共识与法律合意》，法律出版社2002年版。

[2] 孙笑侠："论法律家与政治家思维的区别"，载《法学》2002年第1期。

离，从而起到让事实在法律中进行思考的作用。[1] 这对法律家思考法律固然是个好处，但是在一个法律文化尚未被普遍接受的时候，则会引发众多的误会。例如在几年前，四川省某县法院仅仅因为接受了来自制假者对打假者的行政诉讼，就引起了中央电视台《焦点访谈》记者的惊呼："制假者反告了打假者。"[2] 但是这在法律家的眼中看来则是及其稀松平常的事。当然，我们提出这个问题并不在于想进行价值判断，认为他们之间存在着谁好谁坏，我们只是想说：法律解释主体的特定性可能会引发这样的问题，而这些问题应当引起我们的重视。

2. 时间和场合的特定。法律解释的第二个特点就是法律解释的时间和场合是特定的。以上我们曾经提到过法律解释的目的是为了适用法律，由于对法律的适用是存在于特定的案件之中，那么我们可以认为法律解释也是存在特定的时间和场合之中。但是，仅仅这样论证是很不具有说服力的，

因为在实际的运作过程中法律解释并不仅仅存在于特定的案件之中——我们甚至可以说在特定的案件中没有法律解释，[3] 我们知道法律解释有立法解释、司法解释和行政解释的区分。而且，在三权分立不太明显的中国——尤其是在国家权力机关法律监督只能高度强调，甚至有可能使立法机关成为法律实施的活跃的主体。[4] 在这种场合下，你又是如何来论证法律解释的时间和场合是特定的？之所以说法律解释的时间和场合是特定的，我们并不是排斥现在所存在的有权解释，但是需要注意的是，现在我国的这些所谓的司法解释、立法解释和行政解释并不是严格意义上的法律解释，实际上它们都可以说是立法形式的一个异化，尤其是立法者本身的解释，它的适用对象是抽象的，[5] 对于此种解释我们就很难

---

[1] 关于法律程序，季卫东先生认为它还具有一些这样的效果："首先就是决定过程中的道德论证被淡化，先入为主的真理观和正义观都要暂时被束之高阁……其次，程序要件的精密化使法学能够建立在科学的基础上，并且与实用的操作技术结合起来……再者，审判程序和行政程序的条件导向可以加强决定的强制可能性，进而减少法律在教化、社会化方面的负担。"参见季卫东："法律程序的意义"，载《法治秩序的建构》，中国政法大学出版社1997年版。

[2] 关于此案件的具体报道以及详细评论，请参见苏力：《送法下乡》，中国政法大学出版社2000年版，第59页。

[3] 因为按照我国的法律解释体制，司法解释仅仅是存在于最高人民法院当中，但是这并不意味着在个案中法官本人就不会有法律解释。实际上，在每一个案件中的法官都是在不断的解释法律，将客观事实转变为法律事实、将法律适用到事实，我们所说的法律解释正是从这个意义上而言的。

[4] 张志铭：《法律解释操作分析》，中国政法大学出版社1999年版，第20页注 [17]。

[5] 当然，学界对此也有不同的看法，有人认为法律解释存在着具体解释和抽象解释，所谓的"具体解释就是指在具体个案的司法裁判中与法律适用相联系的法律解释活动……抽象解释是指法定国家机关，如中国的全国人大常委会、最高法院、最高检察院等，在法律实施过程中就法律所作的一般的解释性规定，它具有普遍的法律效力"，参见张志铭：《法律解释操作分析》，中国政法大学出版社1999年版，第17～18页。

说它是解释还是立法。而且，这些法律解释能不能对个案进行适用还是一个问题，[1] 正是基于这方面的考虑，我们毋宁只将法官在个案中理解法律，对法律适用的过程称为法律解释，这样，我们就很好理解法律解释的时间和场合是特定的。

法律解释的时间和场合的特定是来源于现代法律程序的规定。为了保证法律的效率和预期，现代法律对诉讼的发生、进行和结束都有着一系列的限制和规定。那么，法律解释也就只能够存在于特定的时间和场合之中。具体说来，法律解释也就只是限于法官在受理案件之后和作出判决之前，只有在这个时间内法官作出的解释才是对案件有拘束力的。因为按照司法独立的原理，[2] 在这个过程中法官的解释具有绝对的权威性，任何人都不得对法官解释法律的行为进行干扰。但是法官对法律解释的权威也仅限于这里，如果一旦离开了这个时间和场合，那么该法官对他以前所受理的案件所作的解释也就没有丁点的特殊性。如果一个法官对一起还未起诉到该法院的纠纷作出所谓的解释，那么这也不是法律解释，而只是一个解说而已，因为它是不具有约束力的。同理，法官对已经作出判决的案件——发生既判力的案件——所作的解释也并不能说是法律解释。

以上得知，法律解释的时间和场合的特定性是和现代诉讼制度的程序和期限紧密的结合在一起的。在这个时候法律解释的发生和应用都是为了在特定的案件事实和法律之间进行融合，在这个过程中它的目的只是为了解决纠纷，[3] 而不是为了其他的目的——比如说发现真理。[4] 这就与学理解释有着很不一致之处。在我看来，很多学理解释的目的也许并不是为了解决案件本身存在的难题——实际上解释者的身份也就决定了他不可能具有这样的能力，它总是有着很多"言外之意"。比如说在众所周知的"埃尔默案"中，[5] 德沃金的目的并非是为了解释这个案件本身存在的问题，看看谁到底具有遗产的继承权，学者们的目的是

---

[1] 因为它所针对的只是抽象的事实，而在法官面对的具体个案中它所面对的情况是完全不一致的。甚至，由于现实的多变性和其他各方面因素的影响，这种解释在具体的个案中往往是可以被忽视的。

[2] 一般说来，所谓的司法独立包括两个方面，一个是司法权的独立，另外一个就是法官个人的独立。在我国，我们并不承认司法独立，但是在具体的法律制度中都规定了人民法院行使审判权不受其他国家机关和社会团体的约束，具体的条文请参见宪法和人民法院组织法以及诉讼法相关规定。

[3] 对此，梁治平先生也认为："法律解释的核心并不是对法律文本的理解，而是要把法律应用于具体案件，对当事人之间的利益纷争作出决定，因此，他要考虑的与其说是解释，不如说是结果。"梁治平："解释学方法与法律解释的方法论"，载梁治平主编：《法律解释问题》，法律出版社1998年版。

[4] 不过也有学者认为法律解释的目的就是为了发现真理，比如谢晖教授就认为诠释法律应该是"达致真理"，参见谢晖："达致真理，诠释法律的憧憬"，载谢晖、陈金钊编：《法律方法》第1卷，山东人民出版社2002年版。

[5] [美] 德沃金：《法律帝国》，李常青译，中国大百科全书出版社1996年版，第14页。

为了在这个案件中找到法官们为什么会作出这样判决的一种解说，以及案件应当怎样判决的一种企盼，或者是在案件中找到可以上升为理论的知识，从而能够在学术上进行思考从而展开对话。比如说德沃金就在这个案件中找到了"任何人都不得从其错误行为中获得利益"这个原则，进而发现了所谓的法律原则。当然，我们也不否认有些学者的解释是针对于特定的案件，他的目的机就是为了给法官解释类似案件提供解决之道。但是，司法的特殊性决定了对案件的思考往往是"屁股决定脑袋"，所以学者们的很多努力就往往是徒劳无益的。法官的解释与学者则不完全一致，他们在司法的运作过程中对法律解释的目的就是为了解决当前的纠纷，让受到破坏的法秩序得到恢复。虽然说他们的解释有可能对未来的司法有所影响，[1] 但是这并不是他们的目的，而仅仅是这个解释的副产品而已。由此，我们可以看到，作为学者可以对同一个案件不分时间和场合进行翻来覆去的解释，[2] 去探询他们所谓的"惟一正确的答案"。但是法官决不可以这么做，他的解释只能是存在审判的过程之中，而且必须是在法律规定的时间之内作出。

　　正是如此，我们可以认为，法官个人所作的解释可以说是暂时性的，它的效力也是仅限于特定的案件之中。但是，一个个的暂时性的案件结合在一起，那就组成了一幅连续的解释画卷，法律也就在这个连续的解释中得到实践。正是一个个个案的"点"的解释，才构成了法律"面"的运作。对于个案的解释来说，它是暂时的，但是如果将这个解释放到整个法律的体系中去，那么它决不是孤立的，在各个解释之间还是能够找到一致性。法律的效力就是在个体的解释中得到了延伸。

　　3.　结果的特定。洪汉鼎先生将诠释学分为独断型诠释学和探究型诠释学两种，认为法律解释学是属于独断型诠释学，而作为独断型诠释学的体现就是解释主体的独断性和解释结果的有效性。[3] 涉及到法律解释来说就是法律解释的结果是特定的，未经过正当程序的改变，始终有效。这个特点也是和前两个特点密切相关，如果没有主体的独特性，自然就不会有结果的独断。

　　这与其他解释是不相一致的，甚至可以说与立法解释和司法解释也不相一致

---

〔1〕　在普通法系国家中，作为上一级法院的判决结果很有可能成为法律渊源的一部分，因此，在特定案件中的法律解释也有会被以后所采用。

〔2〕　比如说在美国有关妇女堕胎权的罗伊案件被作出终审之后，不同的学者对此作了不同的解释，甚至引发了朝野上下的惊动。在德沃金的新作《自由的法》中，作者花了相当大的篇幅来讨论这个案件。请参见［美］德沃金：《自由的法——对美国宪法的道德解读》，刘丽君译，上海人民出版社2001年版，第59～185页。而在我国，也存在着这样一个现象，那就是每当发生一个较为典型或者是新颖的案件，总会引来媒体的关注和学者的评说。

〔3〕　洪汉鼎：《哲学诠释学》，上海译文出版社2001年版，转引自陈金钊："何谓法律解释——对《立法法》中设置"法律解释"一节的认识"，载《法学论坛》2001年第1期。

的。如果一个案件在作了"错误"的解释从而作了"错误"的判决之后，只要它未经过法定的程序，那么这个结果就不受改变，而不管在这个案件解释过程中存在着与现行法律的种种偏差。这种解释与立法解释和司法解释的一个最明显的区别就是：假如在立法解释和司法解释中发生瑕疵，那么法官可以在个案审理的时候对此忽略，所以这个解释对具体的特定的当事人来说几乎没有影响。但是作为个案的法官的法律解释则不一样，假如法官在解释之后而得到的判决必定是要在相关的当时人之间发生拘束力。

为什么要保持这种独断？我们不妨从两个方面对它进行解释。

第一，这是维护法秩序的统一和稳定的需要。法律的一个最为明显的优点就在于它能够在社会日益多元的今天能够保持一种统一，也就是庞德所说的"通过法律的社会控制"，从而让整个社会保持一种有序。

让通过法律解释而得到判决结果保持一定程度上的稳定性，这也是法律的要求。如果一起诉讼在法院得到判决之后，但是它的结果却是不能够得到当事人承认而可以自行更改，那么法律的尊严和权威就会丧失殆尽。当然，我们承认有可能在某些案件中会存在一定程度上的瑕疵——甚至是错误。但是如果大家都可以以这样为理由对案件的结果进行更改的话，那么就意味着谁都得不到"正确"的答案，原因很简单：如果大家都拥有了这样的权力，那么谁还会服从于法律呢？"如果一个公民可以作法律所禁止的事，他就不再有自由了，因为其他的人也会有同样的权利"。[1] 因此，我们必须确保通过程序而作出的法律解释能够保持一定的稳定性，国家——法院——必须垄断司法的判断权和确保终极判断的权威。这样的目的也绝不仅仅是为了维护司法的权威，更是为了社会的稳定，让社会在一个有序的环境中得到发展。

如果谁都具有了更改判决结果的权力，那么，判决也就没有存在的必要了。因此，我们只能够通过特定的程序来达到对判决结果的修改，而且，还有必要在这个程序上设置种种障碍，让大家都不能够轻易的得到更改结果的机会。原因很简单，如果这个机会来得太容易，那么很多人就不会去执行法院的判决，而是千方百计会想办法该怎么改变判决。正是这个原因，如果要对已经发生既判力的判决提起重新审理，世界各个国家对其的程序都是相当严格，这就堵死了那些想通过再审程序来拖延甚至逃避执行判决的念头。但是为了让相关当事人在受到不公正的审判之后能够得到补救，现代诉讼在审级上也作了相应的规定：一审之后的上诉，是为了改正一审中发生中的瑕疵，而各个国家在司法制度上规定的终审，则是为了保证判决结果的惟一性和确定性。

---

[1] 孟德斯鸠：《论法的精神》（上册），张雁深译，商务印书馆1997年版，第154页。

第二，这与社会价值的多元紧密的联系在一起。随着社会经济政治环境的变化，社会利益分化的加深，哲学和政治的理论已经不是如传统那般的温和，门派也是繁多，尤其是到 20 世纪下半叶，各种政治流派纷繁林立取代了原先政治理论上的铁桶一块，这是波斯纳笔下二十世纪下半叶的美国意识形态。[1] 我们有理由相信，这种现象并不仅仅存在于美国，世界各国或多或少的存在。正是人们意识形态的多样，社会共识逐渐减少。于是在很多时候，我们找不到如德沃金教授所云的"惟一正确的答案"。但是纠纷产生之后，我们却一定要得到解决的方案。现代社会的法院就扮演了这样的角色，担当起了解决纠纷的职能。于是，这个时候的法官在进行法律解释的时候就要考虑各方的因素，权衡利弊。当然，他所得到的结果也就不会让各方面满意。但是法院由于垄断了这个社会的终极判断权，对于它所作的决定，非经过正当的法律途径都不能够改变。

需要说明的是，结果的独占并不表明结果的正确，甚至在法律解释过程中并不存在正确与否的判断，它注意的是判决能否得到执行，纠纷能不能得到解决。比如说在美国司法审查制度的建立写下浓厚一笔的"马伯里诉麦迪逊案"，严格的从法律的角度看来，这个案件的审判是很有问题的。首先，马伯里并没有从司法那里得到其权利的补救；其次，它断定被告的行为是违宪，但是却没有给予法律上的制裁。这都很让人不解，但是，我们又不得不承认这是个高明的判决。[2]

甚至法律的结果不能以对错来衡量。而且，通过投票来表明谁是正确与否也会存在着相当大的问题，在某种程度上，法院的判决只是一种价值判断，它并不能够决定事实的本身。比如说西红柿到底是水果还是蔬菜？假如通过审判判定西红柿是蔬菜，这并不会让我们觉得法官的判决是滑稽甚至是错误的。而在植物学家的眼中，西红柿还是水果，它的属性并不会因此得到改变——只是在特定诉讼中为了解决纠纷的需要西红柿成了蔬菜。[3]

所以，在某种程度上我们要打破对法律解释——还有法律——的神话，而这

---

[1] 波斯纳认为，在 20 世纪 50 年代的美国法学院，只有温和的自由主义和保守主义之间的区别。但是到了 70 年代以后已经充斥了各种思潮——马克思主义、女权主义、左翼的极端怀疑主义和经济上的无政府主义等各种理论，这绝不仅仅是美国各大法学院的写照，而是美国社会的一个缩影。See Richard A. Posner, The Decline of Law as Autonomous Discipline: 1962 ~ 1987, 100 Harv. L. Rev. 761, 766 ~ 777. (1987).

[2] 具体的评价可以参见苏力："制度是如何形成的"，载《制度是如何形成的》，中山大学出版社 1999 年版；也可参见麦德福、强世功："司法独立与最高法院的权威"，载《读书》2003 年第 5 期。

[3] 在美国曾经就发生过这样一个案例。有制定法规定，进口蔬菜要征税，进口植物果实则不用征税，这就发生了关税是否适用于番茄的问题。对于植物学家来说，番茄是一种植物果实，豌豆和大豆都是植物果实，但是对于大众来说，他们都是蔬菜。最后法官的判决是番茄适用该关税。请参见[美] 波斯纳：《法理学问题》，苏力译，中国政法大学出版社 2002 年版，第 332 页。

也并不意味着我们不尊重法院的判决。我们只是要明白，法律的存在只是为了让整个社会得到一个惟一可以得到执行的解决方案，[1] 至于这个解决方案是否妥当，我们可以在接受结果的前提下提出我们的异议，因为现代社会法律的正确只是"程序上的正确"，如果当事人在程序的范围内得到了一个我们大可不必付出自己的身家性命来追求一个案件的正确答案——对此我们可以对现在中国司法制度中不断增多的再审现象作出另外一个解释。[2] 当然，学理上对案件的反思是必要的，这可让我们在今后得到更为满意的答案，只是讨论归讨论，通过现在的解释所得到的判决必须得到遵守。

（三）小结

如果我以上的论证得以成立的话，那么审视现在对法律解释的讨论，我们可以得到以几个信息。

1. 法律解释并不仅仅是和学理联系在一起的。虽然近几年来关于法律解释的理论层出不穷，但是学说并不必然作用于实践，甚至实践中的法律解释并不必然反映一种学说。甚至在有些时候学说和实践是相矛盾的，"很多时候学术界对某一法律规定会存在理解上的不一致，甚至完全相反。这种学术观点的争议可能有助于法学的发展与繁荣，但是却无助于司法实践，有时甚至可能导致严重的消极后果。"[3]

2. 法律解释不是文字上的游戏和智力上的论辩，甚至有时候法律解释的结果并不仅仅是决定于法律的文本。对于这一点，有学者说："法律解释的核心并不是对法律文本的理解，而是要把法律应用于具体案件，对当事人之间的利益纷争作出决定，因此，他要考虑的与其说是解释，不如说是结果。"[4] 因此，通过这样我们就能够将法律解释与法律诠释作一区分，在我看来，法律解释是为解决争议、纠纷而产生的，而法律诠释则是为了解释法律这一现象而出现的，更多的是从哲学的视角来理解法律，固然能够解决"只缘身在此山中"的矛盾，但是

---

〔1〕　当然，我们说法律的存在是为了正义或者是其他的价值，但是一旦连法院的判决都得不到执行的时候，我们这个社会的正义又该怎么体现呢？

〔2〕　关于这方面的论述，请参见傅郁林："审级制度的建构原理——从民事诉讼程序视角的比较分析"，载《中国社会科学》2002 年第 4 期。

〔3〕　郭华成：《法律解释比较研究》，中国人民大学出版社 1993 年版，第 119 页。

〔4〕　梁治平："解释学方法与法律解释的方法论"，载梁治平主编：《法律解释问题》，法律出版社 1998 年版。

却无助于解决具体的个案。[1]

3. 通过本文的疏理，我们会发现法律解释的结果是和权力有着密切的关系，从而导致了在司法过程中有关法律解释方法的知识是和权力联系在一起的。前面已经谈到，法律解释的目的就是为了适用个案、化解纠纷，而该纠纷的解决是依赖于对一定的权威的信赖之上的。当事人将争端提交到法院以求通过诉讼的途径来解决纠纷就表明了对权力的一种依赖，而法官在对法律进行解释的过程中就更加表明法律解释这种知识是与权力紧密的结合在一起的。我们知道在各个国家的司法制度中都存在着一定的审级制度，而审级制度的存在实际上就是为司法知识的权力化埋下了伏笔。美国的联邦大法官杰克逊有句明言："我们是终审并非因为我们不犯错误，我们不犯错误仅仅因为我们是终审。"他还说如果在美国的联邦法院之上还有法院，那么，最高法院的判断有相当部分都会被驳回。[2] 而苏力教授对此下的评价是："这种制度的存在实际上使得上诉法院不管怎样都'总是有理'。"[3] 所以我们就会看到上下级法院对同一案件的判决会存在许多截然相对的判决——虽然要认定的事实是一样，这种现象在有着"法律审和事实审"之分的西方国家的司法实践中更是如此，比如说德沃金教授提到的"埃尔默案"的判决。[4] 由于对诉诸法院的纠纷必须在一定期间内予以解决，所以案件的判决在很多时候必须得到一个彻底的答案——而不管这个判决是不是"正确"。这就凸显了上一级法院的权威，虽然在各个国家的司法制度上都存在着审判独立制度——不允许任何人干涉法官的独立审判，但是该案件一旦被上诉到上一级法院，那么上级法院也就拥有了对所受理案件的决定权。[5] 这并不是说上级法院的法官比下级法院的法官拥有更多的智慧或者在良知上更加能够保证案件的公正

---

[1] 关于法律解释和法律诠释的区别，可参见乌尔里希·施罗特："哲学诠释学与法律诠释学"，郑永流译，载郑永流编：《法哲学与法社会学论丛》，中国政法大学出版社 2001 年版；谢晖："法律解释与解释法律"，载《法学研究》2000 年第 5 期。

[2] 苏力：《送法下乡》，中国政法大学出版社 2000 年版，第 161 页。

[3] 同上。

[4] ［美］德沃金：《法律帝国》，李常青译，中国大百科全书出版社 1996 年版，第 22～27 页。

[5] 当然各个国家的做法稍有不同，比如说法国的最高法院并没有改变下级法院判决的权力，请参见本文第二部分。

判决，[1] 只是由于他们所处的位置就决定了他们的判决的命运。由此我们就能透体会到在美国为什么会有那么多的联邦最高法院大法官的司法判决书永垂青史，而我们却很少见到有来自基层法院法官的判决书。所以福柯说"一种知识的发生并不是一种纯智力的成果，而总是要依附一套权力机制的"。[2]

与此相紧密联系的是只有具有一定权力的人的解释才是有效的。在价值取向日益多元的今天，对同一个案件，大众和专家之间存在着不同的看法，而专家与法官之间也许具有不同的看法，但是最终在法律解释上获得合法化的只是拥有裁判权的法官的解释。也许法官的分析并没有专家教授那么透彻，或许法官个人对此事根本是一无所知，但只是由于法官的身份，那么他的解释就具有了合法的地位，而不在乎法官个人是不是的学识高低和驾驭案件的能力。在法律解释的过程中，作为法官个人的知识突然会显得无足轻重，他的身份就显得格外重要，因为正是身份和权力紧紧联系在一起，成为了"正确"的化身。在这里，"知识就是力量"就与"知识就是权力"划上了等号。

结语：当代中国法律解释制度简析

在本文即将收尾之际，有必要对当下中国的法律解释作一简要的分析，已经有不少学者在该领域进行了颇有见地的研究，但是如果按照方法、制度和实践这三个层面对中国的法律解释进行分析，我们大致可以得到以下的一些直观的印象：

1. 当代中国形成了以解释权为中心的法律解释制度。对此，张志铭教授有过精辟的分析：

"在中国的制度设计上，法律解释一般来说既非附属于司法裁判权的一种活动，也非附属于立法权或法律解释权的一种活动；它在法律上被单列为一种权

---

〔1〕 虽然我们注意到上级法院的法官比下级法院的法官在学识上——如果以学历来表示的话——更加具有优越性，或者是说许多优秀的法官都是来自非基层法院，所以这就给我们造成了一种错觉：以为上级法院总是比下一级的法院在处理法律问题或者是在法律解释上更加具有正当性。但是在作者看来，这是一种错觉：因为正是上级法院的位置让你有了成名的机会——几乎所有的法官都是在上诉法院中成名的，而下级法院的地位使得你的判决——无论是推理多么缜密、论述多少清晰——有更多的机会被上一级法院"合理的"推翻。只有当下级法院的法官被移到上一级法院的时候，作为法官个人的才华才会具有了"用武之地"，法官个人的富有的才华才会在判决中表现出他的生命力。所以我们可以说正是法官所处的位置导致了它的解释具有了生命力，在这个时候我们会发现"正义"几乎是和权力成正比的。苏力教授对此曾有精彩的论述，请参见苏力：《送法下乡》，中国政法大学出版社 2000 年版，第 149～175 页。

〔2〕 Michel Foucault；*Discipline and Punish*，*the Birth of the Prison*，trans. by Alan Sheridan，转引自苏力：《送法下乡》，中国政法大学出版社 2000 年版，第 166 页。

力，一种通过解释形成具有普遍法律效力的一般解释性规定的权力，而在不同的国家机关之间对权力的这种分配，则构成了一种极具中国本土特色的法律解释体制。"[1]

当代中国法律解释体制的基本框架，是按照全国人大常委会于 1 981 年 6 月 10 日通过的《关于加强法律解释工作的决议》（以下简称《决议》）建构的。《决议》把法律解释的内容区分为两大类，即"法律条文本身"的问题和"法律具体运用"的问题，规定前者由全国人大常委会解释，后者由有关司法和行政机关分工解释[2] 这一分工明确了中国法律解释体系下有权解释的主体包括：全国人大常委会、最高人民法院、最高人民检察院、国务院及国务院主管部门、省级和较大城市的人大常委会和政府或政府主管部门。根据解释主体、内容和权限的不同，法律解释可以分为立法解释、司法解释和行政解释。而 2000 年的《中华人民共和国立法法》则以基本法律的形式确认了该种制度，在具体的实践中则形成了以司法解释为主体的法律解释制度。为什么中国的法律解释是一种机构的解释而不是法官个人的解释，之所以会形成这种以解释权为中心的中国特色的法律解释，在我看来，大致有以下几个原因：

首先，对人民主权的无限推崇是导致该种法律制度的原因。中国古代的法律有个明显的特点，那就是迷恋法律与君权的结合，"法自君出"就是对这一现象的生动描述[3] 在推翻了君主制度的今天，这种迷恋并没有被消灭，而是被另外一种形式所表现出来，这就是"人民主权"，而将人民主权原则落实到具体的制度设计中，则是给予全国人民代表大会及其常委会无上的权威和地位。通过 2000 年的《立法法》，我们可以看到当代中国的立法制度是以立法活动为核心，法律解释也不具有独立于立法活动之外的意义，有学者评述这是"以精英民主为特征的极端民主化意识的表露"，从而形成了"法律体系构建的非法治化倾向"[4]

其次，整个制度对司法机关保持了一种不信任。在我国已经有不止一个学者对当代中国法官的素质（技能和伦理）表示了怀疑，有学者指出："我国法官的素质不高严重地阻碍了法律解释的有效性，阻碍了法律制度的正常运转"[5] 如果与其他国家相比较，我国法官的素质可能确实不高，但是这并不能成为妨碍法

---

[1]　张志铭：《法律解释操作分析》，中国政法大学出版社 1999 年版，第 220 页。

[2]　同上，第 240～241 页。

[3]　刘星："法律解释中的大众话语与精英话语—法律现代性引出的一个问题"，载梁治平主编：《法律解释问题》，法律出版社 1997 年版。

[4]　莫纪宏：《现代宪法的逻辑基础》，法律出版社 2001 年版，第 264 页。

[5]　沈敏荣："我国法律解释中五大悖论"，载《政法论坛》2000 年第 4 期。

官对法律解释的理由。如果我们再以冷静的心态对当代中国的现状作一分析，我们也许会得出另外一个结果：如果法官的素质不比其他机关高的话，至少不会比他们低。[1]

在我看来，当代中国所谓的"整体解释"实际上并不是法律解释，而只是一个再立法。因为该解释所面对的是抽象的不特定的对象，而在具体的司法裁判过程中还需要法官的再解释，而这无疑是制度设计上的一种缺陷，更是表明了对作为个人的法官的一种不信任。

呼唤法官的解释，重视法官个人在解释过程中的智慧的运用，这是对法官个人的智识的尊重，同时，也是一个积累司法智慧的过程。往常的自上而下式的法律解释，严重地挫伤了法官在审判实践中的积极性，于是，在法律适用的过程中就出现了各式各样"出工不出力"的现象，[2] 法官在适用法律的过程中消极怠工，因此呼唤法官的创造力已经成为了现代法治刻不容缓的任务。

2. 当代中国的法律解释并不注重对方法的研究。由于中国并不存在着以法官个人为中心的法律解释，因此，我们也很难从中发现中国法官有关法律解释的理论，[3] 我们很难在判决书中发现法官是采用了何种解释方法。我国的判决书的主体部分一般都是由以下几个部分构成：

"原告诉称：……

被告辩称：……

经审理查明：……

根据……法……条……款，现判决如下：……"[4]

---

〔1〕 一个明显地例子就是每年毕业生就业中，法学院的研究生更倾向于到法院工作，而不是到人大或其他机关。而我国最高人民法院的几位院长和副院长，就有几位是博士生导师，而这样的阵容在其他政府部门是很少见的。虽然学历并不必然代表能力，但这多少说明了问题的一个方面。

〔2〕 比如说下级法院向上级法院的各种"请示"就是明显的例子。有学者对当前中国的这种由"最高人民法院将审判领域的法律解释权集中统一行使"的现象提出了尖锐的批评，认为这种制度的后果至少有三：第一，会导致"法官在业务上不思进取，不学无术，较高素质的法官职业群体难以形成。"第二，"不承认法官应用法律的解释权，挫伤了有业务能力的法官钻研业务知识的积极性。"第三，"由于司法审判领域法律解释与法律适用被剥离开，解释者一般不是个案的裁判者，不裁判具体案件，不涉及具体案件的法律适用，案件的裁判者适用法律却不能或无须对适用的法律作出解释。"参见王菊英："论审判领域法律解释权的垄断对法官之影响"，载《河北法学》2002 年第 3 月。

〔3〕 当代中国的有关法律解释方法的理论几乎都是来自于学者的阐述，很少见到法官对此的总结，遑论在司法判决中实践自己的理论了。

〔4〕 对于该结构的意义，郑戈博士曾经作过详尽的分析，并指出"我们的'法律解释'也不是一个发现和理解'意义'的过程，而只是一个界分权力的过程……其关键意义在于确定'谁有权解释'，而不是'如何解释'和'解释什么'。"请参见郑戈：《法律解释的社会构造》，法律出版社 1997 年版。

这个缺乏论证的简单的三段论的逻辑演绎很难让我们发现法官在其中运用了什么样的方法。当然，也有学者认为："……在司法判决中，更重要的仍然是判断，而不是论证。"[1] 不仅仅一般的判决书，就是连最高院以"批复"的形式所作的司法解释也只是一个判断而没有说理的过程。[2] 也许在当代中国，方法并不是最重要的，重要的是能够达致一个可让双方所接受的结果。[3]

当然，没有固定的方法并不意味着法官能在司法过程中不受约束。实际上，在司法实践中法官个人的解释受到了来自种种方面的限制，这是我们观察中国的法律解释之后所得到的三个印象。前面我们谈到当代中国的法律解释形成了以解释权为中心的法律解释制度。受此影响，法官在解释法律的时候往往自觉不自觉的要按照权力机关的意思行事，否则，在"人民主权"的大旗之下该法院的判决就难逃正当性的质疑。

同时，由于中国特殊的社会环境，道德评判在社会中占据的特殊地位，导致了法官在判决过程中往往还要考量整个社会的接受能力，几年前年发生在四川的那起"二奶"继承案就是明证。[4]

3. 实践中当代中国的法律解释制度正在悄悄的发生变化。在我国的法律解释制度中，司法解释的效力是低于立法解释的。但是在司法实践中司法解释的效力却是不可低估的，因为全国人大常委会由于事务繁忙很少解释法律，因此，这

---

〔1〕 苏力："判决书的背后"，载《法学研究》2001 年第 3 期。

〔2〕 最高院的批复中一般是这种形式：

　　"××人民法院：

　　你院××号"关于××的请示"收悉。经我们研究认为：根据×第×条"×"的规定，……按照×法第×条的规定，……。

　　此复"

　　同理，我们在这种批复中也很难发现最高人民法院使用了何种的解释方法。

〔3〕 苏力："判决书的背后"，载《法学研究》2001 年第 3 期。

〔4〕 比如说审理该案的纳溪区人民法院副院长刘波在接受记者采访时说："继承法、婚姻法这些特别法的规定都不能离开民法通则的指导思想。执法机关、审判机关不能机械地引用法律，而应该在充分领会立法本意的前提下运用法律。在判决本案时，我们直接引用民法通则的基本原则，而没有机械地引用继承法的规定，是合情合理的。如果我们按照继承法的规定，支持了原告张学英的诉讼主张，那么也就滋长了'第三者'、'包二奶'等不良社会风气，而违背了法律要体现的公平、公正的精神。"关于本案的具体详情，请参见任小峰编："'第三者'继承遗产案一石击浪"，载《南方周末》2001 年 11 月 15 日。关于此案的判决，学界对此基本持否定态度，认为这是道德入律的具体表现。代表性的文章，可参见葛洪义："法律原则在法律推理中的地位和作用——一个比较的研究"，载《法学研究》2002 年第 6 期；范愉："泸州遗赠案评析——一个法社会学的分析"，载北大法律信息网 http://article. chinalawinfo. com/article/user/article_ display. asp? articleid = 20273；许明月、曹明睿："泸州遗赠案的另一种解读——兼与范愉先生商榷"，载婚姻家庭法律援助网，http://citylaw. 51. net/page/2/luzouyizeng2. htm。

就将原本只是为了解决法律适用问题的司法解释推到了前台。很多时候最高法院的一个针对个案的"批复",都会具有普遍的约束力,而有些时候甚至具有超越成文法的效力,比如说在 2001 年 8 月,最高人民法院所公布的法释〔2001〕25号《关于以侵犯姓名权的手段侵犯宪法保护的公民受教育的基本权利是否应当承担民事责任的批复》,就被有学者指责为是明显的超越了成文法的规定。[1] 如何看待这种现象? 也许有人认为这是司法权在以非制度的方式篡夺原本应当由立法机关所有享有的权力,会认为这是一个非制度化的实践,从而应与否定。但是在作者看来,毋宁将此看作是司法机关和立法机关的一场争夺法律解释权的博弈。也许,法官(或者法院)的实践会改变当代中国高度集中的法律解释制——毕竟制度的建立并不仅是"设计"的产物。[2] 当然,最为理想的结果莫过于法院通过对现有法律的解释从而获得"解释法律"的权力,进而可以突破"适用"法律的局限,从而法官个人获得了解释法律的权力。如果是这样,那么这就意味着我们放弃了对"立法"的迷信,这将改变中国自古以来以"变法"为模式而达到的制度变迁,[3] 而法官的解释将在制度变迁中发挥更为重要的作用。只是令人称奇的是,当代中国的立法机关——法定的法律解释机关——对人民法院解释法律的行为表现出了一种出乎意料的超脱,是无能为力还是不想为之? 其中态度值得让人深思。[4]

以上只是套用本文的范式对中国法律解释进行观察之后所得到的一个粗浅的印象,中国的法律解释是一个非常宏大的话题,并非三言两语能够说清。至于我的观察是否到位,套用一句老话,"实践是检验真理的惟一标准",书生的坐而论道永远只是丰富的实践的一个侧面而已。

第三节 论法官职业责任

通常法官在法治国家中都享有崇高的地位和威望,如在美国的司法历史中,

〔1〕 最有代表性的批评,请参见李忠、章忱:"司法机关与宪法适用——从最高人民法院关于公民受教育权的司法解释谈起",载信春鹰编:《公法》,法律出版社 2001 年版。

〔2〕 当然,这并不意味着最高人民法院的司法解释就具有了正当性。有时候,最高人民法院的解释往往会加剧法院的行政化的倾向,从而与一个独立的司法制度背道而驰。比如说,当前我国法院中盛行的下级法院向上级法院的请示制度就是明显的一例。

〔3〕 关于"变法"模式的利弊,请参见周汉华:"变法模式与中国立法法",载《中国社会科学》2000年第 1 期;张建伟:"'变法'模式与政治稳定性——中国经验及其法律经济学含义",载《中国社会科学》2003 年第 2 期。

〔4〕 该思路是孙笑侠教授在审阅本文时所提出的,在此表示感谢。

每一步里程碑都是法官们立下的，韦伯称这些在各国法律传统的形成中起决定性作用的法律学家们为德高望重之士（Rechthonoratioren），[1] 布莱克斯通也把英国法官誉为"法律的保管者"、"活着的圣谕"。在如此的盛誉之下，这些国家中的法官被赋予了高度的信任，其行为轻易不得加以追究，也就是说其行为的法律责任被压缩到了最低的限度。在德国更是无人能以任何方式干涉法官的审判，无论是其顶头上司（法院院长）还是其他国家机关，司法部长或者政府，或者议会[2]。当然，法官的责任并非完全彻底的被摈弃，各个国家在赋予法官宽泛的免责权的同时，也为法官责任的承担设计了相应的制度。[3] 我们大致可以将这些制度的设计分为两种类型，即法官的职业责任和个人责任，本文致力于对法官职业责任的探讨。由于我国传统上行政权力过于强大，行政的逻辑很自然地覆盖了司法的逻辑，相应的，法官的职业责任也很自然的参照甚至被等同于行政官的责任，因此在实践中形成了以结果正误判断为中心的错案追究制度、地方各级人民法院及专门人民法院院长、副院长引咎辞职制度等等带有强烈行政色彩的制度设计，这些制度设计的初衷是为了保证法官的廉洁公正，防止其枉法裁判。然而，设计的目的和实施的实效之间毕竟无法简单的画上等号。实际上，这些制度实效已经遭到了学者们的质疑。[4] 因此对于法官职业责任的认定与法官职业责任的免除之间存在着张力，他们之间界限的划分或者说法官职业责任判断的标准就是本文所要探讨的问题。

以下笔者将首先对法官责任的发展简史、存在基础作一简介；接着理清法官责任与法官职业责任的概念的内涵以及两者之间的关系；第三部分以错案追究制为考察对象，重点论述我国以实体正义为心理导向，以错案追究为制度代表的法官职业责任制度，指出了我国法官职业责任制度的追究是以"错案"概念为核心，"错案"与否以上诉审和再审的判断结果为标准。这一判断标准在实践中造成了诸多弊端，它背后则隐藏着这样一前提预设：上诉审法官和再审法官的判断

---

〔1〕 宋冰编：《读本：美国与德国的司法制度及司法程序》，中国政法大学出版社 1999 年版，第 138 页。

〔2〕 宋冰编：《程序、正义与现代化—外国法学家在华演讲录》，中国政法大学出版社 1998 年版，第 15 页。

〔3〕 如德国联邦（最高）法院法官傅德博士在其演讲中就指出，惟一能对法官的法律观点施加具有约束力的义务的机关就是上诉法院。见前引宋冰编书第 15 页。

〔4〕 关于错案追究制度的文章，可参见燕振安："论错案追究制"，载《政法论坛》1995 年第 1 期；王晨光："法律运行中的不确定性与'错案追究制'的误区"，载《法学》1997 年 3 期；于大水："论错案追究制中错案标准的界定"，载《当代法学》2001 年第 12 期；周永坤："错案追究制与法治国家建设——一个法社会学的思考"，载《法学》1997 年第 9 期。对人民法院院长、副院长引咎辞职制度的质疑见苏力："制度改革的逻辑错位——评《地方各级人民法院及专门人民法院院长、副院长引咎辞职规定（试行）》"，载法律思想网（http://law-thinker.com）朱苏力文集。

比一审法官更正确。笔者对这一前提预设提出了质疑，并主张进仅以程序来作为判断"错案"的标准，以过程标准判断法官的职业责任，主张从对法官判案结果的关注转向对法官行为的监控，以图健全我国法官的职业责任制度。最后，在前几部分分析基础上，对我国重新建立的法官职业责任制度进行了初步的构想。

一、法官责任与法官职业责任

（一）法官责任与法官职业责任由来

在人类司法活动的早期，就已经存在了法官的责任制度，如《摩奴法论》中许多条文都规定了审判者的责任，不公正执行刑仗的国王"将被刑仗毁灭"、"在众目睽睽之下，一旦'法'被'非法'所杀，一旦'真'被'伪'所杀，那么法官也就被杀"。[1] 在古罗马初期，当事人不服判决可以请求同法官进行决斗。罗马帝政之后，如果通过上诉制度，原先的判决被推翻，原审法官就要受到刑事处罚。[2] 而在法国，13 世纪以前广泛的使用司法决斗，不仅当事人之间、当事人与证人之间可以通过决斗来明定是非，而且当事人和证人也可以在判决宣布时立即提出请求同法官进行决斗。[3] 这是的法官责任都用刑事手段来实现，并且没有区分法官的刑事责任和职业责任，在中国古代的法官（行政官）责任[4]中也存在同样的现象。我国古代的法官（行政官）责任制度始创于先秦，确立于秦汉，定型于隋唐，发展于宋元，完备于明清。其内容非常丰富，涉猎面很广，几乎穷尽了所有诉讼活动的各层面。在诸法合一，合而为刑的法律体系中，法官（行政官）责任主要要是通过刑事手段使其承担，甚至可以说我国古代刑事诉讼法史，实质上就是一部关于法官（行政官）责任制度的发展史。[5]

---

〔1〕 《摩奴法论》，蒋中新译，中国社会科学出版社 1986 年版，第 117、138 页。

〔2〕 周枬：《罗马法原论》，商务印书馆 1994 年版，第 923 页。

〔3〕 陈盛清：《外国法制史》，北京大学出版社 1982 年版，第 96 页。

〔4〕 由于中国的特殊司法发展历程，在中国古代司法官与行政官的身份上合为一人，因此，这里所说的法官并不是指西方或者现代意义上的法官，仅是指运用司法权的官员的责任。

〔5〕 巩富文："中国古代法官责任制度的基本内容与现实借鉴"，载《中国法学》2002 年第 4 期。

大约在西周和春秋时期就形成了关于违法受理[1] 违法逮捕[2]和出入人罪[3]三项责任；秦汉时期产生了关于违法羁押[4] 违法管辖[5] 违法刑讯[6] 同职连坐[7]和淹禁不决[8]五项责任；另外据证定罪[9] 违法检验[10] 违法回避[11]

---

[1] 《唐律·斗讼》："若应合为受，推抑而不受者，笞五十"。《明律·刑律·诉讼》中"告状不理条"规定："凡告谋反逆叛者，官司不即受理逮捕者，杖一百，徒三年。以至聚众作乱，攻陷城池及劫掠人民者，斩。若告恶逆不受理者，杖一百。告杀人及强盗不受理者，杖八十。斗殴婚姻田宅等事不受理者，各减犯人罪二等。并罪止杖八十。受财者，计赃以枉法从重论。"

[2] 比如在《唐律》中的有关规定：主要包括违限逮捕的责任和逮捕迟缓的责任。对于前者要追减三等处罚（《唐律·贼盗》"部内容止盗者"条），对于后者则包括两种情况，一是接到有人犯谋判以上罪的告发而不立即逮捕的，要和知而不告罪一样处罚。但如果是因为要进行必要的准备致使逮捕迟缓的，则无罪。二是接到有人犯强盗、杀人及窃盗案的告发而不立即逮捕犯人的。要"一日徒一年。窃盗，各减二等"（《唐律·斗讼》"强盗杀人不告主司"条。）

[3] 巩富文："中国古代法官出入人罪的责任制度"，载《政法论坛》1990 年第 1 期。

[4] 如《唐律·断狱》"囚应禁而不禁者"中规定："诸囚应禁而不禁，……杖罪笞三十，徒罪以上，递加一等。……若不应禁而禁，……杖六十。"又如《明律·刑律·断狱》"原告人事毕不放回"条规定："凡告词讼，对问得实，被告已招服罪，原告人别无待对事理，随即放回，若无故羁留三日不放者，笞二十，每三日加一等，罪止笞四十。"

[5] 《唐律·断狱》"应言上而不言上"条规定："诸断罪应言上而不言上，应待报而不待报，辄自决断者，各减故失三等。"详细论述见巩富文：《唐代刑事审判机关及其管辖制度》，载《西北大学学报》1990 年第 7 期。

[6] 《明律·刑律·断狱》"故禁故勘平人条"规定："若故勘平人者，杖八十；折伤以上，依凡斗伤论；因而致死者，斩。同僚官及狱卒，知情共勘者与同罪；至死者，减一等。"

[7] 《唐律·名例》"同职犯公坐"条规定："诸同职犯公坐者，长官为一等，通判宫为一等，判官为一等，主典为一等，各以所由为首。"《明律 名例》"同僚犯公罪"条规定："凡同僚犯公罪者，并以吏典为首，首领官减吏典一等，佐二官减首领官一等，长官减佐二官一等。"

[8] 《明律·刑律·断狱》"禁淹"条规定："若限外不断决，不起发者，当该官吏，三日笞二十，每三日加一等，罪止杖六十。因而淹禁致死者，若囚该死罪，杖六十；流罪，杖一百；杖罪以下，杖六十，徒一年。"

[9] 《唐律·断狱》"议请减老小疾不合考讯"条。

[10] 《唐律·诈伪》"诈病死伤不实"条规定："有诈病及死伤，受使检验不实者，各依所欺，减一等。若实病、死及伤，不以实验者，以故入人罪论。"

[11] 《唐律·职制》"长官及使人有犯"条规定："诸在外长官及使人于使处有犯者，所部属官等不得即推，皆需申上听裁。若犯当死罪，留身待报。违者，各减所犯罪四等。"

躬亲鞫狱、[1] 状外求罪、[2] 违法断罪、[3] 违法宣判[4]和违法行刑[5]八项责任则正式确立于隋唐时期。这样，经过二千多年的发展，我国封建社会形成了以十六大刑事性惩罚为基础的制度详甚、功能完备的法官责任体系。到了清末仿行立宪时期，清政府在内忧外患之下不得已向西方学习其宪政经验，对我国传统的法官（行政官）责任制度也作了重大的调整。根据《钦定宪法大纲》的规定，清政府颁布了《法院编制法》等法律，对法官的惩戒制度做了具体的规定，开始打破了几千年来传统的法官和行政官责任不分的制度。到了南京临时政府成立，通过了《中华民国临时约法》，其中规定：法官在任中"非依法律受刑罚宣告，或应免职之惩戒处分，不得解职"。这就标志着近代法官责任制度的确立。与此同时，法官职业责任的分类也在法官职业责任的内部开始形成。

北洋政府时期，虽然处于军阀混战，但有关法官责任方面的法规也有颁布，法官职业责任的分类正式形成。这主要表现在惩戒种类的明确化和专门的法官惩戒组织的形成。如历届北洋政府颁布了诸如1913年的《文官惩戒法草案》，1914年的《官吏违法惩罚令》，1915年的《司法官惩戒法》、1918年《文官惩治戒条例》等等十多项单行法令，其中都对法官的责任制度做了具体的规定。根据这些法规，法官的惩戒由专门的法官惩戒组织——惩戒委员会负责审查处理。惩戒的方式有撤职、休职、降级、减薪、记过等，法官如果有收受贿赂或者其他违反职责要求、玷污法官身份、丧失法官信用者，比普通官员加重一等惩戒。南京国民政府建立之初，法官制度基本延续了北洋政府的制度。1931年颁布了《公务员惩戒法》和《公务员惩戒委员会组织法》，规定了对法官执行职务时因故意或者过失有违法情形的、废弛职务行为的、执行职务失当或者执行职务发生错误的失职行为的都要受到惩戒。惩戒的形式主要有撤职、休职、降级、减俸、记过、申诫等6种。其中明确规定了惩戒机关为中央公务员惩戒委员会和地方公务员委员会，二者之间没有隶属关系。公务员惩戒委员会隶属于司法部。1948年7月，国民党政府根据新实施的《公务员惩戒委员会组织法》，取消了中央与地方的划分，所有全国法官违法失职移交惩戒的案件，一律由改组后的公务

---

[1] 如宋徽宗宣和二年（1120年）规定："州县官不亲听囚而使吏鞫审者，徒二年"。（《文献通考》卷167）

[2] 《唐律·断狱》"依告状鞫狱"条规定："若于本状之外，别求他人罪者，以故入人罪论。"

[3] 《唐律·断狱》"断罪引律令格式"条规定："诸断罪皆须引律令格式正文，违者笞三十。"《明律·刑律·断狱》"断罪引律令"条规定："凡断罪皆须引律令，违者笞三十。"

[4] 《唐律·断狱》"狱结竟取服辩"条规定："诸狱结竟，徒以上各呼囚及其家属，具告罪名，仍取囚服辩。若不服者，听其自理，更为审详。违者，笞五十；死罪，杖一百。"

[5] 巩富文："中国古代法官违法行刑的责任制度"，载《政法论坛》1995年第2期。

员惩戒委员会负责。这一制度至今仍在台湾地区沿用。[1]

（二）法官责任和法官职业责任的概念及其关系

简要回顾了法官责任的历史之后，让我们来具体考察现今司法改革背景下的法官责任制度。首先我们要理清法官责任的含义及其分类：

法官责任是由"法官"与"责任"两个词组构成的，因此理解法官责任首先要了解什么是责任。通常"责任"被解释为两种含义：第一是"份内应做的事"，比如尽职尽责。这层含义可以等同与我们平时所理解的"义务"一词。这种责任实际上是一种角色义务，即每个人在社会中都处于一定的地位，扮演一定的社会角色，因此，这一社会角色赋予了其必须应做的义务，其所作所为也必须同自己的角色相互适应。第二是"没有作好分内分外应做的事，因而应当承担的不利后果"，这主要从后果归结角度来考察责任的含义。[2] 也有学者将第一层意义上的责任理解为责任关系，即主体 A 对……负有责任；把第二层意义上的责任理解为责任的方式，即主体 A 对……负的责任。[3] "责任"一词被广泛的运用于社会生活的各个领域，因此也就具有了不同的具体形态，如政治责任、道义责任、法律责任等，本文探究的法官责任主要是指法官的法律责任。由于"责任"所具有的不同含义，在各种法律文献中也在不同意义上使用着法律责任一词，学者们对法律责任的定义也是不一而足：有的学者将其界定为"惩罚"或者"制裁"，如台湾学者李肇伟认为所谓责任，"乃为义务人违法其义务时，所应受的法律之处罚也"。[4] 也有学者将法律责任定义为某种对责任者不利的后果，如前苏联学者萨莫先科认为责任就是一个人必须承受他的过失行为给自己造成的不利后果，是人民、阶级、国体、国家对犯有过失行为的人的一种剥夺，是外界根据他的行为作出的一种对他和他的生活不利的反映。[5] 还有学者以责任本身定义责任的，如"……从狭义上讲，法律责任专指违法者实施违法行为所必须承担的责任"。[6] 另外也有以义务来定义责任的，如《布莱克法律词典》中将法律责任解释为"因某种行为而产生的受惩罚的义务及对引起的损害予以

〔1〕　王盼、程政举等：《审判独立与司法公正》，中国人民公安大学出版社 2002 年版，第 375～376 页。
〔2〕　如林纪东先生就认为"其实责任是义务的结果，义务是责任的原因"，参见［台］林纪东：《法学绪论》，台湾五南图书出版公司 1983 年版，第 141 页。
〔3〕　孙笑侠：《法的现象与观念》，山东人民出版社 2001 年版，第 193～194 页。
〔4〕　（台）李肇伟：《法理学》，台湾中心大学 1979 年版，第 306 页。
〔5〕　［苏］巴格里·沙赫马托夫：《刑事责任与刑罚》，法律出版社 1984 年版，第 5 页。转引自张文显：《法哲学范畴研究》（修订版），中国政法大学出版社 2001 年版，第 119 页。
〔6〕　孙国华：《法学基础理论》，中国人民大学出版社 1987 年版，第 477 页。

赔偿或用别的方法予以补偿的义务"[1] 中国法学界为了区分不同理解类型的法律责任种类，把法律责任分为广义的法律责任和狭义的法律责任两种。广义上的法律责任可以等同于一般意义上的法律义务，狭义的法律责任则是有违法行为引起的不利法律后果。而对于狭义的法律责任目前最为通行的理解就是将法律责任界定为一种特殊意义上的义务。这种特殊意义上的义务与一般意义上的义务相对而言。后者又被称为第一性的义务，包括法定的作为和不作为，前者可称之为第二性义务，通常指违背了第一性义务而产生的法律上的不利后果[2] 这种界定既揭示了责任与义务之间的联系，又明确了两者之间的区别，因此由此而得出法律责任一般指："由于侵犯法定权利或违反法定义务而引起的、有专门国家机关认定并归结于法律关系的有责主体的、带有直接强制性的义务，即由于违反第一性法定义务而招致的第二性义务。"[3] 对于"法官"的理解比较统一，因为我国《法官法》明确规定"法官是依法行使国家审判权的审判人员，包括最高人民法院、地方各级人民法院和军事法院等专门法院的院长、副院长、审判委员会委员、庭长、副庭长、审判员和助理审判员。"因此，"法官责任"也就是指对于在法院工作的这些人员由于违反第一性义务而招致的第二性义务。

法官责任是运用法律标准（现代还普遍运用了职业道德标准）对法官的行为做出的一种否定性评价。在现代法治国家，为了保证司法权的权威和行使的有效性，防止法官独立地位被侵害，为法官公正行使司法权消除后顾之忧，一般都明确的规定，非因法定的事由和程序，不得追究法官的责任，并对法官责任追究的范围严格的限定到最小的幅度。但是，由于"自由意味着责任"这样一条基本的伦理原则，在现代文明社会中，任何人都要对自己的行为负责，法官在这一点上同一般人一样，也必须对自己的行为负责。宪法赋予了法院以审判权力，这种审判权力具有终极的决定性，而审判权力的具体实现则要依靠法官个人的行为，因此法官一旦贪赃枉法，其后果和一般公职人员相比危害更大，正如有学者所说："法官不只是纠纷的仲裁人，而且在一般大众的心目中，他也是法律规则的宣示者，因此，司法的腐败，即使是局部的腐败，也是对正义的源头活水的玷污，如果不能得到及时有效的矫正，将足以动摇法治的根基。人们会由信任司法、诉求司法转而对司法乃至整个法治作出否定的评价。"[4] 因此，作为司法权力宣示者的法官本身的清正廉洁关乎整个司法改革的成败。法官责任制度在这一

---

[1] 有关法律责任的论述可参见刘作翔、龚向和："法律责任的概念分析"，载《法学》1997 年第 10 期。周永坤："法律责任论"，载《法学研究》1991 年第 3 期。

[2] 张文显主编：《法理学》，高等教育出版社、北京大学出版社 1999 年版，第 121 页。

[3] 张文显：《法哲学范畴研究》（修订版），中国政法大学出版社 2001 年版，第 122 页。

[4] 贺卫方：《司法理念与制度》，中国政法大学出版社 1998 年版，第 9 页。

点上就显示出了它的重要性，特别是在我国法治建设刚刚起步，法官选任制度尚未完善，使得我国法官整体素质还很低，这种状况决定了我们更是要牢牢记住"法官仅仅是人——我们是在人的统治下生活而不是在法律的统治下生活——以至不应把法官看成是法学家公认的明确意义上的法官"，[1] 并进一步通过设计合理的责任制度来规范法官行为。

法官责任可以分为法官的职业责任和法官的个人责任，这一分类主要源于法官具有的双重身份，一方面他是行使国家司法权、从事法官职业的人，从事司法判断行为的人；另一方面他也是作为社会普通的公民，从事一般人行为的人。法官的职务行为是指法官在司法过程中，严格依照法定程序，行使司法判断权的行为，由于"职务法律行为……是个体在法定职务上行使法律规定的职权的行为"，[2] 而"职权"包含了"职责"，也就是一种法律给法官所规定的义务，因此，法官责任就是法官违反了这种法律规定的第一性义务而应承担的第二性义务。在现代法治社会，为了维护法官的独立地位和权威，保障司法判断权的正确行使，一般都给予法官职务行为以足够的信任，除非涉及到法定程序上的瑕疵，否则一般都推定法官依照程序作出的职务行为是公正的，即使法官严格依照程序作出的职务行为影响了司法实体公正，也推定法官尽到了自己的职责，除了通过法律设置的程序纠正不公正的裁判之外，并不需要追究法官个人的责任。换句话说也就是高度的尊重法官的实体判断，而着重从法定程序的角度对法官的行为进行控制。因此，法官的职业责任即是法官因违反程序法而导致其所应当承担的不利后果，在我国已经有《法官法》、《人民法院审判员违法审判责任追究办法（试行）》、《人民法院审判纪律处分办法（试行）》进行规定。

法官的个人行为是指法官在司法判断活动之外作为一个普通人所为的行为。其中包括两个下位的分类，一是法官超出了行使司法判断权的必要幅度范围，严重性达到触犯刑法的程度，比如贪污受贿，滥用职权、枉法裁判等等则必须通过正常的刑事司法程序对其进行追究责任，[3] 也就是法官因违法审判实体法和刑

---

〔1〕 顾培东：《社会冲突与诉讼机制》，四川人民出版社1991年版，第180页。

〔2〕 谢邦宇等：《行为法学》，法律出版社1993年版，第220页。

〔3〕 值得一提的是，这里笔者将法官的刑事违法行为划分到法官的个人行为当中，这和传统的划分方式不太一样。一般而言，法官的刑事责任被归纳到职务犯罪的范畴之内，同时具有职务性和个体性。笔者做如此划分的目的主要是为了后文分析问题的便利。而且，毕竟职务犯罪最终落实到的是法官的个体行为，如此划分并没有违法公理性的命题。

事法律而应该承担的责任，这由《中华人民共和国刑法》对其进行规制。[1] 另一种是法官在日常生活中作为一个普通人所为的行为。由于法官掌握着司法判断权力，司法判断权的威信在很大的程度上取决与法官个人的法律职业伦理素质和人格魅力，因此，对于法官在平时活动中的要求要高于对其他公职人员的要求。如国际律师协会第 19 届年会通过的《司法独立最低标准》第 41 条规定：法官应经常保持有维护其职位尊严、司法公正及独立之行为。"第 46 条规定："法官应避免看起来足以引起偏倚之任何行为。"我国也有 2001 年颁布的《法官职业道德基本准则》对其进行规定。可见法官这类个人责任主要就是违反职业道德标准而承担的责任。本文主要探讨法官的职业责任。

二、法官职业责任的追究

（一）法官职业责任追究的限制性规定

为了保证法官独立审判的地位，各国对法官职业责任的追究都进行了严格的限制。如德国在基本法第 97 条规定："法官独立并只服从法律。"德国《法官法》第 26 条第 1 款也明确规定："法官只在不影响其独立的范围内接受职务监督。"由此，德国法官的职业责任制度是紧紧围绕着"法官独立"这一核心内容建立起来的。虽然在德国，法官被认为是国家的雇员，国家是他的雇主，"因此所有在德国联邦（或者在其他各州）任职的人——公务员、法官、其他工作人员——都要受到其上级的监督，也就是所谓的职务监督"。并且"这种国家监督是必要的，因为一切国家行为都是为了社会利益，也就是公众的利益"，[2] 在这一层面上法官与国家的其他公务人员具有相类似性。但是，由于法官地位的特殊独立性（这种独立性在德国被认为是不言而喻的，其如此之理所当然以至于通常没有人去刻意的谈论法官的独立性问题），因此，这种监督权是非常有限的。比如德国《法官法》第 26 条第 2 款对这种监督权的内容作了详细规定，包括对法官违法方式提出抗议的权利和督促其以合法方式毫不迟延的履行公务的权利，但由于该条规定有被用来限制法官的危险，因此它受到了严格的限制，具体表现

---

[1] 我国刑法中有关法官个人刑事责任的规定主要有：贪污罪（《刑法》第 383 条）；受贿罪（《刑法》第 385 条）；滥用职权罪（《刑法》第 397 条）；玩忽职守罪（《刑法》第 397 条，第 400 条）；泄露国家秘密罪（《刑法》第 398 条、第 111 条）；徇私枉法罪（《刑法》第 399 条）；枉法裁判罪（《刑法》第 399 条）；徇私舞弊减刑、假释、暂于监外执行罪（《刑法》第 401 条）；刑讯逼供罪（《刑法》第 247 条）；暴力取证罪（《刑法》第 232 条、第 234 条）

[2] ［德］傅德："德国的司法职业与司法独立"，载宋冰编：《程序、正义与现代化——外国法学家在华演讲录》，中国政法大学出版社 1998 年版。

在该条款必须不违反第 1 款（也就是法官独立）的前提下才能有效。在监督权严格被限定的状况下，法官责任也被严格的控制。此外，法官承担责任的前提也仅限于其特定的不正当的行为方式，而对于其具体的判决结果，"惟一能对法官的法律观点施加具有约束力的义务的机关是上诉法院"[1] 更为重要的是，即使下级法院法官对案件的判断在法律判断上出现偏差，被上诉法院发回重审，这时原审法官是不需要承担任何责任。日本同样也对追究法官的职业责任做了严格的限制，日本宪法中对法官行使职权做了充分的保障，如第 76 条第 3 款规定："所有法官依良心独立行使职权，只受本宪法及法律的拘束。"此外在第 79 条第 6 款和第 80 条第 2 款中规定了最高法院法官和下级法院法官"均定期接受相当数额之报酬，此项报酬在任职期间内不得减额"。更值得一提的是，在一般情况下，法官的判决不妥，是不能成为被罢免的理由的。如果仅以法官审判某案不妥为由对其加以弹劾的话，则被认为是对法官独立审判权的侵犯[2] 与德国和日本一样属于大陆法系的法国也十分重视对法官职业责任追究的限制。如在法国对法官的纪律处分的听证会一般要公开举行，处理决定也要公开，这样保证了纪律处分的公开性和公正性。[3]

同大陆法系国家一样，英美法系国家对法官职业责任的追究也同样是建立在维护法官独立的前提之下的。如美国联邦法院法官实行"良好行为终身制"，也就是说除了因为违法犯罪要受到弹劾而被撤职和自动辞退之外，法官的职务是终身的。并且无论是州法院系统还是联邦法院系统，对法官的罢免都要经过极其严格的弹劾程序，其程序之烦琐，费用之高使的弹劾一个法官几乎是不可能的。在美国历史上联邦最高法院法官只有 1804 年至 1805 年的塞缪尔·蔡司受到过弹劾，其他联邦法院法官迄今有 13 人遭到弹劾，其中 2 名法官在庭审之前自动辞职，7 名法官被判有罪而撤职，4 名被判无罪。[4] 而我国法官法中虽然规定了法官独立审判，不受其他组织，个人的干涉的原则，但是我国历来行政权过于强大，在法院内部的这两套体制之间——法院行使司法判断权的体制和法院内部的行政管理体制——后者过度侵入侵蚀了前者，因此造成我国法院的严重行政

---

〔1〕　［德］傅德："德国的司法职业与司法独立"，载宋冰编：《程序、正义与现代化——外国法学家在华演讲录》，中国政法大学出版社 1998 年版。

〔2〕　董华："日本法官制度"，http：//www. chinaiprlaw. com/wgfz/wgfz45. htm。

〔3〕　刘新魁："法国司法官制度的特定及启示"，载《中国法学》2002 年第 5 期。

〔4〕　宋冰编：《读本：美国与的国的司法制度及司法程序》，中国政法大学出版社 1998 年版，第 185～186 页。

化。[1] 作为法院体制有机组成部分的法官职业责任制度相应的也存在着诸多不合理因素，比如非常典型的我国法院内部的错案追究制度，就深刻的反映了这种现象（第四部分将重点分析这个问题）。

（二）法官职业责任追究的实行机关

法官职业责任的实行机关在各个国家都有所不同。我国《人民法院审判人员违法审判责任追究办法（试行）》以及《人民法院监察部门查处违纪案件的暂行办法》中规定了我国法官职业责任的实行机关是人民法院的监察部门。人民法院监察部门查处案件实行分级立案，分级调查，分级处理，各负其责的原则。基层人民法院监察室或监察员管辖本级各庭、室及其法官违法违纪案件。中级人民法院监察室管辖本院各庭、室及其法官，以及下级人民法院及其院长、副院长、监察室主任违法违纪案件。高级人民法院监察室管辖本院各庭、室及其法官，以及中级人民法院及其院长、副院长、监察室主任违法违纪案件。最高人民法院监察室管辖最高人民法院各庭、室及其法官，高级人民法院及其院长、副院长、监察室主任以及在全国有影响的重大违法违纪案件。上级人民法院认为有必要的，可以直接管辖下级人民法院监察部门管辖的案件。

在日本，使法官承担职业责任的权利掌握在高等法院或者最高法院手中，日本宪法明确规定了法官的惩戒处分不得由行政机关行使，（日本宪法第78条）。而对日本法官的罢免决定则可以由中央选举管理委员会作出，法官如不服中央管理委员会的决定，可以上诉到东京高等法院。法国的纪律制度比较严格，为法官正确行使职权起到了一定的促进作用。同时由于考虑到法官的特殊地位，对其惩戒可能会产生较大的影响，因此为了避免滥用处罚的权力，一般由法国最高司法会议在最高法院院长的领导下行使处罚的权力。而法国的司法调查局长、法院院长、检察长及行政管理中心主任，还可给予法官口头警告的处分。在美国，对法官的惩戒措施在州法院系统中主要有各州专门设立的负责调查处理法官违纪行为的法官行为调查委员会作出，受惩戒的法官不服可以向州最高法院上诉或者由专门法院审理这类案件。[2] 在联邦法院系统则尤为复杂。上诉法院的首席法官可以作出是否使巡回法院法官、地区法院法官、破产法院法官或治安法院法官承担法官职业责任的决定。如果上诉人不服，还可以向一个由上诉法院所有法官以及7名首席地区法官再加上4名指定地区的法官组成的巡回法院理事会再上诉，由

---

[1] 苏力：《送法下乡——中国基层司法制度研究》，中国政法大学出版社2000年版，第65～66页。又可见贺卫方："中国司法管理制度的两个问题"，载《中国社会科学》1997年6月。

[2] 周道鸾：《外国法院组织与法官制度》，人民法院出版社2000年版，第21页。

这个理事会根据《法官行为准则》的规定作出处理决定。而罢免法官的决定则必须通过联邦司法议、众议院、参议院三道程序才能最终由参议院作出。

在德国，法官的职业责任主要由法院的院长及法官纪律法院进行追究，并且这者都有严格的限制条件。德国法院院长是该法院所有法官的领导，对他们进行职务监督，但是对于具体的法官所审理的案件来说他并没有什么特权，他必须接受其他法官作出的判决并且不能对其进行指责。法院院长享有的职务监督权极为有限，它能使法官承担的责任仅仅是最轻一级的"警告"。德国法院院长还有一种容易对其下属法官施加影响的权力就是他有权定期根据法官的知识和业绩对其进行评定，结果以"职务鉴定书"的形式出现。当法官要申请其他职位，包括更高一级法院的职位时，都需要这样一份鉴定书。由此，就存在院长因对法官个人不满的情绪而通过撰写鉴定书的方式对法官施加影响的危险，甚至因此影响法官个人的前途，使其承担一种非正式的责任。为此，德国法律所做出的保障措施是要求这种职务鉴定不能秘密进行，并且作出这种鉴定的上司有责任向接受鉴定的法官宣布并通知他。这份鉴定归入法官的个人档案，法官可以随时查阅和复印，不允许存在秘密档案。但是这种法律上的保障措施仍然被认为是不够的，德国的法官也承认这是他们日常操作过程中一个"十分棘手的问题"，[1] 对这个问题的解决还要依赖于法官内部的自由、独立的思想，因为"任何制度，如果不诉诸内心的自律，则肯定不会有效的"。[2]

除了"警告"这一法官责任的承担方式可以由法院院长作出以外，其他法官惩戒措施则必须由德国的法官纪律法院作出。德国除了普通法院、行政法院、劳动法院、社会法院、财政金融法院五个专门法院之外，还特设由联邦专利法院和法官纪律法院。其中法官的违法（此处法为广义，主要是违纪行为）行为主要由法官纪律法院来受理。[3] 德国在专制制度时期就已经建立了法官纪律法院（自 1851 年起），这是因为德国很早就意识到了法官同公务员之间的差异，"失职"和"纪律法"的概念对于法官来说不同于公务员，比如一个公务员故意不执行其上司的要求他以特定发誓处理某一事物的指示，这通常构成失职，而对于

---

〔1〕 宋冰编：《程序、正义与现代化——外国法学家在华演讲录》，中国政法大学出版社 1998 年版，第 41 页。

〔2〕 宋冰编：《程序、正义与现代化——外国法学家在华演讲录》，中国政法大学出版社 1998 年版，第 37 页。

〔3〕 肖扬主编：《当代司法体制》，中国政法大学出版社 1998 年版，第 132 页。我们需要注意的是，法官纪律法院并非专为了惩戒法官而存在，更大程度上是为了调和法官与其监督者（如法院院长）之间的争议而存在，甚至可以说纪律法院的存在主要是为了维护法官的独立。正如傅德教授所说的："纪律法院的意义主要在于它的存在以及它所提供的对付侵犯法官独立性的可能性；其意义并不在于它的实际行动。

法官来说则恰恰相反，如果一个法官按照院长的指示去审判的话，这种行为就构成了严重的失职！德国法官这种观念之深甚至于有法官因为其下属老是附和其意见而抱怨。[1] 纪律法院的法官都不是专职的，他们的主要职务仍然是在其他法院担当法官，并且同一法院的院长和副院长不能同时在纪律法院工作。纪律法院分为州纪律法院和联邦纪律法院，法官对于州纪律法院的判决不服的可以上诉到联邦纪律法院。除了受理上诉的案件之外，联邦纪律法院还可以直接受理联邦法院法官的违纪案件。联邦纪律法院审理案件时"由审判长一人，常任陪审法官二人和非常任陪审法官二人组成合议庭进行。审判长和常任陪审法官均为联邦最高法院法官，非常任陪审法官为任职于被告同一系统的终身法官"。[2] 法官纪律法院只审理法官违纪的案件，法官如果触犯了刑律则自然由刑事法院来惩罚，一个被判刑一年以上的法官自然丧失了法官资格，但如果法官的行为被判处一年以下的刑罚，则纪律法院还要审查法官的行为是否成为违反公务行为规则，如果是则仍然需要按照规定处罚。[3] 有一点值得注意的是，德国法官纪律法院的在实际工作中的作用其实很小，它所审理的大都是一些涉及法院工作的边缘地带，[4] 甚至通常只是因为涉案的法官本身过于敏感，这是因为法官的独立性的核心部分是不言而喻的，是无法争辩的，一切法官责任的判断都要以此为前提，稍稍有违反就会被当然的驳斥。[5]

（三）法官职业责任的责任方式

法官职业责任的表现形式各国大体类似。我国《法官法》中规定了六种法官职业责任的承担方式：警告、记过、记大过、降级、撤职、开除。德国《法官法》规定法官的纪律惩戒措施主要有警告、罚款、减薪、降职、开除公职五

---

〔1〕 ［德］傅德："德国的司法职业与司法独立"，载宋冰编：《程序、正义与现代化——外国法学家在华演讲录》，中国政法大学出版社 1998 年版。

〔2〕 张懋、蒋惠岭：《法院独立审判问题研究》，人民法院出版社 1998 年版，第 115 页。

〔3〕 宋冰编：《程序、正义与现代化——外国法学家在华演讲录》，中国政法大学出版社 1998 年版，第 36 页。

〔4〕 如一个法官在审理 8 个特定的案件时候没有立即作处判决，而是将案件放在一边并决定过一段时间再来考虑，由于他一再的这样做，法院院长在写职务鉴定时认为这些案件没有按照合理期限判决。于是该法官向纪律法院起诉，纪律法院判决认定院长侵犯了该法官的独立地位。另外还比方说一个法院院长擅自修改了法官的判决理由书，纪律法院判定也侵犯了法官的独立性等等一些看上去很细碎的案件。

〔5〕 还有一点值得提及的就是除了上述法官在职业纪律方面所承担的责任之外，法官在日常生活中的个人行为也因其法官的身份需要有所克制。德国《法官法》第 39 条规定："法官无论是从事分内的工作还是分外的工作，即使是进行政治活动，其行为都不得有损于对自己独立性的信任。"这一条在德国也被成为"克制原则"，也就是法官即使在工作之余也不能给人一不明智，带偏见处事的印象。

种，法官所属法院的院长和法官纪律委员会对法官实行监督权。日本法官承担责任的方式包括受告诫和 1 万元以下的罚款，并且，除了法官因身心故障不能执行职务外，非经正式的弹劾程序不得罢免（日本宪法第 78 条）。法国对于法官职业责任承担的种类主要由 1958 年条例第 45 条加以列举：诉责并记入档案；调动工作岗位；撤销部分职能；降低级别；暂时解除职务一年，全部或部分取消待遇；降职；如果司法官没有退休保险的话，通过退休或辞职结束职务；罢免，取消或不取消享受退休保险的权利。1958 年条例第 44 条还规定了司法调查局长、法院院长、检察长及行政管理中心主任，还可给予口头警告的处分。而在美国，两套并行的法院系统在法官职业责任的种类差别不大，都有私下训诫、诉责、公开警告、短期停职、撤消法官资格、罢免法官等措施，略有不同的是在法官罢免的问题上。这里值得讨论的是各国关于取消法官资格不同规定。

根据我国《中华人民共和国人民法院组织法》第 35、36 条的规定，各级人民代表大会有权罢免由它选举的人民法院院长；各级人民代表大会常务委员会有权罢免各级人民法院的副院长、庭长、副庭长和审判员；在省内按照地区设立的和在直辖市内设立的中级人民法院院长、副院长、庭长、副庭长和审判员，由省、直辖市人民代表大会常务委员会罢免。具体说来，给予基层人民法院法官开除处分的，报中级人民法院监察室提请本院院务会议批准；给予高、中级人民法院法官开除处分的，由监察室提请本院院务会批准；批准开除的，应报高级人民法院和最高人民法院监察室备案。如果要给予地方各级人民法院院长开除公职处分，应报同级人民代表大会或人民代表大会常务委员会履行法律手续后执行。如果要给予地方各级人民法院副院长、庭长、副庭长、审判员的开除公职处分的，由本级人民法院院长报请同级人民代表大会常务委员会免职后执行。值得注意的是，如果受处分的法官对处分决定不服，可以向作处决定的人民法院监察部门或上一级人民法院监察部门申诉，但是，申诉期间不停止原处分决定的执行。这一点与国外有很大的不同，它们一般都规定了及其严格的弹劾程序来取消法官的资格。

比如在日本，除了法官因身心故障不能执行职务之外，非经正式的弹劾程序不得罢免（日本宪法第 78 条）。日本法官的弹劾程序分为对最高法院法官的弹劾和对地方法官的弹劾：

1. 对于最高法院法官的弹劾。日本司法界认为，构成司法最高机关的法官，须得到国民的信任，为此，需要国民对其进行审查。日本最高法院 15 名法官在其任命之后第一次众议院议员大会要交付国民审查，自此之后经 10 年之后第一次众议院议员大选时再次交付审查，此后亦同。法官的审查由中央选举管理委员会受理，如果审理的结果是多数通过法官应被罢免，中央管理选举委员会应立即通知该法官，并将其姓名以官报公布。如该法官在公报之日起 30 日内未以中央选举委员会为被告向东京高等法院提起审查无效或者罢免无效之诉，则该法官被罢免，并在其后 5 年之内不得再担任最高法院法官。如果法官提起无效之诉后，对高等法院作出的判决不服，可以依照民事程序向最高法院提起上诉。

2. 对地方法官的弹劾。日本各级法官都有可能受到弹劾法院的审判而被罢免。根据日本宪法和法官弹劾法的规定，日本国民认为法官有渎职、玩忽职守或明显足以丧失法官威信的不良行为，可以向法官诉追委员会请求诉追。诉追委员会由参、众议院共 20 人组成，如果诉追委员会调查后认为应予以诉追的，应向弹劾法庭请求弹劾。弹劾法庭由参、众议院各 7 人组成，经其审理后，根据参与审理的人 2/3 以上多数意见，作出罢免决定。日本最高法院自成立后到 1992 年，只有 4 名法官遭到弹劾。[1] 又比如在美国，根据其宪法规定，对联邦法官的罢免必须通过弹劾程序，弹劾程序又只能适用于宪法规定的叛国罪、贿赂罪或者其他的重罪和轻罪。[2] 对于法官的罢免主要要经过以下程序：当"任何人指称一名巡回法院法官、地区法院法官、破产法院法官或一名治安法官，他的行为防碍了法院事务的有效与快捷的管理"，那么就可以向巡回上诉法院法官书记官处投诉。上诉法院的首席法官可以以自己的名义作出决定，确定投诉是否合理，也可以指定专门的委员会进行必要的调查之后才作出决定。如果投诉人不服首席法官的决定，他可以上诉到巡回法院理事会，这个理事会包括了上诉法院所有法官以及 7 名首席地区法官再加上 4 名指定地区的法官，由这些人员对投诉作出决定。该理事会可以根据《法官行为准则》的规定，作出私下训诫、诉责、公开警告或者短期停职的处理，但不能作出撤职的处分。对于行为不端而需要撤职的法官应立即报告联邦司法会议，被指控的法官也可以上诉到联邦司法会议。联邦司法会议认为确实应该追究责任的法官，应作出决定，并将决定递交给国会议院。众议院在调查确认法官行为确实属于叛逆罪、贪污罪、收受贿赂罪等严重违法宪法和法律的行为后，按照宪法有关弹劾的条款进行表决。如果多数同意弹劾则交由参议院审判，经过参议院审判有罪的法官必须被罢免，从法院系统除名，并不得担任任何其他公职。[3] 这种弹劾程序与对总统的弹劾程序相同，程序复杂并且耗费很高，一般难以实现，这样就将对法官严重责任的追究的可能性压缩到最低限度，保证了美国法官的高度独立性，解决了法官的后顾之忧。另外在州法院系

---

〔1〕 王盼、程政举等：《审判独立与司法公正》，中国人民公安大学出版社 2002 年版，第 413 页。

〔2〕 肖扬主编：《当代司法体制》，中国政法大学出版社 1998 年版，第 54 页。

〔3〕 王盼、程政举等：《审判独立与司法公正》，中国人民公安大学出版社 2002 年版，第 410~411 页。又可见宋冰编：《读本：美国与的国的司法制度及司法程序》，中国政法大学出版社 1998 年版，第 185~186 页。

统中，各州也可以根据弹劾程序罢免法官，但是弹劾程序同联邦法官的弹劾程序一样非常的烦琐，并且费用很高，因此各州还有其他方式罢免法官：根据法官资格委员会的建议或州最高法院的动议，由最高法院对严重不称职的法官提出训斥、停职、退休或免职；由州长根据立法机关两院的"劝退书"，将法官罢免；由立法机关三分之二多数决议将法官撤换；由丧失工作能力调查委员会根据法官本人的要求经审理予以免职。[1] 可见，各西方发达国家对于取消法官身份的职业责任的行使的是慎之又慎的，这一点非常值得我们借鉴。

三、我国法官错案追究制及其实践误区

（一）"错案追究制"下的法官职业责任制度

正如上文所述，法官的职业责任一般指法官违反程序性义务所导致的不利后果，然而对照我国的法官责任制度就可以发现，我国法官承担职业责任的前提并不是违反程序性的规定的，也就是说判断我国法官是否应当承担职业责任的标准并非某位法官违反了程序性的规定，而在于某位法官是否办了一个"错案"，以"错案"为中心的"错案追究制"是构成了我国法官职业责任制度的基础。这是可以理解的，因为我国当代法官职业责任制度肇始于文革结束，拨乱反正时期。由于文革十年动乱，公检法机关全部被砸烂，在这个法殇时期出现了大量的冤假错案，直到 1978 年 4 月 25 日，最高人民法院召开了第八次全国人民司法工作会议，这次司法会议开始了新历史时期司法工作，从此时到 1981 年，人民法院的工作就是全面的拨乱反正，纠正文革期间的冤假错案。最高人民法院院长江华在1980 年所作的《最高人民法院工作报告》中指出：文革期间全国共判处刑事案件 120 余万件。到了 1980 年底 6 月底，全国各级法院已经复查 113 万多件，改判纠正了冤假错案 25 万多件，涉及当事人大约 26.7 万多人。[2] 到了 1981 年，复查的刑事案件达 120 万件，纠正改判冤假错案达 30 多万件，涉及当事人 32.6万余人。到了 80 年代中期，共清查 240 万案件，纠正冤假错案达 80 万件。面对这么多的冤假错案，在重建我国司法制度的同时，不可避免的对防止冤假错案的出现要给予更多的关注。

自 20 世纪 80 年代中期之后，经历了数年的理论和社会心理的准备，各地法院在 20 世纪 90 年代初开始尝试建立以法官错案责任为中心的法官职业责任制度，截止到 1993 年 10 月底，全国已有河南、河北、海南、甘肃、宁夏、天津、

---

〔1〕 肖扬主编：《当代司法体制》，中国政法大学出版社 1998 年版，第 55 页。
〔2〕 《第五届全国人民代表大会第二次会议文件汇编》，第 2～3 页。

山东、湖南、江苏、江西等省、市、自治区在三级法院全面推开，其余省市也开始试点或者在部分地区施行。[1] 但是由于时机不成熟，"错案追究制"对并没有在全国统一的正式法律中规定下来，而是由各省市自治区的地方性法规对其加以规定。[2] 经过多年的实践，相关的利弊已经逐步得到体现，理论界也对其进行了反思。在 1997 年，上海法学杂志组织召开了有关错案追究制问题的会议，并在其杂志上发表了以王晨光的《从"错案追究制"谈法律运行的不确定性》一文为代表的一系列文章，对当时我国法官职业责任制度中心的错案追究制作了探讨和反思。同时，最高法院也开始意识到了以错案追究制度为中心的法官责任制度存在的问题，于 1998 年也颁布了《人民法院审判纪律处分办法（试行）》和《人民法院审判人员违法审判责任追究办法（试行）》两个办法，特意用"违法审判责任"的概念代替了"错案"的提法，有些省市也根据最高人民法院颁布的这两个办法废除了本地有关错案追究的法规。[3] 并规定法官承担职业责任的种类主要以下六种形式：警告、记过、记大过、降级、撤职、开除。但是，由于我国具有根深蒂固的"有错必纠"的实质主义传统，加上最高院这两个办法也仅仅是"试行"的性质，因此各地法院仍然将错案追究制作为纠正法官不正之风，防止司法腐败的一个手段，作为法官职业责任制度的重要组成部分而继续存在。加上语言的惯式，"错案"一词仍然不断的出现的法院系统内正式的和非正式的场合，作为对法官职业责任的一种中心诠释。因此，分析我国法官的职业责任制度，就无法绕过对错案追究制度的考察，特别是无法忽视对"错案"判断的考察，因为错案追究制度最核心的内容就在于对错案范围和内容规定。那么如何判断一个案件的结果是否是错误的呢？

（二）"错案"判断标准及其弊端

我国目前"错案"在判断上主要表现为两种方式：第一种是如果一个案件

---

[1] 张绳祖："执行错案追究制度，提高人民法院办案质量"，载《人民法院报》1994 年 2 月 22 日。

[2] 手头可以找到的各地法规主要有：《海南省各级人民法院、人民检察院、公安机关错案责任追究条例》，《陕西省各级人民法院、人民检察院、公安机关错案责任追究条例》，《江西省司法机关错案责任追究条例》，《淮南市司法机关追究错案责任条例》，《河北省错案和执法过错责任追究条例》。

[3] 例如 2000 年 3 月 29 日山西省人民人大常委会作出的《陕西省人民代表大会常务委员会关于加强对全省各级人民法院、人民检察院、公安机关错案责任追究工作监督的决定》就废止了其在 1996 年颁布的《陕西省各级人民法院、人民检察院、公安机关错案责任追究条例》，规定："鉴于最高人民法院、最高人民检察院和公安部对错案责任追究工作已经颁布了条例和规定，规范了错案责任追究工作的原则、程序和方法，为了实行错案责任追究工作的法制统一，为此决定全省各级人大常委会今后应当按照最高人民法院、最高人民检察院和公安部有关错案责任追究的条例和规定，依法加强对人民法院、人民检察院、公安机关错案责任追究工作的监督"。

通过上诉程序被发回重审或者改判，也当然就被认定为是错案。[1] 第二种是通过审判监督程序，如果一个案件的审判结果被再审程序所改变，那么这个案件就是错案。[2] 这种判断的标准由于便于使错案责任明朗化，承担责任的条件非常的确定和清晰，有利于防止错案责任追究中的主观随意性，并能使错案追究更易于行使，具有较强的可操作性，因此在实践中较普遍的存在，成为法官职业责任承担的主要根据。但是，这种看似简单的做法却带来了诸多的弊端。

由于各地法院往往将错案责任与本院法官的工资、职务、升迁直接挂钩，有的规定只要发生错案的情形，就要扣发有关人员当月、当季或当年的奖金。也有的法院规定办案人员一年中只要有几件案件被上级法院改判或发回重审，该办案人员就要下岗。[3] 因此，这样的规定结合上述错案判断的标准也就意味着如果通过审判监督程序再审和通过上诉程序的审理后，案件被改变或发回重审，那么原审法官将面临着极大的个人风险。法官作为人的生物性有着趋利避害的本能，因此，法官们大都通过各种各样的方式来避免这种风险的承担。比如下级法官为了避免案件被上级法院改判或发回重审，对于本应该由自己独立进行裁判的案件，一遇到疑难就更倾向与在审理决定作出之前与上级法院法官"勤沟通"、"多交流"，揣测上级法官的意见，甚至先将案件私下交与上级法院法官过目，听取上级法官的指导。这样，只要按照上级法官的意图审理案件，自然即使判决作出后案件被上诉到上级法官那里，上级法官也不会推翻按照他本人意图作出的判决，如此一来，法律中明文规定的二审终审制变的名不副实，成为实质上的一审终审制，导致当事人通过上诉途径寻求司法救济的努力在一审时就已提前落空。下级法官的独立地位[4]得不到法官自身的要求，因为法官宁愿舍弃自己独

---

〔1〕　笔者曾于闲聊时问一中级人民法院的法官，如果他把下面送上来的案件发回重审或改判后，算不算这是下级人民法院办了一个错案，他斩钉截铁的说："当然是了"。但在笔者阅览的范围内，还未找到有国家级效力的法律文件中明确规定这种情形下就算是错案（在地方性法规中有发现，参见第143页注③）。只在2001年《最高人民法院关于民事诉讼证据的若干规定》中发现有隐含的意思。其第46条规定："由于当事人的原因未能在指定期限内举证，致使案件在二审或者再审期间因提出新的证据被人民法院发挥重审或者改判的，原审裁判不属于错误裁判案件。"这里似乎隐含表明了最高院认为除这种情形之外的被发回重审或者改判的应该算是错案。但这种判断标准在实践中又是的的确确的存在，这就是所谓的"潜规则"。

〔2〕　《陕西省各级人民法院、人民检察院、公安机关错案责任追究条例》第8条明确规定人民法院办结的案件中有下列情形之一的，原判决、裁定和调解的案件为错案：（一）判决错误被第二审、再审改判的；（二）裁定错误被第二审、再审撤销的；（三）违法调解被再审撤销的。

〔3〕　如笔者手中一份基层法院的《制度汇编》，其中的"干警聘任办法（试行）"中明确规定了法院的聘任人员如果全年办错案件1件以上的，就予以解聘，可以窥见其制度之严。

〔4〕　法官独立是现代法治国家的题中之意，可以分为法官外部的独立（即对行政机关和立法机关的独立）和法官的内部独立（即对上级法院法官和本院其他法官的独立）。

立作出审判的权力来防止案件被发回重审或改判而造成所谓的错案。而且，下级法官这种为避免错案责任而接受上级法官"指导"的行为还危害了我国法律中明文规定的"公开审理"原则。因为上级法官对下级法官的"指导"必是在私下进行，当事人无从指晓，更不能提出质疑，在这种情形之下公开审判必然只能是流于形式。

此外，这种对错案定性的标准在本法院内部也妨碍了法官的独立。我国法律中规定法院的审判委员会对重大、疑难、复杂的案件有讨论和决定的权力，但对何为"重大、疑难、复杂"的案件却没有规定，在司法实践中往往把院长、庭长和合议庭意见不一致的案件均列入审判委员会讨论，审判委员会实际讨论和决定的案件的范围很大，有些地方甚至达半数以上。[1] 审判委员会讨论并决定案件导致了"审判分离"的现象，又因为审判委员会的决定是集体作出的，所以往往很难找到具体的责任人，承办疑难复杂案件的法官如果将案件递交审判委员会，则可以避免当案件被上级法院改变或发会后承担错案的责任。因此根据上述判断错案的标准，如果上级法院法官将案件改变或案件通过再审程序被改变，而该案件则在审理时已被提交审判委员会集体作出判决结果，承接该案的法官就不需要承担相应的责任。正是由于这个"好处"，法官更愿意将那些没有十足把握的"吃不准"的案件递交审判委员会讨论，通过审判委员会这一道墙来回避错案责任，减少自己的风险。[2] 由此，在法院中审理案件的主体变成了"无面目的法官"，法官的独立审判更无从谈起。

这种判断标准还造成了"和稀泥"式的调解制度在民事案件中的泛滥运用。本来调解制度只适用于那些权利义务关系的民事案件，并且对于调解结案的民事案件双方当事人不能通过上诉的途径予以更改，这样法官为了降低自己审理的案件被上级法院改判或发回的风险，更希望当事人能够调解结案，尽量不采用判决形式结案，甚至于强行调解。这种"和稀泥"的做法表面上看似乎大量的纠纷都通过双方当事人的"自愿"、"自主"的方式解决了，实际上却不利于对当事人实体权利的保护和对侵权行为的制裁，更严重的是最终损害了当事人对法院的信任，从而对法制建设形成了长远的、深层次的危害。[3]

这样一个判断标准还在实践中造成这样荒谬的结果：由于错案与否是通过上诉审和再审的结果来判断的，这样也就意味着如果被这两种程序支持的就是正确

---

〔1〕 陈瑞华：《刑事审判原理论》，北京大学出版社 1997 年版，第 178 页。

〔2〕 苏力："基层法院审判委员会制度"，载《送法下乡——中国基层司法制度研究》，中国政法大学出版社 2000 年版。

〔3〕 夏勇主编：《走向权利的时代》，中国政法大学出版社 2000 年版，第 283 页。

的，而被改变的就是不正确的。因此，完全可能出现对于一个原本正确的结论因为这两种程序的否定而成为错误的，可一个错误的结论却因没有被两种程序否定而成为正确的。我们不能否认现阶段还存在这这样一种情形，即因为人情关系、外界影响等因素完全有可能使上级司法机关改变一个本来并没有错误的司法决定。由此可见，虽然这种以上诉审和再审程序的结果为标准来判断"错案"与否存简单而又直观，但存在着诸多逻辑上的混乱并带来了许多在实践中无法解释和解决的矛盾。

　　（三）"错案"判断标准的前提预设

　　需要注意的是，这种在实践中判断"错案"的标准还蕴涵了另外一层更为根深蒂固的前提预设，这一前提预设就是——二审法院或再审法院法官对同一案件的判断会比一审法官的更正确（因此才会以他们的判断作为标准来衡量一审法官的判断）。那么这一前提预设是否完全正确呢？

　　无论是一审法官、二审法官抑或是再审法官，对案件的判断都是从三个角度：法律问题、事实问题和程序问题。对于这一点我们可以从"错案"的概念中看："错案"的概念严格意义上说不是一个准确的概念，[1] 在我国正式的法律文本中并有没对其有统一的规定，各地法院自行制定了一些规定。海南省将其界定为："本省各级人民法院、人民检察院、公安机关及其办案人员办理的案件，认定事实、适用法律法规错误或者违反法定程序而造成裁判、裁决、决定、处理错误的案件。"陕西省将其界定为："人民法院、人民检察院和公安机关办结的案件，认定事实错误或适用法律错误或违反法定程序影响案件正确处理，依法应当纠正的案件。"河北省将其界定为："司法人员，由于故意或者过失，在执法活动中违反法律、法规，做出错误的裁判"山西省高级人民法院把它界定为："审判人员在审理案件过程中，违反实体法或程序法，致使案件出现明显错误或造成不良影响，应由审判人员承担责任的案件。"内蒙古自治区高级人民法院在其制定的经济庭审判方式改革实施意见中采用列举法，将认定的基本事实错误，是非责任颠倒，造成裁判严重不公，适用法律明显错误，导致错误裁判，严重违反诉讼程序，影响案件实体审理公正裁判等七种情况列为"错案"。可见，虽然各个省市的具体表述不同，但是大体都指出一个"认定事实错误"或"适用法律错误"或"违反法定程序"并且导致了"错误结果"的案件就是"错

---

〔1〕　王晨光先生就曾指出这一点，他不赞成"错案"这一个在他看来不够准确的提法，参见王晨光："从'错案追究制'看法律运行的不确定性"，载梁治平主编：《法律解释问题》，法律出版社1998年版。

案"，此其一。

其二，再审程序和上诉审程序中的法官进行判断的依据根据三大诉讼法的规定，也就是"事实判断是否清楚"、"法律判断是否正确"和"是否遵循了法定程序"，具体条文见下表：

	再审程序	上诉审程序
行政诉讼法	第63条 人民法院院长对本院已经发生法律效力的判决、裁定，发现违反法律、法规规定认为需要再审的，应当提交审判委员会决定是否再审。 上级人民法院对下级人民法院已经发生法律效力的判决、裁定，发现违反法律、法规规定的，有权提审或者指令下级人民法院再审。 《最高人民法院关于执行〈中华人民共和国行政诉讼法〉若干问题的解释》： 第72条 有下列情形之一的，属于行政诉讼法第63条规定的"违反法律、法规规定"： （一）原判决、裁定认定的事实主要证据不足； （二）原判决、裁定适用法律、法规确有错误； （三）违反法定程序，可能影响案件正确裁判； （四）其他违反法律、法规的情形。	第61条 人民法院审理上诉案件，按照下列情形，分别处理： （一）原判决认定事实清楚，适用法律、法规正确的，判决驳回上诉；维持原判； （二）原判决认定事实清楚，但适用法律、法规错误的，依法改判； （三）原判决认定事实不清，证据不足，或者由于违反法定程序可能影响案件正确判决的，裁定撤销原判，发回原审人民法院重审，也可以查清事实后改判。当事人对重审案件的判决、裁定，可以上诉。

| 民 事 诉 讼 法 | 第179条　当事人的申请符合下列情形之一的，人民法院应当再审：
（一）有新的证据，足以推翻原判决、裁定的；
（二）原判决、裁定认定事实的主要证据不足的；
（三）原判决、裁定适用法律确有错误的；
（四）人民法院违反法定程序，可能影响案件正确判决、裁定的；
（五）审判人员在审理该案件时有贪污受贿，徇私舞弊，枉法裁判行为的。 | 第153条　第二审人民法院对上诉案件，经过审理，按照下列情形，分别处理：
（一）原判决认定事实清楚，适用法律正确的，判决驳回上诉，维持原判决；
（二）原判决适用法律错误的，依法改判；
（三）原判决认定事实错误，或者原判决认定事实不清，证据不足，裁定撤销原判决，发回原审人民法院重审，或者查清事实后改判；
（四）原判决违反法定程序，可能影响案件正确判决的，裁定撤销原判决，发回原审人民法院重审。
当事人对重审案件的判决、裁定，可以上诉。 |
| 刑 事 诉 讼 法 | 第204条　当事人及其法定代理人、近亲属的申诉符合下列情形之一的，人民法院应当重新审判：
（一）有新的证据证明原判决、裁定认定的事实确有错误的；
（二）据以定罪量刑的证据不确实、不充分或者证明案件事实的主要证据之间存在矛盾的；
（三）原判决、裁定适用法律确有错误的；
（四）审判人员在审理该案件的时候，有贪污受贿，徇私舞弊，枉法裁判行为的。 | 第189条　第二审人民法院对不服第一审判决的上诉、抗诉案件，经过审理后，应当按照下列情形分别处理：
（一）原判决认定事实和适用法律正确、量刑适当的，应当裁定驳回上诉或者抗诉，维持原判；
（二）原判决认定事实没有错误，但适用法律有错误，或者量刑不当的，应当改判；
（三）原判决事实不清楚或者证据不足的，可以在查清事实后改判；也可以裁定撤销原判，发回原审人民法院重新审判。 |

　　由此可以推出，无论是在上诉审还是在再审程序中，上诉法官和再审法官都是通过对原审案件判决中的事实判断、法律判断以及程序问题的审理来判断是否应该将原审判决结果改判或者发回重审，进而决定原审案件是否被判定为是错

案。同样从上表中可以看出，对于一个案件来说，只要在法律判断、事实判断以及程序问题三个方面有缺陷，都构成被上诉审程序或者再审程序改变的理由，结合上文所说的判断"错案"的标准，也就可以得出在法律判断、事实判断以及程序三个方面的任何一个方面的错误都被认为是构成"错案"的依据。

但是，正如下文分析所显示，这一前提预设并不完全正确。

四、"错案"判断标准的重构

之所以说这一前提预设存在着缺陷主要因为由于事实判断和法律判断两个方面存在着不确定性，因此无法保证上诉审法官和再审法官在这两个方面的判断上肯定比原审法官的判断更正确，而对于程序问题来说，由于其直观的外表特征，更容易判断被履行与否，因此，上诉审法官和再审法官在程序问题上的判断应更具准确性，也就是说，对于"错案"概念运用程序正义标准予以判断更为合理。

（一）法律判断的确定性问题

法律判断的确定性自古被作为法治优点的最好体现而为什么所倡导。最早崇尚法治的古希腊学者亚里士多德就是通过对法律具有的确定性的赞美来反对人治。之后罗马人中形成的职业法律家阶层则发展出了一整套完整的法律技术，大大提高了法律的确定性。到了启蒙时期形成的法律现代化运动，在实质正义之外更是提出了程序合理性的原则，进一步提高了法律的确定性概念。18 世纪哈特维克勋爵断言："确定性是和谐之母，因而法律的目的就在于确定性。"[1] 拉德布鲁赫则指出："法律秩序的存在要比法律正义和功利更为重要。正义和功利构成法律的第二位主要任务，而所有人平等同意的第一位任务则是法律的确定性，即秩序与和平"。[2] 在 20 世纪之前，无论是哲理法学派、历史法学派还是分析法学派，都更倾向于法的确定性。然而，到了 20 世纪，现实主义法学派的出现给法律的确定性概念带来了巨大的挑战，人们的目光更多的从以往对法律确定性的强调转向对法律确定性的反思，各个不同学派的法学家们从不同的角度开始研

---

〔1〕 转引自［美］博登海默：《法理学——法律哲学和方法》，张智仁译，上海人民出版社 1992 年版，第 293 页。

〔2〕 转引自沈宗灵：《现代西方法理学》，北京大学出版社 1992 年版，第 48 页。

究法律的不确定性问题，取得了诸多成果[1] 总括说来，法律判断的不确定性主要表现在以下几个方面：

1. 正如世界上不存在完全相同的叶子一样，世界上也不存在完全相同的人。构成社会的人固定的存在认识上的偏好的差异，人的不同偏好也就够成了多样化和丰富性，而多样化和丰富性正是不确定性的根源所在。由于法律是社会事实的形式，因此多样化和丰富性的社会事实也就决定了作为其形式的法律在一定意义上存在着多样性。弗里德曼特别强调了："一个强有力的法律制度必须有一定的灵活性，它不能不曲张、变通、为了公正的实现作出一点让步，或者容纳世界的各种现实。"[2] 也就是说具有不确定性的客观社会事实决定了法律制度必须具有相应的弹性，比如日前行政自由裁量权的日益扩张，给予公权力机关自由裁量权的制度设计正体现了法律制度包含的弹性。这种法律制度的弹性明显就降低了法律的确定性。

2. 法律语言的不确定性。同样由于社会现象的纷繁芜杂，而法律规范则天然的要求抽象和概括，正如哈特所说："当我们用词把这样形成抽象概念固定下来的时候，我们就有发生错误的危险。"[3] 也就是说要用抽象的法律概念涵盖具体生活的方方面面，就会存在不确定性的可能。更何况，对于语言本身来说就具有一种不确定性，[4] 法律词汇也具有不确定性，[5] 由此形成的法律文件也就必然具有不确定性，"任何选择用来传递行为标准的工具——判例或立法，无论它们怎样顺利的适用于大多数案件，都会在某一点上发生适用上的问题，将表现出不确定性"。[6] 此外，法律文件的制作者对于不确定的社会事实必须进行规制的

---

[1] 社会法学派的弗里德曼强调社会力量对审判的影响（《法律制度》，中国政法大学出版社1994年版，第199页）；法律经济学派代表波斯纳证明了刑事案件中的事实认定是概率而不是确定的，他同时从法与社会的关系来论证法是社会的追随者，是不确定的。并且他还将事实分为"是什么"和"为什么"，当涉及后者时，法律的确定性就大大的降低（《法理学问题》，苏力译，中国政法大学出版社1994年版，第260、271、273页）；日本学者棚濑孝雄则研究了司法权的可变性（《纠纷解决与审判制度》，中国政法大学出版社1994年版，第165页）；现实主义法学家甚至认为法律的确定性是一个"基本的法律神话"，或者是一种"恋父情节"，更甚者认为法律判决是法官一顿不愉快的早餐的结果；美国综合法学派著名学者博登海默也形象地指出："法是一间有着许多大厅、房间、凹角和脊角的大厦，一盏灯要同时照亮每个地方是极其困难的。当照明系统由于技术知识和经验的限制而不充分或至少是不完全时，这点就更加明显。"

[2] ［美］弗里德曼："法治、现代化和司法制度"，傅郁林译，载宋冰编：《程序、正义与现代化——外国法学家在华演讲录》，中国政法大学出版社1998年版，第128页。

[3] 转引自丹皮尔：《科学史》，商务印书馆1975年版，第271页。

[4] 如被摧毁的语言镜象论。

[5] 哈特认为任何词汇都有一个主要的、稳定的核心含义，同时又有其相对模糊的边缘含义。词汇的边缘含义即是导致词汇本身不确定性的根源所在。

[6] ［英］哈特：《法律的概念》，张文显等译，中国大百科全书出版社1996年版，第127页。

情况下也有意识的运用模糊语言，[1] 我国法官在裁判的过程当中也有意识的使用模糊的语言。[2]

　　3. 判断权力运用的不确定性。司法判断权力是由法官来行使的，虽然法官作为"肩负审判重任者必得屏除任何个人癖好、个人偏见、任何先入为主的判断"[3] 但绝对的强调法官要成为这种理想状态的法官的确是不太现实的，这种状态下的法官即使有也是存在于理想之中，法官作为人的本质属性决定了他不可能摒弃作为人的一些感情因素（否则就不成其为人了）比如冲动、偏激等，此外还有作为个体生存所必有的职业教育经历、职业经历、个人气质、功利偏好等个人因素，以及有这些个性化的个人经验所形成的互不等同的法律知识、法学观点、道德倾向都会影响法官适用法律上的差异，导致法律判断结果的不确定性。[4] 更进一步说，权力运行的外部环境因素，比如政策、意识形态、社会地位、利益冲突和公共秩序等非法律因素都会对法律产生影响，进而导致不确定性的产生。

　　4. 人的理性的有限性决定了法律规则的相对确定性。"法律"是法的活动从个别到一般运动的一个结果，立法者的立法行为就是将重复着的社会个体类似的行为抽象成为一般的成文法律。由于立法者作为人的属性决定了其思维遵循唯物辩证主义关于人的思维具有非至上性的特点，也就是作为个体的人的认识能力是有限的，他无法对未来的情形（甚至对于现在的情形）做毫无遗漏的预见和认识，他不可能穷尽事物的所有可能性，也不能避免所有的疏漏，因此立法者的这种有限理性也就意味着标示行为边界的规则难免存在缺憾甚至互相矛盾的情况，从而导致了法律自身的不确定性。

　　从以上四个方面我们可以看出，对于法律判断的确定性在现当代受到了强有力的挑战，法律本身、法律判断过程、法律判断结果等方面都存在着不确定性因素，也由此导致了法律不确定性。

---

〔1〕　比如美国著名的布朗诉教育委员会一案中，美国联邦最高法院作出的第二次判决中规定学校中废除种族隔离应当采取"全面审慎的速度"，而对于什么是"全面审慎的速度"则避而不谈。法院之所以如此是因为布朗案的第一次判决的执行遭到了南方种族主义者的抵抗，为了缓和矛盾同时又不能不做裁判以及作出明显违法的裁判而采取的一种"混沌"战略。

〔2〕　如1993年山东省济宁市郭艺军正当防卫过当故意伤害致人死亡案中，在对事实情节认定时，公诉人说是"挥刀一刺"，被告人则说是"挥刀一挡"，法院认定则是"挥刀相迎"。

〔3〕　〔美〕伯而曼：《法律与宗教》，梁治平译，三联书店1991年版，第46页。

〔4〕　顾培东：《社会冲突与诉讼机制——诉讼程序的法哲学研究》，四川人民出版社1991年版，第166页。

（二）事实判断的确定性问题

我们一般将法律意义上的事实分为客观事实和法律事实两种。客观事实作为一种客观实在，发生于一定的空间，有一个历时的过程，通常表现为身体性的物质性行为，作用于作为物质性存在的身体、工具或其他物理性、化学性客体，其结果表现为物质性的现象，如东西被盗、身体受伤、合同的订立、房屋被拆、票据上留下了数字等等，甚至在这一过程中出现的声音乃至意识或心理，也可以肯定它们的物质性。法律事实的存在是以客观事实为基础，在司法过程中通过当事人双方与法官相互之间互动中形成的认识结论，通过语言的形式表现在最终的法律文书之中。

虽然客观事实的存在从哲学上可以理解为不依人的意志而独立存在，但具体到司法过程中如果不通过认识活动转化为法律事实则对于司法活动的主体来说都是毫无意义的。因此，在法律事实的形成过程当中，人的认识活动的重要意义不容忽视。而人的认识能力由于上文所提到的人的有限理性也当然对于法律事实结果形成具有不可周全性。同时由于具体诉讼中的特定事实都是已经事过境迁，司法判断的主体——法官无法回到过去目睹事件的整个真实经历，甚至当事人本人也无法绝对真实的再现客观事实。因此法律事实的作出只能通过证据的证明来达成。证据所具有的必然的不充分性决定了在此基础上法官所得出的结论也必然带有不确定性，更况且证据本身的真实性也由于当事人更偏向于提供有利于己的证据并隐瞒不利于己的人之常情而值得合理怀疑。

可见，由证据所构成的法律事实本身也具有不确定性。当然，上文所讨论的重心偏重于不确定性，并非笔者认为法律判断和事实判断具有绝对的不确定性。相反，这两者同样具有确定性，而且对其确定性的肯定具有很重要的地位。[1]因此对不确定性问题的强调只能说是指出了对此两者的正确评价应是"具有相对的确定性"。

我们知道，作为法律推理的一般逻辑程式是：将既定的法律规范（大前提）适用于特定的案件事实（小前提），从而得出判决结果（结论）。根据这个基本的推理程式，判决结果的确定性取决于法律规范和特定案件事实的确定性。但是，正如上文我们所看到的，法律规范与案件事实具有相对的确定性，再加上在

---

[1] 因为本文偏重于对两者不确定性的考察，所以在此对其确定性问题不予详细论述了。最近有关法律确定性的论述，可见李琦："法的确定性及其相对性——从人类生活的基本事实出发"，载《法学研究》2002 年第 5 期。有关法律事实的论述，可见李力、韩德明："解释论、语用学和法律事实的合理性标准"，载《法学研究》2002 年第 5 期。

法律判断过程当中周遭环境的影响，其判决结果也必然具有相对的确定性。这种相对确定性也就意味着对于同一个案件来说至少存在多个可能不错误的判决的结果，因此，在原审法官与上诉审法官两者对同一案件的判决结果（单就法律判断或事实判断而言）有如下几种情况（再审法官与此大致相同）：

原审	上诉审
法律判断错误，事实判断正确	法律判断错误，事实判断正确
	法律判断正确，事实判断正确
	法律判断正确，事实判断错误
	法律判断错误，事实判断错误
法律判断正确，事实判断错误	法律判断错误，事实判断正确
	法律判断正确，事实判断正确
	法律判断正确，事实判断错误
	法律判断错误，事实判断错误
法律判断错误，事实判断错误	法律判断错误，事实判断正确
	法律判断正确，事实判断正确
	法律判断正确，事实判断错误
	法律判断错误，事实判断错误
法律判断正确，事实判断正确	法律判断错误，事实判断正确
	法律判断正确，事实判断正确
	法律判断正确，事实判断错误
	法律判断错误，事实判断错误

上诉审和再审法官并没有足够的理由表明他们的判断肯定比原审法官更正确，简单的以案件被上诉审或再审改判作为判断错案的标准固然有问题，在此直观的形式判断标准之后的实质的判断标准中法律判断与事实判断同样存在着问题。那么，到底应该以什么作为判断错案的标准呢？笔者以为，应该以正当程序作为判断错案的标准：

（三）以程序正义作为判断"错案"的标准

从以上我国对"错案"的法律定义及判断标准来看，主要是从结果意义上判断错案，体现了人们对实体正义的追求，对判决结果的关怀。由于上文提到的各种原因，这种通过判决结果来判断法官错案责任的方式具有不确定性，容易造成种种弊端，因此我们必须将我们视线从对判决结果的关注转移到对法官行为的监控上来，从对实质正义的关注转移到对程序正义的关注上来。在法治国家中，应该对法官由足够的信任，只要法官行为正当，就应该推断其判决结果的正当，即使判决结果的确不正当，那也应该推断其尽了职责，也就是说我们应该允许法官出错，这样会使一些应受追究责任的法官逃脱，但这是必要的成本支出[1]（我们不能奢望不付出相应的代价，十全十美的制度并不存在，我们只能两害相权取其轻），从总体上来看我们取得的收益远大于付出。法官行为是否正当的判断标准就是是否符合法定的程序标准。也就是说，对于判断什么是"错案"，如果从案件的结果正误进行判断是不够确切的，[2] 甚至可以说这个意义上的"错案"是不存在的，"错案"如果说有的话只能从程序的角度对其进行定义，即如果法官的行为违反了法定的程序性规定，那么这个案件就应该被认为是一个"错案"，法官就应该承担职业责任。

在具体论述程序正义何以应成为判断"错案"的标准之前，首先应对正义以及其中的实体正义的作一简单的分析。以上诉审和再审的结论为依据形式上的判断标准和以法律判断和事实判断为依据实质上的判断标准有一个共同的特定就是以实体正义（结果正义）为归依。应该说实体正义是一个理论基础十分雄厚的概念，它对司法活动具有重大的理论和现实意义，但同时也存在着许多的局限性。

正义是一个极其复杂的概念，自人类社会早期以来无数的仁人志士赋予了其各种各样不同的含义，[3] 其概念种类之繁多以至博登海默指出："正义具有着一张普洛透斯似的脸，变幻无常，随时可呈不同形状，并具有极不相同的面貌。"[4] 这里，我们沿用当代"正义理论集大成者"罗尔斯的观点：他认为正义可以分为实质正义、形式正义和程序正义三大类。实质正义是关于社会的实体目标和个人的实体性权利与义务的正义，[5] 本质上是对政治自由和平等、资源、社会合作的利益和负担进行权威性的、公正的分配。在法律制度中，实质正义主要表现为立法在确定人民权利义务时所要遵循的平等、公平、合理等价值标准。

---

[1] 周永坤："错案追究制与法治国家建设——一个法社会学的思考"，载《法学》1997 年第 9 期。笔者从该文中看到这个观点，并吸收。

[2] 从上文的分析中我们可以看出案件结果对错在多数情况下是无法判断的，如果从这个角度看，严格意义上的"错案"是不存在的。

[3] 西方法学界对正义的理解多种多样，不同时期、不同流派、不同法学家对正义的理解都不尽相同。如自然法学派强调正义与人的理性的关系，分析法学派强调正义与规则的关系等等。又如乌尔比安、西塞罗、阿尔多夫强调正义的主观性，洛克、卢梭、杰斐逊、霍布斯强调正义的客观性，柏拉图、庞德强调正义的"和谐"性，亚里士多德、德沃金强调正义的平等性等等，各自有各自的倾向性。

[4] ［美］博登海默：《法理学——法律哲学及其方法》，华夏出版社 1987 年版，第 238 页。

[5] ［美］罗尔斯：《正义论》，中国社会科学出版社 1988 年版，第 80 页。

形式正义又称为"作为规则的正义",其基本含义是严格的依法办事。[1] 它主要是指适用法律方面的正义,只要求形式上的平等,而对于法律规则是否正义则不管,其表述就是"同等情况同样对待"或"类似情况类似处理"。程序正义界于实质正义与形式正义之间,要求法律规则在制定和适用的过程当中具有正当性。由于"程序的本质特定既不是形式性也不是实质性,而是过程性和交涉性",[2] 因此程序正义本质上是一种"过程性"的价值,而实质正义与形式正义则是一种"结果性"的价值。[3] 由此,我们可以将这里的实质正义与形式正义归为"实体正义"(结果正义)的范畴。

实体正义的意义在于它直接体现了司法判断权力运用的规范性,符合了人们对审判规范化的要求,避免了人们对与因审判缺乏规范性而对审判结果产生的怀疑和不满,裁判结果被理性的接受打下了基础,此其一。其二,日本法学家川岛武宜指出:"在近代市民社会中,'法律原则上应该承认市民社会中起支配作用的价值或规范',这种价值占有统治地位,而且一般是,只有法律的内容遵循了这种价值,法律才会得到社会的承认。这就是说,近代法的正当性,原则上只能是法律内容符合上述市民的价值观才得以存在。"[4] 符合实体正义要求的裁判依据往往即符合社会上起作用的为人们一般价值观念,因此,如果司法裁判是以法律规范为基础,那么实际上就会与社会上普遍价值观念相一致而具有为大多数人所接受的性质。其三,实体正义通常即是结果的正义。人们具有更加注重结果的心理趋势,因为结果对于人们来说具有更显性的利益。"只要某种设计人们权益之分配或者义务之表现的最终结果符合人们所承认的正当性、合理性标准,这种活动过程本身就是完全可以接受的,不论人们在形成这种结果时经历了什么样的过程"。[5] 然而,实体公正存在着不可避免的局限性:理想的实体公正下司法裁判对事实的认定与案件事实真相完全相符合,并且严格的按照法律规定的内容进行裁断,但是,正如我们上文所分析的那样,由于法律判断和案件事实判断存在着不确定性,都不能达到理想状态下的准确程度,因此实体正义的实现也就无法被给予百分百的保证。此外,由于实体法无法避免存在着模糊之处及漏洞,这就使得法律解释不可避免的存在,可由于当事人及公众的解释有可能与法官的解释

---

〔1〕 〔美〕罗尔斯:《正义论》,中国社会科学出版社 1988 年版,第 221 页。

〔2〕 季卫东:"法律程序的意义——对中国法制建设的另一种思考",在《中国社会科学》1993 年第 1 期。

〔3〕 值得一提的是许多学者都将程序正义同形式正义等同起来,这是值得商榷的。程序不能完全的归入形式的范畴,程序具有其独立的实体价值,尽管程序外形更多的表现为形式。

〔4〕 〔日〕川岛武宜:《现代化与法》,中国政法大学出版社 1994 年版,第 78 页。

〔5〕 陈瑞华:"程序正义论——从刑事审判角度分析",载《中外法学》1997 年第 2 期。

之间存在着知识结构、立场、地位等不同而有可能会发生冲突，即所谓"精英话语式的法律解释"和"大众话语式的法律解释"（刘星）之间的冲突就会存在。前者特别强调从法律的内在价值反观法律的外在价值，习惯于先思考各种相关的规定，并探求法律的目的、精神、原则并以法学理论作为推理依托，来确定对具体事实的法律结论。后者则仅强调法律和外在的社会价值发生对立冲突时，以外在的社会价值作为规范要求的最终依据。因此，两者的冲突就表现在"由于不同的背景、文化品格，大众话语式的法律解释显露了情绪化、理想化、普泛化的倾向，而精英话语式的法律解释则显露了理性化、职业化和专业化的倾向"。[1] 正因为这种冲突的存在使得"大众"与"法官"对于同一个案件的裁判结果是否"正义"有着不同的理解，在许多疑难案件中这种冲突表现的尤为激烈。可裁判结果必须由法官作出，依照这种"精英话语式的法律解释"作出的裁判结果一旦与社会中由"大众话语式的法律解释"不一致，判决结果的正义性就很难被人们所接受。所以说，仅凭实体正义尚不能必然使裁判具有正当性，就必须借程序正义以补充实体正义的不足。

从实体正义的关注转向对程序正义的关注也就意味着从对判决结果的关注转向对法官行为过程的关注。对结果正义关注程度的削减并不是放任法官不管，而是要求法官必须严格依照法定程序作出判决结果，法官行为正当性是可以为法官判决结果正当提供正当性。那么，法官行为正当性的的判断标准就是程序的公正。程序标准相对于其他几个标准来说具有更客观、更明确的优点。对程序正义的追究是现代法治的大势所趋。

程序正义的发展演变经历了从自然公正原则到正当程序原则的转变。它作为一种观念肇始于英国古老的"自然公正"原则，[2] "自然公正"原则通常表示处理纷争的一般原则和最低限度的公正标准，由被称为"诉讼程序中的公正"，[3] 根据《牛津法律大辞典》中的解释，它通常包含了"任何人不能自己审理与自己有利害关系的案件"和"任何一方的诉词都要被听取"两条基本的原则。[4] 可见，这两条基本原则都是有关法律程序本身正当性和合理性的标准，

---

〔1〕 刘星："法律解释种的大众话语和精英话语"，载梁治平主编：《法律解释问题》，法律出版社 1998 年版。

〔2〕 在司法程序中，最早使用"自然公正"一词的是英国的普拉特法官。他负责起草了 1723 年"国王诉剑桥大学案"的判决书。在一次由剑桥大学副校长主持的会议上，在没有给本特利博士申辩的机会的情况下，取消了本特利博士的神学博士学位。普拉特法官评论道："此次会议在对他进行不利之指控、降低其资格时候拒绝所有他的申辩，这与自然公平是不相容的。"参见 ［英］彼得·斯坦、约翰·香斯：《西方社会的法律价值》，中国人民公安大学出版社 1990 年版，第 97～98 页。

〔3〕 龚祥瑞：《西方国家司法制度》，北京大学出版社 1993 年版，第 126 页。

〔4〕 ［英］沃克：《牛津法律大辞典》，光明日报出版社 1988 年版，第 628 页"自然正义"条。

是法官解决纠纷时所要遵循的最低限度的程序公正标准，也是程序正义最基本的内容。在英国长期以来形成的法律传统中，人们一般都相信"正义先于真实"，"程序先于权利"。[1] 后该原则经过了长期漫长的发展过程，英国大法官丹宁勋爵大大扩充了自然公正原则的适用范围，使其不但适用于司法程序，也同样适用于非司法程序领域，特别是行政程序领域。1977 年欧洲议会部长委员会为行政法领域内的自然公正原则提出了五项准则：受审判的权利（辩论、证据）、在行政行为之前获得有关信息的权利、在行政程序中协助与代理的权利、在行政程序中在合理时间内请求书面陈述理由的权利、指明救济及所给的时间限制。[2] 自然公正原则在美国发展为正当程序原则，最初由詹姆斯·麦迪逊在起草《权利法案》时提出，具有一种技术上精确的含义，只适用于法院的诉讼过程和程序，从来不能涉及一项立法机关的法案，[3] 主要内容有：

第一，有权向不偏听不偏信的裁判所和正式法院陈述案情。

第二，有权知道被指控的事由。

第三，有权对控告进行辩解。[4] 后来，在美国联邦最高法院的努力下，通过法律解释将正当程序条款扩大到实质性正当程序，扩大了公民权利的保护并通过正当程序条款来限制政府的权力。[5] 程序正义在当今已经成为法治国家所普遍遵循的一项基本原则。

简要回顾程序正义的历史发展之后让我们来看看从判断法官错案责任的角

---

〔1〕 〔法〕达维德：《当代主要法律体系》，上海译文出版社 1983 年版，第 337 页。

〔2〕 〔英〕韦德：《行政法》，中国大百科全书出版社 1997 年版，第 101～102 页。

〔3〕 〔美〕施瓦茨：《美国法律史》，中国政法大学出版社 1997 年版，第 49～51 页。

〔4〕 龚祥瑞：《西方国家司法制度》，北京大学出版社 1993 年版，第 128 页。

〔5〕 根据《美国法律史》（〔美〕施瓦茨著，中国政法大学出版社 1997 年版）介绍，在权利法案生效后的一个多世纪里，它的作用主要限于对经济领域的影响，成了"一部真正为商业服务的大宪章"。从 20 世纪 20 年代中期起，联邦最高法院开始认为权利法案的特殊保障是基本的，是被包含在正当程序条款之中的。到了 1953 年，沃伦开始了司法领域内的"正当程序革命"，此后，最高法院以马普诉俄亥俄州案（1961 年）和吉迪诉温赖特案（1963 年）为代表的一系列判决中，确认了几乎所有权利法案保护的权利都是基本的，这些基本权利被列入正当法律程序条款。

度，程序正义的标准应该有那些。学者对程序正义标准已经有了诸多的研究，[1]出现了诸多的理论。在这些理论中，对本文最有启发则是孙笑侠教授独辟蹊径的从当事人角度研究程序正义所归纳总结出来的十类程序正义的要素，即：参与、正统、和平、人道、合意、中立、自治、理性、及时、止争。[2] 由于如果要以程序正义作为判断法官错案的标准，就必须选择最直观易辨的要素，使其更具有可操作性，由此观之，作为判断法官是否实行错案的程序正义标准可以归纳为如下几点：

1. 是否遵循了程序"参与"的原则。程序的"参与"是指当事者能够富有影响的参与到程序之中并参与决定结果的形成发挥其有效的作用。[3] 这一原则要求任何与案件有利害关系的人都有权利和机会公平的参与诉讼过程，并有充分

---

〔1〕 日本著名学者谷口安平认为：程序正义自己本的内容或要求是确保于程序的结果有利害关系或者可能因该结果而蒙受不利影响的人都有权参加该程序，并得到提出有利于自己的主张和证据以及反驳对方提出之主张和证据的机会。同时，审判制度本身具有公正性，审判的结果如果是通过判决表现出来，就必须以判决理由的形式对当事人进行的主张和举证作出回答。（［日］谷口安平：《程序的正义与诉讼》，中国政法大学出版社1996年版，第12～18页。）美国法哲学家戈尔丁认为，程序公正包含了九项原则：①中立性。包括了A与自身有关的人不应该是法官，B结果中不应含有纠纷解决者个人的利益，C纠纷解决者不应有支持或反对某一方的偏见。②劝导性争端。A对各方当事人的诉讼都应给予公平的注意。B纠纷解决者应听取双方的论据和证据，C纠纷（或冲突）的解决者应只在另一方当事人在场的情况下听取对方的意见，D各方当事人都应得到公平机会对另一方提出的论据和证据作出反响。③解决。A冲突解决诸项条件应以理性推演为依据。B推理应论及各方所提出的论据和证据。（［美］戈尔丁：《法律哲学》，齐海滨译，三联书店1987年版，第240页）贝勒斯则认为程序公正应确立七项原则：①和平原则：程序应是和平的。②自愿原则：人们应能自愿地将他们的争执交由法院解决。③参与原则：当事人应能富有影响地参与法院解决争执的活动。④公平原则：程序应当公平——平等地对待各方当事人。⑤可理解原则：程序应能为当事人所理解。⑥及时原则：程序应提供及时的判决。⑦止争原则：法院应作出解决争执的最终决定。（［美］贝勒斯：《法律的原则——一个规范的分析》，张文显等译，中国大百科全书出版社1996年版，第34～37页。）我国学者孙笑侠教授认为程序公正包括对立面、决定者、信息、对话、结果（孙笑侠：《法的现象与观念》，山东人民出版社2001年版，第162页）季卫东认为现代程序首先必须坚持正当过程、中立性、条件优势、合理化四个原则，同时要注意程序中两种"过去"的操作，另外还有注意对立面的设置、信息与证据，对话，结果的确定性。（季卫东：《法治秩序的建构》，中国政法大学出版社1999年版，第25～27页）顾培东认为程序公正取决于三个要素：冲突事实的真实回复，执法者中立的立场和对冲突主体合法愿望的尊重。（顾培东：《社会冲突与诉讼机制》，四川人民出版社1991年版，第90页。）陈桂明认为程序公正由五要素构成：法官的中立性，程序规则的科学性，当事人双方的平等性，诉讼程序的透明度，制约与监督。（陈桂明：《诉讼公正与程序保障——民事诉讼程序之优化》，中国法制出版社1996年版，第12～15页）。

〔2〕 孙笑侠："当事人角度的程序公正论"，载孙笑侠等主编：《返回法的形而下》，法律出版社2003年版，第26～64页。

〔3〕 孙笑侠："当事人角度的程序公正论"，载孙笑侠等主编：《返回法的形而下》，法律出版社2003年版，第52页。

的机会向法官陈述自己的理由以保护自己合法的利益，主要表现为公平的举证、质证以及为自己辩护的权利，其核心在于当事人有得到合理通知以及提出辩护的权利，这两种权利是区分公正程序和不公正程序的分水岭。[1] 参与原则要求当事人双方之间以及与法官三方之间要进行充分而且具有实质意义的对话，从而使得纠纷得以理性的解决，具体说来应有以下几点：当事人没有主张的事实不能作为判决的依据；法院应将当事人之间无争议的事实作为判决的事实依据；法院对证据的调查只限于当事人双方在辩论中提出的事实；法院裁决应论及双方所提的论据和证据。[2] 其实质含义就是在法院作出有关严重影响其权益的判决时，当事人应当有充分的机会表达自己的意见、观点和主张，并对他方的证据和主张进行反驳和抗辩，以便将裁判建立在这些主张、证据、辩论等所进行的理性推论的基础上。[3]

2. 是否遵循了程序"人道"的原则。"人道"的原则，就是对人本身的尊重，将人真正做为人来看待，它包括了对人性、人格和个人隐私的尊重。比如在程序中的公开原则："公开"是指司法诉讼过程中的每一个步骤和阶段都应以当事人和社会公众看得见的方式进行。主要内容是法院在开庭前应将当事人的姓名、案由、开庭的时间地点等对外公布，以便于相关人员旁听；应当允许旁听和新闻媒体的采访报道，也就是说法庭审理的全过程都可以被公众以一定的媒介获知；判决必须对外公告。[4] 伯尔曼在《法律与宗教》中写道："没有公开则无所谓正义。"[5] 可见他对"公开"的重视。公共意志是对权力行使的恣意和不公正的有效制约和监督。程序活动的公开进行的重要意义，除了可以使公众对权力行使进行监督之外，还可以使公众对争议的实现与否有直接的感受，他们可以更好的感受到"看的见的正义"，[6] 如果人们不能看见正义得到了实现，他们就可能认为正义没有得到实现，因此我们说公开是程序正义的重要价值。[7] 公

---

〔1〕 宋冰编：《程序、正义与现代化》，中国政法大学出版社 1998 年版，第 375 页。

〔2〕 王盼、程政举等著：《审判独立与司法公正》，中国人民公安大学出版社 2002 年版，第 231~232 页。

〔3〕 张卫平主编：《司法改革评论》（第 1 辑），中国法制出版社 2001 年版，第 228 页。

〔4〕 这里需要注意的是，公开的原则与审判独立之间存在着矛盾，公开在一定程度上会对审判独立产生负面的影响，如公众舆论的强大压力往往会使法官在审判过程中无法坚持以自己的"精英式的话语"进行独立的思考和判断，因此而屈从于"大众式话语"。

〔5〕 ［美］伯尔曼：《法律与宗教》，梁治平译，三联书店 1991 年版，第 48 页。

〔6〕 也有学者称之为"直观的公正"，参见孙笑侠：《法的现象与观念》，山东人民出版社 2001 年版，第 159 页。

〔7〕 王锡锌："程序正义之基本要求结实：以行政程序为例"，载罗豪才主编：《行政法论丛》（第 3 卷）。

开也是对公众基本权利——知情权的一种基本的尊重。然而更为重要的是在公开的原则中还存在着个人隐私排除，"对于涉及个人隐私的案件可以不公开进行"显然体现了人道的原则。

3. 是否遵循程序的"中立"原则。程序中的中立原则包含了三个层面的中立：[1]

第一，从利益角度说——"任何人不得做自己案件的法官"，涉案利益中不能包含了裁决者个人的利益。这一层次的中立主要体现为"回避"制度。回避在人类司法发展史上有着悠久的历史。英国普通法的自然公正原则之一就是"任何人不得担任自己案件的法官"，[2] 程序公正是解决权益冲突首选的法律价值，而程序公正最基本的要求之一就是程序的主持者与程序的结果之间没有任何利害关系，否则，程序的主持者就有可能利用自己在程序中的主导地位操纵程序向有利于自己的方向发展。即使与程序结果有利害关系的人没有偏私，也很难让人们相信的他能作到这一点。"在程序法律制度中设立回避制度是人们追求公正行为结果的需要"，"回避制度的法律价值在于确保法律程序的公正性，而法律程序的公正性则可以树立利益冲突双方当事人寻求法律程序解决争议的信心，客观上也有助于产生社会稳定发展的积极力量"。[3]

第二，从外观角度说——裁决者在操守方面不能出现让当事人感到自己有可能受到不公正待遇的言行举止。这一层面的中立主要体现为"禁止法官与案件当事人庭外单方接触"的制度设计。目前人们对司法的负面评价更多的还是表现在对法官个人行为的负面评价上，我国法官已经习惯了与律师，当事人人之间的呼朋唤友，吃喝玩乐。法官的这种行为在庭外只要被人看到过一次，就很难不令人怀疑他在司法审判过程中会不会公正的审判。并且这种怀疑的情绪十分容易被夸大，从而使个人行为获得的负面评价扩展到对整个司法制度的负面评价，使人们对司法公正产生不信任。并且，如果单方接触涉及到与将要作出的决定有关的信息，那么其他的当事人实际上就本剥夺了为自己利益辩护的机会。因此在国外对法官在司法活动之外的行为也规定了较高的要求（比如德国），我国也应借鉴，如果法官私下与当事人或其代理人（如律师）接触，就免除其法官职务，严格要求法官行为的正当性。同时这一条也表明了对法官中立性的要求，因为我们在以往的研究中过于从法官主观意志角度强调法官的中立，这在一定程度上有

---

〔1〕 孙笑侠："当事人角度的程序公正论"，载孙笑侠等主编：《返回法的形而下》，法律出版社 2003 年版，第 55 页。

〔2〕 ［英］韦德：《行政法》，中国大百科全书出版社 1997 年第 1 版，第 95 页。

〔3〕 章剑生：《行政程序法比较研究》，杭州大学出版社 1997 年版，第 201 页。

过于空洞之嫌，而通过对"禁止法官与案件当事人庭外单方接触"的制度设计，更具有操作性。

第三，从态度讲——裁决者不应当存有支持或反对某一方的偏见。

4. 是否遵循程序的"合意"原则。判决的结果须是在程序参与者与裁决者在进行了充分的意见交涉和沟通后产生的，在交涉过程中双方都应立足于"自愿"基础上。合意原则意味着当事人自主自愿的进行司法活动，让当事人根据自己的知识、认识和判断，以及直接所处的相关环境去追求自己最大的司法收益。当事人在法定范围内就自己的活动自治，与对方以及裁决方之间形成良性的互动关系，最终达成双方满意的结果。这一原则在程序的进行过程中表现为是否存在强迫当事人参与程序并按照单方的意志被迫行为的情况。

5. 是否遵循程序的"理性"原则。程序的"理性"指在法律程序中的法律推理符合法律职业逻辑，证据论证确实充分符合理性要求，而不是凭直觉的、任意的、随意的。这一点在制度上主要表现在"判决说明理由"之上。

判决附以理由是实现程序正义的重要因素，[1] 它是当事人参与程序的痕迹，法官在其中应表明对于当事人的举证和辩论为什么采纳或为什么不采纳的理由，这样才能使当事人清楚的意识到自己参与程序的结果，否则就容易怀疑自己花了诸多的精力，而法官在最后作出判决的过程中究竟是否曾一并考虑，特别是对于败诉一方的当事人，更会怀疑法官在判决过程中是否真正考虑了自己提出的证据和理由，从而使得判决结果变的不明不白。[2] 正如达维德指出："今天，这些判决都应说明理由，对于我们这个时代的人，这个原则是反对专断的判决的保证，也许还是作出深思熟虑的判决的保证。"[3] 判决必须说明理由对法官的判断提出了更高的要求，要求法官在判断过程中排除任意擅断，理清法律推理构成，说明证据采纳与否的理由，增加判断结果的说服力。

6. 是否遵循程序"自治"的原则。程序的"自治"造成了在程序作用下形成的一个相对封闭的司法空间，在这个空间里要求排除程序外部的干扰，决定的作出应该且仅仅应该基于程序内部的信息之上，被程序所过滤掉的信息不能影响

---

[1] ［日］谷口安平：《程序的正义与诉讼》，王亚新、刘荣军译，中国政法大学出版社 1996 年版，第 18 页。

[2] 在西欧，法官必须在判决书中写明理由的义务直到 19 世纪才出现。在此之前，法国和日尔曼国家的法院都不写明判决理由，此为沿用了罗马法的传统。我国判决中也多有诸如"事实清楚，证据确凿"的搪塞之词。德国人埃塞尔认为判决理由这一术语可以做两种解释：一是指判决所根据的理由，另一是只指判决的心理动机。比利时学者班来门认为后者是主观的，指什么东西说服了法官，前者是客观的，指怎么说服其他人，并且两者不能等同。参见孙笑侠：《法的现象与观念》，山东人民出版社 2001 年版，第 165 页注释 3、4。

[3] ［法］勒内·达维德：《当代主要法律体系》，漆竹生译，上海译文出版社 1984 年版，第 132 页。

程序结果的产生，而程序内的信息则必须得到应有的尊重和考量。这一点在制度涉及上就表现为对新闻媒介监督权的适度限制，保持法官独立判断权不受程序外舆论的影响，不应让媒体的舆论逻辑左右自己法律的职业逻辑。

7. 是否遵循程序"及时"的原则。程序的"及时"是与程序的"效率"联系在一起的。程序的"效率"并非单纯追求程序成本最低化的，而是必须在"公正"的前提下的"效率"，因此"公正"有时是以牺牲经济学意义上的"效率"为代价的，而换来的则是程序意义上"效率"的实现。因此，程序的"及时"并非体现了经济学意义上的毫不拖延，更多的是体现了法律职业伦理意义上的毫不拖延。这一原则主要表现在有多种时间上的可能性存在的前提下，依据法律职业伦理的要求选择最为有利于当事人一方的一种可能。

综上所述，结果意义上的错案是不存在的，以司法裁判的结果来判断"错案"并进而确定法官职业责任是不准确的，我们应从法官行为上来判断是否是错案，以程序正义为标准确定错案，由此重构我国的法官职业责任制度，这样也可以与世界其他国家的法官职业责任制度接轨。

五、我国法官职业责任制度的初步构想

我国法官职业责任制度中的种种弊端已经严重影响到了我国法官制度改革的进程，在以上分析的基础之上，笔者提出改进我国法官职业责任制度的新构想，如下：

（一）独立法官惩戒委员会的建立

据各国经验看来，法官的惩戒组织都是由专门的机构担任。比如德国的法官纪律法院，日本的法官追诉委员会，法国的最高司法会议，美国的法官行为调查委员会等等，都是专门的法官惩戒组织。有许多关于司法独立的国际文件中，也建议各国建立专门的惩戒法官的机构。比如 1982 年国际律师协会通过的《司法独立最低标准》第 4 条规定，对法官的惩戒或免职，应该赋予独立于行政机关的机构行使。第 31 条规定，对法官的惩戒和免职，应该由常设的法庭为之，该法庭组成，法官应为多数。

我国目前对法官惩戒的机关主要是各级人民法院的监察部门，人民代表大会和常务委员会有权行使罢免权。各级人民法院的监察部门负责对法官违纪案件的调查和查处，根据肖扬的最高法院工作报告，1998 年全国法院对 2512 名法官和

其他工作人员进行了严肃处理，[1] 但是，司法腐败却并没有因此而消减，反而有越来越强的势头，为什么会这样呢？在笔者看来，最主要的原因就在于法官职业责任惩戒组织设置的不合理，惩戒权力行使的混乱。由法官所在的法院或上级法院的监察部门来形式惩戒的权力，这是一种法官内部的自我惩戒，这种法院内部的惩戒使得法官职业责任的承担出于一个进退两难的尴尬地位，一方面这种上下级式是机构使法官对拥有强大惩戒权力的监察部门（还有院长）心存畏惧，生怕出错，因此很难保证法官的独立审判。另一方面，在同一个部门里的这种上下级式的结构还使的法官之间很容易因彼此间的同事之情而对应当受到惩戒的法官网开一面。于是，这样就很容易造成应该惩戒的不惩戒，本应该独立却无法独立。此外，由人民代表大会及其常委会来行使罢免法官的权力也不妥。一方面人民的代表大会开会的时间是固定的，并且次数不多，不能及时对需要作出惩戒决定的事件作出反应。另一方面，人大主要是通过举手表决的方式来作出任免的决定，虽然形式上看起来经过人大的表决的程序似乎非常正式，但实际上大多数代表仅仅是听了一面之词，许多代表可能连整个事件的来龙去脉都不清楚就作出了表决，这样一个法官前途命运的决定作出其实是并非表面上看起来那么正式，仅仅是形式而已。因此，建立全国统一的独立的法官惩戒委员会不失为一个较好的选择。

（二）法官惩戒委员会的组织

在最高人民法院内设置专门负责行使惩戒权力的法官惩戒委员会，作为统一负责全国法官惩戒的组织。为防止地方保护主义，应将全国不按行政区域划分出跨区域的大区，每个区设立独立于各地法院以及其他机关的法官惩戒委员会分会，各法官惩戒委员会分会直接对最高院内设的法官委员会分会负责，最大限度的摆脱其他因素的干扰。最高法院法官惩戒委员会人员的组成可以参考我国台湾地区的"公务员惩戒委员会"的设置，设委员长 1 人，委员 15 人，书记官长 1人，书记官 14 人，科室主管 6 人，雇员若干。委员长主要作为行政事务的领导，一般不出庭审理案件。对法官惩戒的案件的审理主要由 15 位委员负责。委员的任职资格应有严格的限制，应通过全国统一的任职资格考试，参考人员范围限制在法官或具有教授以上职称且专职从事法学教学研究的人员，如果是法官则必须担任审判员 10 年以上（具有丰富的司法实践经验），具有一定的法学理论修养（必须具有一定的法律专业文凭，且文凭必须是通过正规教育的渠道取得）等

---

[1] 肖扬："最高人民法院工作报告"，载《中华人民共和国最高人民法院公报》1999 年第 2 期，第 53页。

等，此外，最高法院法官惩戒委员会的组成人员也可以从地方各法官惩戒委员会组成人员中挑选产生。每个案件的审判员共 5 人，可以由控方与被控方各自在 15 位委员中选 2 人，第 5 人由双方共同指定，如无法统一则由委员长指定（借鉴了仲裁委员会的组成方式）。地方各法官惩戒委员会分会的组织同最高法院法官惩戒委员会，组成人员的资格也类似。

（三）法官惩戒委员会的惩戒事由以及惩戒种类

法官惩戒委员会的惩戒事由主要包括了法官违反程序法的规定但尚不构成刑事犯罪的案件，此外还受理因为法官违反职业道德准则的案件。惩戒的种类主要有警告、记过、记大过、降级、弹劾以解除法官职业身份。须重点说明的是"弹劾以解除法官职业身份"的惩戒方式。我国法官法中规定的解除法官职业身份的惩戒方式主要有两种：撤职和开除。并且有权解除法官职务的机关级别过低：对基层法院法官作出开除处分的，报中级人民法院监察室提请本院院务会议批准；对高级、中级人民法院法官开除处分的，由监察室提请本院院务会议批准；批准开除的，应报高级人民法院和最高人民法院监察室备案。这种制度的设置使中级人民法院和高级人民法院掌握着罢免法官的权利，且程序上较为宽松。而从国外的经验看来，一般对于罢免法官这种最严厉的惩戒措施都规定了非常严格的弹劾程序，甚至严格到几乎无法实施的地步，切实的保证了法官的利益并维持他们独立的地位（详见本节第二部分）。因此，我国在司法改革这个大背景下，为保证法官能独立，就必须对涉及法官资格取消的惩戒措施加以严格的限制，设立严格的弹劾程序来保障法官的独立。在全国人大下设立专门的法官弹劾委员会作为有权作出弹劾最终决定的组织。弹劾程序可以分为对最高法院法官惩戒委员会委员的弹劾和对各法官惩戒委员会分会的委员的弹劾。对于前者首先由院务会议以司法程序作出决定，然后报全国人大下的法官弹劾委员会以司法程序作出最终判决。对于后者则应首先报最高法院法官惩戒委员会依司法程序作出决定，继而报全国人大下的法官弹劾委员会作出最终裁决。特别需要指出的是，对于法官的弹劾同样应遵循正当程序原则，实行两造对抗的形式，允许法官聘请律师为自己辩护，给予法官申辩的机会。

（四）法官惩戒委员会的审理程序

法官惩戒委员会的审理也必须遵循正当程序的原则，主要有以下几部分构成。

1. 受理。任何人或组织都可以向法官惩戒委员会提出要求追究法官职业责任的要求，并作为法官职业责任追究案件的原告。也可以首先向人民法院监察部门或人大提出要求追究法官职业责任的要求，再由接受请求的人民法院监察部门或人大转而向法官惩戒委员会提出要求。提出追究法官职业责任的要求的，用书面或口头形式都可以，口头提出的由受理的部门（法官惩戒委员会受理机构、人民法院监察部门、人大办事机构）记录在案，宣读无误后由提出人签章。任何案件都必须首先受理。

2. 立案。受理案件之后，视案件的复杂程度，法官惩戒委员会可以成立专门的调查组进行调查。调查的结果中只要存在对法官行为的"合理怀疑"就应立案，立案后应立即通知受指控的法官，并说明其可以聘请律师进行辩护。法官惩戒委员会立案与否不受任何组织或个人的干涉，不需要报任何部门批准。

3. 审理。对法官职业责任案件的审理应当遵循普通的法庭审理程序，允许受审法官聘请律师辩护。法官应按时出庭并不得无故退庭，否则可以直接作出处理决定。经过审理，可以作出惩戒的决定和不予以惩戒的决定。惩戒决定允许当事人双方在规定期限内向上级法官惩戒委员会上诉，上级法官惩戒委员会作出的决定是最终决定。对于罢免法官的决定必须报经最高院法官惩戒委员会的审查。惩戒委员会惩戒的前提是法官判了一个"错案"，"错案"的判断标准只有一个，也就是法官在判断的过程当中出现了程序性的违法，除此之外，不能以法官实体判断上的错误为由认定错案，即使二审或审判监督程序判定法官适用法律错误或事实错误，原审法官也不需要因此而受到惩戒。也就是说，惩戒委员会的惩戒权范围应限制在法官违反法定程序的追惩上（此外还有对法官违法职业道德准则行为的追惩），并且惩戒委员会不能以法官的某项具体判决结果的"正误"为标准来衡量是否应对法官惩戒，

4. 执行。对于解除法官职业资格以外的惩戒决定由法官惩戒委员会交于法官所在法院的院务会议执行。解除法官职业资格的惩戒决定必须由最高院法官惩戒委员会执行。

此处的制度设计必然是不完全的，许多问题必须交由时间和实践来检验和修改，逐步完善我国的法官职业责任制度。

第四节　法院引进竞争机制之反思
——以法官竞岗为例

"尽管法官有可能是由一个更高的权力机构任命的，但他的职责却不是实

施那个权力机构的意志，而是解决那些可能会破坏现行秩序的纠纷……"〔1〕

——哈耶克

"如果司法过程不能以某种方式避开社会行政机构或其他当权者的摆布，一切现代的法律制度都不能实现它的法定职能，也无法促成所谓期望的必要的安全与稳定。"〔2〕

——埃尔曼

前　言

任何一个法治社会，一旦以立法体现的实体正义和立法设定的程序正义确立之后，完成实体正义和程序正义的有机结合，实现两者追求的共同目的，最终实现法律正义和法律秩序的重大结合职责就要通过司法来完成。进一步说，就要由法官来完成。事实上，法律正义的诠释者，实现者和宣扬者在相当大的程度上是法官。〔3〕

中国法官的现状决定了在现阶段的司法改革中，法官素质的变革居于法官制度改革的核心位置。在推行司法改革的过程中，首要是包括法官在内的司法主体的素质提高问题。如果法官不能全面的知法、懂法，具有一定的司法经验并随时受职业道德和纪律的约束，则各项司法改革措施是很难奏效的。因此，法官素质作为影响司法公正的重要因素和我国能否取得依法治国理想成效的决定力量，已越来越引起司法实务界和法学理论界的关注。提高法官素质以及实现法官职业化、精英化是大势所趋。

然而，法官职业化非一朝一夕能完成，怎样快速改变中国法官的人数多、素质低的现状以适应审判工作需要是司法改革直接面临的一个问题。我国目前的法院中广义上的法官多达二十多万人，事实上，这些人中相当一部分人并不能胜任审判工作。因此，必须精简、分流以优化法官结构。于是，法官竞争上岗〔4〕应运而生，其推行的目的旨在改变法院现行的、存在诸多不合理之处的"干部"制度，通过"竞争"来实现更科学的用人机制。

本文认为，法官竞争上岗的出现有其特定的原因，实践中也起了很好的作

〔1〕　[英]弗里德利希·冯·哈耶克：《法律、立法与自由》，邓正来译，中国大百科全书出版社2000版，第157页。

〔2〕　[美]埃尔曼：《比较法律文化》，贺卫方、高鸿钧译，三联书店1990年版，第134页。

〔3〕　米健："国家司法考试与法官职业阶层"，载《比较法研究》，2002年第3期，第120页。

〔4〕　为了语句中的表述方便，本文中的"法官竞岗"、"法官竞争上岗"、"竞争上岗"为同一含义。

用；然而，由于其对法官职业特征的违背，实践中也会产生种种弊端。在我们逐步实现法官职业化的同时，应分阶段逐步取消法官竞争上岗。

对于本文的选题，相对于理论意义来讲，更多的意义在于对具体制度的实证分析，及基于这种分析对理论于制度实践的反思。这正是笔者选题的一个立足点，因为法官竞争上岗是一个非常具体的制度。当我们在大谈理论，大讲法治的同时，若能从具体的制度入手进行分析，或许能使我们更了解现实，更知道如何把理论与现实相结合。一个良好的社会制度实际上是由许许多多细微的甚至是琐碎的"小制度"合力构成的，仿佛滚滚长江是由无数支江细流汇聚而成。离开了具体法治，那种宏达而高扬的法治只不过是引起空气振动的口号而已。[1] 所以，应把法现象与法观念问题放到法律的社会实践中去研究。[2]

一、法官竞岗的背景、含义与合理性

（一）法官竞岗的背景

出现在世纪之交的法官竞岗是中国司法改革的一个组成部分。上个世纪末，中国经济逐步由计划经济向市场经济转变。在较短的时间内，经济领域发生了翻天覆地的变化。经济领域的变革对司法领域产生了很大的影响。市场经济中多元化的社会矛盾，大量纠纷推拥到法院，法院不堪承受之重，一场以法院和法官制度为核心的改革拉开了司法改革的序幕。先天不足的中国司法制度积弊甚多，存在着一些明显的制度性缺陷。党的十五大报告提出："推进司法改革，从制度上保证司法机关独立公正地行使审判权和检察权，建立冤案、错案责任追究制度。"党的十五大提出司法改革的目标后，最高法院下发了《人民法院五年改革纲要》，司法改革更是如火如荼展开。

顾名思义，司法一词实际上包含了法律和人二方面的因素。法是司法的依凭和客体，而人即司法者是司法的主体，司法最终目的是使法律得到严格遵守、违法行为得以矫正、司法正义得以完全实现，但在司法过程中，作为司法主体的人的因素至关重要，因为司法的成效最终取决于司法者的素质。所以，法官现状与法官制度的变革应是司法改革的中心环节。

建国以来，我们的法官制度在数次政治运动的冲击下，走着一条艰难的道路。我们的法官制度一直就不健全，甚至法官职业一度遭到否定。随着改革开放、经济发展，法官制度中存在的诸多弊端、矛盾逐步暴露出来。而这些矛盾的

---

〔1〕 贺卫方：《具体法治》，法律出版社 2002 年版，第 4 页。

〔2〕 孙笑侠：《法的现象与观念》，山东人民出版社 2001 年版，第 2 页。

集中体现就是法官数量多与法官素质离职业要求有很大距离。

1. 法官人数多。新中国 1949 年成立后摧毁了旧法院。1952 年绝大多数旧法院人员被清理出去后一直到 20 世纪 70 年代末期。"文化大革命"中，成文法典的废弃以及"资产阶级法律机构"的摧毁给中国人民和中国的领导人提供了惨痛的法律教育，人民也饱受了无法治之痛。拨乱反正后，以邓小平同志为代表的中央领导同志意识到了法制的重要性，提出要加强民主，健全法制，完善司法体制。这其中，首要的一步就是人的因素，即恢复建设法官制度并增加法官人数。

随着经济体制改革顺利进行，社会纠纷在大幅度增加。同时，人们对通过司法解决纠纷的信心增加，对司法的要求也增加。在这种情况下，法院受理的案件也在大幅度增多。为了缓和法院系统所承受的压力，自 1978 年以来，历届最高人民法院院长在他们的法院工作报告以及其他一些场合的讲话中，都不断呼吁国家增加法院编制，结果，不足 3 年时间，法院人数便增加了 140%。[1] 直到 1990 年代，法院的人数一直保持着或快或慢的增长。1996 年以来，法院系统开始实施机构改革，精简机构。即使此后，法官的人数仍在增加。

据统计，到现在，我国法官队伍（具有审判职称者）已有 21 万之巨，堪称世界之最，大约每 6000 人中便有 1 名法官，这与西方发达国家如英国大约 11 万人中有 1 名法官、日本 4.3 万人中有 1 名法官相比，我国的法官人数实在是太多了，按所占人口比例计算是英国的 18 倍，是日本的 7 倍。[2]

这是按人口的比例做的比较。我们也可以按人均承办的案件数量来做比较。根据有关分析，美国最高法院的法官平均办案数最多，1988 年达 627.9 件。联邦上诉法院的法官平均办案数量较低，但最低的年份也约为 140.4 件。美国法官每年的平均办案大约在 300～400 件左右，几乎每人每天可以审结 1 个案件。[3] 而我国法官的办案数远远低于这个数字。以经济发达的广东省为例：

材料一：法官法实施六年以来，广东法官队伍从 8478 人增加到 10498 人，大专以上所占比例从 55.36% 提高到 77.91%。据悉，去年广东法院共受理各类案件 590998 件，比 1995 年增加了 106%，而同期法官数量只增加了 23.8%，尤其是今年以来刑事案件收结数居近十年来的最高水平。

珠江三角洲地区法院办案任务压力特别大，如广州某区法院刑庭去年人均结案 279 件，有 11 个基层法院法官人均案件在 130 件以上。为了完成审判任务，

〔1〕 贺卫方：《司法的理念与制度》，中国政法大学出版社 1998 版，第 15 页。
〔2〕 赵良剑："法官职业化建设与渐进式改革"，载《人民法院报》，2002 年 10 月 15 日。
〔3〕 王利明：《司法改革研究》，法律出版社 2000 年版，第 420 页。

广大法官只能长期加班加点，超负荷工作，去年全省法院人均结案数比 1996 年增加了 87.2%。[1]

这则材料来源于 2001 年广东省高级人民法院院长的工作报告。材料中提到这么几个数字，"广州某区法院刑庭去年人均结案 279 件，有 11 个基层法院法官人均案件在 130 件以上。"当我们把这个平均数字与前面提到的美国法官作比较时，会发现，美国平均每位法官办结案件的数量比广东省的法官高出 2～3 倍。可以说广东省因其经济发达，法官相对素质高，人均结案达到 279 件、130 件，已经很不容易了。而我们全国法官平均结案率则更低，人均 21 件。[2]

由于法官的非职业化，才需要足够多的法官来对付实践中不断增加的案件，克服效率上存在的问题。特别是当案件增多时，首要的想法就是增加法官的数量。从材料中还可以看出，尽管广东省法官在数量上增加了 2000 多人，仍不够"用"，因为按材料中所说，法官增加的比例没有赶上案件增加的比例。即使在法官人数已经增长的情况下，仍在"长期加班加点，超负荷工作"，因为案件增长速度太快。要知道，这种情况还是在"大专以上所占比例从 55.36% 提高到 77.91%"、法官素质大大提高的情况下发生的。若退回到几年前法官的水平，则办案水平、结案率等更是可想而知了。这样一来，我们的法院形成了一个导致机构膨胀的循环：由于法官数量赶不上案件数量，要快速增加法官；而快速增加的法官素质低，平均结案率低，无法适应案件增加的需要，还需要增加法官数量。

2. 法官素质离职业要求有距离。如上所述，尽管法官的数量已经增了很多，仍然不够用。造成这种结果的原因很多，其中最根本的一条就是法官素质低下。而造成法官素质低下的原因当归咎于我们的法官制度。

我国自建国以来，一直未形成一套法律职业的专门化制度，这一方面与我国的法律不健全，法学教育不发达有很大关系，同时，在很大程度上与我们在观念上轻视法律职业专门化的传统有很大关系。长期以来我们一直将法官视为政法干部，而忽视其技术性和职业的专门化，充当法官者只需工农出身，政治面貌清白，具备高小以上文化即可。[3] 50 年代为与旧法划清界限，法官的名称也取消了，而改称为审判员。直到 1995 年《法官法》的颁布，法官一词在法律上才得到正式的确认。

─────────

〔1〕 转引自张慧鹏："广东法官队伍建设取得长足进展"，载《人民法院报》2001 年 10 月 6 日。
〔2〕 王利明：《司法改革研究》，法律出版社 2000 年版，第 420 页。
〔3〕 董必武："关于整顿和改造司法部门的一些意见"，载《董必武政治法律文集》，法律出版社 1986 年版，第 229 页。

由于进入法院担任法官的门槛太低，以至于法官的来源十分复杂。我们法院的多数法官所受教育并不是系统的、正规的、高层次的，正规法律院校本科以上者在法院仅占少数。高中毕业生、复转军人、社会招干进入法院仍占大多数。这些法官在被任命之前，并没有特殊的任职前的针对性培训要求。尽管从业后有很多的培训和进修，然而，在职法官的学历教育多有"混文凭"之嫌。法官职业技能的再培训质量也并不高，基本处于知识普及型阶段。

北京大学法学院教授朱苏力曾于 20 世纪 90 年代中期在湖北两县的基层法院实地调查了法官的专业化状况。就法学教育的状况来讲，很难令人满意：基层法院的法官极少受过正规法律本科以上的法学教育，如经济相对发达的江汉平原的某县级市法院，只有两个正式法学院毕业生；而在经济相对落后的鄂西山区某县法院，没有一位正式法学院毕业生，甚至没有一位普通高校的毕业生。在他访谈过的来自湖北全省的一百多位法官中，以及在中南政法学院自 1996 年春天以来举办的七期法官培训班（每期约 60 人）中，也没有一位是法学院的毕业生。但这些人通过自学高考、函授、法律业大、电教、党校学习等多种渠道，都已经获得了大专以上的文凭。[1]

在计划经济时代，法院只是无产阶级专政的工具，所处理事务的范围无非是"打击敌人"和处理婚姻纠纷，在整个权力结构中只是一个非常边缘化的角色。市场经济的国策将法院推到了权力的前台。当行政权力不再主导经济生活的时候，当法律之治的正当性得到越来越深刻的认同的时候，法院正以前所未有的强度和深度进入到经济以及社会生活的调整过程中，成为一种引人注目的权力。因此，司法公正受到越来越广泛的关注。[2]

如果说 80 年代前后，我们的法官还可以应付进入法院的诉讼的话，进入 90 年代以来，法官的水平已远不能适应复杂的社会纠纷，这一状况在基层法院更明显。当社会变得愈来愈复杂时，法律规范也变得愈来愈具有抽象性和普遍性，因为只有这样它们才能协调组成社会的各种集团的利益与价值。由于同样的原因解决纠纷或对其可能的解决方式提出建议的工作变得更为困难，更需要专门的训练。[3]

社会发展的客观需要要求专业的、优秀的人来做法官，把法官中的优秀分子凸显出来，承担日益繁杂的审判任务。所以，尽快改变改变我国法官人数多、素质低的状况显得尤为迫切。

---

〔1〕 苏力：《送法下乡》，法律出版社 2000 年版，第 101 页。
〔2〕 贺卫方：《具体法治》，法律出版社 2002 年版，第 57 页。
〔3〕 ［美］埃尔曼：《比较法律文化》，贺卫方、高鸿钧译，三联书店出版，1990 年版第 104 页。

（二）法官竞岗的含义

先行一步的经济改革的成功为解决上述矛盾提供了重要的经验，那就是引进竞争机制。"竞争"这一字眼首先被引进到经济改革中。始于农村的经济改革首当其冲验证了"竞争"在调动人的积极性、促进资源优化组合中的巨大作用；接着，在农村改革的成功经验基础上，企业开始改革，竞争上岗成为企业改革一项重要措施。进而，公务员也实行竞争上岗制度，并取得了很大成效。[1]

我们在把企业管理竞争机制引进公务员管理中并大规模推行时，也引进到了法官管理中。用当时的话来说，"只有打破习惯的用人机制，只有走竞争和民主推荐选拔领导干部的激励之路，才能适应和完成审判任务。"可以说法院引进竞争机制，推行"法官竞争上岗"就是竞争和民主推荐选拔法官以及法院领导干部一个缩影。

法官竞争上岗没有一个明确的定义。结合一些材料，我们可以通过它的表现形式和一些特征对它的含义做些说明。

材料二：去年，哈市法院系统积极推进审判和用人机制改革，249 名优秀法官竞争上岗，25 名违纪干警被处理，1 人被清出法官队伍，初步完善了"能者上、平者让、劣者汰"的用人机制。[2]

材料三：该院有关领导说，这次"竞争上岗"是该院新世纪抓的第一件大事。该院给每位法官以公平竞争的机会，并通过这次竞争彻底打破"铁饭碗"，真正做到优胜劣汰，能者上、劣者下，不拘一格选人才。[3]

材料四：据悉，无锡中院实行干部人事制度改革以来，已组织了 4 次中层干部缺位竞争，有 16 名中青年骨干走上中层岗位，竞争机制已逐步规范、完善和日趋科学化，并已形成制度。无锡中院以干部人事制度改革中的中层干部缺位竞争为契机，激发了广大干警的内在活力，提供了审判工作的组织保证，有力地带动了各项工作。[4]

通过对上述材料的分析，可以看出法官竞争上岗大致有以下几个方面的

---

[1] 据不完全统计，截至 2001 年 4 月底，全国各地实行竞争上岗的县处级和科级领导岗位达 17.9 万多个。各地党政机关通过实行竞争上岗，初步找到了一条解决干部能上能下、能去能留的可行路子，给机关带来了生机和活力。据统计，通过竞争，有 2400 名县处级干部从原任中层领导职位上"下岗"，科级及以下干部有 6.3 万多人，分别被改任非领导职务、降职或调出机关。资料来源，http://www.rmfyb.com.cn（《人民法院报》）。

[2] 参见"法官竞争上法庭"，载《哈尔滨日报》，2002 年 3 月 11 日。

[3] 参见"武汉市 46 名法官法庭竞岗"，载《武汉晚报》，2001 年 2 月 27 日。

[4] 庄亦正："无锡中院中层干部缺位竞争上岗"，载《人民法院报》2001 年 3 月 29 日。

含义：

其一，通过竞争把不具备法官条件者淘汰局外，"劣者汰"，"下岗分流"。这里面又有两种可能，一则被淘汰者将失去法官身份，不再是法官；二则被淘汰者保留法官身份，但"平者让"，把关键岗位让出来，给有才能的人。

其二，通过竞争使优秀的法官走到领导岗位上去，实践中竞争的岗位多为中层领导岗位。具体地说，就是各庭副庭长、庭长等。在我国，法院设有从院长到庭长再到普通法官数个级别，而这不同的级别所享受的待遇以及受到的重视程度甚至在案件审理中的作用都是不同的。由于我们并不是法官审判独立，一定的"行政"级别往往意味着各方面的优势。如果我们推测法官竞争上岗的原意的话，大概就是要把这些优势让给优秀的人。对于选拔出的真正少数高素质的优秀法官，赋予其相应的职权和政治待遇，把素质不高的法官安排到审判辅助岗位。

其三，对违法、违纪的法官进行惩戒。法官也是人，也有犯错误的时候。所以，有必要对违反法律、纪律的法官进行必要的惩戒。"25 名违纪干警被处理，1 人被清出法官队伍，"可以说就是一种惩戒。

其四，通过竞争上岗，最终打碎法官的"铁饭碗"，实现公平的竞争机制。打碎"铁饭碗"是我国 80 年代改革中的一个口号，其意在打破干部任职终身制。由于国家机关工作人员实行统一的干部制度，司法审判人员与其他国家机关的工作人员一样，在任职资格、工作标准、福利待遇等方面都是相同的，并且由政府的行政部门统一管理。实践中，法官常常是按照行政官的身份定位和对待的。所以，从逻辑上，同行政官一样，法官的"铁饭碗"也要打碎。

以上是法官竞争上岗的表现，可能不尽全面，但大致如此。从另一个角度，我们可以说，法官竞争上岗是对法官的重新"确认"，或曰重新任命。参加竞争上岗者都是符合一定的条件，经过一定的程序和考核后被任命为法官的。也就是说，他们已经取得了法官的身份。对于有的法官来说，他们是否仍能保留法官身份，要经过竞争上岗的"确认"；对于有的法官来说他们是否能够得到提升，也要看能否抓住竞争上岗的机会。

当然，法官竞争上岗不是一个无规则、无原则的过程。它的最初实施就是源自对最高人民法院《五年改革纲要》关于司法改革精神的贯彻，法官竞争上岗是以此为根据展开的。从材料中还可以看出，竞争上岗的原则是"能者上、平者让、劣者汰"。这一原则的原文出自最高法院下发的《人民法院五年改革纲要》。而且，有的法院（如材料四）在实践中不断总结经验，规范法官竞争上岗的操作。"竞争机制已逐步规范、完善和日趋科学化，并已形成制度。"

（三）法官竞岗的合理性

一位哲人说过，存在的即是合理的。同样，法官竞争上岗的产生、存在也有其合理性根源。法官竞岗是整个司法改革的组成部分，其目的与司法改革的目的是统一的。而当问及司法改革目标，我们会毫不犹豫地想到，就是司法公正。

司法公正是人类法制建设中永恒的话题，而决定司法公正的一条根本性条件就是法官的水平。法官作为司法公正的主体，对司法公正的实现发挥着决定性作用。一个国家的法官的素质在很大的程度上决定着法治的质量。即使存在着好的法律，如果法官素质不高也会使法律难以执行；相反，如果法律本身存在缺陷，而好的司法者也可以在司法中纠正这些缺陷。

可见，要实现司法公正，树立司法权威，其关键就在于如何构建现代化的法官制度。因此，在这一系列包括庭审方式改革、审判方式改革、诉讼机制改革、法官制度改革等在内的改革中，法官制度的改革无疑居于核心的位置。完善的法官职业制度以及高素质的法官是司法公正实现的前提。

完善的法官职业制度需要一整套提高和保障法律职业者的全面素质的法律职业制度，包括对法律职业者从业资格考试、培训制度等一系列制度。这需要一个长期的过程。

然而，要提高法官的整体素质，也不是一朝一夕能够完成的。现实是，我们必须对目前的法官进行分流、精简。法官竞岗的出现，就是为解决法官的目前现状。尽管法官竞岗不能从根本上提高法官的素质，也不能从制度上绝对保证优秀的人成为法官，但它在现有的基础上选拔相对优秀的法官起了很大的作用：可以快速选拔优秀法官，淘汰、分流不具条件、不合格的法官。

材料五：2000 年 3 月，海口中院启动审判长选任制改革。考试结果令人震惊：人命关天的中级法院，竟有法官考出 8 分的成绩，十几分的还有几个。"不起诉的条件是什么？"有刑事审判法官竟然答不上来。结果，有 53 人报名参加的考试，18 人落选落岗，其中有 6 人曾担任审判业务部门的副职。[1]

如材料所述，笔者为这样的情况感到的又何止震惊！为什么一个掌握生杀大权的中级人民法院刑事审判法官竟然回答不上来"不起诉的条件是什么？"！如此缺乏专业知识的人怎样作的了法官？如果我们记得起"舞女法官"[2]"三盲

---

〔1〕 "海口市中级法院竞争出效率"，参见 http://www. sina. com. cn 2002 年 04 月 02 日。

〔2〕 "舞女法官"：陕西省富平县法院法官王爱茹，小学文化程度，1996 年到 1997 年，在当地某黑社会团伙开办的舞厅当"老板娘"。1997 年底到富平县法院美原法庭任法官，2000 年调到执行庭。在职期间，参与其所在的法院炮制假案，私设监牢，殴打民众。参见"'舞女'法官和她的同事们"，载《南方周末》2001 年 11 月 22 日"观察版"。

院长",[1] 则更不敢恭维我们法官的水平了。可以说,让老百姓怨声很大的司法腐败现象,除了监督体制上的原因外,与司法从业人员综合素质(包括法律知识、法理素养、职业道德等)偏低关系密切。笔者相信,在全国法官中,像海口中院中这样的法官不在少数,如果到基层法院,问题恐怕会更严重。这则材料足以说明法官竞争上岗之所以存在的合理性。

客观上讲,公开选拔和竞争上岗打破了论资排辈、平衡照顾和求全责备的禁锢,也阻断了某些跑官者的路;使得用人机制透明化,从一定的程度上改变了过去的"暗箱操作"。这无疑是一个进步。一些媒体报道:

材料六:中院以干部人事制度改革中的中层干部缺位竞争为契机,激发了广大干警的内在活力,提供了审判工作的组织保证,有力地带动了各项工作。审判方式改革进一步深化,庭审效率、当庭宣判率、二审开庭率明显提高。[2]

法官竞岗的立足点就是尽快解决目前法官人数多、素质低的现状。由于法官竞岗是个行政化色彩很浓的措施,它可以在较短的时间内筛选法官(当然,法官竞岗强化了法院的行政化,这一点,笔者将在后面论述)。中国法院的一个特点就是行政化。长期以来,在法院内部,不担任行政职务的法官都习惯于认为自己是在法院院长、副院长、业务庭的庭长、副庭长的领导下工作。法官们认为服从命令、服从组织安排是理所当然的。正是这种理所当然,使得法官竞争上岗得以很快推行,短时期内取得了明显的成效。

法官竞岗也冲击了人们的观念。至少,人们可以看到,不再是所有的人都可以做法官,法官需要一定的专业、技术。过去很多人靠"熬年头"、"凭资历"得以成为法官——例如,法院中的司机、门卫都可以"熬"成法官的现象一去不返了。一位参加竞争的当事人说的最真切:"过去靠熬年头、拉关系谋取职位的路走不通了,现在必须靠实干、靠本事。想参与竞争就必须刻苦学习、努力工作、增加才干。"[3]

正是在包括法官竞岗在内的一系列改革措施的推行下,中国司法该法改革取得了很大的成绩,积攒了一些宝贵的经验,创新了司法的理念、制度,这些都将成为进一步改革的基础与动力。

---

[1] "三盲"院长:山西省绛县法院副院长姚晓红,仅有小学文化,通过关系先于1986年进入绛县法院,此后一路晋升为副院长。在职期间曾利用"经济审判二庭"殴打群众、追款敛财,后被媒体称为"三盲(文盲、法盲、流氓)"院长。参见"绛县法院副院长姚晓红被撤职",载《光明日报》1999年1月24日。

[2] 参见"无锡中院中层干部缺位竞争上岗",载《人民法院报》2002年3月29日。

[3] 参见"干部条例浮出台面,用人机制豁然开朗",载《中华锦绣》2003年第1期,第18页。

二、理念和制度的发展与法官竞岗的困境

经过一个时期的司法改革，成效还是比较显著的。官方对司法改革作了总结并给予了较高的评价[1]。司法改革以来，围绕法官制度的变化也是多方面的。在这里，我们把这些变化分为理念上和制度上的变化。

（一）理念：从"专政工具"到"法官职业化"

我们的司法体制自建立就受到苏联的影响，当时对法院的定义是无产阶级专政的工具，是实现党和国家政策的手段。"人民民主专政的最锐利的武器，如果司法工作不是第一位的话，也是第二位。社会一经脱离了战争的影响，那么司法工作和公安工作，就成为人民国家手中对付反革命，维持社会秩序最重要的工具"[2]。在这种理念的主导下，我们在选任法官时，首先要求其政治过硬，其次才是业务能力。所以当时的法官法律知识缺乏，根本谈不上是一个职业团体。1978 年以后，党和国家的工作重心转移到经济上来，阶级斗争已经不是中国社会的主要矛盾。随着中央这一认识，司法机关的性质和任务也发生重大变化。到1990 年代，人们逐渐认识到法院是一个"定纷止争的场所"，不再是无产阶级专政的"刀把子"。1998 年最高人民法院认真执行《法官法》和中央《关于进一步加强政法干部队伍建设的决定》，适应法律职业化的国际潮流，明确提出"法官职业化"的要求。最高人民法院院长、首席大法官肖扬曾指出："建立一支业务精通、公正清廉、作风优良的高度职业化的法官队伍，是实现司法公正的基本保证。"[3]

法官职业化，即法官以行使国家审判权为专门职业，并具备独特的职业意识、职业技能、职业道德和职业地位。法官职业化的发展水平直接制约着制定法的实施，影响着法律的权威，也可以说，法律职业化的程度反映了一个国家的法治化程度。法治健全的国家大都是法官职业化水平很高的国家，法官职业团体不仅拥有共同专业的法律知识结构、独特的法律思维方式，还具有强烈社会正义感和公正信仰，并形成特有的职业传统和职业气质。而这一切也使得他们具有抵御

〔1〕 最高人民法院副院长刘家琛在司法制度改革论坛会（2002 年 8 月，青岛，由《人民司法》和青岛中院共同组织）上指出："人民法院的改革取得了突破性进展，主要体现在五个方面。一是审判方式改革取得了重大突破。二是证据制度改革取得重大突破。三是审判机构设置和管理机制有了新的突破。四是确立走法官职业化建设之路是队伍建设的重大突破。五是审判组织的职能作用有新的突破。"参见"人民法院改革取得突破性进展"，载《人民法院报》2002 年 8 月 26 日。
〔2〕 董必武："要重视司法工作"，载《董必武政治法律文集》，法律出版社 1986 年版，第 99 页。
〔3〕 刘岚："法官职业化时代来临"，载《人民法院报》2002 年 3 月 23 日。

外界干扰的勇气与能力。

同西方的历史传统不同，中国的法官从一开始就不是一个专门的职业，从来就没有形成一个独立的职业团体，法官长期以来被认为是与其他政府官员别无二致的国家干部，并未被作为一个特殊群体来看待。历史上的科举制度妨碍了知识的分化，没有形成专门的法律职业文化。对法官的任命同行政官的任命没有区别之处，一个通过科举制度成为行政官的人同时也就是同级法官。即使在新中国，包括现在，法官同行政官之间也没有明显的界线，一个没有法律职业资格甚至不具法律知识的人可以到法院作法官。现在法院招录人员须经过公务员考试，恰恰说明了这一点。法官同行政官任职条件同一——甚至前者条件更低，包含一个潜在的逻辑，没必要对法官职业以区别对待。所以，在中国，行政官能够做的事情，法官都可以做。

毋庸质疑，法官职业化为我国的法官提出了更高的要求。我们要从制度上彻底摒弃法官职业大众化现象，确保法官队伍具备很高的思想政治素质和法律素养；法律知识与经验应当成为担任法官必不可少的重要条件与标准，不具备这种条件的人员不能充当法官，更不能担任高级法官；为法官依法履行职务提供物质和身份上的保障，增强法官职业的神圣和尊荣，以及通过对法官职业行为进行有效约束来促进司法公正，增加社会公众对法官的尊重和对法律的信仰，提升法律和司法权威等等。

从"专政工具"到"法官职业化"反应了人们对法院以及法官认识的深刻变化。诉诸法庭由相对中立的法官做出裁决的司法裁决模式，已逐渐成为解决纠纷的最权威的常规手段。这一人类社会迄今最为和平、文明、公道的纠纷解决模式，正逐步为我国人民所认可。

政治、经济以及社会的全面发展，使得一些深层次的矛盾逐步显露出来，法院依法调整的社会关系也随之越来越多样化和复杂化；随着香港、澳门回归祖国，出现了一个国家、不同法域并存的现象，必将产生许多新的法律适用问题；随着中国加入世贸组织，法院司法审查的范围将进一步扩大。由此，加强法官职业化建设，提高法官的专业素质，培养更多的专家型、复合型法官，比以往任何时候都显得更为重要和迫切。

（二）制度：从"复转军人安置"到"统一司法考试"

一直以来，我们的法院是各行业中外行人较为容易进的一个机构。国家权力配置不以法院的审判为核心，法院也不扮演制衡角色。法官在国家政治生活中和社会生活中的地位并不突出，法官制度走的是平民化、大众化的道路，对法官的资格、素质无特殊要求，法官成为一般的机关职员，谁都能进法院，谁都能当法官。能说明这一现象的一个有力的佐证就是"复转军人进法院"。将复转军人安置到法院等司法部门去工作的实践可以追溯到1950年代，"人民中最优秀的一部分人多半集中在军队中间，所以军事工作中的一部分人将在司法工作中占很重要的成份"，[1] 而这一现象一直持续到本世纪初。毫无疑问，转业军人中有许多优秀的人才，但是不是适合当法官却是另外一回事。除了没有受过专业法律训练这一明显缺陷外，他们习惯的思维方式和处理问题的方式也不适合充当法官的角色。军人们习惯于请示报告服从命令听指挥。法官中的军人成分是我国司法行政化、审判行政化和法官不能独立、自立的重要原因。[2]

到1995年，《法官法》、《检察官法》授权最高人民法院、最高人民检察院对已进入本系统的人员进行考试，通过者可以录用为法官、检察官。但这种内部考试的录用比例高得惊人。据悉，日本的统一司法考试录取率仅为2%~3%。我国每年取得律师资格的比例不超过14%，而每次报考初任检察官的人员约为2万人，录用一半左右，法院报名人数略多于检察院，录用时比例也相当高。[3] 尽管这一时期法官的知识水平有所改变，[4] 但并没有从根本上改变法院容易进，法官素质低的状况。而同期的律师资格考试则很好地起了把关地作用，于是有了类似"想成为法官容易，想成为律师难"、"律师比法官素质高"的说法。

2001年，在借鉴律师资格考试的成功经验基础上，我国又修改了《法官法》和《检察官法》。新修改的《法官法》规定在学历上将条件从以前的大专提高到本科，规定必须通过国家统一司法考试取得资格并具备法官条件的才有可能成为法官。国家统一司法考试制度的建立，确立了统一的、严格的法律职业准入方式和职业考核标准，从制度上保证了法律队伍的职业素质，促进了法律职业化程度的提高。统一的司法考试有助于司法人员形成共同的法律信仰、理念、知识和技能，统一法官、检察官和律师对法律的理解，维护法制的统一。

无论民间还是官方，特别是法院和检察院都对全国司法统一考试寄予了很大的希望。司法部一位副部长在一次讲话中提到，2002年首次国家司法考试结束后，一些地方的法院、检察院已同当地司法厅联系，希望提供有关报名资料，以便在以后录用人员时参考。这种情况曾经令人欣喜。最高人民法院和最高人民检察院也曾先后下达过关于贯彻落实《法官法》、《检察官法》的通知，最高法院

〔1〕 董必武："要重视司法工作"，载《董必武政治法律文集》，法律出版社1986年版，第101页。

〔2〕 蔡定剑："法院制度改革刍议"，载《战略与管理》1999年第1期，第97~102页。

〔3〕 寿蓓蓓："司法人员门槛提高法官检察官律师实行全国统考"，载《南方周末》2001年7月21日。

〔4〕 截止到统一司法考试前一年，也即2001年，根据最高人民法院政治部统计显示，全国法官人数22万，与1995年相比，大学本科以上学历的增长了1.8倍，研究生学历的增长了2.3倍，高中及其以下人员减少51.5%。

规定："自 2002 年 1 月 1 日起，各级法院补充法官人选，必须从通过国家司法考试合格的人员中择优录取，并进行面试和考核。"最高检察院也规定："从 2002 年 1 月 1 日起，初任检察官应当通过统一司法考试，取得资格。拟担任检察官的人员，必须具备高校法律专业本科毕业或者非法律专业本科毕业具有法律专业知识。"[1]

　　从根本上提高法官、检察官的素质，显然是设立统一司法考试的根本出发点。首次全国司法统一考试已经举行，通过率为 7%；也出现了一些令人失望的结果——在这次国家司法考试中，有相当部分的司法机关人员报考，但他们的平均成绩和通过率普遍偏低，有的法院报考者甚至"全军覆没"，其中包括一些现任法官，从积极的意义上看，这么多的司法机关人员在考试中"落马"，充分说明国家司法考试已经真正起到了"门槛"和"把关"作用。

　　但统一司法考试成绩揭晓以来，没有看到预想中的面向通过司考人员的甄别和选拔法官、检察官场景出现。全国范围内很少看到有法院、检察院面向社会公开招考法官、检察官。然而，令人欣慰的是，在今年全国各地的国家机关人员录用考试中，[2] 有的法院已把通过统一司法考试作为报名者报考法官（预备法官）职位的必备条件之一。统一司法考试对法院未来人员构成的影响，甚至是决定性影响已经显露出来。而且，笔者注意到，这些录用计划中对职位的划分、介绍以及条件、要求更加合理、更加科学。以天津市高级人民法院为例。他们的录用计划如下（图1）。[3]

---

[1]　据 2002 年 10 月 15 日中国新闻网消息，"我国 8 大措施推进法官职业化法官定额逐级选任"：地方各级人民法院补充法官人选，必须严格"两考一培训"制度。即初任法官必须通过国家统一司法考试，并必须经过高级人民法院组织的统一测试、考核。被录用的人员在被任命法官职务前，必须接受培训，合格才能任命为法官。对目前尚未达到法官法规定学历的现职法官，要进行统一的学历教育和专业培训，在规定期限内达到任职条件。对在规定期限内仍未达到任职条件的，要依照法定程序免除其法官职务，调整工作岗位。地方各级人民法院法官人选必须经高级人民法院审核，绝不允许出现超定额、降低条件、违反程序选任法官等现象。

[2]　在大多地方的公务员招考目录里，法院、检察院的录用计划和财政局、工商局一样被列入当地人事机关的公务员录用计划里。而按照国家有关法规，法官、检察官并不属于公务员系列。公务员、审判员、检察员这三大员应该是并列的国家机关工作人员三大系列，录用、选拔程序都应有自己的特点。

[3]　参见http：//www. tjpnet. gov. cn/gonggao/gwyzk. htm。

名称	职位	代码	职位简介	招录对象	专业	学历	条件
天津市高级人民法院	预备法官	01	审判辅助工作	应届毕业生或社会人员	法学2	大学本科及以上	取得2002年度国家统一司法考试资格（合格），30岁以下
	行政管理	02	审判调研	应届毕业生	法学1	硕士	要求其本科学历为法律或中文专业，30岁以下，身体健康
		03	文字综合、文稿写作	应届毕业生	新闻中文2	大学本科	
		04	财务管理	应届毕业生	财会2	大学本科	
	司法警察	05	文字综合及警务工作	应届毕业生	中文新闻2	大学本科	男性，身高在1.75米以上

图1

在他们的录用计划中，把拟录用职位分为三部分：预备法官、行政管理和司法警察等，把法官和其他工作人员作了区分。这说明我们对法院工作人员的分工方面的认识发生了很大变化，"法官"不再是法院所有工作人员的统称。在分类的基础上，对不同的职位提出不同的条件和要求。法官是法院中的核心人员，只有符合《法官法》条件的人才能成为法官；行政人员和司法警察则不是法官，在准入条件上可适当不同。

其中，报考预备法官的必备条件就是"取得2002年度国家统一司法考试资格（合格）"、所学专业为"法学"。表格中对预备法官职位的介绍是"审判辅助工作"。可见这是在为法官培养后备军，显然，成为法官后备军的条件难度较以前大大增加。笔者相信，如果所有法院都能像天津市高级人民法院那样严守法院"门槛"，法官的素质必定有质的变化。

当然，这里还有一个问题是把报考法官的年龄限制在"30岁以下"，这条规定显然不符合法官的职业特征，希望日后会有所改变。另外，还有其他的矛盾，如基层法院往往因待遇低薄、行政级别低、生活环境差而无法吸引和挽留优秀的法律人才。[1] 条件差的中西部法院和基层法院怎样吸引取得国家统一司法考试

〔1〕　王晨光："法官职业化精英化及其局限"，载《法学》2002年第6期，第8页。

资格者是一个我们不得不考虑的问题。笔者认为解决这一问题，又回到已达成共识的观点，那就是必须提高法官待遇，实行高薪制，健全法官身份保障制度。

司法改革以来，司法方面的变革诸多。从笔者所述的两个方面的变化可以看出，中国的法官正逐步走向法官职业化。可以想像的出，未来几十年，专业的、职业化的法官队伍将取代现在的法官队伍。

（三）法官竞岗的困境

司法改革的成绩是有目共睹的，无论是技术层面的改革还是制度层面的改革都进行了很多，同时，司法理念的变化和既有的改革成功提高了社会对司法的期待。于是产生了根据理念的改革和为了解决眼前的问题的改革所产生的矛盾。法官竞岗制度的目的是为了解决最迫切的眼前问题，但是因为不具有理念的合理性，这样的措施虽有成就，但带来的问题也多。

当然，一些人认为，只要目标一致，手段是可以忽略的；只要最终能顺利达成目的，至于具体采用什么手段是无关紧要的。就司法改革而言，只要能保证司法改革的效率，即使违背司法理念，也是可以接受的。其实，这种观念不知不觉已陷入了一种自相矛盾的理论窘况之中。因为从政治策略式实质公正的角度去处理法律问题，而漠视正规程序式逻辑原则对其行动的限制，这正是传统型统治"实质理性"观的反应。而我们司法改革的目标却是要塑立法制权威和一种形式理性观。传统权威及其"实质理性"观对司法领域的影响，正是我们司法改革要革除的对象。本应作为改革对象的陈旧观念，却在某些人眼里成为推动改革进行的指导思想。

理念与制度的发展，使我们不仅认识到，实现法官职业化是中国法院改革必经之路；而且，我们也认识到必须有完善的制度来保障法官职业化的实现。那么，问题就出来了：对职业化的法官如何管理？他们是否也需要竞争上岗？

事实上，对于职业化的法官，应有一套符合法官职业特征的管理办法。各国对法官的管理具体方法不一，然而，他们也有相同之处，例如法官高薪制、法官任职保障制等。而这些制度是与"法官竞争上岗"制度的要求正好相反。

选出优秀的人来做法官，是大多数国都意识到的问题。他们比较普遍的作法是严格把握法院的门槛。例如，普通法历来强调必须由富有实务经验且道德学问优秀的人才能担任法官。大陆法国家则更注重法官的专业知识的训练，为此，设有法官从业资格考试或司法考试。尽管在两大法系国家，法官的遴选都存在着相当激烈的竞争，但法官管理中并没有所谓的法官竞争上岗类的竞争机制。"在日本，基层法院的法官提拔到高一层的上一级法院做法官，可能有一定的竞争，在法院内部完全没有竞争机制。一旦进入了法院，就纳入了比较正常的轨道中。"[1]

法官竞争上岗的出现本身就是一个"美丽的错误"，是解决中国特定阶段的特定问题的无奈选择。由于人们对法官的认识只停留在"行政官"上，而司法所需要的专门知识、独特的法律解释方法和技巧并未被法官普遍关注；相反，大量引进非法律资历人员，短期培训即上岗等等，这些都表明，法官职业的专业知识并未被看作是高度复杂，而是一学就会。如此对待法官职业的态度使得人们心目中的法官完全等同于行政官。所以，当我们看到在政府机构改革中行政官通过竞争上岗取得成效时，就毫不犹豫地把竞争上岗引进到法院。

我国国情决定要走有中国特色的法官职业化建设道路，但司法性质所决定的法官职业共同特点和规律还是应当遵循的，在立法和制定相关政策时，应当以法治的观念来对待这些问题。这要求在重新研究司法活动内在规律的基础上，科学界定法院的职能和法官的职责，平衡司法活动中法官的稳定性与竞争机制之间的价值冲突。

如何调节"法官竞争上岗"同法官职业化的矛盾，是我们不得不面对的一个问题。两者的矛盾实质上就是法官竞争上岗同法官保障制度之间的矛盾：通过竞岗选拔出了优秀的法官，而对优秀的法官又需要有很好的保障制度来保障其行使审判权；这种法官保障制度又否定着法官竞岗。而且，法官竞岗也存在着其他违背法律职业规律的弊端，所以，有必要对其进行反思。

三、法官竞岗中的问题反思

如前所述，法官竞岗制度的出发点是好的，而且，可以说，一定程度上是适合中国国情的：法官数量多，法官素质低，以及一直以来法院管理的行政化；还可以说，如果法官竞争上岗能得以正确推行的话，法院的审判水平将会提高。或许，如媒体所报道：一大批优秀、年轻的法官走上工作岗位，审判业务大大加强等。然而，随着法官职业化的发展，法官保障制度逐步完善起来，而法官竞岗是与法官保障制度精神相背离的。不仅如此，如前面所提到，法官竞岗并不是我国法律的规定，存在着很多值得探讨的地方。所以，在看到成绩之日，也应是我们对取得成绩的手段进行反思之时。

---

[1] 参见"法学家与法官的对话"中张卫平教授的发言，载《民主与法制》2000 年第 8 期，第 32～37 页。

（一）法官竞岗强化了法院管理的行政化

现代法治社会公认，司法与立法、行政存在着根本的区别，它有自己的特殊属性及其相应活动方式和管理体制，司法行政化是一个不应出现的趋势。司法行政化的一个表现就是体现在法院的行政管理职能严重侵蚀审判职能，严重影响到法官个人判案。

司法不仅与其他部门不同，而且还要和其他部门保持距离，保持自身的独立。司法独立是保证司法公正的一个根本要求，它的最终落脚点为法官独立。在我国最常见的提法是"审判独立"。无论是司法独立，还是审判独立，其作为一项现代法治国家普遍承认和确立的基本法律准则，排斥外在的监督和干预是其独立的内在要求。[1]

一直以来，我们的法官体系存在着"行政化"的级别，并形成了等同于行政机关的事实上等级很明显的官僚体制。这种级别不仅意味着所谓政治待遇的差别，而且也显示出一种等级服从的位阶和责任的分布，甚至有时被解释为可以表示着法官素质的高下。这种等级制度的设计导致法官在法院内部无法独立，不利于法官审理案件时做出独立的判断。在判案中行政位阶高的法官对其"下属"施加影响合情合理，行政位阶低的法官对"上司"顺从和依赖也顺理成章。[2]对一个普通法官而言，须要面对来自院长、庭长等合理或不合理的压力或指示，无法在办案时处于一种独立、超然的地位。因此，在这样一个行政化的体制下，要求每个法官排除各种影响独立公正审理案件实际上是不可能的。造成法院行政化的原因之一就是法院的实际人事制度。

在我国，虽然法官的任命是由人大常委会决定，但助理审判员则由法院院长任命。而事实上，法官的任命基本上都是从助理审判员中选择，人大的任命就成了走过场。即使不是从法院现有人员中挑选，也往往是由领导人或组织部门确定人选，考察内定后调入法院任法官。实际上，除了院长一类的职务不能由法院自己决定外，事实上几乎所有法官的升降去留都是由法院自己决定的。

在法官竞岗中，由于有"领导评价"这一标准，院长等领导的意见在法官竞岗中起着举足轻重的作用。其实践的结果无疑会使具有服从意识的法官增加。因为所有的政权，无论开明或专制，当出现有提升的可能性时，都将以提升酬答它的效忠者和顺从者，这一点毫无疑义。[3] 现实地考虑，法官在办案时会倾向

---

〔1〕 方立新："从权利制衡角度探索监督理性"，载《中外法学》2002 年第 3 期，第 374 页。

〔2〕 贺卫方：《司法的理念与制度》，中国政法大学出版社 1998 版，第 122 页。

〔3〕 ［美］埃尔曼：《比较法律文化》，贺卫方、高鸿钧译，三联书店 1990 年版，第 147 页。

于揣摩领导的想法，领会上级的意图；而庭长、院长有时也会利用这种权力对案件的处理施加影响。也就是说，每个法官为了生计和发展，都会不同程度地取悦于上，按照领导的意图行事。短期任职的法官，不论如何任命或由谁任命，均将在一些方面使其独立精神受到影响，……因为就人类天性之一般情况而言，对某人的生活有控制权，等于对其意志有控制权。[1] 可见，法官竞岗无论从含义上还是实际上都强化了法院的行政化色彩，而不是淡化了或改变了法院的行政化色彩。

正是这种任命与晋升融于一体、法官升迁荣辱完全由院长决定的人事制度，导致了法官对院长等领导无条件服从的结果。因为每个法官都渴望得到提升，尤其在不同级别法官的地位、权力以及福利待遇等仍存在很大差别的情况下。所以，不难理解，为什么我们的法官除了完成审判任务外，还得花费心思讨好领导，同领导处好关系。美国最高法院法官波维尔（Powell）是如此描写法院的："法院或许是悉心保护个人主义的最后堡垒……，法官各办公室之间的非正式交往是极少的，意见的交换主要是依赖信件与备忘录。确实一个最高法院法官在他们的任期内，可能从来没有去过其他八位法官的办公室。"[2] 试想，这样的情况若发生在中国，该法官必定被认为不通人情世故、目无领导，谈何竞争上岗。

对一个法官而言，"领导评价"可能使之下岗，也可能使之升迁。为了升迁或保岗，法官们必须争取对自己的有利的评价和意见；用句俗话，必须和有权利发出评价的人搞好关系。想像的出，"竞争上岗"的威胁必将转化法官走后门、拉关系的自觉。在我国，目前许多从事法律职业的人们的大量事务工作并不是法律职业的，而是联络和建立人际关系，因此如果法律运行受这些非法律因素影响过大，法律就不可能保持其权威，法律机构也不可能保持其独立性。[3] 正是这些形态各异复杂的"熟人"关系、"人情"关系，为法官办"人情案"埋下了种子。这种"见熟就护"的官官相护，往往导致司法机构在财力、物力和人力方面的大量耗费，悬案、呆案和死案的大量积压。法治需要成本，光人情成本一项，一旦大到社会不堪承受，人们就完全可能弃民主与法治之昂贵，转而怀念集权专制的简易。[4]

法官任免和晋升掌握在法院手中，法官独立审理案件的地位得不到保障，随时面临去职的危险，那么，出于普通人趋利避害的心理，他不得不屈从于权势，

〔1〕　［美］汉密尔顿、杰伊、麦迪逊：《联邦党人文集》，商务印书馆 1980 年版，第 398 页。

〔2〕　［英］罗杰·科特威尔：《法律社会学导论》，潘大松等译，华夏出版社 1989 年版，第 252 页。

〔3〕　苏力：《法治及其本土资源》，中国政法大学出版社 1998 年版，第 153～154 页。

〔4〕　韩少功："人情超级大国"，载《读书》2001 年第 12 期，第 90 页。

进而趋向权势；如果他得以成为"中层干部"，他更乐意维护现在的有利于自己的行政化体制。所以，如果法官希冀飞黄腾达，小心翼翼、自我抑止和职业上的溜须拍马在他们中的大多数人看来还是颇有效用的态度。这促成了大多数法官的持续的社会化，把他们变成这样一种人，即致力于制度的维护，而不是法律和司法程序所应追求的目的。[1] 这种通过竞争上岗选拔领导的方式使我们在司法独立的路上越走越远，而法院管理的行政化越来越强化。

（二）法官竞岗为各种外来力量干预司法提供了机会

法官审理每一个案件，实际就是对案件所涉之经济利益或其他利益进行分配，这必然涉及到一定的利害关系。在一般情况下，当事人或利害关系人都会趋利弊害，并尽可能获得最大利益。尽管《宪法》等法律赋予法官依法开展审判活动"不受行政机关、社会团体和个人的干涉"的权利。但在审判实践中，法官的审判活动往往受到许多因素的干扰和阻碍。这种试图通过影响司法获利的社会力量一直存在。博登海默的话不免让人感到悲观：试图把法律同外部的社会力量——这些社会力量不断冲击着法律力图保护其内部结构所依凭的防护层——完全分割开来的企图，必然而且注定是要失败的。[2]

各种利益集团影响法官的途径有多种，其中包括通过人事权对法官施加压力。一般讲，在法官的地位之间也有威信、工资、居住地域等种种差异，法官存在着向较高地位升迁的要求或愿望也是很自然的事。因此，对掌握法官人事权的人拥有一定影响力的利害关系集团，通过这样的渠道向特定的法官施加压力也不是不可想像的情况。[3] 我们的法官既没有终身制，也没有一定范围的豁免制，同时还要受到来自不同渠道的名义上的和实质上的考核，随时都有被逐出法院的危险；法院是否受行政机关干涉，无法取决于制度的保障，而取决于党政领导的个人因素——是否开明，是否有较强的法治观念等。法官竞争上岗就为外部力量干涉法官提供了一个机会。

材料七：今年 6 月份，他们进行了以公开选拔中层领导、选任审判长和一般干警双向选择为主要内容的改革，竞聘中，法院邀请中级法院、禹州市人大、政法委、组织部、纪检委等部门的领导担任观察员监督整个竞聘程序，全体干警共

〔1〕 [美] 埃尔曼：《比较法律文化》，贺卫方、高鸿钧译，三联书店 1990 年版，第 149 页。

〔2〕 [美] E·博登海默：《法理学法律哲学与法律方法》，邓正来译，中国政法大学出版社 1999 年版，第 242 页。

〔3〕 [日] 棚濑孝雄：《纠纷的解决与审判制度》，王亚新译，中国政法大学出版社 1994 年版，第 179 页。

同参与，现场打分，现场选人。[1]

上面材料七中提到的"人大、政法委、组织部、纪检委"等机关，由于他们对法官的提升有部分或全部决定权，法官就难以摆脱来自他们的影响。事实上，这些机关、集团不仅对法官的任免施加影响，进而会对法官的裁决权进行干预。而现实中发生的党政机关干涉法院独立办案的情况屡见不鲜。司法实践中甚至出现过这样一幕，当某地法院以越权为由撤消了县政府的处罚决定后，该县县长明目张胆地说："你有权撤消县政府的决定，我有权不选你当法院院长。"[2]法官面对对其享有任命权的力量来干涉办案时，无法以一颗平常心面对案件，在处理案件中忐忑不安，往往在服从法律与服从其他因素中举棋不定。在法官做出判决的瞬间，被别的观点，或者被任何形式的外部权势所控制或影响，法官也就不复存在了。宣布决定的法官，其做出的决定哪怕是受到其他意志的微小影响，他也不再是法官……。法院必须摆脱胁迫，不受任何控制和影响，否则他们便不再是法院了。[3]

社会力量干预司法的企图在所有国家都存在，即使法治水平发达的国家也不例外。同属大陆法系，一水相隔的日本曾面临相同的问题——行政权过于强大，司法无权威等。它们的经验之一就在于：强化司法部门的权限、提高法官的威信以及在此基础上树立组织上和职能上的完全的司法独立，这对于一个行政权占优势的国家来说尤其必要。[4]

总之，只要同时存在权力和裁量，审判也同其他政策决定机关一样不得不卷入各种厉害关系错综复杂的对立漩涡之中。在此过程中，审判必然会发挥政治那样的功能，同时其决定过程也不可避免地会成为厉害关系集团直接或间接施加压力的对象。[5]一个忠于法律誓言的法官是不允许政治因素来干扰司法的，但是，做出结论与政府观点相反的法官往往会在未来的法官重新任命中付出代价。[6]为了减少、杜绝司法活动受干扰，应当把法官置于一个比较超然的位置，不受外界经济牵制，也不用担心因得罪谁而被免职等。如果要用制度来保障独立和公正

---

[1] 陈海发、冀田富："荣誉面前不满足 百尺竿头再创优"，载《人民法院报》2002年11月29日。

[2] 左卫民、周长军：《变迁与改革》，法律出版社2000年版，第182页。

[3] ［英］罗杰·科特威尔：《法律社会学导论》，潘大松等译，华夏出版社1989年版，第237页。

[4] Oppler, Legal Reform in Occupied Japan: A Participant Looks Back, op. Cit., suprannote 26, p. 87. 转引自季卫东：《法治秩序的建构》，中国政法大学出版社1999年版，第224～225页。

[5] ［日］棚濑孝雄：《纠纷的解决与审判制度》，王亚新译，中国政法大学出版社1994年版，第162页。

[6] John Toohey, "Without Fear or Favour, Affection of Ill-Will——The Role of Courts in the Community". VWAL Rev, vol. 28. 1, p. 8.

的司法，首先要看我们的国家是否同意把名符其实的判断权完全交给人民法院。[1]

相反的是，"法官竞争上岗"为中国特有的，市场广阔的人情网、关系网渗透司法施加影响，提供了一个机会，再加上法院的独立程度不够，已经错位的法官更是难找到自己的角色。如果谁要突破这种无形的限制和规则，试图独立行使法律赋予的审判权，那就意味着，不仅他的升迁之路将要受阻，而且连现有的位置都难保。树欲静而风不止，这些身份无保障的法官在干预面前显得力不从心。某些法官因拒绝干预而遭打击报复，被革职和调离。[2] 此情此景，他怎么敢想独立，又怎么能够独立。所以，法官的判决必然为能决定其"上岗"的因素所影响，也是情理之中的。试想有日决定法官上岗命运的人来干涉办案时，司法的天平又如何不因权力而失去正义的平衡？

无论是法院内部还是法院外部的力量对法官的干涉，都损害了法官的独立办案，破坏了司法权威。司法没有权威是一件非常可怕的事情，它使社会公众对司法丧失了信心，从而影响了人们的行为预期，这无疑是法治进程中的破坏力量。出尔反尔，朝令夕改，不仅使司法作为一种以解决争端的机制变得名不符实，而且将使司法的权威丧失殆尽。

（三）法官任职的不稳定损害了司法权威

法官职业需要稳定，这是由其职业特点决定的。法官与其他职业的一个明显不同就是更强调经验之重要。霍姆斯说："法律的生命一直并非逻辑，法律的生命一直是经验。"[3] 法官应有相当的社会经验和法律基础。因为司法活动针对的对象是社会中由具体事件组成的具体纠纷，要解决这些纠纷，一个合格的法官不仅要具备精良的法学专业知识，还要对社会有深刻的体验和理解。正是在此种意义上，法律家"如酒"，越老弥贵。许多国家规定法官的下限年龄，而对法官的退休则不实行强制制度不可说不是由于此种原因。

然而，法官素质并非天生，这些都需要年龄、工作经历的积淀。从长远角度看，司法的稳定，才能形成成熟、优秀的法官。一个法官须要在稳定的岗位上长期锻炼，才能不断成熟起来；无论办案经验还是威望都需要逐渐积累，对法律的理解也要在实践中不断提高。法官在从书本上学习的同时，更重要的是在一个稳

---

〔1〕 孙笑侠：《法律对行政的控制》，山东人民出版社 1999 年版，第 255 页。

〔2〕 赵震江：《法律社会学》，北京大学出版社 1998 年版，第 449 页。转引自王利明：《司法改革研究》，法律出版社 2000 年版，第 122 页。

〔3〕 The Common Law，第 1 页。转引自［美］本杰明·卡多佐：《司法过程的性质》，苏力译，商务印书馆 1998 年版，第 17 页，

定的司法环境中学习、成长。

司法职业稳定对于司法权威的建立、维护起着重要作用，因为这种如一的稳定性给当事人以同样的事情同等对待感觉。稳定性意味着法律不因事因人而易，它甚至可以对抗某一特定时刻以大多数人的愿望体现出来的社会舆论，这样，司法便日益显得中立，并由此获得一种神圣感。因司法部门的软弱必然招致其他两方的侵犯、威胁与影响；是故除使司法人员任职固定以外，别无他法以增强其坚定性与独立性。[1]

在美国，体现法官职业稳定就是法官任职终身制。为什么行政官有一定的任期，而法官却要适用终身制？对于这个问题，汉密尔顿早在 200 多年前就有了精辟的回答。从法律职业的特点来看，法律知识不仅理论精深而且适用烦琐、复杂。所以，社会上只能有少数人具有足够的法律知识，可以成为法官；而考虑到人性的一般堕落状况，具有正直品质与必要知识的人其为数自当更少。由此可知政府可以选择的合格人选自属不多；如其短期任职，则合格之人常不愿放弃收入甚丰的职务而就任法官，因而造成以较不合格之人充任的趋向，从而对有效而庄严的司法工作造成危害。[2] 英国 1710 年的《王位继承法》和 1925 年的《最高法院审判法》规定："除大法官外，法官是终身制。除两院弹劾外，不得罢免。"实际上，除非根据一项实体性的动议，法官不受批评，这是议会议事程序的一项规则。而且，当法官们以其身份行事时，他们免受因他们可能采取的任何行动或者可能发表的任何言论而引起的任何诉讼。[3]

司法权威的产生既有一国传统的原因，也有制度设计上因素。说得通俗一点，司法权威能让人感觉到司法权力、司法人员有与众不同的地方。西方发达国家的法官终身制、法官贵族化政治待遇，使法官职业成为公众心目中最神圣的职业，公众把对法官的尊重与对法律的尊重和谐统一起来，法官享有崇高的人格尊严与魅力，加上与他们贵族化身份相适应高昂的经济收入，使之自觉地产生职业道德上的升华，他们珍惜自己神圣的事业，珍惜自己的既得荣誉和利益，自觉抵制不良现象，维护司法职业道德的纯洁性。

而我们的法官竞岗则把法官职业置于一个很不稳定的状态，使得法院只是以政权的一个职能部门的形象出现，法官的政治地位与其社会纠纷和矛盾的终局裁判者职能相距甚远，从而导致法官难以形成对自己所从事的法官职业的自豪感。

---

〔1〕 〔美〕汉密尔顿、杰伊、麦迪逊：《联邦党人文集》，商务印书馆 1980 年版，第 391～392 页。
〔2〕 〔美〕汉密尔顿、杰伊、麦迪逊：《联邦党人文集》，商务印书馆 1980 年版，第 395～396 页。
〔3〕 Scott v. Stans field (1868), L. R. 3Ex. 220; Andorson v. Gorrie (1895) Q. B. 668. 转引自 〔英〕W
　　·Ivor·詹宁斯：《法与宪法》，龚祥瑞、候健译，三联书店 1997 年版，第 168～169 页。

在人们眼里，法官和普通的公务员没有区别，根本没有必要的神圣，更谈不上什么权威了。在这种情况下，一些法律人才也不会把法官当作是理想的职业。以下例子可以证明：

材料八：几年前，最高人民法院在向外招考法官的时候提出了很高的条件：正教授、研究员、一级律师，但报考者寥寥。[1]

材料九：全国人大常委会委员奉恒高在 2002 年"两会"期间呼吁社会应关注法官辞职作律师这一现象。据他调查，去年广西法院系统有 38 名法官辞职，其中 14 人原任副庭长以上职务。[2]

在西方一些国家，教授等能成为法官是一件无上光荣的事情，鲜闻教授等有成为法官的机会而放弃的；至于法官辞职作律师更是罕见。相反的是，尽管美国法律规定联邦法官自动申请退休的，仍然享有全部俸给权利；从实际上看，美国联邦最高法院 9 名法官中，80 岁一人，79 岁两人，78 岁两人，但无一人自动退休。[3] 两者相比，可见我国法官的地位之低，荣誉之缺乏。

有人可能会说，正是由于目前法官的素质差，才需要通过竞争选出优秀法官，因为只有优秀的法官才能享有高的荣誉；推行竞争上岗后，法官素质高了，自然有了权威。笔者认为，这得看"法官竞争上岗"——假设竞争能真正凸现优秀——能否给法官带来荣誉以及法官怎样才能获得荣誉。首先，竞争上岗并没有改变法院中法官的地位，普通法官仍是"五字辈"干部。[4] 法官并未实行高薪制、终身制、还要不停地竞争上岗。套用尼采一句话，这些身份无保障的法官在法院里比来比去，向同伴投去"竞争"的眼神。难道还有比这更令人难堪的吗？[5] 其次，要保障法官的荣誉，主要是一个长期的、稳定的、制度层面的问题，那就是，通过法律来保障法官具有荣誉的条件，诸如任免、薪水等。独立、超然和理性三方面是专业法官的职业本色，也是专业法官的威信基础。独立是指

---

〔1〕 参见"最高法院推出人事改革新举措向社会公开招考高级法官"，载《人民法院报》，1999 年 3 月 2 日。

〔2〕 资料来源，http：//www. sina. com. cn，2002 年 3 月 12 日.

〔3〕 陈业宏、唐鸣：《中外司法制度比较》，商务印书馆 2000 年版，第 204～205 页。

〔4〕 最高人民法院原副院长王怀安曾指出，（法官）任命，不由中央一级或者上级，而是由本级的国家权力机关任免；职级，按同级政府的行政系列套用，一名县法院的审判员只相当于同级政府的一名科员；内部，审判员也不占主体地位，而是排在院长、副院长、庭长、副庭长之下的"五字辈"干部。参见王怀安："法院体制改革初探"，载《人民司法》1999 第 6 期，第 31 页。

〔5〕 尼采的原话是，这些发育畸形的家伙只会像小公鸡一样在镜子前走来走去，同镜子里的自己的形象交换爱慕的眼神。难道还有比这更令人难堪的吗？尼采："不合时宜的观察"，载《尼采全集》（第 2 卷），1995 年英文版，第 7～8 页. 转引自张旭东："尼采与文化政治"，载《读书》2002 年第 4 期，第 20～29 页。

地位意义上的，超然是行动意义上，理性是思想意义上。[1] 目前来看，我们的法官与这三方面还有一定的距离。所以，不应用竞争上岗来对法官作评价以判断其是否得到社会肯定、获得荣誉。

（四）对"更大的官"的追求使得法官职业庸俗化

司法权威的一个对立面就是司法无权威，司法庸俗化。如果说稳定的司法产生的是神圣的、权威的司法，那么，法官整天为"更大的官"而奔波、竞岗则使法官职业庸俗化。

人类最朴素的经验也在表明权威的重要，例如，有了纠纷，交由大家都尊重的人来裁决，这样人们才能放心，才会尊重其裁决结果。司法权威最本质的含义在于司法机关享有崇高的地位、合法的权力，以及在此基础上具有令人信服的威望。英美国家中的司法权威更多指的是法官的权力和威信。在这些三权分立国家，司法权无疑是最薄弱的环节，因为司法部门既无强制，又无意志只有判断，而且为实施其判断需借助行政部门的力量。[2] 于是，维护司法权威成了实现法治国家的保证、标志。我们国家固然不是"三权分立"体制，但同样需要司法权威。而且，司法权威的意义不仅在于产生裁判的权威，还可能产生执政者的权威。

西方国家为了维护司法权威，把法官放在一个很超然的位置。他们不会受到任何外来的影响，不会因希望得到褒奖或害怕遭到惩罚，或因阿谀奉承谁或指责谁而丢掉自己的饭碗。正是由于这一点，人民信任法官。[3] 而我们的法官，为了能做"更大的官"或保住"饭碗"，必须不断竞岗。

材料十：1998 年底，乐清法院大胆推行中层干部竞争上岗制度，对 13 个中层正职岗位实行竞争上岗，10 人通过竞岗走上中层正职领导岗位，平均年龄由 48.9 岁下降到 38.7 岁，使一批年富力强的优秀青年干部脱颖而出。2002 年 9 月，该院又率先推行审判委员会委员竞争上岗制度，3 位 35 岁左右的中层干部脱颖而出，进一步优化了审委会委员的年龄、学历和知识结构。[4]

如前所述，法官竞争上岗的含义之一就是使优秀的人才走向领导岗位。笔者注意到"中层干部"这几个字眼。也就是说，至少形式化地看，竞争上岗的目标就是"中层干部"等，有的是"审判委员会委员"等。可以说，法官竞岗的

---

〔1〕 孙笑侠：《法的现象与观念》，山东人民出版社 2001 年版，第 275 页。
〔2〕 ［美］汉密尔顿、杰伊、麦迪逊：《联邦党人文集》，商务印书馆 1980 年版，第 391 页。
〔3〕 ［英］丹宁勋爵：《法律的未来》，刘庸安、张文镇译，法律出版社 1999 年版，第 347 页。
〔4〕 张立雄、王晓勇："为了一方热土的繁荣发展"，载《人民法院报》2003 年 1 月 19 日。

价值趋向就是更大的"官"。

由于中国传统的"官本位"思想，普遍的观念还是认为法官中也有大官、小官之分，进法院也是走"仕途"，而其成功的标志就在于不断地作了"更大的官"。实际上也大抵如此。在一个法院，普通法官只能是"五字辈"干部；即使"二字辈"法官，其上还有"一字辈"。这里，"作了更大的官"有两种含义：一是在法院内部作了更大的官，例如，庭长，院长等，正如材料中所说的"中层干部"。二是到法院外部作了更大的官，去作行政官或其他官，如进政法委等。

然而，法官是绝对不同于行政官（公务员）的。我们可以把两者来作对比。审判机关的法官与行政机关的公务员性质不同，行政机关是首长负责制，公务员根据上司指令行事，下级服从上级是一个基本要求。与其恰恰相反，法官是一种反等级的职业，所有法官对案件的裁判都处在平等线上；如果法官有上级的话，他的上级就是法律，法官只对法律负责，只"服从"法律。一个公务员不执行其上级的命令或错误执行其上级命令，通常就构成失职；而对法官来讲，情况则迥然不同，如果法官按照院长——在中国还有庭长等——的指示去办案的话，这种行为就可能构成失职。只有当法官能把法律作为自己的惟一上级，而没有其他上级时，才意味着法官办案排除法律外因素的干扰的可能。而且，实现法律越是被法律操作者提升到绝对价值的地步，法律就越有权威，法律操作者的行为就越具有合理性，他们就越能扮演满意的职业角色。[1]

基于法官与行政官的不同职业特点，对其评价的标准也不尽相同。支持行政官威信的基础可能会是政绩、民意、职级，而这些都不适用于法官。[2] 把评价行政官的标准用于法官是不符合司法机制及其运作规律的。对于行政官而言，获得荣誉的含义可能是晋升，提职重用等；而对于法官，获得荣誉则不应该是作了"更大级别"的官。法官真正意义上的荣誉，在于能够绝对维护法律权威，通过不偏不倚的执法，并且具有无条件实现其职责的社会地位。

当然，法院系统可能存在审级分工，但这绝不等于行政机构的官僚层级。法院之所以设置不同的审级，并不是要建立一种上级控制下级的机制。固然，上级法院可以改变下级法院的判决，但这只是为司法判决增加一道审核程序，使得相关决策更加审慎，减少错误。因此，上级法院有权改变下级法院的判决并不意味着后者成为前者的下属。[3]

---

〔1〕 王人博、程燎原：《法治论》，山东人民出版社1989年版，第222页。

〔2〕 孙笑侠：《法的现象与观念》，山东人民出版社2001年版，第275页。

〔3〕 贺卫方：《司法的理念与制度》，中国政法大学出版社1998年版，第131~132页。

　　如果法官中有"更大的官"，作为常人，没有理由不想做、不去追求更大的官。这无疑把法院变成了一个名利场。在这个场中，同行政机关一样，权力——这个最世俗的东西——成为拥有至高无上权威的资本。当法院被一个世俗社会中的东西左右时，它实际就毫无权威了，它的存在只是为了让别人玩弄和摆布。可以说一个社会对法官的尊重程度直接表明这个社会的法治程度。法治社会缺乏了对主体的保障，即使有良法也未必能出现良法之治。因为，无论法治的实体价值或是形式价值都会在从业者的尊严缺乏和身份保障无力中丧失。

　　"更大的官"不仅意味着在裁决权中的权力优势，更会带来房子、车子等实惠。在"更大的官"，这一观念的影响之下，法官个体没有司法权威可言，而最多只能有一种"扭曲"的行政权威。人们也不会相信这样的法院会有熟谙法律、经验丰富的有权威的法官，他们更相信权力的权威。于是，很多人都认为，打官司就是打关系，说得更具体一点，就是比哪个当事人能找到"更大的官"。如一些当事人在案件起诉到法院后，就到处拉关系、找门路，从各方面向法官施加压力；一些单位和部门通过各种方式，干预法官依法裁判。

　　我们的司法自身不但没有摆脱世俗的社会关系，而且成为世俗关系的枢纽之一。法官不但要承担对社会纠纷的使命，还要应付来自党政机关的压力，承受来自社会各方面的评头论足。法官还要去争取"更大的官"，以便更多地掌握可运用和支配的社会关系资源。当人们对司法主体缺乏一种必要的神圣感时，当一种制度将法官设计得和普通人无所区别时，当法官自己心甘情愿地混入世俗关系之中时，司法的权威便荡然无存，人们对司法的尊重也无所依凭。[1]　如果司法权威需要依赖世俗的政治权威，那么它只有继续走向庸俗化。

　　（五）法官竞岗占用法官大量时间和精力导致副作用

　　为了达到选出优秀人才的目的，改革者规范法官竞争上岗的步骤，设计了数个环节。这样可以使竞争中尽可能体现公正。尽管各个法院操作法官竞争上岗的具体步骤可能不完全一样，但有很多相似之处。

　　材料十一：云南高院人事制度改革是从5月份开始的，分"准备，动员，学习，原任中层干部民主测评，竞争上岗，双向选择，人员分流"的步骤进行。[2]

　　材料十二：近日，山西省大同市中级人民法院坚持公开、民主、竞争、择优的原则，采取民主测评、竞争演讲、业务考试、庭审考核、实绩考评以及组织审

〔1〕　陇夫："尊重司法的理由"，载《法制日报》1999年12月5日理论版。
〔2〕　"竞争上岗撤并机构云南高院改革迈大步"，载《法制日报》2001年8月13日。

查等方法，对各庭室中层干部职位实行公开选拔，竞争上岗。[1]

法官竞岗的核心步骤一般包括"民主测评、竞争演讲、业务考试、实绩考评"等。若算上其他步骤，如材料十一中"准备，动员，学习"等，整个竞争上岗的过程也是个复杂、漫长的过程。这些步骤都会对法官们时间和精力的分割、占有，从而，影响到法院专业职能的完成。

从古至今，任何制度法院的直接功能都是解决纠纷。说得务实一点儿，法院存在的价值就在于为发生利益冲突的双方解决争端。因此，作为法律家主要研究对象之一的审判制度，其首要的任务就是纠纷的解决。[2] 解决纠纷是法院制度的普遍特征，它构成法院制度产生的基础、运作的主要内容和直接任务。但是，对于云南高院的法官来说，从 2001 年 5 月份到 8 月份，恐怕还有比去"解决纠纷"更重要的事情，那就是竞争上岗。面对决定自己职业的得失、职位高低的"竞争上岗"，任何一个法官，都不会等闲视之的。法官们在办案的同时，必须拿出一定的时间和精力来对付这一个接一个的步骤。从根本上说，审判的目的就是为了实现社会正义。然而，政治水平、偶然因素、以及为了选举胜利而不得不考虑的拥护者的利益都会对正义产生影响。[3] 毕竟，对法官个人来讲，"上岗"是第一位的，"审判"是第二位的，没有"上岗"，哪来"审判"？哪来"正义"？

同时，我们有必要对影响竞争上岗地因素作一分析。从材料中可以看出，"民主测评、竞争演讲、业务考试、庭审考核、实绩考评以及组织审查"是必不可缺的环节。现实地考虑，每个环节都需要人来操作，不可避免诸多人为因素的影响。除了专业水平以及必要的评估外，法官们还需要考虑每一个能影响其竞争上岗的非法律因素，诸如领导的看法，同事的评价，人大的态度，组织部门的意见等等。而且，当台前因素尚不足成为"上岗"的充分条件时，就有了利用幕后因素的必要。即使最表面地看，这一切都需要时间和精力作保障。试想，当全院法官为"竞争上岗"忙得不亦乐乎时，法院的审判工作能不受影响吗？

而且，"竞争上岗"并不是一劳永逸的，从"竞争"的含义来看，不仅意味着"上岗""下岗"是不确定的状态，而且意味着这种不确定的状态要不断持续下去。竞争面前人人平等：今天你通过竞争得以上岗，明天就不许别人来竞争了

---

〔1〕 刘忠利、杜春："山西省大同市中级人民法院对各庭室中层干部职位实行公开选拔竞争上岗"载《人民法院报》2001 年 12 月 29 日。

〔2〕 ［日］棚濑孝雄：《纠纷的解决与审判制度》，王亚新译，中国政法大学出版社 1994 年版，第 1 页。

〔3〕 Gerry Cross, "A theory of Impartial Justice". Oxford Journal of Legal studies, vol. 21. 1, (Spring 2001), p. 136.

吗？事实上，有的法院规定"每年一考核，三年重新竞争"。[1] 说起来似乎很轻松，"每年一考核，三年重新竞争"。然而，对于法官来说，就没有说起来的轻松了。这就意味着法官不仅要努力去争取一个位子，之后还要想方设法保住这个位子。只要有"竞争上岗"的存在，就有下岗的威胁。而一个始终面临下岗威胁的法官怎么去安心办案呢。

（六）对法官的重新任命虚化了既定法的规定

材料十三：法官非因法定事由、非经法定程序，不被免职、降职、辞退或者处分。辞退法官应当依照法律规定的程序免除其职务。[2]

材料十四：8月23日，12名现任正职中干向全院述职，由全院干部根据其述职以及日常工作表现，以无记名投票方式表示同意留任或离职。有两名正职因民主测评未获全院干部三分之二以上得票而自然解职。[3]

埃尔曼曾说，在一个社会的所有法律工作中，审判人员的选任最为关键。[4] 法官手中操有最终解决纠纷的审判权和裁判权，虽然，在法律职业中，检察官、律师对法律的适用和裁判的作用也有重大影响，但对案件的最终裁判权掌握在法官手中。所以西方国家对法官的资格要求比检察官、律师更高。

为了维护法官职业的稳定，各国都对法官的任命权做了明确的规定，从《宪法》或法律上保障这一权力不被滥使。在美国，法官不是选举的，是由总统任命的。[5] 但是，总统的任命权并非可以随意行使，只有在法官空缺的情况下才能行使任命权，而且要受国会的制衡。

根据我国《宪法》和《法官法》，法官的任命权归同级人民代表大会及其常委会，并且《法官法》对保障法官的身份作了规定。然而，实际中的操作不免使人感到这些法律被虚化了。

---

〔1〕 "法院近期将全面完成对审判长的选任工作，这是今年本市法院法官管理制度的一项重大改革举措，目的在于在全市法院逐步形成竞争有序的激励机制，提高审案效率及审案质量。审判长的选任极为严格，学历、工作经验、办案数量、办案质量等必须达到规定要求才有资格竞争审判长，全市法院的选任审判长每年一考核，三年重新竞争，以确保最优秀的法官走上审判长岗位。"参见"北京选任法院审判长将每年一考核三年重新竞争"，载《北京青年报》2001年01月22日。

〔2〕 分别见《法官法》第8条第3款、第39条之规定。

〔3〕 参见"重庆高院中层干部竞争上岗"，载《人民法院报》2001年9月24日。

〔4〕 ［美］埃尔曼：《比较法律文化》，贺卫方、高鸿钧译，三联书店1990年版，第133页。

〔5〕 汉密尔顿认为："如由人民选举法官，或由人民选出的专门选举人任命，则可产生法官过于迁就民意，影响其唯以宪法与法律的规定为准则、执法不阿的态度。"参见［美］汉密尔顿、杰伊、麦迪逊：《联邦党人文集》，商务印书馆1980年版，第393页。负责日本战后改革的欧普勒博士反对法官由公民选举产生，因为这样容易使法官卷入党争党策之中。参见季卫东：《法治秩序的建构》，中国政法大学出版社1999年版，第227页。

可以说，在法官竞争上岗的制度下，人大及其常委会的法官任命权被空置了。无论是对法官的辞退还是提升，从根本说，就是对法官的一种重新任命。一个被人大或其常委会任命的法官，可以在竞争上岗中被剥夺法官身份。法官的重新任命破坏了法官职业的稳定性原则。司法权应有很大的稳定性，包括司法体制、司法人员等都不能朝令夕改。这是由司法权本质上是判断权决定的。判断的机构人员、态度、标准如果经常被各种不正当或正当的理由加以改变，那么无异于一场在进行的球赛不断地被更换裁判，变更规则。[1] 若法官需经重新任命，则法官在很大程度上利用自己手中的司法权力同握有法官任免权的机构、个人达成某种交易，这意味着司法独立面临更大危险。

《法官法》规定辞退法官必须"因法定事由"。那么，什么是辞退法官的法定事由呢？我们所能找到的有《法官法》第 11 章、《人民法院审判纪律处分办法（试行）》、《人民法院审判人员违法审判责任追究办法（试行）》以及新近颁行的《地方各级人民法院及专门人民法院院、副院长引咎辞职规定（试行）》。这些规定列举了法官应受惩戒的种种行为。我国没有规定法官弹劾制度，所以它们应该是惩戒法官、"法官下岗"的法律依据、法定事由。但是，我们可以设想，如果法官实施了应受惩戒的一种违法行为，应当及时给予相应处分，该降职的降职，该下岗的下岗。构成犯罪的，应依法追究刑事责任。为什么要等到"竞争上岗"时再让其下岗。同样道理，对于平常审判工作中成绩显著、表现优秀的法官，如果符合一定的条件，当及时给予升迁或奖励，让法官凭借"竞争上岗"之东风为哪般。这不仅有悖于常理，而且有失法律的公允。

《法官法》规定辞退法官必须"经法定程序"。那么，什么是法定程序？《法官法》第 41 条规定："辞退法官应当依照法律规定的程序免除其职务。"但相关的法律并没有对免除法官职务和辞退法官的程序做出比较具体、严格的规定。从前面的材料中可以看出，"竞争上岗"的步骤有八个之多。可以说，从"公布条件"到"党组织充分讨论"是一系列严谨、完整的程序。但实际操作中法官下岗的程序还是太简单了，如材料十四中所说，全院干部的表决就决定了一个法官的命运，甚至连《法官法》中那些不具体、不严格的程序都难以遵循。面对这样的方式，这样的程序，人们不禁要问，这个"表决"公正吗？优秀法官真的"脱颖而出"了吗？退一步讲，即使结果公正，人们也有理由对其程序公正表示怀疑，因为不仅程序过于简单，而且人为因素作用太大。这既是对法官身份的轻视，也是对法律权威的挑战。可见，"法官竞争上岗"操作程序具有不可避免的非理性因素以及对法律精神的违背。

---

〔1〕　孙笑侠："司法权的本质是判断权"，载《法学》1998 年第 8 期，第 34～36 页。

像我国目前这样，司法机关以司法改革为名，随意背离制定法的规定，虚化、空置既有规定的做法，无疑是对法制权威的极大冒犯和极度不尊，只会伤害法治的生命根基。

在西方要想辞退法官，是件很复杂的事情，必须严格按照法律的规定，遵循严格的程序。而我们的法院一次考试就可能使法官下岗。如为迎接入世，河北各级法院所有的法官进行基本知识考试，考试不及格者必须参加离岗培训，培训时间不得少于 2 个月，然后由省高院组织补考，经补考仍不合格的，按照有关规定予以辞退。[1]

以上，笔者从六个方面概括了法官竞岗的弊端，这些弊端是我们在推行法官竞岗以及整个司法改革中不得不考虑的问题。笔者认为法官竞争上岗固然对于解决我国目前法官整体素质不高，提高司法公正与效率等问题具有积极的作用，但由于其对司法规律以及司法职业规律的违背，长期看来并非一个值得提倡的措施。

结 论

实际上，法官竞岗本身就是一种解决司法改革问题的政治手段。政策制定者对法律职业规律的忽视必然导致改革措施的弊端重重。由于法官竞岗违背了法官职业特殊要求，有必要对其重新定位。基于中国的现实，笔者认为对法官竞岗的全面否定和完全肯定都是不正确的。正确的态度应该是扬其长，避其短。

首先，根本的一点，法官竞岗必须取消才符合法官职业化的要求。因此，未来时机成熟取消法官竞岗是我们的正确选择。但客观现实是，法官竞岗有助于解决目前法院比较突出的矛盾，尽管不是从根本上。所以，我们要把长远打算和近期规划结合起来。具体的说就是，在现阶段要发挥竞争上岗的作用，真正把优秀的法官选出来。这一过程需要进一步严格竞争上岗的程序；另一方面在我们选出优秀法官的同时，建立和完善法官保障制度（法官高薪制、法官任期终身制），在法官保障制度基本完善的时候取消竞争上岗制度。这是个循序渐进的过程，笔者把这一过程分为若干阶段，将在后面阐释说明。

笔者的分析建立在两个假设条件基础上：

司法考试的举行。由于统一司法考试是法官职业化的前提和保障，笔者的分析假设就建立在统一司法考试制度的基础上。2002 年实际参加全国统一司法考试的有 31 万余人，其中有 2.4 万人通过，录取率为 7%。按照这个比例和人数，

---

〔1〕 参见"不及格者离岗补考不合格就辞退河北万名法官上考场"，载《法制日报》2001 年 11 月 6 日。

30 年后我国拥有统一司法考试合格证书的人达 70 万人左右。这是一个庞大的队伍，也是一批优秀的法律人才。若严格依照《法官法》，只有他们才具备成为法官的可能，尽管由于种种原因，他们当中有的不能成为法官。基于此假设，笔者把未来 30 年分成三个步骤，之中，法官竞争上岗制度逐渐消失，法官身份保障制度逐步完善直到法官终身制。

另一个假设是法官保障制度的完善。事实上，对于职业的法官必须有完善的保障制度来保障其独立地行使裁判权，没有很好的法官保障制度，法官职业化也只能停留在理论上。法官保障制度包含多个方面的含义，诸如法官高薪制、法官终身制、合理公正的法官任免晋升机制。这些相关的理论在我们的理论界已经有了很好的研究，也提出了种种设想。应尽快把这些相关的理论用于实践。笔者认为，未来 30 年的时间，随着法官素质的不断提高，法官保障制度应该且必须完善起来，这与法官职业化为同一过程。

根据《法官法》的规定，2002 年 1 月 1 日起，人民法院一律从通过国家司法考试取得任职资格的人员中择优选用法官。为了便于表述，笔者以 2002 年 1 月 1 日为分界线，凡在此以前取得法官资格的，称为"老法官"，在此后取得法官资格的称为"新法官"。

第一个 10 年（2003 年～2012 年）。在这一阶段，法院中法官的主体是老法官，他们承担着法院的审判工作。而这一时期，大多数通过司法考试者法律经验欠缺。所以，这一时期法官竞争上岗要以老法官为中心，从老法官中选出优秀的人才充当审判长、中层领导等。在这一阶段，法官的任命权在同级的人大及其常委会。

第二个 10 年（2013 年～2022 年）。经过 10 年的补充，法院已经有相当数量的法官具备了司法考试合格证。一个时期的锻炼，新法官已经具备了较为熟练的法律技能，在这一阶段，老法官和新法官公平竞争。在这一阶段，法官的任命权逐步归省一级人大及其常委会。[1]

第三个 10 年（2023 年～2032 年）。经过 20 多年，老法官们大都退休，法院的法官几乎全都是新法官。这是最后一个阶段的竞争上岗，在这之后，各地可根据实际情况逐步取消法官竞争上岗。此时，建立完备的法官考核制度，惩戒制度。这一阶段，法官的任命权完全归省人大或其常委会。至 2032 年前后，颁行

---

[1] 在多数国家，法官的任命权一般集中在最上层，这有利于确立法官的地位和权威，从人事制度上防止地方势力对审判独立的干扰。根据我国《法官法》的规定，各级法官都是由同级的人大任命的，法院又要对人民代表大会负责。这就使得法官的来源具有极大的地域限制和行政限制。其结果不仅是法官的素质不高，也造成法官的依法独立审判的地位无法保障。在笔者上面的设想中，分成阶段，把法官任命权逐步收归省一级人大及其常委会。

新的法律，规定法官任职终身制。[1]

法官竞岗的消失和法官保障制度的完善正好是同一过程，如图 2 所示。

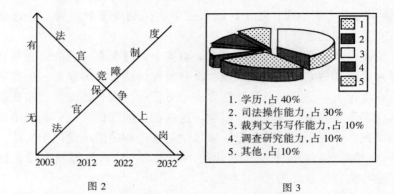

图 2

图 3

1. 学历，占 40%
2. 司法操作能力，占 30%
3. 裁判文书写作能力，占 10%
4. 调查研究能力，占 10%
5. 其他，占 10%

值得一提的是，在笔者未来 30 年的设想中，保留了法院中副院长、庭长等中层领导。关于这个问题有不同的看法。有人认为，在角色定位方面，我们倾向于认为司法阶层以及法院应当成为居于政府与民众之间的中立的仲裁人，而不是传统类型的官员集团和官方部门。[2] 有人认为，在"五套班子"中没有法院的地位，法院缺少尊严。[3] 笔者认为，把法院设计成一个民间组织，至少在很长一段时间是不符和中国实际的，会降低法院在人们心目中的权威，实际中会使法院更加边缘化。很多人认为"最高人民法院院长连中央政治局都进不了，谈什么一府两院呀"，这句话不无道理。所以，笔者认为还是保留法院的"行政级别"。但同时要注意的是要严格区分司法审判权和司法行政权。院长应享有司法行政权，但不应由此而产生对和议庭及独任法官的裁决进行干预审批和最终决定的权力，更不能对下级法院的法官正在审理的案件进行干预。院长对下级的领导只能是政治上的领导，不能是业务上的领导，更不是任命法官的权力，同行政机关的上下级截然不同；必须从制度上培养和保障法官个人独立行使审判权。

当然，长远看来，必须淡化对法官的行政管理。以后时机成熟，借鉴其他国家做法，在法院内设立类似法官委员会或者法官会议的机构，负责法院重大行政

---

[1] 对于法官终身制，笔者建议首先延长法官的退休年龄，再过度到终身制。接受延长退休年龄的法官为通过法官竞岗选拔出的优秀法官。法院在委以重任的同时，也应给予其相应的待遇。以中国法官目前的现状，显然不能实行终身制，在笔者上述的分析中，经过 30 年的更新换代，是可以实行法官终身制的。此时的法官都是通过统一司法考试者，水平已有很大的改观。看条件成熟，可以再增加选拔法官的难度。

[2] 贺卫方：《司法的理念与制度》，中国政法大学出版社 1998 年版，第 7 页。

[3] 信春鹰："中国需要什么样的司法权力"，载《环球法律评论》2002 年第 1 期。

事务的决策，日常司法行政事务则由专职司法行政事务官员负责，从而避免院、庭长对其他法官的独立性施加影响。

如前所述，法官竞争上岗的消失是必然的，同一过程中，我们必须要完善的是法官身份保障制度。由于法官竞岗有着诸多的弊端，我们必须通过完善其程序来保证其真正发挥选拔优秀人才的作用。

笔者在前面的分析中已经提到，太多的人为因素对法官竞争上岗影响很大。要想从根本上减少或去除人为因素的影响，只有从制度上保障法官的身份。那就是从宪法、法律上规定法官的身份保障。当然，这不是一蹴而就的。那么，在现阶段法官竞争上岗的操作中应规定严格的程序。

马克斯曾将程序与实体的关系比喻为植物的外形和植物、动物的外形和动物的关系。这正好说明了程序公正和实体公正是密切联系在一起的。我们期望法官在判案时既能保证实体公正，又能尊重程序公正。同样，在法官竞岗中必须尊重程序，按照严格的程序来选拔法官。

1. 要增加、强调客观标准。在法官竞岗中，如果存在不可避免的人为因素，那么严格的程序则可以限制或一定程度上限制人为因素的影响，让程序成为以固定的和不可逾越的游戏规则为限制的、特殊类型和平竞争机制。[1] 所以增加法官竞岗的客观标准，以牵制人为因素。笔者认为可以把竞岗的主要标准客观化，并按照比例分配。一般地，我们可以有如下标准：学历、司法操作能力、裁判文书写作能力、调查研究能力等。在这里，笔者把他们各自在法官竞岗所占的比重用图表示出来，见上面图3。

第一，学历，占40%。在所有的标准中，学历是最客观的一个。尽管学历不能完全说明个人能力，但一般情况下，两者还是成正比的。所以，在所有标准中，学历占最多的比重。特别需要指出的是，笔者所说学历为正规大学学历，所谓的夜大等"五大"应除外。

第二，司法操作能力，占30%。把法律用于案件并做出裁决是设立法院的目的。作为一个法官，必须有很好的操作能力。这里的操作能力是指法官的综合能力，包括分析案情、驾驭庭审、判案等。

第三，裁判文书写作能力，占10%。裁判文书能看出一个法官的法律功底与分析能力，是衡量法官水平的一个重要标准。

第四，调查研究能力，占10%。作为一名法官，还应有一定的调查研究能力。我们就是在不断总结经验的基础上进步的，调查研究是法院改革完善以及及时总结法律实践经验的基础。

---

〔1〕 转引自公丕祥：《中国法制现代化的进程》（上卷），中国人民公安大学出版社1991年版，第33页。

第五，其他，占 10%。诸如领导评价，组织的看法等标准主观性很强。这些标准不能占大的比例。在笔者的设想中，把这些他们放在一起，共占 10%。

2. 增加法官竞岗的透明度。对于参加竞岗的法官，其基本情况必需向全院法官公示，真正体现全面、公开、公正、民主。绝对不能出现"几个中层干部的表决"就可以使一个法官下岗的情况发生。

3. 减化法院政治工作部门的职能。按现行惯例，法院的政治处是法院的"人事"部门，往往对掌握着法官任命和晋升的考核决定权。这一现状需要改变，可设想将其调整为负责法官考核指标的收集、整理、汇总，不再具有考核决定权。对于法官竞岗的"考官"，也并不是多多益善、"各路菩萨都要请到"。笔者认为，由于人大是权力机关，参与监督法官竞岗应在情理之中，且法官的任命必须经过人大或其常委会。

第三章　律师职业伦理与政治参与

第一节　程序伦理与道德底线
——对律师职业道德的社会学分析

前　言

　　律师，一直是一个争议颇大的职业——正义与功利、经济与道德、程序与实体、技能与伦理，这些矛盾与范畴在律师角色身上交织着、冲突着。因为律师，作为法律职业者中的一员，作为法庭上平衡对抗格局的重要力量的一方，肩负着维护法律正义与维护委托人利益的双重任务。由于法律（程序）正义与实体的、个案的正义有时会有冲突和背反，而全心全意服务于委托人利益、愿望和要求的律师在大众看来具有服务于金钱物欲的直接等同性（当然不乏律师执业行为间接地起到维护人道与人权的目的），所以律师的道德状况在一般人的眼光中是极为堪忧和充满悲观色彩的。而现实生活中，律师的违规操作和违背职业伦理道德底线的行为又加剧了公众的不良看法与情绪，以至于掩盖了律师正常的执业行为与律师职业伦理本身的特殊性。

　　笔者由此对律师职业伦理本身充满了好奇的心情与揭示的欲望。笔者认为，律师职业伦理具有区别于一般道德和其他职业伦理的特殊性。首先，律师职业伦理是一种由律师角色和职业所内在规定的特殊道德，它的内容必须服务于律师执业技术与法律程序，因此它是一种程序伦理、技能伦理，它是一种不必然服务于实体正义，但必须服从于程序正义的伦理道德。其次，律师职业伦理是一种底线道德的规定，是作为一个合格律师所必须符合的道德要求，而并不是一种理想化的、道德高尚的人的道德指标。只要律师符合道德底线——职业伦理的要求，那么他（她）即便服务于个体的利益与实质的非正义，也不受道德的苛责。再次，律师的特殊道德与大众的一般道德存在极大的分野。大众道德是一种服务于实体正义的道德，对于个案来说，大众的要求是尽可能地发现真实与事实，尽可能地运用法律武器达到惩戒罪恶、发扬良善的目的；而律师的行为与伦理往往囿于程序，不能对案件表现平衡两造的公允的见解与立场，不能绝对地追求实质正义，律师往往信奉"正义先于真实"，[1] 只有并只要程序允许的就是对的、善的，在大部分情形下，只有并只要为了委托人利益的就是对的、善的。同时，大众往往会为律师执业的经济因素所迷惑，看不到律师执业的技术与程序的内在要求，因此引起一定的误解和偏颇。当然，现实生活中法务市场的失范也加剧了这种伦理的两难。

本文从角色与职业的内在要求展开，具体论述了律师的执业基础与两难境地，即律师既要维护当事人的利益以实现程序正义，又可能因为违反实质正义的要求而在实体正义和大众伦理上受到不公的看法与对待。由此，进一步阐述了律师的程序伦理与道德底线的理论，并且分层阐析了职业共同体道德与个人道德，大众伦理与职业伦理以及实体正义与程序伦理这几对关系。在第二部分，笔者提出职业伦理属于法律范畴而不是道德范畴的观点，即只要法律加以规定和要求的，律师就必须遵循，但是法律未加以规定的，不能对律师做过高的要求（当然不乏律师的个人道德超乎职业道德底线的硬性规定）。通过对规定律师职业伦理内容的条文规范的分析、总结与归纳，笔者认为律师职业伦理与律师执业行为标准规则的规定在外延上是一致的，即必须在法定的范围内寻求律师伦理道德的标准。同时，通过分析，提出我国应加强对于律师职业伦理的技术性规则的立法方面的建议。在第三部分，笔者运用经济伦理学方面的知识论述了经济与伦理的两难，主要对于律师职业伦理的干扰性因素：经济因素及其对于伦理道德的影响作了一定的分析，提出阻碍职业伦理发展的一个潜在的、威胁性的"定时炸弹"——由于利益和物质需求的驱动所产生的伦理道德沦落与退化的可能性。在第四部分，笔者论述了基于法律规定的道德底线——律师职业伦理，它的现实可接受度和它的合理性问题。主要通过大众的视角，论述了大众心目中过高的，并且是非程序性、非技术性的、法律职业外部视角的评价对于律师职业伦理定性方面的错位，提倡一种从程序内部的视角看待职业伦理的宽容与理性的评价立场与视角。

---

[1] "正义先于真实"（Justice before Truth），即对于法律程序的尊重重于对于发现事实与真实的渴望，且事实必须是程序中的事实，它的发现、采集与采纳必须符合程序与法律的规定。参见［法］勒内·达维德：《当代主要法律体系》，上海译文出版社 1983 年版，第 337 页。

一、角色的规定

（一）角色、规范与职业

1. 角色。律师，既是一种（法律的）职业，也是一种（社会的）角色，尽管律师作为个体本身还可能履践其他的角色任务，如：人伦角色（为人父母、子女等）。我们发现：角色——其本身是每个社会人必须也必然充当的符号化定位——它因为在研究社会结构和过程中的标帜性地位而成为一个社会学的话语范畴。但是，角色理论的研究对法学中的法律人（比如律师）其行为和道德的另一种话语的探讨，在笔者眼中，又是何其的乐观和有旨趣。所以在对职业特殊伦理（道德）方面的本体论的探讨之前，需要对职业角色的认识作一个展开性的尝试。

目前的社会学研究中对"角色"的认识有两种较为突出的理论：结构性观点和采用过程的研究策略，也即结构角色理论与过程角色理论。笔者主要采纳前者作为律师角色研究的分析性工具与框架。

结构性角色理论源于帕克、齐美尔、莫雷诺、林顿和米德的思想。结构角色理论家们认为，社会是一个由各种各样的相互联系的位置或地位组成的网络，其中个体在这个系统中扮演各自的角色。对于每一种、每一群、每一类地位，都能区分出各种不同的有关如何承担义务的期望。因此，社会组织最终是由各种不同地位和期望的网络所组成的。学者们在分析地位时，往往探讨它们是如何联系在一起而组成不同类型的社会单位。根据规模、分化程度和相互关联的复杂性这些变量，地位网络（状态—网络）分层下至不同类型的群体，上至更大形式的集体组织等各种形式。许多学者假定，每一地位上的责任者所发出的行为并不单纯是地位结构的功能，而且在本质上还是附着于这些地位上的各类期望的功能。[1]

在上述社会学家的论述中，我们发现，结构性角色理论对于我们理解整体社会架构下的人（在此处人是客体）提供了一些关键性的线索：（个人、种群、类的）地位——（地位的）期望——行为（期望的责任）；同样，它为理解个人所处的社会系统提供了"网络"这一符号意象，这一网络从横向上看去——各角色（网络中的地位和地位的期望所决定）相互联系交缠并且因为本质的不同而相互区别，从纵向上看去——网络上下的组织形式和规模都有所不同。

为了更好地理解上述"（角色）期望"这一范畴，社会学家乔纳森·H·特

---

〔1〕［美］乔纳森·H·特纳：《社会学理论的结构》，吴曲辉等译，浙江人民出版社1987年版，第431页。

纳用形象化的舞台、演员和剧本来阐释。莎剧《请君入瓮》中有一段台词："全世界是一个舞台/所有的男人女人都是演员/他们有各自的进口与出口/一个人在一生中扮演许多角色。"乔纳森认为，如果与戏剧作一比较，那么三种期望类型就能代表结构角色理论的世界观：一是"剧本"期望，二是其他"演员"期望，三是"观众"期望。剧本期望理论认为，认识社会现实就像读戏剧的脚本一样，因为规范规定了属于不同位置上的个体如何行动。环境不同，活动受规范调节的程度也会发生变化。因此，剧本期望理论为角色理论贡献了"条件"这一研究范畴。乔纳森认为，角色理论所要解决的问题是要弄清这样一些条件，在这些条件下，规范随着范围、权力、效能、特征、清晰度与个体之间冲突程度这些变量的变化而变化。其他演员期望理论认为，除去行为的规范结构和社会关系之外，角色理论还十分注意互动情境中其他演员的要求。通过他人的姿势可以了解到这种要求，从而它就成了塑造人类行为的重要力量之一。观众期望理论提供了最后一类期望，即来自于那些占据各种地位的个体所组成的观众。这些观众可以是真实的，也可以是虚构的，他们组成了一个实在的群体或社会范畴。并涉及成员资格或仅仅是想变成成员的愿望。惟一必要的是，那些个体认为来源于各种类型观众的期望应该回来指导行动。观众构成了参考框架或参考群体，制约各种不同地位上的行动者的行为。

如果把我们因为将整个社会网络极度缩小成一个舞台而显得过于宽泛的视野集中到某个个体（演员）身上，将有助于经验性地理解笔者上述的用加黑的字体所规划的线索。以本文所要集中研究的一类演员——律师为例。在社会地位网络的一个分层上我们可以发现属于法律系统这样的一个空间，而作为动静结合的法律系统本身，它动的一面（即操作者们）是一群叫做法律职业家的人，律师无疑是其中最活跃的分子，而且律师事实上占据了法律操作者和市民利益捍卫者的关键性地位。但是地位的取得并不是"天然"的，它具有一些规定性因素，不具备这些因素就不能赋予这样的地位。在上述社会学的有限分析中，地位的角色期望就是这些规定性因素的核心。在笔者看来，期望就是一种要求，它是一种约束，这种约束由规范、条件和他人所构成。的确，要取得律师的地位，必须达到一定的规范所规定的资格要求，如：学历、经验、品格、以往的档案记录等等。条件赋予规范一定的能动性，比如社会在政治、经济、文化的不同发展时期对角色的规范要求就有所变化。1996年的《律师法》规定了全国统一考试制度，但只要求具有高等院校法学专科以上学历或者同等专业水平，以及高等院校其他专业本科以上学历；但2001年修订的《律师法》规定了国家统一的司法考试，具有高等院校法律专业本科以上学历，或者高等院校其他专业本科以上学历具有法律专业知识的人员。这些都是条件的作用，引发了规范以及角色的相应变迁。

我们还不能轻视最后一种约束：他人。他人可以理解为除律师以外的其他角色个体，如：新闻界、农民、商人、教师、公务员、演艺圈、乞丐甚至法官、检察官和公证人等。"他人"对律师等"演员"的冲击（行为、言谈、价值观、态度等）也是研究律师本身的一个重要的参考变量。

规范他人与参考群体对维持个体的自我概念的影响程度被认为是决定哪种期望将受到最大重视的极为重要的因素。对于这一因果关系网来说，最重要的问题莫过于自我在特定群体中的嵌入程度，与特定他人的亲密程度和规范投入或内化的程度。另外，结构角色理论还提示我们注意角色冲突（期望之间的冲突），角色紧张（满足所有期望的不可能性）和失范（缺乏明确的期望）等社会现象。[1]

所以，我们在考察律师的职业道德和心理的时候，应该首先放在他（她）的角色环境中去理解，既不能对律师有过高的道德奢望，也不能对律师有低于一般道德常理的过分宽容。套用前述的社会学理论，就是运用一种"地位网络"的概念与视角去观察律师及其伦理行为，而不应将律师从他（她）的特殊工作场域中剥离出来，进行单个个体的考察。律师，是整个社会大系统中的一员，所以他（她）有常人的喜怒哀乐，有一般人的道德观念。但是在执业行为中，他（她）又扮演着不一般的角色，比如他（她）为明知有罪的人辩护而不感到良心的谴责，相反，如果他（她）不履行这种责任就会构成失职和违背职业道德的风险与责难。

其次，我们要让律师在这种网络中的定位上找到社会对他（她）的角色期望。也就是说，究竟怎样的律师是合乎情理的，是一个把委托人基于信任告知的秘密（其中包括委托人未被发现的违法事实）积极地上报给法官和公诉人的律师更有职业道德，还是一个为委托人严格保密的律师更受职业性的青睐？从发现事实真相和维护正义的角度，似乎前种做法的律师更有道德感。但是从整个社会对律师的角色期望看，后者更有市场。因为律师是为委托人服务，为委托人的利益工作的，两者是一种相互信赖的关系。如果律师无视这种关系将会造成整个行业无法维系——这是职业的规律，而职业道德恰恰是一种必须符合职业规律的道德。

再次，我们要考虑具体的评判情境。究竟律师是在怎样的一种委托关系中，是民事的还是刑事的，是出庭的还是事务的，甚至在类似的案子中因为具体细节和人物的不同，律师的道德要求也有所变化。

---

[1]　［美］乔纳森·H·特纳：《社会学理论的结构》，吴曲辉等译，浙江人民出版社1987年版，第438、439、446页。

2. 规范。如果说角色期望理论中的地位与期望理论为角色外的人提供了客观的观察角色的视角，那么规范理论则为角色中人提供了行为的标准与范式，它规定了具体的角色个人如何去活动是合乎角色规定的。而职业的、角色的伦理恰恰就是这种规范的一种表现，因为它是从角色道德的层面提出怎样的行为是符合角色的规定。因此，作为道德的一种特殊形式的职业道德，它是与规范紧密结合的，但却与人的内心道德诉求有一定的距离，这是由角色的社会要求所决定的。

法国社会学家涂尔干在《道德教育》一书中阐述了道德—规范—义务—习俗—权威—命令等概念及其关系。涂尔干是在与规范密不可分的基础上谈道德的："首先，我们称之为道德的所有行为，都有一个共同的方面。所有这样的行为都遵循着预先确定的规范。使一个人自身的举止合乎道德，这是一个遵守规范的问题，甚至是要求人在行动之前就决定在特定场合应该有什么样的举止问题。道德的这一领域，也就是义务的领域；义务就是受到规定的行为。"[1] 同时，涂尔干认为常规性是道德的要素："既然所有这些律令都促使人们按部就班地行为，那么这些行为就有了一个道德的方面，即这些行为既在具体内容上，也在普遍方式上都恪守着某种常规性。所以说，流浪者和那些不能恪尽职守的人总是会受到怀疑。因为他们的道德禀赋从根本上说是有缺陷的，是极不确定、极不可靠的。"[2]

涂尔干认为规范是外在的，"恰恰相反，规范本质上是一种外在于人的存在。我们只能把它想像成一种秩序，或至少想像成一种有约束力的忠告，它来源于我们之外。……它所涉及的是职业实践的规范吗？这些规范就是从职业传统，或者更直接地说，是从我们前辈那里把它们传递给我们，在我们看来最能体现它们的人那里，来到我们面前的。"[3]

而且，在规范概念中，涂尔干认为有某种能够超出常规性观念的东西，即权威观念。"借助权威，我们一定能够理解所有我们承认高于我们的道德力强加给我们的影响。有了这样的影响，我们才会按照被规定的方式行动，这不是因为被要求的行为对我们有吸引力，也不是因为某种先天的或后致的禀性使我们产生了这种倾向，而是因为在命令我们行动的权威中有某种强制作用。服从就在于这样的默认。……在权威观念扮演着绝对优先角色的地方，道德才能构成规范的范

---

〔1〕 ［法］爱弥尔·涂尔干：《道德教育》，陈光金、沈杰、朱谐汉译，渠东校，上海人民出版社2001年版，第25页。

〔2〕 ［法］爱弥尔·涂尔干：《道德教育》，陈光金、沈杰、朱谐汉译，渠东校，上海人民出版社2001年版，第29页。

〔3〕 ［法］爱弥尔·涂尔干：《道德教育》，陈光金、沈杰、朱谐汉译，渠东校，上海人民出版社2001年版，第29页。

畴。我们对卫生准则、职业实践准则或从民间智慧中引发出来的各种训令的尊重，有一部分无疑来源于为科学和实验研究赋予的权威"[1]

综上，我们可总结出，规范（包括规定职业行为的规范）是义务的一个方面，它是外在的。由于它有一定的职业传统，并且在日常的实践中已经固定成常规，因此也是一种现行秩序的反映。在常规性的规范的权力来源上，有一种"权威"的强制力，在职业行为中，不妨理解成维持职业生存与发展的内在规律的要求。因此职业伦理从角色和规范这些社会学上的外在观点看来，是一种超越所谓个人品格等内在规定的东西（这些内在或禀赋有些来自先天存在，有些得益于后天习得，除了良心法庭的审判和内疚、羞愧、悔恨等情绪折磨性制裁，个人是没有任何必须义务的），除了内心认可或排斥的道德力——它还是一种外在于自身并由权威制定的行为准则。它有时能反抗我们、超越我们、支配我们，而不一定表达我们的道德意愿或情感。

毫无疑问的是，角色本身是包括了这种稍为狭窄的道德律令的。比如医生，他（她）有自己的被"俗化"与"固化"为"医德"的道德规范，如果它被逾越和践踏，那么将受到来自职业群体自身的惩戒；再比如为人夫或妻，也受人伦道德的"制裁"。当然人伦道德和职业道德还是有一定的区别，人伦道德的一部分还停留在涂尔干所说的习俗阶段，属于大众道德，在归属和认同上都没有明确的群体，所以在承担的后果方面也没有明确的执行者。

3. 职业。角色与规范并不是超越社会现实空泛地存在的，它们肯定是要依附于一定的社会存在和建制，笔者认为体现具体的角色与规范的载体就是职业。所谓的角色是职业中的角色，所谓的规范（包括伦理）也是一种职业的规范。

对近代出现的职业内涵的理解，西方的研究表明了职业大体上是这样一种社会构造：职业（尤其是专门化职业），本身蕴涵着专门的、对于外行来说是一种"深奥"（esoteric）的知识。这些知识在用途和取向上与整个社会系统的中心需求和价值相联系，而且它往往能超越物质上的动机而献身于服务公众的事业，因此职业拥有其特殊的权力与声望。[2] 对于职业的研究视角是从三个维度出发的，这三个维度是认识论的维度、标准化的维度和价值论的维度。认识论的维度要求职业者在他们的工作中拥有和使用特有的知识和技能；标准化的维度确定了职业者的服务方向和定位以及他们与众不同的、特殊的伦理观念和规范——这种伦理

〔1〕　〔法〕爱弥尔·涂尔干：《道德教育》，陈光金、沈杰、朱谐汉译，渠东校，上海人民出版社2001年版，第31页。

〔2〕　Magall Sarfatti Larson, *The Rise Of Professionalism:A Sociological Analysis* , Berkley · Los Angeles · London by University Of California Press, p. xi

调整和规制着社会赋予职业者本身的自主的特权；价值论的维度则潜在地比较了专业性职业和其他的一般职业，强调专业性职业在自治和声望方面独有的特征。从职业的三个维度看，标准化的维度，就是职业伦理规范的规制的方向。

从职业的三个维度看，它是极富排他性和专门性的，因为其他的社会实体要构成职业的特征，必须在知识、伦理和价值观上具备自己的特征与内涵。所以，职业的自治与独立是职业内部这三个维度发展的结果。对于职业伦理而言，它的特征越明显，内涵上越难以让人接受，就越显示这种职业的专门化的程度，律师业就是一例绝好的证明。

知识的生产在特殊职业的发展中，扮演了越来越战略性的和看起来自治的角色。如果职业得到自我评价和自我控制的权力，它们就能够对外在于职业的规范（external regulation）做到基本的"免疫"[1] 职业的自治倾向于隔离自身——即与社会的其他部分保持一定的距离。职业者生活在他们自己的创造物特有的意识形态中，这些意识形态对于外界来说好像是社会事实的某些特殊方面的最有效、最正确的定义。在律师职业中，人们会很奇怪地发现在一件刑事案件中，律师替一个他明知有罪的人辩护是完全妥当的。非但如此，而且律师还可以收取费用，他可以出庭替一个他明知有罪的人辩护并接受酬劳而不感到良心的谴责。[2] 这对于圈外人士多少有点不可理解，但是对于律师界来说，他们无疑沉浸在这种特殊的道德与正义的陶醉中，所以职业的自治显示出的是一种与众不同的价值观和意识形态。

但是大众的道德是否就对这种特殊道德不起作用了呢？或者，特殊道德与大众道德之间不再有共同的基础了吗？涂尔干曾提出过集体意识的理论，即一般社会成员共同的信仰和情感的总和的影响力的问题。分工的发展（导致有机团结的出现）并没有消灭共同的集体意识，它只是降低了"集体意识"在日常生活微小调节中的重要性。这就为个人的主动性和社会的异质性留下了余地，但这并不一定导致人们逐渐完全与基于道德一致的社会联系相脱离。全社会共有的道德规则的持续影响作为一种潜在的非契约性基础对于不断增长的契约关系是必要的，人们订立这种契约关系是增长了的专门化和相互依赖的结果。集体意识提供了支持契约关系的非契约性道德的基础。

在宏观的层次上，可以说在现代复杂的社会中，道德的一致是抽象价值层次

---

[1] See The Rise Of Professionalism: A Sociological Analysis, by Magall Sarfatti Larson, University Of California Press Berkley · Los Angeles · London p. XIII.

[2] 参见朗·富勒就律师职业道德谈到的一个问题，载［美］哈罗德·伯尔曼：《美国法律讲话》，陈若桓译，三联书店 1988 年版，第 26 页。

上的一致，而不是特殊标准上的一致。即在抽象的原则上，有一种广泛的一致，但在一种复杂的有机社会的各种各样的群体中，对这些一般原则的解释和运用也存在着相当的差异。

涂尔干也强调在各种职业的和专业的群体中可能存在着共同的集体意识的重要性。同样，在职业的活动和利益中，会导致一种群体内部的同质性，这种同质性将使发展共同的习惯、信仰、情感、道德原则或伦理规范成为可能，这些群体的成员在他们的行为中也要受到这种集体意识的制约和指导。涂尔干感到，随着社会分工的发展，在各种职业的和专业的群体中，这种机械团结一定会变得越来越重要，它是一种在个人与整个社会之间所必需的中间环节。[1]

（二）律师的角色定位

有这样一则故事在西方的法律界广为流传：一位年轻有为的律师在一件诉讼案中大获全胜，他立即给自己的委托人发了一份电报："正义已经取胜。"结果他很快就收到了委托人的回电："马上上诉。"在一笑过后，笔者随即陷入了困惑：我们这位年轻的、对于正义有着执着追求（否则他不会在电报中作这样的强调）的律师到底在为"什么"而工作？他能像法官一样顺着自己的道德观而去追求个案的实质正义吗？反而言之，当自己努力的结果却使一个原本背正义而驰的家伙得到了法律诉讼的支持时，我们的律师是否会因为客观上的"为虎作伥"而面临主观道德的谴责？这种主观的而又现实的道德谴责是否可行而又必要？对这种个案的实质正义的单纯追求应该视为我们建立律师制度的初衷吗？想要解析这一系列的疑惑或许我们只有归位于律师这一职业角色的本身——因为只有对律师的执业过程作一立体方位式的解读，我们才有可能去对律师职业作科学而又合乎实际的角色定位，也才有可能去架构律师职业伦理的外延范围及其背后的潜在内涵。

1. 律师的执业基础与二难境地。反观律师制度史，其实律师作为现代司法制度中不可或缺的角色，本身就是对应着检控官而产生并存在的，使现代诉讼制度中对抗模式获得结构和力量上的平衡。于是，律师存在的要义就全部在于为委托人提供法律智识上的帮助。与所有的智力服务者一样，律师只有当他（她）的服务产品现实地为自己的委托人（被服务者）带来某种可直观感觉的收益（或精神或物化的）时，他（她）们的服务工作才有可能得以被认可。而这种来自于被服务者的认可的标准与要求却实在地构成了律师执业得以维系和继续的根本基础，或许最最俗化的"拿人钱财，替人消灾"在某种意义上是对这种雇佣

〔1〕　[法]爱弥尔·涂尔干：《社会分工论》，渠东译，三联书店2000年版，第17页。

关系最为形象的诠解。当然，这种"灾"之于当事人而言如果是一种原本"不应接受的惩罚"或"不应承担的损失"时，律师就有可能在收取服务酬金的同时不知不觉中充当了一回英雄的角色，为社会的正义起着一种维护和平衡的功能，其本人也就自然而然地"名利双收"。然而事实有时并不总是那么美妙，律师更多的是要面对那种本应接受"道义性谴责或功利性惩罚"的雇主。然而不论是基于生存上对经济利益的需求，还是基于《律师法》的硬性规定，[1] 律师都无法轻松地对这类雇主表示拒绝。于是，律师在执业生涯中难免会陷入这样的境地：知情或不知情地为一些"有罪者"作着"无罪辩护"的努力，或为那些本应付出代价的雇主尽量地寻找开脱，以逃避原应承担的责任。

我们设立法院，培训高素质的法官队伍，不遗余力地构架尽可能完善的现代司法制度，这一切努力的最根本、甚至可称为惟一的目的，就在于把"有罪者与无罪者"作泾渭分明的队伍划分，使有罪责者承担他（她）应该承担的惩罚和责任后果，以维护大众普适化的道德正义。基于这样的司法目的，主观上要求参与司法活动的大部分（而不是全部）主体都能作同方向的努力，以最大的合力使司法活动最大程度地满足于司法制度建立时的初衷目的。然而，律师却是带着委托人的利益走进法庭，他们的利益立场不得不与其雇主保持着某种程度的一致性。于是乎，司法的目的、对正义的追求与委托人利益便成了律师在所有工作与努力中不得不考虑的问题。如果委托人的利益请求与司法目的以及正义要求三者之间有着方向上的一致，那么律师的工作便有了道义上的正当化理由。如果现实中出现了律师所设想的反面：委托人的委托事项超出了传统道德正义的支持范畴，甚至更直接地为法律所不允的时候，那么"可怜"的律师就会难以避免地面临着这样的两难境地：作为一个有着良知且正直的人，他主观上也与大多数善良的人们一样，希望有罪责者得到应有的惩罚，希望业已被破坏的正义格局得到良好的修复。但是基于委托人的利益，他（她）有义务尽最大的努力以使诉讼判决或博弈结果有利于自己的当事人一方。当律师们在执业的过程中，客观上要求必须在这两难境地中作出某种平衡或说是抉择时，律师如何行为才不至于在获得当事人（雇主）认可的同时，又能给自己以良知上的慰藉或免于社会性的大众谴责？也就是说，在这一两难选择中，律师怎样的道德与行为才是我们在论及律师职业伦理道德时可接受的底线？而这或许就是笔者所热衷于笔墨之核心所在。

2. 程序正义与道德底线：

第一，职业伦理：共同体与个人。如果说律师的职业道德由于前述的具有某

---

〔1〕《中华人民共和国律师法》第 29 条："律师接受委托后，无正当理由的，不得拒绝辩护或者代理。"

种符号化的特征，因此它是格式化、程式化的，可以归为一种类型的道德的话，那么职业道德应该是一种整体的、群体的道德，是一种共同体的道德，而非个人的道德。共同体的道德，它是一种最低的标准，是一种被职业特征所规定的标准，而不是一种普适的标准。但是对于具体的职业者个人而言，他（她）又有自己的个人的道德观念，它与团体道德存在一定的差异与共通。

从职业本身的载体组织而言，专业性职业倾向于结成一定的共同体，共同体的成员因这种从属性的联系而在身份、个人责任、特殊利益和一般的忠诚义务上处于相对长久的同质化。这些共同体在历史实践中被具体化为典型的组织和机构的模式，如行业协会、职业技术学校等。

从历史角度考察，同质性的情感意识既是团体形成后的一个"灵魂性的建构"，同时也对团体的生命之维系、力量之凝结起到了不可磨灭的作用。早期的律师界就已经形成了十分强烈的团体意识。"当我谨慎地评价律师协会在苏格兰生活中的团体作用时，19世纪早期团体中自尊意识十分明显，这种重要的现象尚待解释"。"每当有大量的律师并形成一个群体时，一般说来，他们必定组成严密的团体，他们中的每个人都带有强烈的利益和荣誉意识。这些团体组织规范着职业行为，调解成员个人与外部机构的纠纷。律师们都踊跃参加他们组织的会议，有时会场上相当活跃。我们必须牢记，在旧王朝，个人在公共秩序中没有一个明确的地位。个人被组合进团体中，律师们把他们自己当成'代理社团'或者'辩护人协会'的一部分（根据情况而定），他们的自身利益、抱负、家族传统以及特有的爱憎情感促使他们联合起来维护他们职业团体的荣誉和尊严"。[1]

从共同体的抽象意识形态的联结上，我们可以提取这样一些所谓理念的东西。首先，这种情感意识的所有是以一种"共同"所表现出来的。其次，这种共同指向传统、利益、目标、荣誉、理想、义务、价值体认、思维方式、处事风格这样一些东西。再次，这种"共同"既是外在的组织形式所赋予的、规定的或有形、无形地强制的，又是基于个体的一种同一性倾向的规定。我们看到，早期律师团体的组成是基于贵族身份和良好的教育；而现代律师成员由于相似的教育背景和考试制度以及一定程度上对于法律操作的热爱而结合在一起。

涂尔干有一句定论：团体一旦形成，道德就会自然而然地出现。[2] 团体本身是内含着一些抽象的情感意识的，否则团体就无从自立，且从这些情感意识考察来看，传统、利益、目标、荣誉、理想、义务、价值体认、思维方式、处事风

---

〔1〕　［英］波雷斯特：《欧美早期的律师界》，中国政法大学出版社1992年版，第114、129页。

〔2〕　虽然，涂尔干所说的团体与今天的组织不一样，他神往的是古罗马的互助组织（guild）和中世纪的同业组织。

格等表现形式的确内含"道德"的成分，比如价值观（内含善恶等价值判断）、荣誉（内含事关好坏的价值判断）等方面。

但是，笔者很怀疑这种道德的崇高性和自觉性。因为如果它是崇高和有觉悟的，那么为什么需要职业（伦理）规范以一定的法条的面目出现？况且就律师团体之市场化法务服务团体而言，其行为本身就具有一定的唯服务需要和市场规律要求的盲动性，如果对律师们强调内心修为之善悟而非外在"礼教"之规约，就很难使人信服于其团体行为在道德层面上的高度一致。所以像律师协会这样的集团（团体）、共同体的道德，在笔者看来，就具有那么一点功利的和强制的意味，它或明或暗地启用了责任、奖励和惩戒这样一些手段或方式。

以《美国律师职业行为标准规则》为例，规则的1.3要求律师有勤勉服务的义务：在代理过程中，律师应勤奋工作，讲求效率。1.5收费中规定：律师的收费应合理。1.6案情的保密（a）中规定：除非委托人在同律师磋商后表示认可，律师不得公开同代理有关的案情。我国的《律师职业道德和执业纪律规范》第7条规定：律师应当道德高尚，廉洁自律，珍惜职业声誉，保证自己的行为无损于律师职业形象。第10条：律师应当尊重同行，同业互助，公平竞争，共同提高执业水平。特别是第11条暴露了团体道德的本来面目：律师应当遵守律师协会章程，切实履行会员义务。所以，我们从一些实证的材料可以看出，作为团体的道德——我们撇开宗教团体、公益团体——它毋宁是一种忠于团体（形式、宗旨等）的责任道德。

综上，我们不禁会对淹没在团体指令中的个人的话语权的缺失表示同情——不是吗？每个个体的行为被高度格式化了，成为律师的行为模式、医生的行为模式……成为个个不同角色的行为的职业标准样式——难道作为"性情中人"的人真的被客体化、面具化而"无情无义"了吗？笔者由此想到了摇滚歌手窦唯在他的《高级动物》中所吟唱的："伟大，渺小，自私，简单，善变，虚伪，贪婪……我的天哪！"这就是人的天性，赤裸裸得可爱——作为社会角色的律师他（她）于"标准"之外的"七情六欲"在哪里？

举一个实在的例子，一个内心是极为狂热的国家利益论者（他认为国家至上是最大的善），他（她）同时又是一名在技术和能力上过关的律师，他在当事人主义的诉讼模式下可能会工作得极不愉快，他要受制于律师对被代理人负有保密义务这样的伦理规范的束缚。当他的被代理人对他在私下场合的进一步的细节的阐述中透露他曾经有其他的犯罪事实而未被国家的检控部门所发现时，那么，在这种场合下，作为一名律师是否要表示"斯塔尔"式的检察官的愤慨和进一步行动（告发）的热忱以违反他的作为一名律师的道德义务呢？再比方一名女律师，她作为一名女性的同时又是一位稍稍倾斜于女权主义的人（她喜欢后现代的女权主义文化方面的书籍），这时她接受了强奸的辩护或家庭中女性被暴力侵犯和虐待的男性方的辩护，那么她在内心会否有价值情感的波澜——在她镇定自若地戴着的"面具"下？笔者认为，能够保持着马克斯·韦伯所说的"价值无涉"，伶牙俐齿地为心中厌恶的人说着好话，这已是职业伦理的极限发挥或巅峰状态了。同样，我们可以从当年赫赫有名的辛普森案件看到陪审团的种族观念对司法事实确证方面的冲击，而以此类推，肤色、文化和宗教观念等因素在涉案律师身上留下的痕迹，会对案件的审理产生不容忽视的影响。在电影《刮痧》中，西方律师对于中国家庭对待儿童的教育和医疗方式的批判式的痛陈，含有他西方式家庭教育的文化观念，但在中国律师的伦理（文化）意识下根本不会产生这样的问题。

在法律和司法这部大机器中我们听到了不同团体的、不同国度的、不同信仰的、不同文化的、不同道德的理念的摩擦发出的刺耳的声音，但是它还是很好地在运作着，因为它有规范的"暴力"——有时也是一种权威，姑且说是一种法律至上的信仰吧。总之，笔者认为，个人可以无需把团体规范视作道德权威，虽然遵守的必要有时是出于职业谋生的要求，有时是出于职业人认同职业规范背后的伦理根源〔他们刚好和他（她）的个人信仰合拍〕等等。

第二，大众伦理与职业伦理。看过美国影片《魔鬼代言人》的读者可能更容易切入本部分的话题，这部电影给了笔者极大的震撼。在影片中，律师是非常成功的，因为他能够将明显的犯罪事实通过自己的辩护技巧得以化解，并利用种种技巧将原告置于不利的境地，最终使陪审团对实际上罪大恶极的被告作出无罪的认定。按照比较俗的说法，律师能把死的说成活的，黑的说成白的。然而，因为如此，他却是一名成功的律师。虽然最后，律师因为虚荣、贪婪等人性的弱点为魔鬼所利用而招致大祸，以至于律师在后来放弃自己的职业立场，在同样的案件中极力维护正义，但是从严格意义上说，他却并不是个好律师。这是一个奇怪的悖论：是否律师职业本身作为一种维护法律尊严与正义的武器，它又是一种服务于"魔鬼"（罪恶人性）的手段？律师职业的良知、道德与大众的普遍道德的区别肯定是存在的，那么主要的区别点在哪里？

笔者认为，律师与当事人的特殊关系决定了律师的价值评判不同于一般人。一般的大众是在局外看问题，他们的立场往往是在弱者一方，因为人都有恻隐之心，有同情心，有正义感，而且大众又是比较容易激动、冲动的群体，容易为表面的听觉、视觉刺激所影响，而在主观上产生比较轻率的、非专业性判断，他们的价值判断又往往基于媒体的有限的事实报道。那么，什么是专业性的判断呢？[1] 笔者以为专业性的判断是一种基于严格的法定主义、程序至上的理念的论证与判别，专业性的判断根据的是法定程序所采纳的事实，而非全部的事实。而且法治也倾向于保护少数人的人权，因此会有无罪推定、有权获得律师辩护（代理）等规定。以刑事案件为例，被告在被公诉人指控并被媒体曝光时，一般人的前见就是被告人肯定是有什么事被国家机关抓在手里，因为空穴不来风；由于案情细节和危害后果的生动描述，大多数人会用一种愤恨、嘲笑或怀疑的心态与眼光去对待被告。然而，就是在这样的情绪的网罗下，律师却有义务去为他（她）（被告）"说好话"。如果相关的律师不履行自己被约定或指定的这项义务，就会被认为违反了职业伦理，缺乏职业的道德。在这样的语境下，我们发现原来律师的职业伦理是多么的"邪恶"，它与大众的伦理道德观念恰好是对极。如果不是采用一种伦理相对主义或多元主义的立场，不是用一种职业内部的眼光去看这个问题，我们对职业伦理的"道义性"是难以苟同的。

行文至此，不由想起学者刘星对法律解释问题上的大众话语与精英话语的相关描述："由于不同的背景、文化品格，大众话语式的法律解释显露了情绪化、理想化和普泛化的倾向，而精英话语式的法律解释显露了理性化、职业化和专业化的倾向。前者不仅以政治、经济、道德或习惯等领域中的价值理念为基点，而且其语汇如'民意'、'需求'、'情理'等，也是普遍取自这些领域。在这些价值理念和语汇背后的知识状态，表现为对法律观念的一种宽松理解，即对已有的法律话语筑造的学科意念表达了重塑的企盼。后者虽然最终是以政治、经济、道德或习惯等领域中的价值取向为圭臬，但其总要以'法治'、'依法裁决'、'法律的内在体系'、'法律的原则（精神或目的）'等语汇的使用为标志。其价值取向和语汇隐藏的知识状态展示为对法律观念的一种'保守'心态，即对现存的法律话语圈定的学科设想表达了维护的姿态。"[2]

笔者认为，作为律师职业者中的任何一员都会比圈外人士更能理解律师业的特殊要求，而这些特殊要求往往不以个人的意志和良心所左右，它其实也是一种"法"，一种福柯意义上的微观惩戒，也即，律师遵守了职业伦理可能违背了他个人的善恶评判与喜好的意愿（当然不乏职业规定与内心理念一致的情况），但是他（她）一旦违反了职业伦理，就要受到职业协会或组织的惩戒，受到生计

---

[1] 这里的专业性判断是以法官的司法判断为代表，是一种基于职业逻辑的法律思维所做出的事实与价值的认识与辨别。它具有形式性、稳定性、专属性、法律性、交涉性等特点。参见孙笑侠："司法权的性质是判断权"，载《法学》1998 年第 8 期。

[2] 刘星："法律解释中的大众话语与精英话语—法律现代性引出的一个问题"，载梁治平：《法律解释问题》，法律出版社 1998 年版，第 108～109 页。

问题的胁迫。其实，律师只要符合职业惯例与规定办事，他（她）的行为就是善的，无可指摘的。在这些受到严格规训的大脑里，民意、需求、情理等情感性的因素都被阻却在对法的规定、精神与原则的忠诚与职业要求的履行之外——好像一个被压抑了一般情感、情绪的、戴着职业标志的面具的人，所以，这也符合笔者前述的角色的理论。当然，笔者这里所举的是大众伦理与职业伦理相叛离的领域，其实两者也不乏相融合之所。比如，对于律师收费方面的合理性的限制规定就符合一般的"不得贪婪"、"不得不劳而获"这样的普适伦理信条。由于现代社会的分工和职业产生、发达的事实，在伦理观上无疑也产生了多元主义的倾向，笔者认为，在伦理的特殊领域——职业伦理的问题上采取一种相对主义的伦理观不失为一种理性的选择；然而，从另一方面而言，笔者坚信正义、善德、公平等价值观与一般的道德观始终是特殊道德的基础，职业的道德观始终在大众道德与职业要求之间做着钟摆的游戏。

第三，程序伦理与实体正义。在实体和程序并重的呼声高涨的今天，程序正义之于法治现代化的意义已无需笔者在此论题中作过长篇幅的论述。笔者认为，程序正义，它较之实体正义更具有普适的可接受度。因为一种司法程序是否正义更多的是取决于她是否科学与可行。某种程序只要在技巧设置上她是科学可行的，那么这种司法程序就具有了正义的色彩，而不论是什么人、又基于什么样的立场来看待之。[1] 而实体正义则有所不同，不同的人基于不同的利益立场，会对同一种实体正义作出或许完全迥异的解读。于是乎，我们很难在实践中使实体上的正义获得完全一致性的认同。尽管，某些历来已久的道德标准，业已经过了时空的筛选，但即便是这种意义上的道德，我们也很难在实践中加以绝对化的普适而不遇阻力。

基于这样的认识，笔者认为在论及职业伦理的时候，对于程序正义而言，似乎不存在因人而异的问题。因此在司法活动中，包括律师在内的所有的参与者都必须加以不二的遵循和维护，对于程序正义任何形式的违反，都不应该出于某种合理性的难处而加以谅解与宽恕。相反，对于实体正义而言，不同的职业领域会对实体正义有着不同的追求。法官只是简单地在中立的立场上追求着一种"违者必究"、"不枉不纵"、"罪罚相适应"的公平正义，检察官追求的实体正义也只是基于控方的立场使作奸犯科者在法庭上无以遁形，使之最终得到应有的惩罚。然而，我们的律师他们在追求实体正义的过程中却很难有划一的标尺。因

---

〔1〕 即程序性正义（procedural justice），程序本身就具有独特的道德内容。罗尔斯认为公正的法治秩序是正义的基本要求，而法治取决于一定形式的正当过程，正当过程又主要通过程序来体现。转引自季卫东：《法治秩序的建构》，中国政法大学出版社1999年版，第13、14页。

为，他们的角色只是一种智识服务者，他们的利益立场因自己雇主的不同而有所变化。当自己的雇主是实体正义的被支持者时，律师也就与雇主一起成为实体正义的争取者，以免使正义的法律、法庭、检察官沾上冤屈者的血泪。但若当律师所代理的雇主为实体正义所弃时（比如面对事实上有罪的委托人），我们的律师又该如何应对呢？他（她），能否又应否基于大众化的道德和正义的标准或立场而倒戈相向，以求得实体正义之满足？基于拙文本节对于律师执业基础的分析，律师的工作得以维系的根本性基础就在于得到被服务者的认可度，所以，律师在执业活动中显然不能"义"气用事。那么，律师是否就因此具有了对正义置之度外的正当化理由呢？而事实上，历史显然并没有赋予律师以这种可怕的特权。对正义的追求是每一个具有良知的人都负有的责任，而不论你来自何方，又基于怎样的职业立场。只是在笔者看来，在律师的职业伦理中更多的是一种程序伦理（或曰程序正义）。[1]

现代司法制度，尤其是现代律师制度，早已为律师的各项活动制定了几难穷尽的规范和律束。[2] 这繁杂的以至于几乎不能穷尽的程序伦理设置，就像任何的比赛或游戏都有着各自的规则以维系比赛和游戏的顺利进行一样，支持着律师执业得以正常、有序并理性地进行。在笔者看来，任何一个律师只要在自己的执业活动中严格地遵循着已有的程序规则，在此大前提之下，尽可能地满足对实体正义的追求。不论对实体正义追求的结果如何，只要其执业活动不曾对程序伦理有所违反，那么在笔者看来，这个律师的执业就是符合律师职业伦理要求的。因此，可以说在遵循程序伦理之下，尽可能地对实体正义加以维护，便成了律师职

---

[1] 孙笑侠教授对于法律职业的程序伦理作过初步概括：法律职业有特殊的道德要求，而且大都是法律家在法律程序当中必须遵循和实践的。离开法律程序也就不会存在这种法律家特殊的职业道德要求。他认为，我们可以归纳为四点：第一，法律职业道德其实远远不止限于书上或规范中所写的这么几条，其实我们远远无法对法律职业进行全面归纳和概括；第二，法律职业道德除普通职业道德中共同的要求之外，还包括法律职业特殊的道德，它们来源于法律职业的专门逻辑，因而区别于大众的生活逻辑；第三，法律家的职业逻辑包括两部分，一是法律家的"技术理性"，即法律家特有的知识体系和思维方法，另一部分就是法律职业伦理中的程序伦理；前者属于技术问题，后者属于伦理问题；第四，法律职业特殊的道德要求是表现法律职业道德的个性方面的那些内容，因为它们主要表现在法律程序中，法律职业伦理的绝大部分内容都与法律程序有关，所以我们可称之为"法律家在法律程序中的伦理"。转引自孙笑侠：《程序的法理》之"法律家的程序伦理"，中国社会科学院 2000 年博士论文。

[2] 以律师职业伦理规定较为发达的美国为例，1983 年 8 月 2 日全美律协代表大会通过的《律师职业行为标准规则（Model Rule of Professional Conduct）》从律师与委托人的关系、律师充当法律顾问、律师进行刑事辩护、律师同委托人以外的人的交往、律师与律所和律协的关系、律师的公共服务、法律服务的信息以及保持律师职业的廉韵八个方面规定了律师的执业行为；而在律师与委托人的关系上又事无巨细地规定了收费、交流、保密、利益冲突等方面的环节的律师责任。这些程序的规范足以使律师因为程序上的"作茧自缚"而成为一个行为标准且合乎职业道德的人。

业伦理的底线所在。

以众所周知的辛普森被控杀妻案为例，或许笔者可以作这样的假设，接办该案子的律师团成员中有人，甚至是所有的律师团成员根据已有的证据坚定地相信是辛普森惨害了自己的前妻，但这是否应该成为大律师们拒绝为之辩护的理由呢？实体正义的追求者们或许会认为，律师团成员应该出于对实体正义的追求，而在法庭上倒戈相向，以尽快地使凶手得到应有的惩罚以告慰死者冤灵，或者干脆撒手不接这档有昧良心的活。但问题是，律师不能无故拒绝当事人的委托，[1]更何况，律师不可能吸着"正义的空气"高歌猛进，因为出于经济利益上的合法追求，他（她）不能对此类案件作一概的拒绝。在笔者看来，在此类案件中对律师在实体正义上作过多的要求不仅不可行，而且也完全没有制度上的必要。因为，这样一来不仅使我们苦苦为之追求的"无罪推定"失去制度上的支撑，也使对抗制的诉讼模式失去了结构和力量上的平衡。所以，笔者认为，只要律师团成员是在法律程序伦理规则允许的范围内开展自己的工作，那么他（她）们的工作就应该得到社会的接受和认可。而且应当是全心全意地为当事人工作，充分地运用自己的法律知识和法庭辩论技巧，甚至哪怕是利用了现有法律的漏洞和检控方的疏忽，也应该在我们的包容范围之内。从小处而言之，因为只有这样，律师的工作以及他们的服务才有可能获得被服务者的认可，也才有可能使自己的执业有得以维系与继续的基础。而从大处言之，只有辩方在诉讼中充分地、最大程度地施展了辩护的技巧，才能使控方的检控多一些理性和事实的真相，少一些特权和霸道，也才有可能使现代诉讼模式在力量和结构的平衡中寻求法治的文明。尽管，律师们这种在程序伦理下所作的工作有时会使案件的判决离事实的真相更加的遥远——但笔者认为，这是我们在追求现代化法治过程中不可避免的代价，这种无奈就曾经一览无遗地展露在辛普森案宣判后出来发表电视讲话的律师出身的克林顿先生的脸上。

---

〔1〕 几乎各国的律师法都不约而同作出规定，律师不得无故拒绝当事人的委托。

二、对律师职业伦理的外延性分析：从条文性规范出发

（一）道德范畴还是法律范畴？

就像伦理与道德具有词源与涵义上的同一性，[1] 人们往往将一种被伦理性的指称所界定的东西当然地予以道德上的要求。因此律师职业伦理在这样比较普适的观念里也不免"在劫难逃"。但是，律师伦理纯然是一种道德吗？[2]

我们假设在一个刑事案件中，律师掌握了委托人的一些未被检控的罪行事实的证据，但是出于维护委托人的利益而不提交给法庭。从职业伦理角度看，律师是道德的，因为这是职业伦理规范的要求之一；但是从维护正义和发现真实的角度看，律师是不道德的。这样，职业的道德与实体正义的道德要求形成逻辑上的两难，于律师而言构成一项不可履践的道德任务。笔者认为，对于个体的律师来说只要符合职业伦理的道德要求的规定，他（她）就是个好律师。如果以职业伦理作为一杆标尺来判断律师执业行为的伦理性，那么人们感兴趣的就是这种标准是否是确定、明示而可循的？因为，如果标准的边界不清，律师就可以由此规避对自己的执业行为的道德审查，以至于明白显然地违背实体正义、但却被程序规则所遗漏的行为，因为符合职业道德的伪称而得以开脱。

所以，笔者认为，律师的职业伦理其实是一种法律的规范，是一种被书面化、公开化和具有强制力的律条。如果说，从本质而言，律师职业伦理具有道德的内涵，那么从形式来看，它完全具备法律的形式要求，如律师的收费标准、不得虚陈事实、不得私下会见承办法官、不得损及当事人合法权益等等。所以，律

---

〔1〕 "伦理学"这个词并不经常用来表示哲学的一个分支；有时，它被当作"道德"的另一词语，有时，则涉及到个人或群体的道德准则或道德规范理论。"道德的"和"伦理的"这两个术语常被当作"正当的"或"善的"同义词，而与"不道德的"和"违反伦理的"相对立。但我们也讲道德问题，道德判断，道德准则，道德争论，道德经验，道德意识或道德观点。"伦理的"也常被这样使用。在这里，"伦理的"和"道德的"意思不是"道德上的正当"或"道德上的善"，而是"与道德有关"的意思：它的反义词也不是"不道德的"或"违反伦理的"，而是"非道德的"或"非伦理的"。参见 〔美〕弗兰克纳：《伦理学》，三联书店1987年版，第10页。

〔2〕 笔者这里的道德是指一种不具有强制力和外在物理性拘束力的规范或理念，是与法律相对而言的一种规范。

师职业伦理从这个角度看，是可以被量化，被穷尽的。[1] 在笔者看来，律师职业伦理是一种职业标准规范的主观化（职业伦理表现为律师对于职业规范的一种尊重、遵守、理解的态度），而职业标准规范设定了职业伦理的外部边界与大致框架。所以，职业伦理与职业规范与纪律在外延上是等同的。从中国的现实来看，自《律师法》和《律师职业道德和执业纪律规范》之后，所谓的律师职业道德已经不再是或不仅是一个道德概念，而应属于法律范畴。违背律师伦理，面临的不仅仅是道德谴责的问题，而首先应得到适当的法律惩罚。[2] 人之善性与职业之善，概有所别。而律师职业道德，律师职业之善，因律师行业的特殊性而纳入了法律的调整范围。于本人看来，律师应遵守怎样的道德，其答案应寻觅于法定之中。律师只要是依法执业，就没有必要去多作苛求。

律师职业伦理只是对于律师的最低道德要求，是法定的底线，但是在这个底线之外并不是不存在律师的值得信仰和追求的伦理目标。比如律师也可以舍弃对价与经济的考虑而免费为当事人服务，律师竭己所能地资助贫寒的当事人走出困境，律师放弃自己的空闲时间积极参与公益事业与法律援助等等，但是这些美德善行的表现显然已经超出了职业伦理的要求，或者说这些行为是在律师已经作为一名合格律师的基础之上尽了更高的、个人化的道德义务。但是对于一种必须符合统一化、程式化要求的律师伦理而言，它的设定的合理化基础和理念应该是一种大多数的律师所能做到的，并且是符合职业逻辑的情况下必须做到的标准。

所以在职业伦理的考察范围内，伦理与规范是交织在一起的，因此职业伦理

---

[1] 笔者这里的有关律师职业伦理的衡量标准和规则可以穷尽的观点与孙笑侠教授点并不相左，但有商榷。孙笑侠文认为，法律家的职业伦理是无法穷尽的，根据其是否在实在法中有明确规定为标准，划分为两种：其一，已在实在法中规定确认的程序伦理，但数量很少，只是程序伦理的小部分。其特点是法律要求与伦理要求相重叠，这种程序伦理往往属于基本的或重要的职业伦理内容，所以被法律明文规定，有明确的依据因而不会发生歧义，同时具有法律效力，一旦违反则发生法律责任问题。其二，没有在实在法中规定确认的程序伦理。这种程序伦理是大量的，它们是程序法的自然法，具有丰富的理论背景资料。一般是以法律家的法理学说、法律谚语、司法惯例、职业规范、职业观念等等为其表现形式，流传在法律家群体当中。（参见"法律家的程序伦理"，载《程序的法理》。）笔者认为，职业伦理从应然的角度是无法穷尽的。但是从实然的，作为行为的价值评判的角度，应当是、而且必须是"穷尽的"，因为律师必须以一定的明确的标准来行事，否则对于律师和律师以外的人都是极为不利的。对于前者来说，会产生适用上的模糊和规避的可能。对于后者来说，失去了道德和权利上的诉求与救济的可能。当然，这是从评判的便宜性的角度出发的，从应然角度讲，不乏"实体法"滞后于"自然法"而引发的价值和道德在理想和现实层面上的偏差，但这也是一种两难。

[2] 几乎所有的律师法与律师执业纪律规范都规定了对律师违反伦理规定的惩戒性的制裁措施，这也是职业伦理"法化"的表现，因为道德的惩戒往往停留在内心或舆论等层面，不能引发实质性的、物理性的强制后果，但是法律则不同，它的规范模式表现为：前提假设—行为模式—后果归结，而惩戒就是后果归结的一个方面。

具有一定的可操作性、客观化标准、技术细节的设计与程序理念在里面。

为什么要将原本属于道德范畴的伦理行为法律化呢？除了便于衡量、评价等因素在内，还有一种职业特殊性要求和职业管制（规训）的目的在内。作为一种特殊的、专门化的职业，它的操作规则肯定是细致繁密的，具有职业的鲜明特点，但是如果不将其明确化、固定化就无法形成实质性的执行力和效果，也使职业本身存续无以为继。对于现代社会的大多数的实体和建制来说，用纪律性的条文和规则加以监督和规训是一种生存逻辑的必然。法国社会学家福柯认为，近代人生而处在混乱的管制中，无论学校、军营，还是在医院和工厂中，充斥着严格的规则和亚规则，烦琐的检查，"对生活和身体最细小部分的监视"，[1] 福柯在法律这一国家性的强制性规范外又发现并描述了另一种相当重要的规范，姑且命名为"纪律"。这一规范贯穿于整个现代的社会之中。它最典型的体现是监狱、学校与军队。它的动态表现是"规训"，它的实现方式是强制性实践与道德的持续压力，它的后果是使自身不断地合理化与普遍化。如果将福柯的"规训"用一定的简易图示来表达的，表现为：

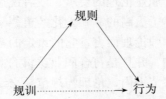

从上面的图示可以分析出，如果说规训是种目的的话，那么行为就是它的指向，而规则就是规训的监视权所行使的手段。对于法律职业来说，就是通过某种执业的规训，即通过某种强制性的规则作用于执业行为来达到维持职业秩序的目的，这种规则中，伦理的因素占据着比较主导的、可以说是一种灵魂的位置。有谁能设想如果没有职业纪律规范，没有职业纪律中所渗透的伦理要求，律师究竟会怎样？律师业能够继续下去吗？人性中好的或坏的因素会突破这些束缚而使整个执业状态面目全非。所以，笔者在行文中一直将律师职业伦理下意识地界定为一种纪律，一个规范的集合，尽管它的基础有道德的成分。

（二）对条文的规范分析

从实证的层面看，律师职业伦理几乎被"法"化，既有的法律规范对于它的要求已经遍及律师执业活动中的各个领域以及律师在执业过程中所可能接触到

---

〔1〕　J·G·梅基奥尔：《福科》，韩阳红译，昆仑出版社1999年版，第103～131页。

的人与事之大部。在伦理要求上为我们的律师铺设了一条不低的且周全的底线。笔者认为，在现实实践中，只要我们的律师符合这样的底线要求，他（她）就是一个道德上合格的律师。

为了说明律师执业行为规范与伦理的外延上的统合性、内容上的对应性，笔者涉及了一份较为简明的表格，而对其之设计思路，基本是以律师的执业范围和过程作为划分的依据与基准。笔者依据律师服务的领域的不同，将律师的执业范围分为诉讼案件的代理与非讼案件的代理两大部分。由此，律师的服务对象也划分为两类：在诉讼案件中，律师处在与法官、委托人、对方律师〔检控官〕和对方当事人的关系网络中；在非讼案件中（比如：律师从事商业谈判，代理产权、公证等方面的事务，参与起草法律文书等），律师主要面对的是服务对象（被代理人）。在律师的专业的执业领域之外，还有律师与管理机构和隶属机构、与同行、与公众的关系。在这些关系中，充斥着职业的有关行为规范与标准的要求，而这些要求虽然是以行为标准化、范式化的模式表现出来，它们的背后却潜藏着独特的伦理价值与内涵。参见下表，并可参照相关条文。

对美、中两国有关律师职业伦理的条文规范的比较分析

序号		所涉领域	潜在的伦理价值	条 文 规 范	
				美 国[1]	中 国[2]
一、总体要求	1	律师资格认定	对专业知识，技能，经验，经历等主体智识素质的要求	1.1 律师的能力，8.1 进入律师界和律师纪律，8.4 不法行为	第 4、5、6、7、8、9、11 条
	2	服务态度要求	勤勉、高效、忠诚于委托人	参见律师与委托人、服务对象的交涉与关系	第 8 条
	3	收费制度	对功利不得作过份的追逐	1.5 收费	第 16、34 条
	4	对待法律	敬业、维护法律权威	3.1 有意义的辩护，3.6 审判公开，3.7 律师做证人	第 20、21、22 条

---

〔1〕 1983 年 8 月 2 日全美律协代表大会通过的《律师职业行为标准规则（Model Rule of Professional Conduct）》。

〔2〕 1996 年 10 月 6 日中华全国律师协会常务理事会第五次会议通过的《中华人民共和国律师职业道德和执业纪律规范》。

	1	与法官的交涉中	诚实、勇敢、尊重、技能、不卑不亢	3.2 加快诉讼, 3.3 对法庭的坦率, 3.5 法庭的公正和正派, 6.2 接受指定	第18、21条
二、在诉讼中	2	与委托人的交涉	勤勉、高效、廉洁、责任心、平等独立、忠诚于委托人	1.3 勤勉服务, 1.4 交流, 1.6 案情的保密, 1.7 利益冲突: 一般规则, 1.8 利益冲突: 受限制的交易, 1.9 利益冲突: 前委托人, 1.10 转移的无资格代理: 一般规则, 1.11 对政府机构和私人的连续代理, 1.12 前法官或前仲裁员, 1.13 团体委托人, 1.14 无责任能力的委托人, 1.15 财产保全, 1.16 拒绝或终止代理, 3.1 有意义的辩护, 3.2 加快诉讼, 3.6 审判公开, 3.7 律师做证人, 6.3 法律服务机构的成员, 6.4 影响委托人利益的法律改革行为, 7.3 同将来的委托人进行私人接触	第9、19、23~34条(第5章律师与委托人、对方当事人关系的纪律)
	3	与对方律师（检控官）、对方当事人的交涉	平等且正当地竞争、尊重、友善	3.4 公平地对待对方当事人及其律师, 4.2 同已有别的律师代理的人的交往, 4.3 同未被代理的人接触	第35、36条

三、在非讼事务中	1	参与其他行业[1]	学习、了解并遵守该行业规则	2.1 顾问，2.2 中间人，2.3 为第三人提供评估，3.9 非诉讼程序中的律师，5.4 律师的职业独立，6.3 法律服务机构的成员	
	2	与服务对象之间	勤勉、高效、廉洁、责任心、平等独立、忠诚于委托人	2.1 顾问，2.2 中间人，2.3 为第三人提供评估，其他基本等同于诉讼案件中的与委托人关系的条文	第 14、23～34 条（第五章律师与委托人、对方当事人关系的纪律）
四、在律师管理上	1	与律所之间	服从、尽责、自主	5.1 合伙人或管理律师的责任，5.2 下属律师的责任，5.5 对律师从业权利的限制	第 14、16、17 条
	2	与律协之间	维护行业形象		第 12、13 条
	3	与司法管理部门之间	尽责、不无理拒绝应尽的义务	8.3 报告律师的不法行为，8.5 司法管辖区	第 13、15 条
	4	与同行之间	公平竞争，不以非法手段争揽业务	7.1 律师服务的信息，7.2 广告，7.4 律师从业领域的信息，7.5 律师事务所的名称和信纸上的头衔，8.3 报告律师的不法行为	第 10、35～37 条（第六章律师同行之间关系的纪律）
五、补遗	1	对于公众、他人	社会责任感，维权意识，自重自爱，正直诚实	4.1 对他人真实陈述，4.4 尊重第三人的权利，6.1 公共服务，7.1 律师服务的信息，7.2 广告，7.4 律师从业领域的信息，7.5 律师事务所的名称和信纸上的头衔	第 15 条

〔1〕　随着法治化的进程，律师的服务将有可能遍及各个行业。

从上表可以看出，律师职业伦理虽然在外在形式上是一种法律规范，具有外在性和强制性，似乎并不具有一般伦理的那种内省性和自律性，但是律师职业伦理就像"程序从普通法的罅隙中透露出来"一样地从条文规定的字里行间流露出来。

比如，我们从律师有为委托人保密的义务（哪怕该保密事项中包括了委托人从前犯下的一些未被揭露的犯罪事实）的规定上就可以看出律师对于委托人具有一定的"党派式的忠诚"；[1] 从律师不得对法庭作伪证方面的规定可以看出律师有尊重法律和法官的道德义务；从律师不得损害对方当事人与对方律师利益方面的规范看出律师有友善、尊重、平等且公平竞争的伦理要求；从律师应提供一定的低收费或免费的公共服务（如法律援助）方面的规定看出，律师有社会责任感、维权意识、正直善良等方面的道德品格要求，这样的例子不胜枚举。笔者从对规范的分析中得出的最大的启示性结论就是：律师的伦理道德规范虽然是一种"他律"，但是它已经为公众心目中的品格良好的律师形象确立了一条并不低的道德底线。

况且，律师职业伦理并不纯然是一种他律，它的最高境界和最终效果还是取决于自律的程度。即便是外在的伦理规范也不乏弹性的、原则性的规定，比如，律师要勤勉工作、坚持原则、严密审慎、廉洁自律等等，这些都是实践中很难操作、很难予以量化的标准，其实还是要诉诸于内心的道德修为。所以，道德底线虽是一种标准，但实质上这种标准具有一定的模糊性，这也是制度设计所无法避免的无奈——因为它的客体是变动不居的。笔者相信，随着律师服务的实践的深入，律师职业伦理规范中属于他律和自律部分的外延会不断的变化和演进，有可能原本属于自律的内容会逐渐为规范所覆盖，也有可能他律的部分不再做硬性的规定，而内化为律师的个人修养和资格的一部分。尽管为了论证和评判的便宜，笔者"发明"了道德底线这样的标准和尺度，但是笔者还是希望通过必要的职业道德教育、共同体伦理价值和荣誉感的凝结，内发地加固这种伦理的维系而不是一种"规则帝国"的统治的作用。

通过对律师职业伦理的外延表现——执业标准规则与纪律规范的"条分缕析"，我们除了感到律师伦理的成文性、规定性之外，更强的感触恐怕是它的专门性和技术性（程序性），这一点尤其可以从《美国律师职业行为标准规则》上

---

[1] 律师的职业伦理的核心内容是为最大限度地确保客户的合法权益而奋斗，即所谓"党派性忠诚原则"（the principle of partisanship）。参见季卫东：《法治秩序的建构》，中国政法大学出版社 1999 年版，第 244 页。

看出（有兴趣者可以看一看这个规则的文本）。对于这些规范的、条文的分析，支持了笔者的有关律师伦理是一种程序伦理、技术伦理，是一种最低限度的道德的论断。同时通过比较研究，笔者希冀在规则的立法技术上多一点程序性的、技术性的以及可操作性的诉求与取向，而这一点恰恰是在与美国的这个规则的比较中笔者所强烈的感觉到的。

与美国的这个规则相较，我国的律师职业道德和执业纪律规范显得过于政治化和原则化，体现不了专门技术和特殊伦理的特点，整个文本由于原则性、弹性、自律性规则居多，也使得对律师行为的道德判断失却明确的标准而使监督和规训的目的落空。孙笑侠教授认为目前中国在这方面规定上有泛政治化和非专门化倾向："法律职业规范中规定的内容也好，司法道德或法律伦理教材也好，都只写到了一些普通职业应当做到的职业道德要求，比如我国《律师职业道德和执业纪律规范》第二章的9个条文中，有6个以上的条文可以套用到其他职业，比如政治要求、忠于宪法和法律、忠于职守坚持原则、廉洁自律、珍惜职业声誉、尊重同行公平竞争等等，都属于普通职业道德规范。"[1]

笔者认为，由于职业行为规范是职业伦理的外延之规定，它的内容又是职业伦理精神内涵之载体，所以完善职业行为规范就是对于建设和完善职业伦理的重大的举措和贡献。笔者建议，在职业行为规范中减少政治性的和原则性的规定，或对原则性规则进行具体化和度量化，在体现执业技术、程序的专门性规则上多一些学习和借鉴（因为律师执业行为本身遵循职业逻辑和市场规律），并适时总结中国目前法务市场的一些规律与特征。

首先，在具体条文的设计上，笔者认为应该打破没有标志性和类别性的大的章节的束缚，采取一种分门别类加以规定的方法。目前我国的律师职业道德和执业纪律规范规定了律师行为的五个方面的纪律规范，分别是：律师的职业道德，律师在其工作机构的纪律，律师在诉讼与仲裁活动中的纪律，律师与委托人、对

---

[1] 孙笑侠教授对于法律职业的程序伦理作过初步概括：法律职业有特殊的道德要求，而且大都是法律家在法律程序当中必须遵循和实践的。离开法律程序也就不会存在这种法律家特殊的职业道德要求。他认为，我们可以归纳为四点：第一，法律职业道德其实远远不止限于书上或规范中所写的这么几条，其实我们远远无法对法律职业进行全面归纳和概括；第二，法律职业道德除普通职业道德中共同的要求之外，还包括法律职业特殊的道德，它们来源于法律职业的专门逻辑，因而区别于大众的生活逻辑；第三，法律家的职业逻辑包括两部分，一是法律家的"技术理性"，即法律家特有的知识体系和思维方法，另一部分就是法律职业伦理中的程序伦理；前者属于技术问题，后者属于伦理问题；第四，法律职业特殊的道德要求是表现法律职业道德的个性方面的那些内容，因为它们主要表现在法律程序中，法律职业伦理的绝大部分内容都与法律程序有关，所以我们可称之为"法律家在法律程序中的伦理"。转引自孙笑侠：《程序的法理》之"法律家的程序伦理"，中国社会科学院2000年博士论文。

方当事人关系的纪律，律师同行之间关系的纪律。在律师的收费、公益服务、法律服务的信息等方面都缺乏技术性操作规定，而已有的几方面的规定都显得过于宽泛，不仅在实践中引起操作上的不便，难以起到应有的指导作用，而且对于律师、委托人和其他相关的人来说都有很多漏洞可钻。

其次，在条文的精神内涵上，笔者认为应该多体现法律人的职业特色和多运用职业用语，而避免或不用政治化的、情感化的言语与涵义，使律师职业的专门化、独立化和自治化特色更加的明显。

三、对影响性伦理评价因素的分析：从经济伦理学出发

律师的执业行为从本质上讲也是一种交易行为、市场交换和有偿服务。所以律师行为总披着一层金钱的华彩，由此产生了很多对于律师的道德的非议。我们必须看到，除了对于律师为有罪的人开脱等职业伦理的"不得不为"而引起的公众的职业性不理解外，还有很多的评价是基于一种以时间（分、小时、天等）计费来提供法律服务的"功利性"行为的不满。因为，律师执业行为的这方面的特点也构成了职业伦理合理性论证的难题。然而，这也是律师职业的特点所决定的，否则律师就失去了最基本的生存手段与方式，离开具体的物质与职业的基础谈道德的结果是：这种道德可能是存在的，然而却是超乎职业可能的，因此不能被冠以"律师的"这样的指称。下面，笔者就从分析这种行为的市场与物质倾向的必然性以及后者对前者的影响来说明：在面对经济问题时，伦理道德所纠缠着的不可解脱的难题，并使公众对于除却程序（技术）伦理外的具备经济伦理特点的律师伦理作宽容的理解。

（一）律师行为的市场性与伦理性

弗洛伊德曾首创了最一贯、最深刻的性格理论，即把性格作为一种内驱力系统，它构成行为的基础，而不等同于行为。而德裔美籍思想家弗洛姆则发展了这一理论，他对几种性格类型的深刻剖析之后而提出的一类"市场取向"（the marketing orientation）的性格（行为）类型。弗洛姆认为，产生这种性格（性格与行为之间的关系）取向的基础是现代社会中的市场的出现："我们必须认识现代社会中市场的经济功能，它不仅与这种性格取向相似，而且是现代人这种性格取向发展的基础和主要条件。"他区分了传统的地方市场与现代资本主义所产生的市场，认为两者有本质的区别。现代的市场不再是一个集会的场所（传统或古老的经济途径是物物交换，生产者和主顾相互熟悉，交换的场所就像一个小型的"熟人社会"），"而是一台以抽象和无个人要求为特征的机器。生产者是为市场、而不是为他所熟悉的主顾们生产；他的决断是以供求律为基础的……就商品

的交换价值而言，市场日就是它的‘裁决日’”。[1] 在此基础上，弗洛姆提出了市场取向的性格（行为）的定义：“市场的价值概念所强调的是交换价值，而不是使用价值，这一点又导致了人们、尤其是人自己的同样的价值概念。我把那些植根于人把自己当作一种商品、并把个人的价值当作交换价值的取向性格，称为市场取向。”[2]

这种市场取向在近几十年的迅速发展导致了一种新的市场——“人格市场”的发展：“职员、售货员、商业主、医生、律师及艺术家等等，全都出现在这一市场上。……他们全都依靠那些需要他们服务或雇佣他们的人的个人接受，才能取得物质上的成功。……在人格市场和商品市场上，估价的原则是一样的：在这一方，出售的是人格；在另一方，出售的是商品。两者的价值都是交换价值，它们的使用价值只是一个必要条件，而不是一个充分条件。”[3]

弗洛姆认为，处于合格交换中的“人格”必须具备“特殊工作中的熟练技能”。而且一次成功的交换往往取决于技术和其他一些人的特性——如诚实、正派、正直的结果，此外还要能“有效地表达”他的人格，以同他人竞争。由于现代人所体验到的自我既是市场上的卖主，又是待出售的商品，因此，他的自尊只能由他所无法控制的条件来决定。如果他“成功”了，他就有价值；如果他不成功，他就没有价值，也即人格市场上的出卖技能和人的某些特性的人的价值和自尊是由一个条件不断变化的竞争市场所决定，它经常需要他人的肯定。这样，个体自我往往被否定，人与人的关系流于表面。市场取向的真正本质并不是发展一种特殊的、永久的关系，态度的确实可变性是这类取向的永久特性。

在市场取向中，得到发展的只是那些能最好地加以出售的特性（即市场需要的特性）。我们以律师职业为例，律师在法务市场上所出售的只是他具有的表现这种特质或特性（如诚实、守信）的能力，而与此角色背后是哪一类人无关。所以，在分析律师伦理时，我们应该看到它的特殊性，它的行为是与伦理学上的一般行为有所不同的。因为，律师行为是一种积极地参与市场运作与交换的行为，它的伦理因此也沾染上了很多的经济的和物质的色彩。这也不难理解为什么律师的伦理道德中有很大的部分是基于律师的交易和利益关系所做的限定。比如，在律师为其业务开展进行广告宣传上的限制性条件的规定，律师与被代理人进行交易行为的限制，律师在收取代理费方面的规定，要求律师多关心公益事业，提倡律师多进行不要代理费的法律援助服务，在律师事务所同业竞争上的规

---

〔1〕　［美］弗洛姆：《为自己的人》，孙依依译，三联书店 1988 年版，第 78 页。

〔2〕　同上引，弗洛姆书，第 79 页。

〔3〕　同上引，弗洛姆书，第 79 页。

定等都说明了律师伦理因为律师行为的市场取向而有一定的特殊性。律师的知识、技能、品质（在这里，可笼统地称之为人格）与市场和交易行为如此紧密的结合，很容易导致律师品格和服务质量的滑坡或律师过分看重等价有偿的运作机制，而少了制度外、规律外的无私地奉献与付出方面的诉求。所以，律师伦理应该在这种经济、知识与道德之间找到良好的平衡点。同时，伦理还要对知识与市场之间过于密切的结合关系作一定的调整。

与行为的市场取向相对应的是行为的伦理性。如果说正义有一张普洛透斯似的脸，那么行为也复如是。行为既可以是功利的、自私的，也可以是美德和忘我的化身。如果说律师的行为是伺市场而动的，为利益所勾引的，那么我们也常常可以看到不要代理费而仗义直言的、接手容易给自己带来祸害的案子的或从事公益工作的律师们。如果讲此处的"伦理性"理解为大众意义上的合乎善德的行为，那么律师行为本身存在着一定的"二律背反"——自利性和公益性的矛盾。前者看起来更合乎市场规律和职业逻辑一点，而后者看起来更"冲动"一点、热血一点，也更合乎人善性中的同情心（孟子尝云之"恻隐之心"）等自然情感。所以笔者此处的伦理性行为之阐述，在范围上更狭窄一点，但在本性上实乃属于道德行为的一种或几种。

行为是有其本身的价值的，所以我们可以用善恶去评判它们。功利主义思想家边沁从人性的快乐、痛苦的角度，提出人的行为经常以期望快乐、摆脱痛苦为目标，而这种状态就是幸福。他提出了自然、政治、道德以及宗教等四种苦乐的根源。而且，在属于这些根源的苦乐中，看到了肯定有助于增进幸福的行为和否定导致不幸的行为的作用，并以此作为我们义务的根源。这就是边沁的制裁理论。日本学者小仓志祥认为，[1] 边沁所说的道德制裁，即通过社会舆论而褒贬行为，按照法律实行刑罚的政治制裁，作为神的赏罚的宗教制裁以及作为生理苦乐的自然制裁，都是用某种形式反映了社会意志和情感，很明显，边沁的功利主义，是作为能使个人幸福和社会幸福并存的东西，来把握行为的伦理性的。与边沁相反，康德是在作为一切相对目的的最高制约的人格中，发现了目的自身的尊严，并由这种具有绝对价值的人性的理念奠定了行为的人伦性的基础。而在康德那里，也是把行为的伦理性作为自己和他人自由的统一的实现来把握的。康德通过其中的一项原则或律令发展了自己的义务观：对于自己自身的义务，他列举了正直不说谎、豁达而不贪欲、谦虚而不卑屈等等；作为对于他人的义务，他列举了爱和尊敬，并对爱的义务和尊敬的义务作了说明。他指出，对他人亲切、感谢

---

〔1〕 ［日］小仓志祥编：《伦理学概论》，吴潜涛译，富尔良校，中国社会科学出版社 1990 年版，第 33 页。

和同情而不嫉妒、不忘恩负义和不幸灾乐祸等，属于爱的义务。

由于人有品格的因素在行为里面，所以行为具有善恶的评判标准。对于律师来说，相对于他（她）的职业而言，应该具备下述的重要的职业品格：敬业、诚信（诚实）、恻隐、负责、勤勉、廉洁、独立（不畏权势、仗义直言）。这些品格反映在行为中，有助于律师去抵制一些过于市场倾向和金钱爱好的行为与观念，使律师这种自利性与公益性并存的矛盾的行为模式通过善良的意志达到平衡与统一。在律师职业伦理规范中，有很多不乏品格上的弹性规定。如："律师应勤奋工作，讲求效率"，"律师应当忠于职守，坚持原则，维护国家法律与社会正义"，"律师应当道德高尚，廉洁自律，珍惜职业声誉，保证自己的行为无损于律师职业形象"，"律师应当诚实信用、严密审慎、尽职尽责地为当事人提供法律帮助"等。当然这些规定在实践操作中具有很大的模糊性，难以有明确可信的评判标准。所以，尽管律师职业伦理是最低限度的道德，但还应从本质上呼唤一种更高层次的道德与良知的关怀。

（二）商业因素与经济伦理

在日常语言中，"经济"这个词的一个含义，无疑等于"物质"一词；而相应的伦理则属于精神的范畴。我们从上述行为的市场取向中看到了律师正是属于这种行为取向的人，尽管律师本人并不想成为物质与知识的夹缝中的牺牲品，但是他们是被规定的，也就是说律师这一（社会）角色是由它本身的地位所决定，并由地位的内在的规范所制约，他（她）逃不脱职业角色规定之内在规律（包括职业之道德律），他（她）被职业本身和职业外的群体所"期望"着去做份内的事，如果按照柏拉图所说的"各司其职"就是正义的话，那么律师在职业要求内去逐利还是非常符合正义之鹄的。所以，笔者认为，被合理规范的利益形态是合乎伦理的。

但是，并不是没有人对利益和伦理之间内在的冲突表示过担忧，这种不安也可以在学者季卫东的文章中觅得其踪迹，他在"现代市场经济与律师的职业伦理"一文中写道："律师的业务活动本身就非常典型地展示了营利活动与伦理规范之间的紧张关系……律师以其法律技术获得高额经济收入却使其社会形象有时黯然失色。"[1]律师因此也"赢得"了必要的或冤枉的骂名和轻视。季卫东接着描述道："从基督教伦理秩序的角度来看，人们对律师的矛盾心理一览无遗。根据巴科斯特的《基督教的指针》第7条：'当两种职业同样能对公益有贡献，

---

〔1〕　随着法治化的进程，律师的服务将有可能遍及各个行业。季卫东书：《法治秩序的重构》，中国政法大学出版社 1999 年版，第 240 ~ 241 页。

只是其中一种有助于致富，而另一种更有助于灵魂时，必须选择后者。……与神职同样，法律家是有益于公益的，而且可以带来多得多的财富和名誉。但是，对于灵魂的升华来说，神职更有优越性。……同样，学校教师的职业既贫困又辛劳还得殚精竭虑，但对于公益非常有用，并通过诚实的研究来改善自己，给精神带来余裕和利益.'在新约圣经、莎士比亚的戏剧、托尔斯泰的小说等等之中，还可以读到他们对法律职业的辛辣批判。到了律师人数猛增、'法律商业主义'（legal commercialism）的倾向显露之后的今天，尤其是在美国，人们甚至用'救护车的追逐者'（ambulance chaser）来称呼那些在交通事故后，纷纷赶来争着受理损害赔偿案件的缺德律师（当然，这种行径是被律师职业伦理规章所禁止的）。"[1] 所以将此处的利益理解为律师追逐个人的高收入所带来的私利和将此处的伦理狭义化为为了一定的公益（它还需要界定）的目的，那么律师的职业伦理显然存在着内部的较为深刻（因为其被规定、被属性化）的"二律背反"的矛盾，这组矛盾是自利与公益的矛盾，然而它也正是人性所不能回避的自私与无私（虽然在此语境下不能简单地等同）的永恒冲突。

经济学曾提出过"经济人"这样的理论假设，所谓经济人，是经济学家构造的一种"会计算、有创造性并能获取最大利益的人"。[2] 作为一种分析问题的工具，"经济人"模式奠基于这样的哲学基础之上：追求自身利益是人身上最强大的动力，只有遵循这一动力，个人才会为社会的共同繁荣作出最大贡献。[3] 但是经济人又是绝对自私的，它不会以公益为目标，更排斥伦理学的影响。美国社会学家帕森斯认为法律专业并不以出卖劳动或者追求利润为主要动机，它有别于古典经济学中的"经济人"假设。法律职业人并不只提供技术性咨询和建议，他的角色带有特殊的信赖和信托（trust）意味。这种信托作用表现在法律职业对职业传统以及价值的维护上，以及对当事人托付的事项的一种高度的职业责任。法律职业者必须在考虑当事人的意愿和利益之外，兼顾职业道德，进行职业上的独立判断。

虽然可以排除律师职业绝对"经济化"的倾向，但并不能排除经济就不会产生腐蚀作用这样的伦理担心，经济和伦理之间有没有中间道路？也即，经济究竟能否绝对为伦理所规范或伦理能否宽容经济的空间存在于其体系的环抱中？这里有经济与伦理如何（角度、方向、程度）契合的问题，研究这些方面能对律

---

[1] 季卫东：《法治秩序的重构》，中国政法大学出版社1999年版，第240～241页。

[2] 亨利·勒帕日：《美国新自由主义经济学》，李燕生译，北京大学出版社1985年版，第24页。

[3] 杨春学："经济学与社会秩序分析"，转引自胡玉鸿：《"人的模式"构造和法理学研究》，2000年法理学南京年会论文，上海三联书店。

师职业伦理这一经济伦理化或伦理经济化的规范起到更深的认识和改造的作用。德国经济学家彼得·科斯洛夫斯基认为："经济学作为一门独立的科学，自其创立时起，就产生于人类强大的动力，即人类自身的利益。哲学伦理学向来探求的目标是人们所称的那种人的最好的动力：追求美好的东西、履行义务、实现美德。当经济学理论分析和设想建立在自身利益基础上的社会公共机构及行为规则时，当伦理学理论阐述了能发挥人的最好的动力和使之实现的公共机构及行为规范时候，这两种科学涉及的是同样的对象，即行为人和进行合乎理性的协调的行为。"[1] 从他的论述中，我们发现了根植于人本身的两种力量的争斗：人的最强的动力和最好的动力；而且最强的动力不总是最好的，而最好的往往动力不强。怎样调和这种矛盾呢？就是在两者之间搭起（行为）规范的桥梁，指明两种力量汇合后共同的用力方向。撇开人主观的自觉、明智的理性，作为客观的规范的确起到了类似法律的调整、强迫、常规和冷静的理智的作用。而这种规范，在笔者看来，就是律师职业伦理规范的种概念。

我们在讨论经济道德的时候，经常有一种"身不由己"的惶惑——这个世界变化得太快！且不用"物欲横流"这样贬抑的字眼，单单目视商业（作为经济形态的一种）在观念层面和社会建构层面的巨大冲击却已让人"摸不着北"。什么样的价值是可欲的？什么样的人是可以信赖的？什么样的权利是可以诉求的？在很多时候，没有达到充分现代化的中国社会也呈现出了类似后现代的价值追问、背离乃至革命。我们这里要考察的正是这种强劲之现代经济模式和力量对于律师业之作用——从外在组织形式变迁从而影响到的内在道德理念之置换。

国内社会学家郑也夫认为：现代社会的最大特征是走出了熟人的范围，其信任建立在抽象的系统之上。而它所依赖的最大的两个系统是货币系统和专家系统。前者的最终逻辑是市场社会，后者则以学历社会为其背景。[2] 德国的社会学家齐美尔曾提出过货币对理性思维的促进作用；而美国经济学家熊彼得更有名言："经济格局是逻辑性之源。"相似诠解还可以从德国社会学家马克斯·韦伯的《新教伦理与资本主义精神》中找到，不过韦伯刚好相反——他是从宗教伦理对资本主义经济的精神规定作用的角度说明"物质与意识"的亲密关系的（韦伯似乎更偏向意识决定论）："神秘的和宗教的力量，以及以此为基础的伦理上的责任观念，过去始终是影响行为的最重要的构成要素。一定的宗教思想对经济精神发展的影响，即对一种经济体制的精神气质的影响。就此而言，我们要探讨的是现代经济生活的精神与禁欲新教的合理伦理之间的联系。……营利被认为

〔1〕　彼得·科斯洛夫斯基：《伦理经济学原理》，孙瑜译，中国社会科学出版社 1997 年版，第 1 页。

〔2〕　郑也夫："货币与信任"，载《社会学》2000 年第 4 期。

是伦理行为的实质。"[1] 亚当·斯密在《国富论》中提出"经济人"的"利己主义"而他又在《道德情操论》中似乎又有点"违背信仰"地提出"道德人"的"利他主义"。

从较狭义的功能主义观点来看，市场是无法以单纯逐利的机会主义和计谋为基础而运行的。相反，市场要求一整套道德准则——信用、忠诚、诚实、互惠——作为自己深厚的基础。如果缺失道德的规范，市场表面上无比蓬勃的经济就要败坏，而大量的交易就会因无规则可循而导致期待利益的落空。季卫东认为市场经济健全发展的真正前提条件，乃是一种在现代市民社会的公共空间中陶冶的安定的信用关系。同时，他指出在现代市民社会中，营利不再被视为是不道德的，但也不是可以无条件地合法化。"合法性营利"的道德基础是对于公益的贡献，即生产对他人有用的财物、从事对他人有用的服务。而且季文进一步指出经济成功、交易顺畅的具体规范性（伦理性）根据已经从内省转向外在的制度道德的规定，从而市场经济或商业发展的道德基础完成了伦理性到合理性的变化契机或趋势。并且认为，只有在合理性的评价标准确立之后，大型的商业、金融业活动才能免除来自伦理方面的非难。由此可见，一种经济伦理如果仅仅从"贵义贱利"的角度来限制营利活动，而缺乏分工以及组织、制度上的合理化可能性的话，那么如何使这种伦理与复杂的产业社会相适应就会成为无法回避的问题。

而律师职业的类商业活动其实更接近于伦理与经济的结合部，但是从目的和对象化目标来看，更倾向于公共（益）性，所以它除了上述分析的内在的"天职"观念中的勤勉、诚信的人生观等以及兢兢业业地劳动，提高熟练程度，按照等价交换的原则进行公平交易等外在制度道德外，还有一种超乎服务对象利益之上的对普世正义和福利的终极人文关怀。有学者认为，在一个自由社会里律师的作用还体现为：法官判决的制约力量和大众觉悟的一定的指引者——这使得律师的经济活动带着"公共性"和政治性的色彩，这也是每个人所隐约感到的律师所办的一个案子和商人忙碌的一桩生意所存在内在的差距。

我们还要警惕高度商业化的产物——垄断对律师行业带来的冲击。的确，垄断企业的发展使最好的职业技巧和能力被引入高难的和高度专业化的商业和金融服务。就其有利的一方面而言，新商业体制给商业界带来了诚实信用和高效率、高技术水平；就其不利的一面而论，它使昔日有学问的职业演化成了商业的附庸，而这种角色的危险性在于律师们原本的为公共服务和实事求是地运用法律的

---

[1]　[德] 马克斯·韦伯：《新教伦理与资本主义精神》，黄晓京、彭强译，四川人民出版社 1986 年版，第 26、49 页。

能力和才干已最大限度地被当事人的利益所吸引。[1] 由于市场模式的要求，律师既无权利也无资格就当事人的行为将如何影响"公共利益"作出政治性的判断。相反，他们的作用仅应当是当事人愿望的中立的延伸。所以在服务当事人利益和服务公共利益方面有时会存在冲突，笔者认为，问题的缓解要看伦理要求的发展能否跟得上商业发展的节奏和速度。[2]

四、道德底线：可接受度与合理性

（一）道德底线与品格要素

在律师角色的现实要求的层面上，我们感到律师职业的伦理其实是一种因为角色定位和社会需求所产生的一种规范，有时它又像是一套无奈的"游戏规则"。这无疑与我们平常感觉到的伦理，它应根基于内心良知与道德的东西相去甚远。所以，将律师（职业）与伦理相匹配具有一定的反差感。而且，律师的执业行为本质上也是一种交易行为，一种市场交换，一种志于形成契约并维护契约的行为，所以律师行为的道德色彩往往被弱化，特别是当这种道德只是一种"最低限度的道德"的时候。

笔者认为，律师职业伦理虽然是一种道德规范，[3] 但是它最根本的载体是律师的行为，是对于律师行为优劣的价值判断。但是，律师的行为从本质上说是属于"价值/理性"[4] 这样的行为模式的，因为律师在行为中是要以职业的要求（比如：律师要忠诚于委托人、律师不得贿赂法官、律师不得做伪证、律师应勤勉工作等）和以职业特征所体现出来的道德品质为行为的标准。但是律师的行为标准又不是像以美学、宗教这样较为抽象、模糊（这些要求有时也是超过一般人的道德要求），它是比较明确和有可操作性的，它是一种执业行为的道德底线的要求，突破这条底线，律师就要受到现实的（而非内心的道德法庭）惩戒。

---

〔1〕 ［美］罗伯特·戈登：《律师独立论——律师独立于当事人》，周潞嘉等译，中国政法大学出版社1992 年版，第 3～4 页。

〔2〕 同上引，戈登书，第 33 页。

〔3〕 当然现在很大程度上将其文本化、法律化了。以我国为例，律师法、律师职业道德和执业纪律规范规定了律师的合乎道德的行为的模式，在这些规定之外，很难再对律师做过多的要求。而且律师违反道德要求与违反法律规定似乎是一致的。

〔4〕 德国社会学家马克斯·韦伯对于"社会行为"的价值—理性行为模式的论述有助于我们判断伦理行为。他认为，当某种行为是根据某种行为价值的信仰所决定的，不抱任何目的，并以道德、美学或宗教为行为标准，这是所谓价值—理性行为。转引自［德］马克斯·韦伯：《论经济与社会中的法律》，张乃根译，中国大百科全书出版社 1998 年版，第 3 页。

在道德底线要求之中，在律师职业伦理结构中应该具有其他的品格要素，仅用"公平、公正或正义"等词是不足以概括和表征的。对于律师来说以下的一些品格是应该具备的，如：维权意识、保守秘密、处事果敢、尊重当事人，[1]诚实信用、恻隐心、负责心、努力勤勉、廉洁自律、人格独立（不畏权势、仗义直言）、经济独立等。

（二）对律师职业伦理的大众评价与理性分析

或许对实体正义有着强烈追求的读者们，早已失去了耐心，认为笔者在对律师职业伦理的标准定位上架设了一个过低的底线。因为客观而言，在律师的职业伦理上，笔者的这种"道德底线"显然无法满足"善良而正义"的人们的情感需要。然而，恰恰正是过于"善良"的追求目标，引导着大众对律师职业伦理的评价。笔者认为，这种对律师职业伦理过高的期望值与律师在执业过程中所能挣扎的"道德底线"之间的落差，造成了人们情感期待上的失落。客观而言，在现实的生活中，无论是中国古代有关"讼棍"这一带有人身攻击性的称谓，还是今天人们对律师普遍性的贬低，抑或是莎士比亚的名言："我们要做的第一件事，便是把律师杀光。"[2] 凡此等等，我们都不难体会到人们对律师职业伦理现况的那种强烈失望。

然而，面对大众对于律师职业伦理的道义上的愤慨的声讨时，笔者不免沉思：现今的律师业（国内的或国外的）是否较之其他的行业的执业者更缺失一种可称之为职业伦理道德的东西。如果不是的话，那么除了笔者在上文所一再赘述的，律师职业伦理因其角色定位的原因，只能更多地满足于程序伦理的要求，而对实体正义无法做过多的苛求外，是否还存在着别的或许更为重要的原因，以致人们长期以来对执业律师缺乏一种情感上的认同呢？对此，笔者认为有必要去作进一步的思考。

以医生为例，从"白衣天使"的美誉，可见公众对其在情感上的认同。这种认同不会轻易因为某个庸医的存在，或某个良医的误诊而有所改变（尽管现在误诊率居高不下）。但只要是整个医界是好的，医生基本上是敬业的，就不会有谁对其做道德上的苛求。再反观律师界，客观而言，没有人会说具体的某个律师道德低下，更没有哪个律师承认自己卑鄙无耻，也没有具体的数据显示，有多少的律师违反了哪条具体的律师职业伦理规范。因为，如果有且证据确凿的话，我们司法部官员和律协领导们早就手举《律师法》和《律师职业道德和执业纪

---

[1] 唐东楚、刘玉梅："论法学教育的职业伦理关怀"，载《当代法学》2002年第3期，第42～3页。

[2] 苏力：《送法下乡——中国基层司法制度研究》，中国政法大学出版社2000年版，第299页。

律规范》将其红牌罚下。相反的，几乎每个律师在内心的深处都以"自己的知识能使自己的当事人沉冤得雪或免受不当的损失"而自豪。然而，事实上，我们的律师不仅未能得到公众的青睐嘉许，反而受到种种的非议和责难，有时甚至是人身的受胁或付出生命的代价。[1] 在人们的格式化思维定势里，当一个蒙受冤屈的刑事被告人最终被无罪释放而走出法庭时，人们总是会认为是"明察秋毫的青天大老爷"雪洗了无辜者的冤屈，而几乎完全忘记了被告的律师在背后所作的努力，即便这种努力有时是根本性且决定性的。在笔者看来，局外的人们之所以不会为他（她）的壮举树碑立传，甚至不曾给予应有的丝毫感动，或许仅仅是因为律师提供的是一种有偿的服务（而且索取的酬金又相对高额），仅仅是因为"该死的律师"拿了这"该死的代理费"，律师执业过程行为中原本产生的社会正效益就这样全部被"代理费"有价取代，而把律师在追求正义上所作的努力无偿地记在了法官的功劳本上。可是不公的是，笔者只听说有司法援助，却从未闻有免费医疗。或许，仅有的区别是，医生拿的是国家的工资而不是直接要了患者的救命钱（不然的话，笔者很难想像人们在情感认同上对医生仍会如此的一厢情愿）。但笔者要问的是，这种纯经济的因素能作为道德的衡量标准吗？要知道，律师收费是一个制度性的问题和体制上所作的安排，它与伦理道德似乎不存在着必然性的紧密关联。在笔者眼中，只要律师是严格地按照既定的收费标准而合理地收取费用和应得的酬金，我们就不能也没有必要对其施以道德上的责难。因为，这毕竟符合了"君子爱财，取之有道"这一原始而又正统的评判标准。到此，笔者的结论或许可以得出：长久以来，大众对律师在职业伦理上所作的评价，似乎缺乏了一种足够的理性，或许公众对律师的不满仅仅是基于一种经济因素上而产生的偏见，这种偏见的基础在某种程度上与"无商不奸论"者颇为相似。

另外，笔者一直在作着这样的怀疑：在我们对律师的执业行为、律师的职业伦理作评价的时候，是否已清除了眼中某些本不应有的色彩。除了本文前述的有关经济因素的类似于"无商不奸论"式的偏见外，是否还带着原本应朝向罪犯的怨恨。笔者依稀记得有关报道中记载的，文革中对律师进行批斗的正当化借口就是——他（她）是罪犯的帮凶。虽然理性的人们在论及那段不堪回首的历史时，心口仍隐隐作痛。然而，情绪有时总是会在理智之外影响着自己的价值取

---

[1] 笔者曾经在《民主与法制》看到一则报道，一位办理离婚案件的马姓律师由于帮助原告维护应有的法律权利，而在庭外被被告活生生抠去了双眼，可以说这位律师为了他的正当的执业行为付出了惨痛的代价。现实生活中，这样的个案尽管很极端与严重，但是律师受到人身和财产上的攻击和伤害的事例肯定也为数不少。

向。当律师们在为一个罪大恶极而又铁证如山的罪犯极尽开脱之辞的时候，试问我们极具正义感的人们，又有几人会说："哦，不要怪他，谁叫他是辩护律师呢，这是他的角色责任。"又有几人会理性地去作分析并明白：这位律师的工作其实是在为法治的现代化作着"积薪式"的努力呢？

在本文前述看似在为律师作辩护的陈述中，笔者不惜笔墨地去尝试在大众对律师的职业伦理的评价中，对其潜在的心理基因作一社会理性的分析，并通过这种分析来解读：大众对律师在职业伦理上的不满和责难的情感是否具备了客观操作上的理性？长期以来，大众在对律师职业伦理上的期待是否过高？当现实给了所有的这些疑问以否定性的答案的时候，我们有必要去反思，在律师职业伦理的外延架构和内涵定位上，我们应该施与律师怎样的道德要求？笔者在本文中为律师职业伦理所铺设的"道德底线"又是否可行且具有大众普适性的可接受程度？而这种"道德底线"是否又满足于我们设立律师以及律师制度的初衷？

小 结

一个向来以"冷酷"而闻名的人倘若突然变得"温情"起来，我想未必会因此而更受欢迎。至少对于在执业过程中的律师，笔者保持着这种"倔强"的理智。而在本文的写作与论述中，这种态度更是自始而终，尽管这种"坚持"有时令人相当为难甚至是痛苦。和大多数人一样，笔者也同样对社会的正义有着强烈的期待，这种期待也当然性地使笔者在感情上对律师的职业伦理施予了过高的要求，而使"道德底线论"好几次在文章的写作中途险些被放弃。之所以最终被坚持了下来，是因为笔者更加坚信："激情燃烧"虽然能促动着人们对真理的不倦追求，然而单单凭此尚不足以缩短我们与我们所追求的目标之间的距离，只有绝对理智的冷静（或冷酷）才会使我们的思索有可能接近于事实真相。而这一点对于为学为文之人又是那么的重要。

本文的思考与写作，源于现实生活中人们对于律师职业伦理的一声声叹息与责难。或许是基于律师将是我的未来职业选择的可能而预先所作的自我辩护，抑或是学人之良知所在（美国法学家兼法官波斯纳就曾经放言：一个学者……最大的罪过就是循规蹈矩），笔者才开始了这样一段有违众愿又得自我说服的思考。

笔者在本文中虽然一再地讲求衡量律师伦理的客观标准只能是，也必须是明确化、成文化的法条，并在规范建设上倡导一种技术理性的思路和视角，但是笔者并不排斥一种律师行业个人的或群体的高标准、严要求，毕竟自律"高尚"于他律，但是从严格意义上，这种道德或许不必然地被冠以"职业的"这样的称谓。现行的日本律师伦理在制定时，也出现过类似的争议，结果基于相同的理解，认为"律师伦理是期待个人的自律性行为的指标，不是惩戒等手段来强化遵守要件的规定的立场"[1] 然而，对于我国这样律师市场尚在成型未达致成熟的局面，我们固然应该提倡自律，但是更为紧要的是完善立法，加强外在惩戒。

文末想到了一则哲人柏拉图讲的笑话——

> "你是骗人的！"辩护律师向对方大喊。"你是说谎的！"对方律师指责说。法官用小木槌猛敲一下，冷然道："现在表明了双方律师的身份，继续审理。"[2]

如果读者阅读了本文之后，能够对律师的这种"欺骗"表示赞同和理解的话，那么笔者的论证的目的也就达到了。

第二节 通往政治之路
——对律师参与政治的考察

缘起：法治、人及其他

在制度形成的径路选择问题上，历来存在观点鲜明的思路分野即所谓的建构论理性主义和进化论理性主义[3] 前者主张世界本真的实在以及人类理性可无限开掘的可能性，依据知识和实践探讨式的反复检验，理性可真实地认知世界之

---

〔1〕 〔日〕一桥大学："日本律师与律师伦理道德"，载《中国律师》2000 年第 1 期。

〔2〕 引自《北大法律周刊》2001 年第 7 卷第 4 期，总第 86 期。

〔3〕 一般而言，建构论与理性主义哲学思潮一脉相承。近代科学革命和工业革命的巨大成功使得人类对自身的理性力量充满了空前自信，兴起于法国席卷整个欧洲大陆的近代启蒙运动实际就是一场高举理性主义旗帜的轰轰烈烈的思想解放运动。"18 世纪被称为启蒙时代，或理性时代。在这一时期一批知识精英表现出对理性力量的最大信任，力图对欧洲的制度和信仰作出理性的分析。……科学革命表明，宇宙的秩序和可用数字加以证明的法则在自然界起着作用。启蒙运动的思想家则认为，用类似的法则和理性来审视人类社会也是可能的"，参见 〔美〕马文·佩里主编：《西方文明史》，商务印书馆 1993 年版，第 538 页。对此，恩格斯的评论是："他们（指启蒙思想家）不承认任何外来的权威，不管这种权威是什么样的。宗教、自然观、社会、国家制度、一切都必须在理性的法庭面前为自己的存在作辩护或放弃存在的权利。"恩格斯："反杜林论"，见《马克思恩格斯选集》中文版（第 3 卷），人民出版社 1958 年版，第 56 页。而进化论则显示出强烈保守主义倾向。保守主义并不否定人类理性的力量，但其强调：对于复杂的现实世界而言，理性本身不是全知、全能、全善的，人类理性能力存有缺陷；在人性的诸多成分中，理性并非是国王，相反，它极易成为欲望与情绪的奴婢；社会制度、社会秩序不是任何人的设计，而是一种自然的演化，因此，他们反对按照个别人或少数人的理论和理想进行改造和激进的革命，而主张从传统的制度和秩序中演化出可靠的新制度和新秩序。参见刘军宁：《保守主义》，中国社会科学出版社 1998 年版，第 185～187 页。

存在，认为人生来就具有智识的和道德的禀赋，而这种禀赋能够使人根据审慎思考而营构文明，"所有的社会制度都是而且应当是审慎思考之设计的产物"。而后者则认为人的理性能力及知识构成是有局限和缺陷的（constitutional limitations），那种根据特定事实的知识就能够建构出可欲的社会秩序的自信只是一种"笼而统之的幻想"。文明乃是经由不断试错、日益积累（历时性）而演化或致的结果。文明于偶然之中获致的种种成就，实是人的行动的非意图的结果，而非一般人所想像的条理井然的智识或设计的产物。

但是，无论是建构理性主义还是进化理性主义都没有消解这样一条经验：法治是各种角色参与其中并合力完成的一项作业。富勒指出：法治是一门实践的艺术。的确，法治作业过程离不开人的因素，制度的创新和运作最终将落实于人们有意识或无意识具体活动，世界各国进行过的或正在进行的法治实践已为这一经验的普遍性作了最详实的注脚。如果着眼于这一点，我们就有理由这样认为：法治的历史事实，同时也是人的历史。"所谓法律史上的事件，实质是特定的群体，甚至说是特定的个人的行为……，如果我们要充分地了解它的话，我们就不能忽视在这过程中积极行动的人。"[1] 事实上，在将秩序或制度的塑成最终归结于具体人的行动这一点上，不断发展的建构论和进化论确已显示出某种殊途同归的倾向。[2]

那么，法治的贡献应归于谁？显然，在很多时候这已不是一个问题。那些在法律史上"积极行动的人"最主要的无疑是形形色色的职业法律家们，法律专家作为一国法治的中坚和造型因素的地位已为韦伯及其他的追随者们所证立。在韦伯看来，法律家对近代法制实现形式合理性具决定意义，"倘若没有有学识的法律专家决定性的参与，不管在什么地方，从来未曾有过某种程度在形式上有所发展的法"[3] 将法律家与法律的发展相联系，充分显示了韦伯对适合资本主义

---

〔1〕 ［美］罗斯科·庞德：《法律史解释》，曹玉堂、杨知译，华夏出版社 1989 年版，第 114～115 页。

〔2〕 即使是门格尔也没有否定人行动的意义：（法律）是人们努力和历史发展的无意结果，是人类行动的结果而不是人类设计的结果。转引自苏力：《法治及其本土资源》，中国政法大学出版社 1996 年版，第 20 页注［42］。而在麦考密克等学者的论述中，这种趋同倾向表现的更为明显。相关内容请参见［英］麦考密克、［奥］魏因贝格尔：《制度法论》，中国政法大学出版社 1994 年版。可能，所谓制度形成上的建构论与进化论的真正差异并非在于是否强调人的行动或其他，而在于制度是否是人的有意（设计）与无意（演化）的结果。

〔3〕 ［德］韦伯：《经济与社会》（下卷），林荣远译，商务印书馆 1997 年版，第 117 页。我们还可以看到许多类似的观点，如"法的形成和适用是一种艺术，这种法的艺术表现为什么样式，取决于谁是艺术家"，"在各种法律秩序内部活动的各种类型的法律家之中，都存在着对法律样式的构成最具影响力的某种职业的法律家"等等。参见［日］大木雅夫：《比较法》，范愉译，法律出版社 1999 年版，第 264 页。

经济内质的法的可预测性、确定性、一致性及可计算性等品格的偏好与迷恋〔1〕无庸置疑，法治秩序的作成离不开一个强大、自治的法律职业团体。伴随着法的形式理性的日臻完满以及法律知识逐渐发展为一门专门性的学问而法律适用演变成具有某种神秘要求的"技术理性"，法律职业家的存在比任何时候显得意义深远〔2〕特别在行政权力扩张至无所不在的现代社会中，法律家对法治精神的固守，在司法领域对社会正义的执着追求，将直接关系到一国法制尊严与法治之命脉。

　　然而，对谁做成法治这一问题，我们似乎应抱更为开放的态度。法治的合力并非仅来源于法官、律师、检察官或法律教授们，其中还可能包含着其他诸如政治家、政府官员甚至普通民众等角色的力量〔3〕 在特定的时空环境中，他们以区别于别人的行为、方式和途径塑造着法治的新景观。一个典型的个案是在美国宪政史占重要地位的"水门事件"（其实，美国还有许多类似的宪法事件）。在化解这场史无前例的宪法危机中最高法院的法官们的确起到了关键的作用，正是他们的决心和努力使得几近生锈的总统弹劾制重现活力。但他们并不是这场护宪运动中惟一的功臣。正如一位历史学家所指出的那样：假如在关键的地点和时刻没有出现一个像欧文这样的参议员，一个像赛里卡这样的法官和一家像《华盛顿邮报》这样的报纸挺身而出的话，尼克松和他的僚属满可以度过这一关的情况是完全可能出现的〔4〕另外，从西方法治史看，有关法治的观念和某些原则初成于古希腊——罗马时期，并在近代法学逐渐摆脱神学阴影后得日渐丰满为专门性的法治理论，在此过程中，法学思想家的启蒙固然功不可没，〔5〕 但是，一种更为历史的看法是："宗教与经济、教皇与商人，对近代西方法律体制的形成有同样的重要性与塑造力，我们不可能从任何单一的角度来真正理解这一漫长、

---

〔1〕 这一点在韦伯身上表现得十分明显，他曾经指出：我们近代的西方法律理性化是两种相互成的力量的产物。一方面，资本主义热衷于严格的形式的、因而一在功能上一尽量像一部机器一样可计量的法，并且特别关心法律程序；另一方面，绝对主义国家权力的官僚理性主义热衷于法典化的系统性和受过理性训练的、致力于地区平等进取机会的官僚来运用的法的同样性。参见〔德〕韦伯：《儒教与道教》，王容芬译，商务印书馆 1995 年版，第 200 页。

〔2〕 科特威尔曾经指出："职业自治的权力通常要求建立在法律职业的特殊的知识和专长是独特的，并且完全不同于其他形式的知识的观念之上，因而法律职业的特殊业务及解释法律学说的技术被认为是构成这种特殊知识。"参见〔英〕科特威尔：《法律社会学导论》，潘大松等译，华夏出版社 1989 年版，第 224 页。

〔3〕 最近，国内一本著作对西方社会中政治权威与法治之间的某种历史性关联进行了探讨。参见程燎原、江山：《法治与政治权威》，清华大学出版社 2001 年版。

〔4〕 〔美〕J·布卢姆：《美国的历程》（二），戴瑞辉等译，商务印书馆 1995 年版，第 654 页。

〔5〕 舒国滢、程春明："西方法治的文化社会学框架"，载《政法论坛》2001 年第 4 期。

曲折而又复杂的革命过程。"[1]

眼下，关注法治建构中"人"的因素已成为中国法学界一个颇为醒目的视角，关于法律家共同体、法律家素质等问题的探讨在不断启蒙传统法治思考的同时，也逐步培养了"法治——法律家之治"的观念共识，它必然会对我国正在艰难进行的法治作业产生深远影响。[2] 但是，根据笔者的观察，目前对法治中"人"的因素的智识努力存在着某种程度的失衡，即过于偏好法官这一法律家典型而较少关注对中国法治有着同样意义的律师及其他法律职业，对职业共同体以外的社会角色更是鲜有顾及。当然，无论从法官在法律帝国或司法过程中的所处的中心地位而言，还是基于中国法制改革任务的紧迫压力及法官职业整体素养尚不能承载起匡扶国家法治目标、实现社会正义之使命的现实情况，这种智识的偏向几乎是不可避免的。在本文中，笔者将围绕近年来学界较少关注的律师角色展开论述，以阐明律师在西方政治实践中所扮演的功能性角色及律师的政治参与情况。同时，笔者还将对现代法理念及诉讼形态下律师出席法庭这一传统的法律参与行为所具有的新政治意义进行发掘，以期对正在进行的法治建设提供参考。

---

[1] [美] 泰格、利维：《法律与资本主义兴起》，陈方正序，纪琨译，译林出版社1996年版，第6页。本书对从11世纪至19世纪的八百年间资产阶级的兴起（通过一连串的造反）与法理学的革命（作者称为造反法理学）之间的历史性关联进行了挖掘，着重论述了商人包括零贩、远航贸易家、银行家、工业家等对西方法律体系所产生的巨大影响乃至改造。在作者看来，法律变革乃是社会各阶级之间冲突的产物，而今天法律样式乃是渊源于某个阶级的革命性社会斗争。该书与另一本同样以西欧法律体系之形成为主题的著作《法律与革命》形成了有趣的对照，伯尔曼认为，宗教理想是理解西方法律传统的关键，离开那种历史久远的神学渊源（基督教），将不可能理解西方法律传统的革命性质。而教皇革命即11世纪末教皇格列高里七世发动的对神圣罗马皇帝亨利四世的授职权之争以及接下来的全面政教冲突，是12世纪以后教会法、王室法、商人法、乃至现代刑法次第发展的原动力。参见 [美] 哈罗德·J·伯尔曼：《法律与革命》，贺卫方、高鸿均等译，中国大百科全书出版社1996年版。按照伯尔曼的观点，法律和宗教"代表了人类生活的两个方面，法律意味着秩序，宗教意味着信仰"。"一个社会的法律秩序，即正式的制度，结构、规则和由这些规则所规定的程序，在本质上与关涉生命终极意义和历史的终极目的之基本信仰，也就是宗教信仰连结在一起"。前引参见其专著《法律与宗教》，梁治平译，三联书店1991年版，第3页；后引参见 Harold J. Berman, Faith and Order: The Reconciliation of Law and Religion, Atlanta: Scholars Press, 1933, Preface, p.ix.

[2] 国内有关法律职业家的专门论述主要有：季卫东："法律职业的定位—日本改造权力结构的实践"，载《中国社会科学》1994年第3期；苏力："论法律活动的专门性"，载《中国社会科学》1994年第6期；孙笑侠："法律家的技能与伦理"，载《法学研究》，2001年第4期等。笔者认为，启蒙将是中国法学持久不变的主题，对于中国法治现实以及将人与法截然相分离的传统法治思考而言，"法治即法律家之治"命题的发现与提出，与更早进行的权利与义务、法治与人治的讨论一样都可归于这一范畴，其情形就如同郭道晖教授指出的那样："尽管所说的，在法治发达国家的学者眼里，也许只算是法学的常识，但毕竟在当代中国却不失为必经的法治启蒙。而且说出某些朴素的真理，有时还需要有相当大的理论勇气。"参见郭道晖：《法的时代精神》，湖南出版社1997年版，第3~4页。

一、考察律师功能的传统径路

与其他法律职业相比，律师与司法程序的关系可能有着更为密切的关系。一般而言，律师的最早渊源可追溯至古罗马时期的辩护士或代言人，他们得以从当时法学家中分化并进而形成一个独立的职业部门，主要是由于当时宣判体制对辩护、代理行为的承认。[1] 现代意义上的律师是伴随着诉讼程序的形式理性化而出现的。韦伯认为，自从中世纪以来，在诉讼理性化的影响下，律师就从形式主义的日耳曼诉讼程序的"代言"发展了起来。[2] 律师真正发挥其技术功能也只有在诉讼理性化达到相当程度之后才有可能。

在这一点上，古代中国的情况可以作为一个反面的证据。中国古代没有出现现代意义上的律师制度，但却存有像讼师这样颇具律师属性的角色形态。按照有关学者的观点，由于诉讼活动的存在和诉讼制度的可利用性、诉讼程序中的书面主义以及出于和幕友、胥吏和差役之类的办案人员交涉甚至贿赂的需要，讼师曾经是中国的古代社会中一种十分重要的存在。[3] 但是，对立面的实质匮乏以及司法过程的"超职权主义"倾向构成了中国古典司法体制的基本特色，这种形式性要素十分稀薄的司法程序自不可能衍生出对能将对立的利益诉求升华为不同法律理由之间的深入对话的律师角色的需求。[4] 因此，一度在古代法律生活中占据重要地位的讼师最终没有演化为现代意义上的律师实在情理之中。

在司法过程中考察律师的功能，这是我们所熟悉和习惯了的径路。在传统诉讼业务依然是律师彰显其地位的重要领域的今天，这仍不失为一条有益的径路。在诉讼结构中，律师的作用无疑是全方位的。对于当事人，律师扮演着一种法律帮助者和翻译家的角色。一方面，律师帮助缺乏法律知识的当事者按照法律的要件构成自己的问题，并据此提出恰当的资料来要求法院予以解决，另一方面，律师能够把当事人的主张准确无误地翻译成法庭标准用语。现代民事诉讼遵循依法审判和当事人主导原则，法院的裁判往往以当事人提出的诉讼请求和证据资料为

---

〔1〕 张耕主编：《中国律师制度研究》，法律出版社 1998 年版，第 2～3 页；另可参看徐静村主编：《律师学》，四川人民出版社 1994 年版，第 8 页。

〔2〕 ［德］韦伯：《经济与社会》（下卷），林荣远译，商务印书馆 1997 年版，第 743 页。

〔3〕 ［日］夫马进："明清时代的讼师与诉讼制度"，载［日］滋贺秀三等：《明清时期的民事审判与民间契约》，王亚新等译，法律出版社 1998 年版，第 413 页。在夫马进看来，"无论讼师怎样被官僚们厌恶，相反，对于当时的社会来说，讼师却曾是一种十分重要的存在。"

〔4〕 贺卫方："中国的司法传统及其近代化"，载苏力、贺卫方主编：《20 世纪的中国：学术与社会》（法学卷），山东人民出版社 2001 年版。

界线（处分权原则），在这种模式下，律师的帮助确具有前提性的意义；[1] 对争议事实，律师的调查取证有助于接近事实的本来面目并提供可资判断的充足信息与资料，而为了实现生活事实向"法的事实"、客观真实向程序真实的转化，也有赖于律师的某些技术性的操作；[2] 对于法官，程序需要律师这种对立因素来克服决定者由于职业习惯而可能出现的保守与专断；对于结果，律师的参与可增强判决的妥当性和可接受程度……。总而言之，精通实体法和程序法并有丰富实务经验的律师对诉讼程序的实质性、效率化以及顺利地进行关旨重大。

律师角色对于诉讼过程的功能和意义在很大程度上契合了正当程序的某些观念。"任何权益受到判决结果影响的当事人有权获得法庭审判的机会，并且应被告知控诉的性质和理由……合理的告知、获得法庭审判的机会以及提出主张和辩护等体现在'程序性正当程序'之中"[3] 律师的程序功能可以从所谓的"参加命题"——程序的正当性机理角度进行阐述。既然对于实体结果难以在价值标准上达致思想统一，那么对立面之间的对话和在信息公开展示基础上的交涉和讨论对结果而言就具有某种正当化的意义，而这两者都要求给予程序当事人以最充分的参与权。"对于程序保障来说最重要的就是作为纠纷主人公的当事者能够有充分的机会参加程序，在表达自己的主张并提出有利于自己的证据的同时，又向对方进行反驳和辩论。只有在制度上充分保障当事者享有和行使这种参与权的

---

[1] 日本学者谷口安平对此有过详尽的阐述，在他看来，由于复杂且具有高度专门性的民事诉讼程序以规格化的反复方式处理大量的案件，为了保证这种程序顺利进行，熟悉法律并有实务经验的专门家参与进行就成为必要，律师正是出于这种需要而经过长期严格的训练培养出来的专门人才；在辩论原则下，当事人必须有能力按照法律要件构成问题，并据此提出恰当的资料来要求裁判所予以解决，在这方面，当事人的能力比起律师来要弱得多。参见〔日〕谷口安平：《程序的正义与诉讼》，王亚新、刘荣军译，中国政法大学出版社1996年版，第75页。

[2] 吉尔兹曾经指出："法律事实并不是自然生成的，而是人为造成的，……他们是根据证据法规则、法庭规则、判例汇编传统、辩护技巧、法官雄辩能力以及法律教育成规等诸如此类的事物设计出来的，总是社会的产物。"参见：Clifford Geertz, Local Knowledge, Basic Books, 1938；转引自梁治平编：《法律的文化解释》，三联书店1994年版，第80页，目前，在众多学者的努力下，长久存在的将法律事实等同于客观真实的观念已经得以改变。"（法律家）只追求程序中的真，不同于科学中的求真。法律意义上的真实或真相只是程序意义上和程序范围内的"（孙笑侠语）；"司法实践依据的仅仅是法律所确认的一些事实，这些事实往往只是案件事实的一部分甚至是一小部分，尽管有可能是最终要的一部分。"（苏力语）；"在具体操作上，法律家与其说是追求绝对的真实，毋宁说是根据由符合程序要件的当事人的主张和举证而'重构的事实'做出决断"（季卫东语）等等。相关论文请参看前引〔12〕，季卫东、苏力和孙笑侠的相关论文。笔者对此问题也进行过探讨，参见拙文"程序事实与法官责任范围"，载《云南大学学报》（法学版）2001年第4期。

[3] 参看《布莱克法律词典》，"due process"条目。

前提下，诉讼程序的展开才能够为审判的结果带来正当性"。[1] 因为知识上可能存在的缺陷，当事人的被动出席和陈述在很多情况下将不具有真正意义，而作为法律专家的律师则能赋予参与权最充分的实质内容，并最终确保程序的正当性机理得以发挥和实现。

总之，律师通过参与诉讼并内化程序之一部分从而实现国家法制维护人权和实现社会正义之根本目的，这正是现代律师制度得以普遍建构的最大释因与法理基础。"不论立法者或法院均应致力于充实相关制度以巩固当事人及利害关系人之程序主体地位，以维护其实体上利益及程序上利益。为充实此类相关制度，并不以设民、刑及行政等诉讼程序制度为足，律师制度亦属于其所备置者之一"。[2]

把律师与民权或社会正义等价值目标相联系的观念无疑在某种程度上已经超越了司法程序的基本范畴。虽然，对律师是否应担当更多的功能有人曾提出过怀疑，在他们看来，律师的职责仅仅是为当事人提供咨询和法律服务而不应承担过多的社会责任。[3] 但事实上，在西方社会，律师这一古老社会角色的存在意义从来就没有被人为狭隘在诉讼过程和司法领域中。韦伯把律师的功能归纳为：律师对这样两种制度—资本主义和"法律理性"现代国具有决定作用，而这两种制度从文艺复兴时期起直到现在，把西欧和世界其他部分明显地区分开来。[4] 的确，如果没有律师的参与与实质性地发挥作用，美国政治体制是否是我们现在所看到的模样以及法国大革命能否取得那样的成果还是件值得考虑的事情。而法国人托克维尔在考察美国的民主制度时指出，美国人赋予法学家的权威（主要是律师）和任其对政府施加影响，是美国今天防止民主偏离正轨的最坚强壁垒。他们在社会上形成一个独立的阶层，并通过职业本能和习惯使之在政治生活中发挥了平衡器的调节作用。[5]

---

[1] ［日］谷口安平：《程序的正义与诉讼》，王亚新等译，中国政法大学出版社 1996 年版，第 91 ~ 95 页。

[2] 邱联恭：《司法之现代化与程序法》（"国立"台湾大学法学丛书），三民书局 1992 年版，第 181 ~ 182 页。

[3] 林达就曾指出："律师只是类似于一个咨询加上服务的机构，他只是向客户提供有关法律方面的知识、信息和服务。……由于律师咨询内容比较特殊，使这一行业比其他技术咨询行业增添了更多的感情色彩和社会内容，但是实际上，把过多的社会责任压在这个角色头上，不仅是不公正的，而且还可能使这一职业发生畸变。"参见林达：《历史深处的忧思》，三联书店 1999 年版，第 249 ~ 250 页。

[4] 转引自［英］波雷斯特：《欧美早期的律师界》，傅再明译，中国政法大学出版社 1992 年版，导论。

[5] 在托克维尔看来，法律家一方面依助于特有的权威，联合平民对抗行政专制，成为防止民主偏离民主的存续。参见［法］托克维尔：《论美国的民主》，董果良译，商务印书馆 1998 年版，第 302 ~ 311 页。

事实的确如此，西方现代律师制度的运作实践表明，律师发挥其功能的另一重要领域（如果不是更重要的话）在于国家政治生活。与诸多法治后进型的第三世界国家不同，在具有法治特定概念的西方社会中，律师或具有专业学识的法律人才通过各种渠道广泛地参与政治生活的规则运作与国家政治结构是件颇为自然的事情。在这一点上，美国的情况表现得最为典型。

二、通往政治之路

（一）美国政坛上的律师型政治家

按照美国历史学家 H·S·康马杰的观点，美国的政治实质上是律师接管的政治。正如许多学者所注意到的，律师一直是这个国家的统治者和领导者。"美国是一个由律师统治的社会，从事法律职业的人构成了这个社会惟一的贵族阶层"[1] 就律师在政治和社会生活中所处的优越地位而言，几乎找不到第二个国家能与之相提并论。19 世纪中期的一份权威评论这样描述律师对于美国社会的重要意义："正是律师决定着我们的文明。……大多数立法者都是律师。他们制定我们的法律。大多数总统、州长、政府官员以及他们的顾问和智囊团都是由律师担任的。他们执行着国家的法律。所有的法官都由律师担任，他们解释和实施国家的法律。……我们的政府是一个律师的政府，而不是一个人民的政府。"[2]

律师始终在政治生活中扮演着不可或缺的角色，这一印象可能首先来自美国的创建时期。威尔逊在写给美国律师协会（The ABA）的一封信中这样表述律师在美国政治制度初创时期的作用："律师创立了州政府和联邦政府的结构。建国初期，律师主宰了所有较大的政治进程。"[3] 情况的确如此，那个时代的律师是殖民地的立法机关和大陆会议中最有影响的成员，他们不仅领导了革命运动，而且将特定的法律模式赋予了美国政体。签署《独立宣言》的议员每两个人中就有一个是律师。在 1787 年联邦制宪会议的 55 名成员中，有 2/3 的人是律师。[4]

作为这次会议最主要的成果——1789 年联邦宪法奠定了美国宪政体制的基本格局，而它的出现应归功于法律职业者们的努力与卓越才识。"负责起草第二部宪法的制宪会议虽然人数很少，但却荟萃了新大陆当时的最精明、最高尚的人物……"。在托克维尔看来，联邦宪法所以优越的主要原因是立法者们的才识和

---

〔1〕 〔法〕托克维尔：《论美国的民主》，董果良译，商务印书馆 1998 年版。

〔2〕 〔美〕伯纳德·施瓦茨：《美国法律史》，王军等译，中国政法大学出版社 1990 年版，第 235 页。

〔3〕 R. w. Gordon, "The Independence of Laws", *Boston University Law Review*, 68 1988 p. 2.

〔4〕 〔美〕伯纳德·施瓦茨：《美国法律史》，王军等译，中国政法大学出版社 1990 年版，第 7~8 页。

爱国精神。[1] J. 布卢姆则认为："美国历史上任何时期都不可能汇集到一批比他们在政治思想方面更加老练，或者在建设与改造政府方面更有实践经验的人才。"[2] 的确，制定者们在法律方面的经验和受过的训练使他们能够起草这样一部指导政府实践、约束政府权力并充溢着法治的精神与理念的宪章文件。

不容否认，初创时期律师的巨大成功在很大程度上得益于特定的环境和历史机遇。那么，在激动人心的革命或变革基本完成，社会进入相对平稳发展的阶段，律师在这个国家中的情况又如何呢？下面的这些叙述将有可能更加全面地印证我们最初的观念。

曾任美国律师协会主席的詹姆斯·C·卡特指出：律师不仅仅只是法律职业的一成员，他们在各个地方被视为主要的立法者而得到信赖。律师作为立法者或重大问题的决策者的主要领域之一是在各级议会中。在第一届国会上，29 名参议员中的 10 人以及 56 名众议员中的 17 人是律师。虽然国会议员的人数在以后有较大增加（众议员人数增加至 435 人，参议员增至 100 人），但律师总在议会大厅中占据引人注目的位置的情况一直没有改变过。

根据狄龙法官的估计，在美国历史的第一个百年中，大约有 2/3 的参议员、1/2 以上的众议员以及超过一半的州长具有律师背景。另据有关资料，20 世纪的 50 年代到 80 年代的历届美国国会中律师都占有很高的比例。1953 年众议院中有律师 249 人，参议院中律师为 59 人，1978 年众议院中有律师 213 人，参议院中律师为 64 人，所占比例均超过 50%。在第 97（1981 年）至 101 届（1989 年）的五届国会中，众议院中法律职业者人数分别为 194、201、190、184、184 人，参议院中为 59、61、61、62 和 63 人。众议员中法律界人士虽然近几十年间出现了减少的倾向，但仍占 40% 以上。而参议员中法律界人士经常超过 60%。这在很大程度上印证了斯托思法官的看法："在我们的职业传统中，没有哪一种像担任公共事务领导工作这样为律师所爱干。"[3]

---

[1] 托克维尔在考察美国联邦宪法后指出："联邦宪法所以优越的主要原因，在于立法者们的品格。……联邦立法者们几乎全以他们的才智著称，而且更以他们的爱国精神著称。"参见［法］托克维尔：《论美国的民主》，董果良译，商务印书馆 1998 年版，第 171 页。

[2] ［美］J. 布卢姆：《美国的历程》（上册），杨国标等译，商务印书馆 1988 年版，第 207 页。而根据有的历史学家的看法，除了杰斐逊、亚当斯、杰伊等少数几人外，几乎每一位在政治方面具有有用的见解的美国人，都参与了这次会议。［美］莫里斯等：《美利坚共和国的成长》（上卷），南开大学历史系美国史研究室译，天津人民出版社 1980 年版，第 312 页。

[3] 有关数据分别来源于：［美］伯纳德·施瓦茨：《美国法律史》，王军等译，中国政法大学出版社 1990 年版；沈宗灵：《美国政治制度》，商务印书馆 1980 年版，第 82 页；梅孜编译：《美国政治统计手册》，时事出版社 1992 年版，第 33 页；［日］山口定：《政治体制》，韩铁英译，经济日报出版社 1991 年版，第 93 页。

让我们再来看看律师在政界领袖中的情况。在美国，职业政治家在角色身份上普遍呈现出"律师——政治家"这样一种极具标志意义的形态，律师经历是政界精英们几乎一致的法律职业背景。律师与政治家相结合的传统无疑可追溯至美国独立时期。殖民地的早期律师们在吹响了独立号角的同时，也将自己推上了创建共和国上层建筑的政治舞台。下面的统计资料则表明，这一形成于革命年代的传统如何一直为美国政治实践固守着。从华盛顿到克林顿共 41 位美国总统中有 70% 的人有法律专业背景，其中律师出身的 25 人，另有 4 人虽未涉足律师职业但都有接受过法学教育或从事过其他法律职业如法官、行政司法长官等的经历。历任副总统和国务卿、议会首脑中的大部分也都曾为各地律师公会（又称法律人协会）所接纳。[1]

从世界范围看，法律人充当政治家的情况并非为美国所独有，类似的情况还出现在法国、德国、意大利、加拿大和日本等国家。更早印象来自于韦伯的观察。作为西方特别是欧洲大陆所特有的，历史上职业政治家的重要来源之一是受过大学法学教育的法律家阶层，他们对这个大陆的整个政治结构有着决定性的意义。他证实，正是受过训练的法律学家们，包括意大利的城市执法官，法国王室的法律学家、教会法学家和具有自然法思想的神学家、荷兰的自然法学教授和反抗王权者、英国王室和议会的法律学家、法兰西高等法院里的穿袍贵族和大革命时代的律师，发动了以促进理性化国家的发展为方向的政治革新。韦伯强调指出，没有形形色色法学家（主要是律师）的参与，那种浸透激进知识分子灵魂的法律草案连同法国大革命根本是不可想像的。自从法国大革命以来，近代的法律家和近代的民主便水乳交融密不可分[2]。而一份国内学者所作的有关各国政治家法律专业背景的调查明细资料则清楚地显示，近代以来特别是近二百年来，具有法律教育背景的法律人包括法律职业家、法学教授以及法学院毕业生逐步走

---

〔1〕 程燎原、江山："有关西方七国政治家的法律专业背景的明细表"，载《法治与政治权威》，清华大学出版社 2001 年版，第 219～247 页。

〔2〕 按照马克斯·韦伯的分析，历史上君主可资选择利用的职业政治家来源于以下五个阶层：①僧侣。这一阶层存在中世纪的基督教地区、西印度、东印度、以及信奉佛教的中国和日本、信奉喇嘛教的蒙古。僧侣在技术上可资利用是因为他们能识文断字。②受过人文主义教育的文人，如中国古代的士大夫阶层。③宫廷贵族。④英格兰制度所特有的"绅士"，即由小贵族和城市食利者组成的显贵阶层（Patriziat）。⑤大学里训练出来的法律学家。在韦伯看来，法学家阶层作为职业政治家重要来源的情况为西方特别是欧洲大陆所特有，他们对这个大陆的整个政治结构有着决定性的意义。"无论在何处，以促进理性化国家的发展为方向的政治革新，一概是由受过训练的法律学家所发动。这一现象也出现在英格兰，尽管在那里，法律学家庞大的全国性行会组织妨碍了对罗马法的接受。在世界的任何其他地方，都看不到与这一过程类似的情况"。参见［德］韦伯：《学术与政治》，冯克利译，三联书店 1999 年版，第 74～75 页。

上政坛确已成为世界法治政治发展中一股颇引人瞩目的潮流和趋势。[1]

（二）通往政治之路

美国这种律师型政治家的频繁出现无疑与历史先贤们的影响力有莫大关系，但仅此还远不足解释其中复杂的原因。榜样的作用毕竟是有限的，而法律学识与法律职业的出身背景并不会必然赢得广大民众普遍的信任。[2] 事实上，"不让律师进议会"的呼声曾响彻纽约上空，而"法科亡国"的论调也曾遍布日本朝野。除各国具体的历史情况外，下面两个方面的互动可以作为我们从理念上进行分析的出发点：

1. 律师职业的某些特点使得他参与政治具有天然的优势。
2. 现代政治的运作过程自然衍生出对律师等法律职业家的实际需要。

出于职业活动的要求，一般而言，律师需要与社会上各色人等打交道。作为自由职业者，一方面，基于纯粹经营技术上的原因，律师比其他从业者（诸如医生、企业家之类）更容易从经营事务中脱得开身；另一方面，职业本身又容易为律师带来了较为丰裕的财富，使其有可能更纯真地做到为政治而生活。[3] 从职业的行为上分析，律师总是致力于调停和解决社会成员之间的种种纠纷，为需要者提供各类法律咨询以及帮助等。这种"行善"轨迹常常意味着某种荣耀和律师地位的提高（当然，不是必然如此）。托马斯·戴伊认为，律师的职业为政治竞选提供所需要的时间、范围广泛的公众接触和职业声望。[4]

美国实行的是政党政治，政党政治的本质是通过利益集团来经营政治。利益

---

〔1〕 参见上注，程燎原、江山文。

〔2〕 如果说独立时期的特定历史条件，造就了美国律师界的"巨人"，律师获得全前所未有的尊重地位，那么在现代社会中，美国律师行业正面临的信任危机和指责也是空前的。事实上，对律师的批评几乎与律师职业共生，而随着该职业的商业化气息的日渐浓厚显得愈发尖锐与深刻。正如西蒙所指出的那样，自诩从事律师职业就意味着必然得到公众的尊敬与羡慕，意味着必将在社会上获得崇高声誉和优越地位，是一种严重的偏见。参见［英国］里查德·杜·坎恩：《律师的辩护艺术》，陈泉生译，群众出版社1991年版，第1页。

〔3〕 韦伯对以政治为业的方式进行了区分，一种是为政治而生存，另一种是靠政治而生存。在纯真的为政治而生存方式下，政治家通过从事政治事业实现自我价值，并在此过程中获得自我满足与自我认同，而在后种方式下，从事政治的人以政治为职业和谋生的手段。韦伯认为，在私有财产制度的支配下，职业政治家要真正做到为政治而生存一般须具备两个相互联系的基本条件：一是经济上不依赖政治给他带来的收入，即他必须足够富有或在生活中具有一种能为其提供丰裕收入的岗位；二是有经济上的闲暇，即他不需要为经济收入或经营花费大量的精力和头脑。在韦伯看来，工人、企业家、医生等人很难做到这一点，而律师则着这方面独特的优势。参见［德］韦伯：《学术与政治》，冯克利译，三联书店1999年版，第63～67页。

〔4〕 ［美］托马斯·戴伊：《谁掌管美国——卡特年代》，梅士等译，世界知识出版社1980年版，第70页。

集团通过推举、招募代理人（即政治精英的形成与遴选）来表达本集团的政治意愿，利益要求，获取政治上的地位以及执掌政治话语。律师职业的属性是委托人的代理人，因此，他从私人委托人的代表转为利益集团或官方委托人的代表，并无实质性的改变。另外，长期的法律实务造就了律师这方面的能力，即他能够把逻辑上软弱无力的证据转变成技术上强有力的证据，从而获得胜诉。因此，与作为政治家的文官相比，训练有素的律师更能胜任在技术层面为"客户"的利益做卓有成效的辩护，而不管有关这件事情的证据是否强或弱。正是在这个意义上，韦伯指出：自从出现政党以来，律师在西方的政治中所起的重要作用并非偶然。[1]

在讨论了律师的职业特点与政党政治的某种关联性之后。再让我们把视角转向美国的法律人教育模式，看看在"律师—政治家"的成长历程中，这一国家的法律职业培养制度又扮演了什么样的角色，发挥着何种的功能。

正如许多学者所关注到的那样，美国的法学教育并非只作为知识传承的中介者而存在，它还肩负着塑造受教育者的独特人格魅力的使命，也就是所谓的"魅力型人格"的教育培养模式。出自教育工厂的成品无论外表、个性或个人背景等各个方面都要给人这样的印象：他有浓厚或是无法言说的见识和技术，独一无二的称职。[2] 庞德在任哈佛法学院教务长时就曾主张，法学教育并非单纯的

---

〔1〕 ［德］韦伯：《经济与社会》（下卷），林荣远译，商务印书馆1997年版，第743页。在政治学上，政党和利益集团一直是政治体系和政治过程中两个十分重要并相互联系的内容，他们构成了现代西方政治的基本特色，政党是利益集团的有组织化，其有表达利益要求、聚合利益、更新杰出人物、制定及执行政策等功能；利益集团是"一群为了争取或维护某种共同利益或目标而一起行动的人"。作为"第二圈的政策制定者"，利益集团对政治决策有巨大影响。相关内容可参见［美］阿尔蒙德、小鲍威尔主编：《当代比较政治学》，朱曾文等译，商务印书馆1993年版，第83～133页。

〔2〕 ［美］波斯纳：《道德和法律问题的疑问》，苏力译，中国政法大学出版社2001年版，第219页。这种注重人格魅力的培养模式也出现在英、法等国，在公立学校出现以前，英国律师学院所进行的法学教育就一直与人格教育紧密相连，其"不仅传授法律知识，也严格教授礼仪举止和上等人的行为方式"。英国的律师学院一度几成贵族和绅士等上流家庭的子弟学校。在法国，15世纪鼓吹应该培养更高人格的能力（studia humaniora）的人文主义以及17世纪大行其道的笛卡儿几何学精神，对法国的法律教育产生了巨大的影响，一方面，历史学、经济学、社会学成为必修课，法律史学的教育倍受重视；另一方面，教育不是为了教授个别的法律知识，而是以几何学的精神涵养为核心。参见［日］大木雅夫：《比较法》，范愉译，法律出版社1999年版，第280～314页。这里值得特别注意的情况是：按照波斯纳的观察，职业活动中专门化因素的增长正在导致律师魅力人格的衰落，因为对于客户而言，一个明智的政治家远没有一位称职的专家来得更有意义。同样基于专业化的压力，以实用主义为指导的当代美国的法学教育已经不再如以前那样把魅力型性格作为法律职业家成功的一个重要组成部分予以培养了，这种情况将会直接导致"律师—政治家"的从业模式的退化。参见上书，第221页。有关美国职业化或者说实用主义的法学教育内容可参看龙卫球："美国实用法律教育的基础"，载《北大法律评论》第4卷第1辑，第200～215页。

灌输法律上的知识，所要的乃是要造就一个"机智"的律师。[1] 庞德所称的机智在某种程度上契合了韦伯关于"魅力"的解释，"'魅力'应该叫做一个人的被视为非凡的品质。因此，他被视为天分过人，具有超自然的或者超人的，或者特别非凡的、任何其他人无法企及的力量或素质，或者被视为神灵差遣的或者被视为楷模，因此也被视为'领袖'"。[2] 分析美国政治的实际运作我们将会发现，美国的这种知识/魅力型教育模式在许多时候为律师登上政治或公众舞台提供了必要的准备。

美国的政党政治同时又是竞选政治。在当众竞选，公众投票决定当选者的场合，参选者自身的条件和言辞能力等可归与魅力一类的范畴无疑是影响公众的兴趣、注意力、信赖感并最终决定将选票投给谁的重要因素。"平民表决民主——领袖民主的最重要的类型——按其愿意是一种魅力型的统治，它隐蔽在一种由被统治者的意志引申出来的，并且只是由于这种意志才继续存在的合法性的形式之下。实际上，领袖的统治是由于他的政治追随者对他本人的忠诚与信赖"。[3] 为获得投票者的认同，对于竞选者而言，以下两点显得尤为关键：

第一是学识或教育的背景。首先，一般而言，有着较高教育背景或拥有某方面深厚学识的人更容易唤起人们潜意识里的那份敬重，在这方面，美国法学教育的作用主要表现为提高了法学教育的门槛。美国实行一种所谓通才式（general education）的法律人教育模式，即基础教育或一般教养先于法律教育。只有已在大学修完政治学、经济学、历史学和文学等专业获得文学士学位（Bachelor of Arts，B. S.），或学习数学等其他自然科学获得理学士学位（Bachelor of Sci-

---

〔1〕　转见卢峻："美国之法律教育"，载孙晓楼等：《法律教育》，中国政法大学出版社1997年版，第306页。

〔2〕　[德] 韦伯：《经济与社会》（上卷），林荣远译，商务印书馆1997年版，第269页。

〔3〕　韦伯将社会生活的合法的统治方式大致分为三类：法理型、传统型和魅力型统治，韦伯认为，作为一种前理性时代的社会现象，魅力型统治具有典型的"反经济性"，即对日常的经济活动表示出鄙视，其政权内部缺乏稳定的组织机构与程序，也没有现代意义上的官僚。也正因为这些特点，在社会处于革命或变革状态时（社会危机），该方式会具有某种优势和合理性，但是随着平稳发展时期的到来，魅力型统治必然将走向常规化（用韦伯的话将是魅力的平凡化，这一过程一般包含五种方式），即进入相对稳定和程序化的法理型或传统型的统治。在韦伯看来，当先天魅力或魅力未能经受住考验而导致正当性丧失之后，统治者常常采用平民表决的方式来重获被统治者的承认和合法性，这当中就包含了向法理型统治演变的契机，但是韦伯同时认为，平民表决民主或现代国家普遍实行的"政党领袖"同样带有某种魅力型统治的色彩。参见 [德] 韦伯：《经济与社会》（上卷），林荣远译，商务印书馆1997年版，"魅力的平凡化"与"魅力的民主新解"两节，第274～302页。另外，根据韦伯的观点，在传统与法理这两种法治状态中，法律人将占据社会与政治上的优势，这就意味着，一种以法律学识为正当性元素和内容的新的魅力型统治复活了，这的确是个十分有趣的现象。

ence，B. S.）的人，才可以进入法学院修学法律。[1] 这种提高受教育者准入资格的做法当然起到了突出法学教育和法律学问在国民教育序次以及知识体系中的位置的效果，但一种更为现实、深远的意义是；它使得法律职业与某种社会精英、杰出人物之间的观念性联系变得更为便捷和顺理成章。[2] 其次，从教育内容上看，当拥有者的那些知识学问不足轻易为外人道时，那份敬重就平添了另一种神秘。在 17 世纪初，柯克法官在对詹姆斯国王的反驳中区分了法律理性和自然理性的差异："陛下对英格兰王国的法律并不精通，法官要处理的案件动辄涉及臣民的生命、继承、动产或不动产，只有自然理性是不可能处理好的，更需要人为理性。"[3] 与其他知识相比，法律更可能是这样一门具有某种神秘意味的知识学问。它不仅有一种风格独特、含混难懂的话语，而且还是一种普通旁人难以谙熟的、需要经过长期的系统研习和经验操作才能获取的有关法的推理和解释的实践技术。

除知识本身的特性以外，法律家在营造法律的神秘性方面功不可没。[4] 为获得社会上的优势地位，法律职业的弥久努力和道统传承成就了强大的、属于自己的职业共同体，而伴随这一过程的则是法律学术樊篱的无可避免地被建立。"学科构成了话语生产的一个控制系统，它通过趋同性的作用来设置栏栅，在趋

---

〔1〕 ［日］大木雅夫：《比较法》，范愉译，法律出版社 1999 年版，第 322 页。

〔2〕 有关政治参与的研究也表明，处于社会不同阶层的公民，在政治参与程度上存在较大差异。"那些受教育多、收入较多和职业地位较高的人，参与的程度通常比贫穷、未受教育和职业地位低下的人要高"。虽然，自律师职业出现以来，围绕该职业的责难就没有停止过，但从律师的教育背景看，律师具有比其他普通社会成员优越的政治参条件。参见 ［美］塞缪尔·亨廷顿、多明格斯："政治发展"，载格林斯坦、波尔斯比：《政治学精选手册》（下卷），商务印书馆 1996 年版，第 189～190 页。在现今西方的高等教育专业中，医生和律师仍然是最热门、收费最高的专业。他们的收费比一般的非热门学科如文理科、音乐科、图书馆科高。如美国密歇根大学的医学和法学院的学费分别比文理学院、图书馆学院的学费高出 69% 和 15%。法国：资本家子女入医科的为 30.45%，入法科的为 29.3%，这两科比例占到将近 60%；自由职业者子弟入这两科的比例：法科 26.05%，医科 40.8%，合计占 2/3 还强。而工人子女的比例：法科 18.9%，医科 16%，两者合计仅占 1/3。提高入学门槛的做法（包括高学费）的确能起到了提高法学毕业生在社会上的地位的作用。而从世界范围看，这也是一种颇为通行的做法。这不仅令人想起西方早期律师界曾经实行过的那种门第和血统的检验制度。参见 ［英］波雷斯特：《欧美早期的律师界》，傅再明译，中国政法大学出版社 1992 年版，第 156 页。

〔3〕 贺卫方：《司法的理念与制度》，中国政法大学出版社 1998 年版，第 248 页。

〔4〕 职业性神秘是波斯纳关注的话题之一，在他看来，对职业神秘性的诉求显示出该职业对其知识主张的某种不自信，法律职业保持其神秘性的技巧主要有：培养出一种风格含混难懂的话语（语言、研究与推理过程）；教育资格上的高要求；专门化或学徒制的职业训练；职业成员魅力人格塑造；对职业工作细分的限制；很少等级；天职观念的标榜；抵制外来的和内部的竞争等。参见 ［美］波斯纳：《道德和法律问题的疑问》，苏力译，中国政法大学出版社 2001 年版，第 216～231 页。

同性作用中，统治永久性的复活了"[1]。法学是一门相对自治和可自主独立的知识学问，的确，这种观念在法律学术的发展史上曾经长久地占据着支配地位[2]。由知识的独特性和学科栏栅所带来的后果必然是法律成为一个专业阶层的行业，法律科层独占地享有着法律知识的话语权力，无法律教育经历的社会大众只能徘徊于门外而无缘知悉那些令人神往的"技术理性"。当法治从理想观念走向世俗的操作，当法律规则被公开宣扬或被公认为治理复杂社会的最佳选择时，法律职业转而被承认为政治领袖的情况确是十分自然的。

第二是文字操作能力和组织沟通技巧。美国的竞选政治在现实中同时还表现为一种演讲政治，也就是韦伯所说利用文字操作的政治，"如今的政治在很大程度上是在社会公众之中利用言辞和文字来操作的"[3]。根据历史学家布尔斯廷对美国早期政治生活的观察，美国的生活方式——其联邦制度、其新型的基层社会、其数目众多的立法机构、其好几种体制的法院以及定期举行的选举——使得在公众面前演说的必要性和机会都成倍地增加。特别是在 19 世纪 30 年代政党开始实行全国总统提名大会以来，各个政党和由他们发起的群众运动以及更为新型的总统候选人电视辩论，为公开发表政治演说提供了成千上万的新机会[4]。因此，演讲已经成为美国政治生活的经常性内容和重要的制度形式。

在演讲这样一种政治模式下，一个竞选者若想要当选，最起码必须做到能说会道和善于交流沟通，换句话讲，这里的机会只属于那些演讲家或所谓的煽动家。而增强言辞的效果无疑是律师的手艺而非政治官僚的份内之事。律师职业说到底就是在说服力竞争的场所具有更有效地进行竞争的义务与权利的执业。按照政治学家李普塞特观点，法律职业本身就需要某种政治技巧，法律工作可以使人受到最好的政治技巧训练，而政治领导人主要就是从这个职业中招聘的[5]。但是，律师的言辞能力和组织技术并不完全来自于法律实务活动，法学教育同样功不可没。

在这方面，美国大学法律教育中的两项做法应该受到重点关注，一是案例教学法，二是与案例教学法一脉相承的模拟法庭论战（moot court；competition）。

---

[1] 参见 Foucault, The Archaeology of Knowledge and the Discourse on Language, New York：Pantheon, p. 224. 转引自刘星：《法律的隐喻》，中山大学出版社 1999 年版，第 130 页。

[2] 法律职业对法律学术的历史建构请参见郑戈："韦伯论西方法律的独特性"，载李猛等编：《韦伯：法律与价值》，上海人民出版社 2001 年版，第 7～19 页。

[3] ［德］韦伯：《学术与政治》，冯克利译，三联书店 1999 年版，第 75～76 页。

[4] ［美］丹尼尔·布尔斯廷：《美国人：建国历程》，中国对外翻译出版公司译，三联书店 1993 年版，第 384～387 页。

[5] ［美］西摩·马丁·李普塞特：《政治人—政治社会的基础》，张绍宗译，上海人民出版社 1997 年版，第 351 页。

此二者都非以传授作为法学知识的真理为目标，而是把重点放在训练学生进行法律推理的能力以及如何让学生掌握解决问题的方法上，相比之下，模拟法庭论战更加注重对学生辩论、组织、说服能力和技巧的培训。这两项教育制度的实行使得培养出来的实用性人才具有可资利用的能力，确保其在政治生活中有所作为。[1]

从更为宏观的角度看，除政党化经营及言辞辩论等一些现代政治基本特征外，美国的政治实践中还有某些特殊的做法，它同样是导致律师成长为政治家的诸多因素中不可忽视和基础性的一种。法律与政治或意识形态之间应该保持怎样距离才算恰当，这无疑是法学中一个恒久而常新的命题，众多讨论者们游移不定的态度表明把握这其中的标准是何等的艰难。而在较早时候（实证法时代），法律应当独立于政治的观念或者说是理想确已深入人心。这一价值定判同样对美国司法机构的态度产生了影响。美国联邦最高法院在行使司法审查权时有"政治问题"的限制，即政治问题的"不可由法院审理性"。这一传统的形成最早可追溯至司法审查缔造者马歇尔大法官，在"马伯里诉麦迪逊案"中马歇尔指出，有一类宪法案件联邦法院是不能审查的，因为"所涉及的问题是政治性的"。后经布伦南大法官在"贝克诉卡尔案"中的努力，政治问题理论得到发展和完善。但是，正如法官自己所袒露的那样，在美国的司法审查中，政治问题从来没有形成一个统一使用的、确定的标准，在很多时候，它被援用的意义仅在于法院为了避免自身陷入政治的荆棘丛，或者为维护法律系统的独善其身和对政治纷争的中立形象以获取公众对其道德约束力的持久信任。[2]

---

[1] 虽然，现代社会中的法律实务日趋多样化，律师辩论能力的意义在有些场合已不再表现得如在法庭上时那么重要，但是长久以来，辩才一直被认为是律师必备的技能之一。帕里斯法官在其著《辩护律师的七大素质》中指出："雄辩"与其他如诚实、勇敢、勤奋、幽默、判断力、友谊等要素一起构成了一个优秀律师必须具备的七大素质。参见［英国］里查德·杜·坎恩：《律师的辩护艺术》，陈泉生译，群众出版社1991年版，第46～47页。事实上，律师作为辩论专家的形象在古罗马时期便已树立，当时实行的控诉式诉讼制度为律师辩论提供了必要和可能。曾两度在罗马担任律师的西塞罗就是一个杰出的辩论专家，著有流传后世的《辩护词》17篇。雄辩术本属于修辞学范畴，古罗马律师的这种双重身份建构起了两者之间最早的联系。在波伦亚大学最早开始研究罗马法之前的很长时间内，进行神学教育的教会学校把修辞学与法学一同教授的做法几成传统。在现代各国的律师培养方式中，法国律师培训中心的讨论会（conferences de stage）对于律师辩才的训练颇具传统特色。讨论会被认为是充满口若悬河的陈述与辩论的法庭的演习场，"其场景从律师协会会长的入场到最后判定优劣，都令人联想到古代的雄辩学校"。有关美国的案例教育法和模拟法庭的内容请参见［日］大木雅夫：《比较法》，范愉译，法律出版社1999年版，第324～325页；有关内容还可参看［美］埃尔曼：《比较法律文化》，贺卫方、高鸿均等译，三联书店1990年版。

[2] 参见［美］杰罗姆·巴伦、托马斯：《美国宪法概论》，刘瑞祥等译，中国社会科学出版社1996年版，第36～41页。有关该问题的研究还可参看程洁："从贝克诉卡尔案看美国政治问题的法治化"，载中央财经大学法律系编：《面向21世纪的司法制度》，知识出版社2000年版，第315～321页。

在政治理论问题的幌子背后，有学者发现了其中的微妙之处。根据法国人托克维尔对美国政治运作的观察，在美国几乎所有重大的政治问题迟早都被转变为法律问题而提交法院解决。美国本土学者康马杰证实了这一点：在西方各国，只有美国的法院成为政治问题的最后仲裁人。[1] 法院将对政治问题作出最后决定，这已成为美国政治的定律之一。在这样一种宪法化严格地讲是程序化的政治运作模式中，不具备法律特别是宪法的知识、不熟悉法院的宪法性裁判的政治家将几乎是不可想像的，"每个美国政治家都必须清楚地了解宪法，了解人权法案以及联邦最高法院的决议，否则将寸步难行"。[2] 这种法治化（司法主宰）的政治运作过程不光为身份自由、人数众多的律师成为最可资利用的政治家资源提供了可能，而且使得法律教育经历在很多时候被认为是迈入政界前十分必要的准备。

三、律师与政府决策

（一）政府决策中的律师统治

在叙述这一问题之前，有必要明确在美国"律师"这一概念的涵义。我们知道，美国实行的是律师资格与律师执业资格相分离的这样一种律师管理制度。即取得律师资格的人员若想从事律师职业或律师工作，必须再取得由律师协会颁发的律师执业证书。在这种制度下，被称作"律师"的其实包括这样两类人：一类即我们通常理解的、经过律师协会登记注册的律师，他们专门从事诉讼代理、辩护、担当法律顾问、提供法律咨询等法律服务；另一类是虽有律师资格但从事的是律师职业以外的职业如充任政府行政官员、法官、大学教师或其他等等。授予其律师的资格仅表明他们已通过了律师资格考试或所具备的法律学识已达一定水平。[3] 严格地说，后一种律师称他们为法律人似乎更为合适。从美国实行这种制度的效果看，它的确起到了将法律职业团体的整体素质维持在较高的层次的作用，同时，又能够为其他行业领域特别是国家政治科层提供大批法律人力资源。

---

[1]　［美］H·S·康马杰：《美国精神》，南木译，光明日报出版社 1998 年版，第 532 页。

[2]　［美］肯尼斯·米诺格：《政治学》，龚人译，辽宁教育出版社 1998 年版，第 62 页。事实上，美国的许多人都是为了将来从政而进法学院学习法律的。如约翰·亚当斯、威尔逊、杜鲁门等等，"我选定的职业是政治；我学习的却是法律。我学习法律是因为我认为这可以使我从事政治。这曾是一条有把握的路……"（威尔逊语）；"为了在政治舞台上取得成功，我不得不尝试法律方面的事业"（亚当斯语）。参见程燎原："法治下政治家的法律专业背景"，载高鸿钧主编：《清华·法治论衡》（第 1 辑），清华大学出版社 2000 年版。

[3]　沈宗灵：《比较法总论》，北京大学出版社 1987 年版，第 274 页。

同西方许多国家里的情况一样，美国律师不仅仅是作为企业或公民的律师而存在的，在很多时候还是政府的律师。从工作方式看，他们或为政府机关提供法律服务（我们习惯称呼其为"政府法律顾问"），或被政府任命直接从事行政管理事务而成为政府官僚。这一印象可以从哈罗德·伯尔曼主编的那本《美国法律讲话》中找到根据："美国法律界的另一重大工作领域，是在政府的各种机关里。在美国那样庞大和复杂的国家里，政府机构大多数有法律顾问，许多律师受雇于联邦、州和地方政府。此外，法律专家被任命负责行政工作，他们虽非直接处理法律问题，可是他们所受的法律训练可以对他们大有裨益。"[1] 而据笔者能够看到的相关统计资料显示，为美国政府机构工作的律师人数不在少数。1949年，全国 18 万律师的 1/8 是由政府雇佣的。在 1988 年，政府中的律师总人数为76843 人。其中在行政部门工作的有 57724 人，占全国律师总人数的 8%，在司法部门工作的为 19071 人，占全国律师总人数的 2.6%，在政府中的律师人数占全国律师总人数 723189 人的 10.6%。[2]

在美国，各级政府都十分重视律师的法律顾问作用，作为法律顾问的律师几乎存在于包括总统府、五角大楼、司法部等在内的所有政府部门中。其中最为有名要数国务院法律顾问团，它拥有 39 名律师，由国务卿直接领导，负责政府的法律咨询并为国务院处理国际事务提出法律方面的建议。其具体业务范围是参与国际条约的草拟、审核与修改；为重大涉外经济纠纷以及海事、商事提出法律意见；参与重大合作项目谈判、合同草签以及最后执行等。除我们熟悉的解答法律咨询外，美国的政府律师的作用还有，参与行政立法和政府决策，代理出庭应诉或替政府出面处理法律纠纷等。[3]

任命律师来进行行政管理活动的实践开始于美国州际商业委员会。作为美国现代行政机构的蓝本和原始形态，首届州际商业委员会是国会通过《1887 年州际贸易法案》建立起来的。被选派到这个机构中去的五个人全部是律师，从而开创了在行政管理机构中律师统治的先例。这一先例在美国后来大量类似的专业性行政机构中几乎得到一致的遵循。但是该委员会在创建之初并不具有我们现在所看到美国政府部门强大的行政管理能力，它所有的仅仅是起草报告和提出建议、主张的权力。

真正意义上的律师统治局面是随着行政部门与司法部门之间原先那种均衡态势发生历史性变化并最终将美国导向行政国家（同时又是福利国家）的道路后

---

〔1〕 ［美］哈罗德·伯曼：《美国法律讲话》，陈若恒译，三联书店 1998 年版，第 200 页。

〔2〕 部分数据来源于青锋：《美国律师制度》，中国法制出版社 1995 年版，第 6 页。

〔3〕 谢佑平：《社会秩序与律师职业—律师角色的社会定位》，法律出版社 1998 年版，第 63 页。

才出现的，引发此种变动的原动力是美国的社会经济形势的变化。20 世纪初的美国经济遭遇到了严峻的困难，大工业萧条、生产和消费出现全国性危机，经济实际已处于崩溃的边缘。在这种形势下，罗斯福政府不得不抛弃原先固守的不干预形象开始推行新政计划，扩大联邦行政权力对经济事务的调控力度，颁布了一系列旨在复苏每况愈下的经济局面和促进社会福利的法案。这其中就包括了著名的国家工业复兴法、农业调整法和社会保障法等。由于美国司法部门一直以限权理论为行动圭臬而对政府权力采取了严格的狭义解释，新政计划遭到了来自法院或者说正当程序的强大抵制。从 1934 年到 1936 年，最高法院共作出 12 个判决，以违反正当程序为由宣布新政措施无效，的确有那么一段时间，正当程序条款成为一种特殊而使用频繁的武器，最高法院动辄用其来否定那些从某些特定的经济或社会意识看来不明智不相容的法律。

作为一种回应，罗斯福总统提出了"改组法院"计划，在这场"有限的宪法革命"中，行政权力取得了最后的胜利。从 1937 年 4 月开始，最高法院改变了以往对政府权力的谨慎态度，开始全面支持新政法令，其中包括一些基本类似于过去被宣布为无效的新政法令。最高法院对社会保障法案的承认以及所作的一系列相关判决标志着美国开始迈入福利国家的时代，联邦政府通过财政拨款实施了许多涉及社会福利、卫生、失业、以及其他救济的公共服务项目。正如有人所指出的那样，社会保障法案的意义，远远超出了有关的制定法本身，它使得政府实际上演变成一个巨大的吸管，它攫取税收和权力，吐出财富：金钱、福利、服务设施、契约、特许权和许可证。司法态度的改变也鼓励了国会和州的立法机关将更多的代理权授予行政机关，行政授权成为制度化。随之而来情况是，调整经济活动的行政法令变得日益复杂和多样化，为贯彻这些新政措施，各种新的行政官僚机构得以不断产生，而这一切都需要数量空前的受过法律训练的律师。事实上，在大萧条和新政期间，大部分的新政条例都是有律师制定和实施的。也正是在这一时期，第一次出现美国法律学院的毕业生，把华盛顿特区而不是华尔街作为自己的目标。[1]

那么，为什么是律师的统治而不是其他人的统治呢？一个笼统的理由是，现代社会以法治为纲领，社会事务的处理和社会成员的活动都必须服从法律的权威与规则的整合性治理，法律学识的价值因此得以肯定，当然也需要大量的受过法律训练的人才。的确，社会流动性的增大使共识仅仅成为法律上的一种拟制，并且组织和制度的原理也不得不改变为：重功利胜于重传承、求专业知识胜于求人

---

〔1〕　有关美国现代行政管理机关的发展史，请参看［美］伯纳德·施瓦茨：《美国法律史》，王军等译，中国政法大学出版社 1990 年版，第 174～190 页。

文教养。与这种新型社会状态相配合的权力结构，则是以可计算的法律为基础的统治方式，包括神圣不可侵犯的市民权和高度理性化的科层制两个方面。[1] 不同的是，在欧洲大陆国家，法律科班出身的官僚通过文官科举占据政治和社会上的优势，而在美国，则表现为律师和其他法律人才通过选任或竞选等方式成为政府权力的执掌者。

按照韦伯的看法，西方现代国家应当由专业官吏来治理，真正的统治存在于日常的行政管理中而非议会的演说或君主的告示中，这是资本主义对可预计、技术化并相对稳定的管理制度的要求决定的。在这方面，美国的政党分肥制（Spoils System）无疑是个例外。长期以来，美国的行政管理是交由党人政治家来进行的。"在美国，由于总统选举的结果，使得成千上万的官员大换血，甚至波及下层邮差，由此造成由猎取官职的政客实行业余水平的行政管理"。[2] 但是，随着许多类似商业委员会的行政管理机构的设置，那种专业化的管理模式已隐约可见。同时，行政国家不仅仅意味着各级政府部门不断增设管僚机构，而且还意味着自觉利用法律来管理社会经济各种公共事务，行政管理中的专业化和技术性的压力将由此产生。"当今社会结构日益复杂化，从前的党人政治家的思考模式已成事不足，必须代之以一种新的技术性要素。于是法律乃至行政技术的专家出身的官员在政治中扮演重要的角色……"[3] 事实上，美国大部分的财政经济方面的管理法案都是出自行政专家之手，而当行政问题变得日益专门化时，疲于应付的立法机关变得越来越习惯求助于行政机构，以指导其起草法律。情况可能就是如此，只要福利国家是一种必要的状态，就意味着更多的法律，律师就有更大的施展余地。

与1887年的州际商业委员会相比，那些作为新政措施中介而设置并保留下来的行政机构已被填充了真正意义上的权力内容。在绝大部分时候，他们不仅享有立法权，而且还享有裁判权，通过制定规则或作出裁决拥有着对公民权利和义务的决定权。在行政权的范围之内，行政机关的重要性不亚于立法机关、审判机关行使的权力，成为名副其实的"第四个政权部分"。随着行政权力内容和范围

---

〔1〕 季卫东：《法治秩序的建构》，中国政法大学出版社1999年版，第197页。

〔2〕 韦伯指出，正如中世纪以来，所谓的迈向资本主义的进步是经济现代化惟一的尺度一样，迈向官僚体制的官员制度的进步是国家现代化的同样明确无误的尺度……官僚体制的官员制度建立在聘用、薪金、退休、晋升、专业培训和劳动分工、固定的权限、符合档案原则、上下级之间的等级服从的基础之上的。……聘任的官员决定着一切日常需求和日常申诉。在韦伯看来，现代官员不应是政治家，他的荣誉来源于对上级命令准确无误的执行。参见〔德〕韦伯：《经济与社会》（下卷），林荣远译，商务印书馆1997年版，第736页。

〔3〕 〔日〕三木清：《三木清全集》，转引自季卫东：《法治秩序的建构》，中国政法大学出版社1999年版，第196页。

的空前扩张以及不断加剧的信任危机，行政的法治要求也变得也比以往任何时候都为迫切。1946 年国会制定《联邦行政程序法》，规定了行政程序的最低标准以对行政扩张进程进行限制，它成为美国创建行政法律制度的道路上的标志性成果。但是这种通过程序控制行政权力的思路却正是律师的创造。在政府机构中的优势地位使得律师按照自己的设计来塑造机构管理模式成为可能，设计的一个明显结果就是行政程序的法律化。从最早的州际商业委员会开始，行政管理程序成为司法程序的一种翻版，辩论式司法程序成为这些机构的突出特点，行政机构实际上演化为在特定领域内专门解决某一类问题的法庭。在这里，我们对法律学识与权力相结合的意义有了一层更为美好的理解：其不但能够提高法律运行的自觉和能力，更重要的还可能在于他们的结合能够实现权力的某种自我约束与节制。

（二）商业化、利益多元与律师参与决策

从某种程度上讲，对美国政治生活、政府机关中的律师的这种观察已经超越了政治参与本身的内涵，当然，作为一种法学上的知识努力，笔者的视野无须过分拘泥于此。其实，作为政治学上的一个特定范畴，政治参与是指公民通过一定的方式直接或间接地影响政府决策或与政府活动相关的公共政治活动的政治行为。

自亚里士多德作出人天生是政治动物的论断以来，政治参与（Political Participation）就一直是政治学中十分重要的研究课题之一。随着现代政治学理论对政治参与和民主政治之间那种关联性的建构，政治参与成为了进行政治分析的基本概念和手段。现在，对政治参与的关注范围已有很大的拓展，即由传统的政治投票、政治选举扩大到影响政府决策的所有合法的、自愿的行为或者"体系内部"的活动，甚至政治态度，等等。[1] 在政治参与的主体界定上，政治学理论历来存有不同理解。一种广义的看法是政治参与适用于任何人，"无论他是当选的政治家、政府官员或是普通公民，只要他是在政治制度内以任何方式参加政策的形成过程"。[2] 另一种观点是政治参与仅指普通公民影响政府决策的行为（或企图影响"社会价值的权威性分配"行为），所谓普通公民是指那些"并非以他们在职业上卷入政治时所扮演的角色进行活动的公民"。日本学者蒲岛郁夫持有这样的观点："所谓政治参与是旨在对政府决策施加影响的普通公民的活

---

〔1〕　陈振明：《政治学》，中国社会科学出版社 1999 年版，第 358 页。

〔2〕　［美］戴维·米勒、韦农·波格丹诺：《布莱克维尔政治学百科全书》，中国政法大学出版社 1992 年版，第 563 页。

动。"[1] 但不管怎样，有一点是可以基本确定的，那就是政治参与关乎政府之决策。那么，律师在政治参与过程中对政府决策起着什么样的作用呢？或者说，根据上文的描述，律师何以能够政治参与呢？在这里，笔者对此问题作简要分析。

1. 律师的态度——政治参与的内在视角。站在参与者的角度，律师参与政府之决策、参与国家政治生活是政治热情的兴趣所致，还是出自一种必然的需要，这里涉及到一个职业态度问题。律师参与政治可以从其职业本身的某些特性中寻找到依据。如果说律师参与政治显示了律师对社会公共事务和社会公共利益的珍重与关怀，那么这本身便属于法律职业之基本要义。

法律职业就其意义而言是一项公共事业而不是为一己私利的活动，布兰代斯认为：一个职业之所以成其为职业的标准之一就在于职业者主要为他人而不是为个人从事这一活动。[2] 这种职业义务观在很大程度上契合了基督教教义中的某种"天职"理念，其主要内容是：基于睦邻和利他主义的精神选择职业，经济的成功必须从属于更高的社会价值；坚持禁欲、节俭、勤勉、诚信的人生观；在日常生活中不断进行内省的自律；按照社会分工兢兢业业地劳动，提高熟练程度；按照等价交换原则进行公平交易，等等。[3] 而面对由营利活动带来的怀疑和信任危机，标榜职业的伦理性和利他主义的做法无疑能够有力地论证该职业存在的正当性和合理性。

一般而言，作为需要专门知识和使命感的自由职业，律师应奉行为公众服务的宗旨，以维护人权和公民的合法权益为职业使命，在这一点上，它区别于一味追逐私利的其他营业（buiseness）。台湾学者邱联恭指出：律师具有专门职业性和公共性，即律师之职务活动本系于其特殊的知识、技能……，律师系为社会全体利益而存在，必须回应社会上一般人之具体需求，负有将自己所具备的高度学识、技能运用于社会公益之职责。而戈登则认为：尽管律师的服务和技术是出售给客户的，但他们个人的政治信念却不是……客户可购买的忠诚是有限的，因为

---

[1] ［日］蒲岛郁夫：《政治参与》，经济日报出版社1991年版，第4页。

[2] 布兰代斯认为，职业应具有以下三个标准：①职业是指相称的知识者有预先必要的训练，涉及不同于纯粹技术的知识和一定程度的学问；②职业者主要为他人而不是为个人从事该活动；③金钱报酬的数额不是衡量职业者成功的标准。参见［美］马克斯等：《律师、公众和职业责任》，舒国滢等译，中国政法大学出版社1992年版，第27页。

[3] Magali S. Larson, The Rise of Professionalism: A Sociological Analysis (Berkeley: University of California Press, 1997), 54ff. 相关内容还可参看季卫东："现代市场经济与律师的职业伦理"，载刘小枫等编：《二十一世纪论丛（6）中国近现代经济伦理的变迁》，香港中文大学出版社1997年版。

律师职业的人格的一部分必须另外贡献给公益。[1]　不仅如此，律师之政治参与对于职业本身而言还另具一番意义。随着商业主义的扩张和法律行业竞争的加剧，律师越来越把注意力集中到如何为当事人提供更好的法律服务上，而对公共事务、政治领域的成功越来越少有兴趣。波斯纳认为，职业主义（也是一种实用主义）以及法律服务竞争的增加会使律师较少可能把其客户利益从属于律师理解的"更高"社会利益。[2]　情况的确正如许多学者所警惕的那样，在美国和其他一些国家，法律职业正成为一种商业，律师自觉或不自觉卷入商业体制的大旋涡之中，沦落为大公司和企业的附庸，前人先辈们的那种独立品格和公众精神已不复见到。在这样的背景之下，律师通过政治参与，标榜自我对于社会与公众利益之责任，无疑能够有效地改观自身形象，换言之，政治参与对于商业气息渐浓的律师业来说将发挥某种伦理救赎与角色重塑的作用。这一点，在美国、日本等国律师界表现得尤为明显。

2. 律师的权衡与决策——政治参与的过程分析。决策（decision-making）意为作出决定，所谓政府决策，就是对社会重大问题的决定。政府决策是把有效的政治要求转化为权威性政策的阶段，也就是政府运用公权力对资源进行权威性分配的过程，即谁得到什么和谁支付什么，其本质是对利益和义务的界定与分配。[3]　政府决策过程是一个动态的过程，在这过程中，政府组织可以认为是一种输入与输出的决策装置，它从社会那里接受"输入"，把输入的信息作处理后就作出某些"输出"（决策），决定的执行又反馈到"输入"单位。这一过程就是下图所表示的模式：[4]

---

〔1〕　邱联恭：《司法之现代化与程序法》（"国立"台湾大学法学丛书），三民书局 1992 年版，第 184 页；R．M．Gordon，"The Independence of Lawyers"，Boston University Law Review 68（1988）：13，中文版参见［美］罗伯特·戈登：《律师独立论—律师独立于当事人》，周潞嘉等译，中国政法大学出版社 1992 年版。庞德也有类似的观点："一群人从事一种有学问修养的艺术，共同发挥替公众服务的精神，虽然附带着以它谋生，但仍不失其替公众服务的宗旨。"参见 Roscoe Pound, The Lawyer from Antiquity to Modern Times（St．Paul．Min，West Publishing Co．，1935）；中文内容参看［美］哈罗德·伯曼：《美国法律讲话》，陈若恒译，三联书店 1998 年版，第 200 页。

〔2〕　同追求经济成功与践履职业信念之间的矛盾一样，这有可能是关于职业伦理的讨论中不得不要面对的一另个悖论与难题。参见［美］波斯纳：《道德和法律问题的疑问》，苏力译，中国政法大学出版社 2001 年版，第 221～231 页。

〔3〕　［美］拉斯韦尔：《政治：谁得到什么，什么时候得到及如何得到》，商务印书馆 1992 年版。

〔4〕　［美］戴伊·伊斯顿：《政治生活的系统分析》，华夏出版社 1989 年版，第 2 章。

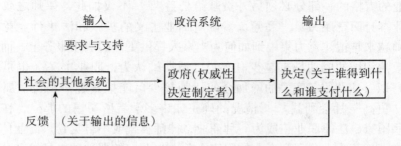

根据上面的模式，当个人或团体向政府提出利益要求时，即要求政府满足他们自由、经济安全、警察保护等需求和愿望时，决策过程便开始运作。利益综合部门检查各种政治要求和支持的情况，并考虑到自己的利益，然后做出决定，这些决定（法律或行政命令）实施又会引起反馈；反馈信息促使利益综合部门对原来决策进行修订、更改或废止，如此周而复始，循环往复。同时，通过不断的反馈过程，提出要求的个人或团体会发现政治系统是如何处理他们的要求的，并选择给予支持或撤回支持。因此，政府决策是政治系统运动中基本的过程，同时也是最为关键和决定性的过程。

正如上文所指出的，政府决策的实际内容是对各种利益的权威性分配，这种分配的结果不仅直接影响个体成员的生存境遇并进而对社会整体形态构成某种塑造，而且最终关系到社会对政府统治的支持或排拒态度，因此，现代政府莫不以决策之科学性、合理性为追求，而在政治学界，对决策模式的积极探索构成了一个经久不息的话题。

在现代社会条件下，一项关乎利益的科学决策的压力更有可能来自于多元并存的利益格局。麦迪逊在分析利益集团时曾经指出："造成派别的普遍而持久的原因，是财产分配的不同和不平等。有产者和无产者在社会上总会形成不同的利益集团。债权人和债务人也有同样的区别。土地占有者集团、制造业集团、商人集团、金融集团和许多较小的集团，在文明国家里必然会形成，从而使他们划分为不同的阶级，受到不同情感和见解的支配。"[1] 现代社会的工业化进程推动着劳动分工和专业化进程，促进了传统社会的分化与流动，其必然导致社会内部更为活跃、更为细致的利益分化，社会越来越呈现出多元格局。

利益多元给那种所谓的理性的决策模式提出了挑战。按照此模式，一项最优化的决策来源于：第一，在掌握最详尽材料的基础上全面寻找备选行为方案；第二，充分考察每一种可能性选择所导致的全部复杂后果；第三，有一套先存的价

---

〔1〕 ［美］汉密尔顿、杰伊等：《联邦党人文集》，程逢如等译，商务印书馆1997年版，第47页。

值体系作为选择标准，筛别出备选方案中的一种[1]。但是，在利益多元的社会态势中，这种颇具纯粹理性色彩的行为模式却难有现实操作的可能。一方面，备选方案的可靠性来源与对利益信息的全面掌握，而面对多元并存的利益内容，即使最强大、最畅通的政府情报系统也难以为继。另一方面，利益的分化必然伴随着识见多元，在现实生活中，人们对实体价值的判断已很难达成一致意见，"我们的世界已变得越来越错综复杂，价值体系五花八门。……一个问题的答案因人而异，因组织而异"[2]。事实上，从现代各国的政治实践看，政府决策越来越呈现出这样的倾向：相对理性代替了完全理性的潜在追求，强调结果的实体公正性开始向强调形式公正性位移，这里没有最好的而只有某一特定时空内相对合理的选择。在决策过程中，利益的权衡与妥协成为多元态势下必不可少的操作。

　　基于上述分析，我们来看看律师参与政府决策有何意义或优势。首先，律师有利于利益的识别。毫无疑问，决策科学性的基础之一就是对各种利益尽量全面的识别，从决策行为科学看，决策程序之前的观察、调查、指标评估与比较分析构成了其中一个重要内容。在利益多元的社会格局下，科学识别的任务比以往任何时候都为艰巨。在这方面，政府情报系统的有限性常常会带来盲目决策的危险，而律师则具有某种天然的优势。由于职业活动的原因，律师经常需要与社会上各种利益主体保持相当的接触，对社会成员的利益主张了解较为全面，同时，律师总是为委托人的利益而进行活动，因此，对利益和社会要求的体会也较一般政府官员更为敏感与深刻。

　　然而，感知、认知社会成员之利益要求只是科学识别的第一步。既然政府决策的目的在于厘定利益的界线，那么，科学识别就不能仅仅停留在全面了解、掌握情况的要求上，它还应该负有将各项利益转化为界限分明的权利和义务关系的任务，而律师无疑具有这方面的能力。在季卫东看来，职业法律家的思维方式中蕴涵着适应了时代需要，并与国家法治命脉息息相关的法的卫道精神。"纯粹的法律问题自然如此，连政治经济问题乃至日常的社会问题也都尽量按照法律的普遍性和形式的规则和程序使之转化为明确的权利义务来加以调整处理"[3]。事实上，这种捍卫法律的秉性正是通过职业法律家的那种"转化"功能才得以成为外在的。从律师实务看，诉讼活动的一个重要前提就是：律师把当事人的主张与诉求转化为可进行对话的法律上的利益或权利，律师这种能力的获得是其运用法

〔1〕　杨光斌主编：《政治学导论》，中国人民大学出版社 2000 年版，第 222 页。
〔2〕　〔日〕谷口安平："程序公正"，载宋冰主编：《程序、正义与现代化》，中国政法大学出版社 1998 年版，第 376 页。
〔3〕　季卫东：《法治秩序的建构》，中国政法大学出版社 1999 年版，第 199 页。

律术语进行观察、思考和判断的必然结果。[1]

其次，律师之技术理性与利益的权衡和妥协。在利益多元的情况下，政府决策很多时候只能是在各方利益诉求充分表露基础上的某种整合，为确保决策的可操作和效益化，合理的权衡和必要的妥协将不可避免，在一项决策涉及社会公共利益或公众问题时，利益的妥协显得尤为必要，若无这样的技术操作，利益讨论各方各执一端，无休无止，结果也将无从谈起，因此，现代政府决策程序莫不以意见表达机会的充分给予和决策结果的包容性、终局性为特征。庞德曾经指出："在近代法律的全部发展中，法院、立法者和法学家虽然很可能缺乏关于正在做的事情的明确理论，但是他们在一种明确的实际目的的本能支配下，都在从事寻求各种冲突的和重迭的利益的实际调整和协调方法，以及进行实际的妥协。"[2]不难发现，在利益的选择和协调上，法律决定和政府决策的确存在着某种程度的契合。

正如法律决定的作出有赖于法律家特殊的理性的运用，现代政府决策的特征性格同样会衍生出对这种技术理性的需求，换句话讲，身处利益重围的现代政府需要一些技术性的操作来寻求一条可行的、合理的突围之路。长期的法律训练和反复处理大量的案件塑就了律师"兼听并包"的思维习惯（这种思维方式并非为法官所独享）和程序技术，表现为惯于听取和吸收不同意见，审时度势调整自己的观点，在充分权衡对立面的主张后整理出最佳的解决方案。在此过程中，为使方案更具可接受性和影响力，开放的态度、对对立一方意见的妥协必不可少。这种妥协不是自感臣服，而是为了达致最终目标的更犀利的进攻。"在专业分工日趋细密，利害关系错综复杂的现代社会，职业法律家既可以避免党人政治家的空泛，又可以弥补工匠型专才的偏狭，以其独特的平衡感觉在多元格局中折

---

〔1〕 法律家思维的一个特征就是运用术语进行观察、思考和判断，正是这种思考方式下，社会问题的法律化转化才有可能。参见孙笑侠："法律家的技能与伦理"，载《法学研究》2001 年第 4 期。

〔2〕 ［美］罗斯科·庞德：《通过法律的社会控制》，沈宗灵等译，商务印书馆 1984 年版，第 59 页。

冲樽俎、操纵自如"〔1〕

由利益多元所带来的另一个问题就是政府决策的正当性问题。在利益形态较为单一，或者某种特别的利益被认同为具有绝对的、压倒性的地位的情况下（人们在价值观上存有共识，不管这种共识的达成是自愿的还是被迫的），结果将带来正当性，通过观察决策成果就可轻易地判断出它是否合乎决策目的，是否遵循了社会基本一致的价值取向。但是，在利益多元，识见多元的现代社会中，政府决策越来越演进为一种选择的模式，它意味着，由于受到多元价值观的阻隔，任何一项决策或政治决定不可能是"颠簸不破"的必然结论，而只能是众多可能之中相对合理妥当的选择。那么，这种选择模式如何能为结果带来正当性呢？

在这方面，具有形式合理性特征的司法程序为政府决策过程提供了参照系。贺卫方教授指出：在排除了巫术以及过分地依赖魅力或经验的治理模式之后，理性的决策程序、对政府行为及其效果的计算、对利益多元化的认知以及不同利益之间相互冲突的权衡选择、政府行为需要受到已订立的法律的规制等等，都是现代型政府决策的特征所在。〔2〕从现代各国政府的民主实践来看，政府决策的正当性机理已由单一的结果指向逐步趋向通过程序的正当化，在内容上表现为尊重并广泛审议对立双方言辞及主张，在制度上则注重代表着不同利益的对立面的设置以及议论、对话空间的营构。一个典型的例子就是行政法制中普遍采用的听证程序，无论是规章制度的订立还是行政决定的作出，都必须通过这样一种准司法的程序装置的正当化功能来获得结果的合理性和可接受性；另一个例子是在代议制政府的决策（立法）过程中，忠实于不同利益的代表之间进行的激烈的唇枪舌战。事实上，现代政府决策过程在很多时候已经成为诉讼程序的一种翻版，这样的不谋而合无疑为律师参与决策提供了便利和可能。情况可能的确如此，律师

---

〔1〕 法律家的思考方式有其独特性，诸多学者都曾对法律家思考的特点做过研究。日本法哲学家田中成明将其概括为：教义学的性质，过去导向性，个别性，结论的一刀两断性以及推论的原理性、统一性、类型性和一般性等。季卫东教授认为法律家的思考方式具有一切依法办事的卫道精神、"兼听则明"的长处以及以三段论推理为基础的特征。立足法律程序对在程序中活动的法律家的思维进行考察确是一条极具意义的径路，孙笑侠教授将法律家程序中的思维特征概括为以下五大方面：①运用术语进行观察、思考和判断；②通过程序进行思考，遵循"向过去看"的习惯，表现得较为稳妥，甚至保守；③注重缜密的逻辑，谨慎地对待情感、情理等因素；④只追求程序中的"真"，不同于科学中的"真"；⑤判断结论总是非此即彼，不同于政治思维的"权衡"特点。律师作为职业法律家之典型，他所进行的法的思维无疑体现着上述特性，从另一角度看，这些特性同样也是律师技能的一部分（有可能是最重要的那部分），正是他们才使得律师政治参与成为可能，但要指出的一点是，这些特性或技能并不总能给政府决策带来乐观的结果。正如有位学者所提醒的：我们同时应该注意技术者或专家容易流于片面及偏狭的问题。

〔2〕 贺卫方："律师之政治参与"，载《中国律师》2001 年第 3 期。

对代理人（团体）利益的固守，对法律规范的正确把握，对辩论技术和程序技巧的熟练运用，正是他们在现代政府决策中扮演十分重要的角色的关键原因。

四、从法律参与到政治参与

以某种特定的政治模式为土壤，律师成长为政治权威（政治领袖），通过竞选（主要在美国）或科举考试（在德国、法国、日本等）律师步入国家官僚阶层直接充当立法者、决策者，受雇于各类政府机构担当政府决策之参谋，这是律师政治参与较为直观和纯真的表现形式。除此之外，是否还存有其他与律师职业活动密切相关（而不是以普通公民的身份）的参与渠道和内容呢？出于更完整地描述律师政治参与状况的考虑，笔者把注意力再次集中到律师对诉讼程序的参与活动上。

一般而言，法院或者说诉讼程序的作用在于解决纠纷，其遵循依法审判这一原则，即法官通过常规性地援用先例，适用业已存在规范和规则，透过判决的既判力，来解决对立当事人之间有关自由、财产、经济上利益或身份关系等纠纷，并通过解纷活动达到保护人权和实现社会正义的目的。而我们习惯上对律师功能的考察在很大程度上正是由这里起步的：基于学识和技术上的优势，律师代理及出席法庭能够确保诉讼程序的有效进行以及当事人利益最大程度的满足，基于知识上的某种同质性，作为对立面而存在的律师可有效地对抗法官在事实认定以及适用法律过程中极易出现的武断与专横，此两者同时还彰显着国家法制对公民权利和社会正义等价值标识的维护姿态。可以肯定，只要将纠纷提交法院最后解决仍是人们习惯的一种选择，只要司法程序依然承载着纠纷解决止纷定争的使命并被认同为是可资利用的渠道，那么，这种传统的思考径路仍然不失其合理性和可行性，而律师对司法程序的参与行为也可以从民权保护这一维度轻而易举地获得正当性论证。

但是，有必要指出，规范执行（norm enforcement）或者说止纷定争并没有也不应当涵盖法院所有的功能，虽然从创设至现在这一直就构成了它无可争辩的重要活动内容。与强调规则的自治性、形式正义以及法律机构对规则的忠诚义务的传统观念不同，现代法理论一个持久的关注点是法律或法律机构如何更多地回应社会需要及社会环境中的各种变化。现实主义者和法社会学者认为，法律机构可以并应当提供的不仅仅是某种形式上公平与正义，而且还应当有助于界定公共利益并达致实质正义。为此，法律机构有必要放弃原先那种以规则为指南而作准确、合法决定的安全作业，在合目的性原则的现实指引下，成为社会调整和促进社会变化更强大、更能动的工具。[1]

法律现实主义和法社会学的传统极大地拓展了对法院机构功能的认识的疆域。在关于"能动的司法"的诸多讨论中,司法决策这一命题正越来越被关注。正如许多学者所指出的那样,除止纷定争外,法院的判决往往也是制定司法政策的活动,换言之,法官在执行规则、解决纠纷的过程中,还常常发挥着政策形成的功能。[2] 社会生活的日益复杂和快速流变不可避免地导致了现代法律制度的新变动,即在法律内部不断增加了空白法规、一般性条款以及不确定概念规则的成分,而伴随着规则这种可依赖程度的降低,法官对决定"什么是法律"获得了更多的自由度和灵活性。法官常常被期望在立法者授权的一定范围内,通过自由裁量,作出合目的性、具体妥当的裁判,并通过裁判扮演相当的政策性角色。一方面,政策性的裁判可成为同类事件的先例,为社会上其他主体以及那些准司法机关或准行政机关的程序关系人提供了类似于法规范性质的活动指引;另一方面,由于裁判内容和结论通常会被看作是已获公认的特定价值而对社会、政治境况形成某种压力,一项新的公共政策将有可能由此而诞生。[3] 在这里,一直奉行不悖的对规则的遵从态度被对目的的左盼右顾和权衡所取代,检验法律决定正统性的标准也由原先的规则血统演变为某种政治性或道德性的判断。

一些对各国法院机构现实运作的考证将有助于加深我们的认识。在德国,联邦宪法法院凭借其抽象的和具体的司法审查权以及受理宪法申诉权对决策施加着巨大影响。从 1951 年成立至 1990 年底,联邦宪法法院宣布由联邦议院通过的 4298 件法案中的 198 项联邦法律违宪或无效,这些被确认为无效的法律涉及包括社会、财政、金融、法律、经济、交通、教育、卫生、军事、环境等在内的几乎所有的政策门类。而在美国,虽然存在着法官个性气质差异的影响而在某些时期表现得并不明显,但是从总体而言,美国法院从联邦最高法院、上诉法院直到下级的初审法院,都在以自己独特和可能的方式进行着决策。这一传统在美国被认为是由来以久,杰出的早期联邦最高法院的法官们正是通过那些声名远播的司法判例帮助界定了联邦体制和国家政治权力的基本格局,并且还预定了这一国家

---

[1] 诺内特、塞尔兹尼克:《转变中的法律与社会》,张志铭译,中国政法大学出版社 1994 年版,第 81~87 页。

[2] Henry R. Glick, Chapter 10, "Judicial Policymaking" in Courts, Politics, and Justice (2nd ed ., 1990). 中文参见宋冰主编:《读本:美国与德国的司法制度及司法程序》,中国政法大学出版社 1999 年版,第 533 页。

[3] 邱联恭:《司法之现代化与程序法》("国立"台湾大学法学丛书),三民书局 1992 年版,第 12 页。

必然强调商业和注重发展的趋势。[1]

现代社会生活的变动和法律的发展在为法院决策提供了比以往更多的必要和可能的同时，也蕴含了律师参与司法程序的活动向政治参与嬗变的契机。在诺内特和塞尔兹尼克看来，法律的发展会加大目的在法律推理中的权威，并同时造成法官对法律规则服从义务的削弱，这两者使得一种较少僵硬而更多文明的公共秩序概念有了形成的可能，法律因此获得了某种开放性和灵活性。"随着法律中目的性的加强，把法律分析区别于政策分析，把法律合理性区别于其他形式的系统决策，就变的越来越困难"。[2] 在此情况下，法律辩护被赋予了一种新的参与内涵和政治尺度。"由于法律体系扩大了其批评资源，它对决定什么是权威就授予了更多的自由裁量权。法律参与有了新的含义：它不仅变的不那么被动与依从，而且还扩大到法律政策的制定和解释"。[3] 对应于法官功能性角色的转换，律师对法律程序的参与除实现保护当事人权益的目的外，还被期待有助于完成形成政策的任务。[4] "律师系被其使用者即社会—般平民期待、要求以建言者或代言人

<hr />

[1] 宋冰主编：《读本：美国与德国的司法制度及司法程序》，中国政法大学出版社 1999 年版，第 533 页。

[2] 在法律权威不断分散以及法官对规则的服从和遵守义务不可避免的削弱的情况下，法律推理越来越成为一项冒险的作业，换句话讲，一个不拘泥于规则的判决如何获得正当性呢？一个必然的结果是目的因素在司法裁判和法律推理中的越来越占据权威地位，使得现代司法原则实际上由原来的依法审判逐渐变为合目的性审判。参见诺内特、塞尔兹尼克：《转变中的法律与社会》，张志铭译，中国政法大学出版社 1994 年版，第 86～92 页。

[3] 诺内特、塞尔兹尼克：《转变中的法律与社会》，张志铭译，中国政法大学出版社 1994 年版，第 106 页。

[4] 邱联恭：《司法之现代化与程序法》（"国立"台湾大学法学丛书），三民书局 1992 年版，第 204 页。

的身份，参与交涉谈判、仲裁、起诉请求或促进形成政策等过程"。[1]

具体而言，主要在以下几种类型的诉讼中，律师对法律的参与更有可能成为一种新的政治参与形式。

1. 宪法诉讼。宪法内容的强政治性和形式上的弱规范性影响了宪法作为一种法律规范的指引能力，因此，在涉及宪法的争讼中，有关宪法的一般性规定得以适用于具体的争议是通过法官对宪法文本的解释来实现的，而伴随这一过程的是法官对各种复杂多样的政治问题所作出政治性的权衡与判断。宪法诉讼的这一性质决定了宪法意义上的律师辩护往往也是一种政治上的辩护，宪法法院或法庭也成为律师展现其政治视角、个人良知与社会责任、尊重人权与关怀当下的特殊的舞台。

2. 所谓的"现代型"诉讼。现代型诉讼是相对于传统意义上的一般民事诉

---

[1] 如同我们在过分强调法官—法律关系的同时，常常漠视法官对于事实认定方面的作用一样，我们也常常无视在司法程序中律师对位于"鸿沟"那一边的法律本身的意义。孟德斯鸠所刻画的"自动售货机"式的法官，梅里美笔下的"呆板而机械"的法官，这些形象连同对司法过程的概念化描述给人的印象是如此的刻骨铭心，以至于我们在自觉和不自觉间成为了分析法学家们所苦心营构起来的规则帝国中的一员臣民。近代以来的大陆法国家一直奉依法审判原则为司法过程的圭臬，作为法官的份内之事和职责所在，法官必须根据立法机关制定的法律作出裁判，通过三段论方法或者涵摄模式将白纸黑字规定着的规则适用于具体案件以解决现实的纠纷，并在此过程中宣示法律之所在。在依法裁判原则下，那个在浩如烟海的规则典章中孜孜不倦的忙碌搜寻者的形象更多的是属于法官而非律师的。

其实，律师受当事人委托得出席诉讼并进行辩护、调停、斗争的过程从某种程度上讲也是律师参与法律探寻的过程，虽然，在那些固守着规则主义领地的人看来，对律师这种法律参与的作用机理及其成效至今还没有作出令人信服的解释。把律师的诉讼活动视同为对法律的参与意味着一种更为开放的态度：在司法程序中，不光是法官，律师同样可以分享法律的权威。邱联恭关于法院现代化与现代律师的使命、任务以及功能的论文对该问题进行了探讨，在作者看来，律师在司法程序中除作为诉讼主体权利的保卫者外还扮演着一种法的协同探索者的功能性角色。首先，律师通过按照诉讼的规格样式构成问题，整理形成论点并提出合乎程序规范和实体规范的利益主张，帮助当事人预测法律，使得当事人了解法院有可能做何种判决；其次，在言辞审理主义原则下，律师的辩论与商讨可以协助法官探寻法律之真正所在；最后，在法律缺乏指引或法律语义存在歧义而要求法官作出法律解释和创造规范的场合，律师应当协助法官造法。

不难发现，将律师参与司法程序描述为探寻法律的协同者，其潜在的视角虽然还是以法院或法官为中心的，即法律仍是由法院来宣告的，但其理论基础已经背叛了法律实证主义所强调的法律规范的血统观而包含了法的不确定性以及行动中的法的主张，法律不是预先存在的，也不是靠法律适用者三段论的推演技术就能发现的，而是需要不断的探索才能最终确定，"制定法无法解释自身，其含义是由法院来宣布的，而且正是基于法院宣告的含义而非其他含义，制定法才作为法律强加给社会……"。这就表明，司法程序的参加者有可能摆脱依法审判原则以及法律实证主义下的那种对制定规则的顺从和依赖而变得更加积极主动。一方面，为使自己的主张具有充分的说服力，律师需要从规则以外的资料中寻找支持理由，这样律师通过自己的参与活动，把一种开放性和灵活性导入了法官的权威判断之中。另一方面，在作出法律决定过程中，法官有了更多的自主判断的机会、经验因素以及确定规则的手段。霍姆斯指出："时代的迫切要求、盛行的政治道德理论、公共政策的直觉认识，无论是坦率承认的还是讳莫如深的，在确定约束人们行为规则的作用上远胜于三段论的演绎推论，甚至那些法官共有的偏见也是如此。"参见刘星：《法律是什么》，中国政法大学出版社1998年版，第66～88页。

讼而言的，是指有关现代型纷争如消费者保护纷争、公害纷争、交通事故纷争、劳资纷争、产品制造者责任或跨国国际贸易纷争等的诉讼事件。与以界定平等当事人之间特定的权利义务之存在与否为目的的一般民事诉讼相比，现代型诉讼具有当事人势力地位的不平等性、当事人的众多性以及裁判结果影响的波及性等特征，即在此类诉讼中，原告往往为权益受到侵害的复数平民，而在程序形式的背后另牵连潜存着实质的利益主体（尚未以形式当事人的地位出现于诉讼程序表面的多个被害人）；被告则常为大企业机构、公共团体或其他强势群体；这类纷争事件如何获得权利救济和妥当解决往往关系到社会整体的生活环境品质，或者影响现实的和潜在的被害人的生存权利，故不仅仅以损害赔偿为满足；纷争的事实争点常牵涉到许多复杂的因素，如受害人的举证能力、被告对证据的独占性、双方程序地位差异等，而法律常缺乏相关的、明确具体的、可操作性的规定。[1]

基于上述原因，在处理这方面问题时，法官不得不借助综合的考虑作出实质上具有展望性、创设性的判断，换言之，法官在面对现代型诉讼时，一种以问题为中心、以目的为导向的态度将得到鼓励。而律师常常被要求以代言人的身份，参与交涉谈判，提出起诉请求并在此过程中促进司法政策的形成，即律师应当以促成符合社会公共利益的政策性决策为目的，提出构思严密、具有说服力的理论依据，从事法庭诉讼活动。

3. 利益集团诉讼，即诉讼作为压力集团的一种形式。利益集团诉讼的特点就在于：涉及集团成员利益的诉讼是通过其所属的集团或组织来进行的，诉讼活动除了保护个体成员利益的目的外，还包含通过集体的整体力量以促进团体利益和变更现有法律规则或行政政策的特殊意图。"法律多元主义的一个结果就是在法律程序内部增加了参与法律制定的机会。在这方面，法律参与成为一种特殊的政治参与，法律参与具有了政治参与的一面。换言之，诉讼逐渐成为团体组织可能借助参与公共政策的一种工具。它不再那么专门被看作是基于公认的规则维护个体权利要求的一种方法"[2]

利益集团诉讼是现代诉讼形式的新发展，按照这一形式，利益集团通过法律程序成为政策形成或变动的某种压力，这在美国表现得较为明显。1909 年成立的旨在保障黑人民权的美国有色人种促进会（NAACP），通过具代表性的案件（test cases）促使最高法院作出了一系列有利于实现法律面前种族平等的宪法性

---

[1] 关于现代型诉讼的内容请参邱联恭文："司法之现代化与律师之任务"，载其著《司法之现代化与程序法》（"国立"台湾大学法学丛书"），三民书局 1992 年版，第 13～14 页。

[2] 诺内特、塞尔兹尼克：《转变中的法律与社会》，张志铭译，中国政法大学出版社 1994 年版，第 107 页。

解释。1934 年由保守商人组织成立的以反对新政为目的美国自由联盟，曾在某个特定的时期内成功地阻碍了许多经济法案的合宪化。利益集团诉讼实际上使得法律程序成为政治参与的替代形式和手段，正如联邦最高法院的一份判决所肯定的那样：就 NAACP 的目标而言，诉讼并非解决民间不和的一种方法；它是为达到使联邦、州和地方的政府平等对待这个国家的黑人共同体成员这一合法目标的一种手段。因此，它是政治表达的一种形式。

　　然而，有必要指出，利益集团的这些成功几乎都是在律师的帮助下才取得的，如果没有律师的实质性参与和辩护，利益集团能否实现变动政策的目标将是值得怀疑的。事实上，在成立不久，NAACP 就发现，由于缺乏强有力的律师支持，他们的诸多努力成少败多。为改变这一局面，NAACP 在 30 年代设立了有众多律师参与的法律辩护和教育基金，美国自由联盟则成立了一个全国律师委员会来对国会的那些经济立法进行质疑。正是在律师们的集体努力下，有色人种促进会为黑人在选举、住房、交通、教育以及出任陪审团的权利方面赢得了连续的胜利，而 1935 年全国律师委员会 58 名律师的一系列报告使得在接下来的两年内联邦十多个经济法案被宣布为违宪。[1] 可以这样认为，如果说利益集团意欲使司法程序成为一种政治表达的方式和工具，那么，正是律师实质性地促成了这种转变的发生。

五、律师之政治参与命题在中国

　　著名法学家弗里德曼早有断言："当代发展中国家的律师必须成为制定发展计划的积极负责的参与者。律师工作日益重要的作用，既非诉讼，也非解决争端，而在于决定政策所及的范围及其制定，……认为律师应该或者能够把自己囿于严格的法律争端中，就像发展中国家仍然浪费极其缺乏的受过训练的人才资源一样，尽是人为所致。"[2] 然而，对于中国律师业而言，律师参与政治在很长时期内还是一个十分奢侈的话题。虽然在共和国初期，中国律师在政治领域曾经有

---

〔1〕　Clement E. Vose, "Litigation as a Form of Pressure Group Activity", in 319 The ANNALS of American Academy of Political and Social Sciences 20（1958）. 中文参见宋冰主编：《读本：美国与德国的司法制度及司法程序》，中国政法大学出版社 1999 年版，第 243～257 页。
〔2〕　转引自［美］迪亚斯：《第三世界的律师》，陈乐康等译，中国政法大学出版社 1992 年版，第 7 页。

过昙花一现式的辉煌，[1] 但无论律师政治参与的渠道或者政治体制对法律人才的接纳程度还是律师影响政府决策的力度，中国律师业与法治发达国家之间几乎不存在可比性。自然，从中国律师制度最初设计上的先天不足和历史发展的曲折艰难程度考虑，我们对此不能有过于苛刻的要求。笔者也深知，以西方国家为参照而进行浅层比较将是一种危险的做法，对中国律师业的未来发展也无益处。但是，为了阐明中国律师业政治参与的基本状况，作下面数据罗列的工作还是显得颇为必要。

据统计，自 1979 年律师业重建（即 1979 年 7 月，新颁布的中国刑事诉讼法专列"辩护"一章标志着中国律师制度在立法上的重新确立。）到 1990 年的十年间，中国律师中当选为各级人民代表大会代表的有 342 人，当选为各级政协委员的有 418 人；到 1991 年底，当选为各级人民代表大会代表的有 400 余人，担当各级政协委员的有 500 余人。另据了解，在中国八届人大近 3000 人的代表当中，仅有 4 名大陆的专职律师，而在中共十四届中央委员中，只有 1 名候补委员是在律师界担任职务。张志铭教授在分析中国律师业总体状况时指出：从发展的眼光看，中国律师业的政治参与是从无到有从少到多，而从现状看，特别是较之于律师业发达国家的情况，我们却不应有过高的估计。[2] 贺卫方教授也曾经坦言："尽管在过去的二十年间，我国的律师制度有令人注目的发展，律师在社会关系调整和人权保护领域所发挥的作用也日益加大，但是，毋庸讳言，律师以及其他法律职业者在政治生活中仍然只是一个微不足道的角色。"

在此，有必要对造成中国律师政治参与程度总体上极为有限的原因作一番梳理。这将是一件颇为艰巨的工作，它不光涉及中国律师业虽短暂却异常曲折的历史演变过程，而且还需时时顾及律师业赖以生存的制度与法律文化环境等因素。完成此项作业，不仅需要法律学、历史学、社会学等方面的知识，更要有政治学的眼光，笔者显然缺乏这几方面的知识修养和各种方法贯通运用的能力。另外，考虑到本文的主旨和篇幅，这里不可能将政治学上的影响政治参与的众多因素拿

---

〔1〕 据有关资料，在 1949 年 9 月 21 日至 30 日的第一届中国人民政治协商全体会议的 662 名代表中有律师 14 人，他们是董必武、沈钧儒、史良、周新民、沙千里、闵钢侯、张志让、李木庵、潘震亚、林仲易、陈瑾昆、章士钊、江庸、沙彦楷等。他们有的参与政府组织法草案、政协组织法草案、共同纲领草案等重要文件的起草工作，有的参与国旗、国徽、国都、纪年审查委员会，代表提案审查委员会的工作，为共和国的建立，为共和国民主政治、法制建设基础的奠定作出巨大的贡献。参见流长水："盛会上的律师—记五十年前参加商讨新中国建国大计的律师们"，载《中国律师》1999 年 10 期。

〔2〕 张志铭："当代中国的律师业"，载夏勇主编：《走向权利的时代》，中国政法大学出版社 2000 年版。

来作分析参照，只能最粗略地理出几条思考的线条。[1] 在进行阐述之前，笔者想先列举国内几位学者的观点，以作启发。

材料一：与一般社会职业所不同，律师制度在西方的原创意义是政治性而非技术性的；律师的功能是在整个政治建构、制度变迁、社会统治以及阶级关系的平衡中被认识的。……应当说，中国对西方律师制度的移植是具有很大保留的。无论是 20 世纪 50 年代中国律师制度的创立还是 70 年代末律师制度的恢复以至 80 年代律师业的快速发展，律师在中国都未能获得其在西方国家中所具有的那种政治分量，更未能展示出在西方国家政治进程中所具有的那种社会功能。其原因不在于中国不存在西方早期律师精英们所具有的时代机遇，也不仅仅在于律师制度与中国法律文化传统之间的异质特性，甚至也不完全在于中西方国家"认识和处理纠纷的范畴以及处理纠纷的样式和过程上的差异"，而在于中国传统政治体制及政治过程并未形成对律师政治功能如此广泛而重要的需求。换句话说，中国社会对律师制度创设的主观期待以及对律师功能的制度预设是有限的。[2]

材料二：社会是一个有机联系的整体，重塑律师制度和律师业，需要与其密切相关的一些环境因素有什么对应的变化呢？从许多现代发达国家的情况看，他们都是在其社会的制度框架设计之初就把律师制度作为其中的有机部分予以安排，这种安排通过律师业与周围环境的长期磨合，遂转化为一种具有广泛社会认同并包含律师业在各方面活动的现实合理性的职业传统。相比之下，中国律师制度和律师业的重塑，面对的是社会制度构架的既成格局，而且还有历史传统方面的诸多障碍。[3]

材料三：由于制度的不合理设计导致律师队伍鱼龙混杂，律师素质参差不齐，尤其是律师的职业道德素质令人担忧。许多自学考取律师资格的人并没有经过法学院专门职业训练，即使正规法学院学习的法学生又缺乏执业伦理教育。20 世纪 80 年代初以来，为了追求数量而不顾质量地扩充律师队伍，我们对这种做法应当进行冷静、理性地发现一下，这样做的后果在今天看来是十分有害的。中国目前活跃在基层或小城镇的许多律师的素质是令人担忧的，即使是某些较大城

---

[1] 影响公民政治参与的因素异常复杂，概括而言，主要包括：社会经济发展状况、社会结构、社会环境、社会地位、政治制度（政治的民主程度以及政党制度等）、政治心理等等。日本学者蒲岛郁夫对政治参与的各种制约因素进行了数量分析，他证实了公民政治介入、结社、社会属性包括性别、年龄、教育以及所得和职业、城市规模等与政治参与之间的某种互动。参见 [日] 蒲岛郁夫：《政治参与》，经济日报出版社 1991 年版，第 4 页。还可参见 [美] 亨廷顿、纳尔逊：《难以抉择》，汪晓寿译，华夏出版社 1989 年版。

[2] 引自顾培东："中国律师制度的理论检视与实证分析"（上），载《中国律师》1999 年第 10 期。

[3] 引自张志铭："当代中国的律师业"，载夏勇主编：《走向权利的时代》，中国政法大学出版社 2000 年版。

市的律师事务所里的律师，其素质也接近于或甚于某些法谚所描写的程度。[1]

从律师制度的本身和律师业所依存的外部制度环境出发思考中国律师政治参与水平低下的原因不失为两条合理的进路。材料一与材料二不约而同地显示出这样一种共同的指向：中国律师制度存在着先天设计上的缺陷，而这种设计又与社会格局以及政治体制的基本构造有着莫大关系。

一般认为，现代意义上的律师制度产生于国家与社会的实质分离和形式对峙的形成过程中，这一制度本身就体现某种民主的内涵，即市民社会借之以对抗国家公权力可能出现的粗暴行使。拉德布鲁赫指出："律师业作为法律工作者阶层中自由民主的要素，处于因职业而具有更为保守专断倾向的法官阶层的对立面。律师是个人利益的职业代表，他必须在遵守法律秩序的同时，习惯于从个人利益的合目的性观察角度出发保护个人，因而他在政治方面也是天生的个人利益代言人。"[2] 因此，除非律师被纳入国家公职的范畴，那么律师与国家权力之间的紧张将始终存在。（当然，这种紧张是极为必要的）而从上文的分析看，作为公民代言人的律师经常性地参与政治决策或司法决策，所以，它同时还是作为对峙双方的国家与市民社会之间实行某种妥协的中介。[3] 这两者也构成了律师角色政治意义最主要的内容。

中国的律师制度始于移植，[4] 但无论是清末修律中的最初引进，还是新中国建立伊始的恢复重建，这一外来制度都面临着具有某种共性的政治环境，表现为大一统的社会格局或者说政治、社会的高度一元化，只不过在达致认同或正当性的手段和途径上，原先的"权自君出"、"法自君出"等政治宣示为后来公有制的经济基础的全方位整合所取代。这种社会、政治权力大一统必然造成对民众社会能对国家立法及决策产生影响的各种活动空间即非官方领域的极度挤压，并同时对中国律师制度"原创"意义上的认知产生巨大影响：

首先，片面注重律师制度作为民主和法制的标识意义，忽视其实质精神的赋

---

〔1〕 引自孙笑侠："法律家的技能与伦理"，载《法学研究》2001 年第 4 期。

〔2〕 ［德］拉德布鲁赫：《法学导论》，米健、朱林译，中国大百科全书出版社 1997 年版，第 115 页。

〔3〕 国家与市民社会的妥协意味着：①允许国家适度涉足市民社会的某些领域（特别是其无力自行调节的社会公共利益领域），表现在法律层面即容许干预私域的经济法的适量存在；②允许市民社会的非官方公域即公众参政议政的舆论空间的存在。参见刘俊武："市民社会的法理学透视"，载《中外法学》1995 年总第 42 期。

〔4〕 通常认为，现代意义上的中国律师制度是清末修律运动中效仿西方先进典章制度的产物，即所谓"参酌各国法律，悉心考订，妥为拟议，务期中外通行，有裨治理。见《寄簃文存》卷一，《删除律例内重法折》。至 1912 年 9 月 16 日，中华民国政府公布实施《律师暂行章程》，标志着律师制度在中国正式建立。参见徐家力：《中华民国律师制度史》，中国政法大学出版社 1998 年版，第 37～51 页。

予。体现这一意义的是律师的传统业务活动即作为辩护人特别是刑事被告的辩护人或代理人出席法庭陈述当事人的主张。律师通过具体的业务实践显示政治制度对社会成员的尊重，昭示主导政治力量在社会治理中的严肃态度。这也可以用来解释造成律师业在中国发展如此之曲折艰难的原因。张志铭教授在分析新中国律师制度从建立到旋即夭折这段历史时指出：这一悲剧的发生，就直接而显著的原因讲，是当时特殊的政治气候和新的大一统社会格局所必然滋生的权力滥用的结果，而就深层原因讲，则是由于律师制度在丧失了作为一种超越本土文明的现代标识而具有形式正当性之后，遭到在新的社会格局得以复辟并以优越姿态出现的传统法律文化排拒的结果。[1]

其次，偏重律师以其专业化的匠技能力对社会需求的某种适应，极少关注律师在维系和改善"政治—社会"结构方面的潜在功能，律师作为法律人的个体未被理解为一种政治力量的后备资源，律师进入政治或其他司法、行政职业的渠道被人为地狭窄。在相当长的时间之内，律师职业的意义仅在于：作为法律运用专业化、技术化的逻辑结果，社会成员需要这一特殊的职业为其"释疑解惑"，扩展其在法律社会中的交往能力，并正确选择与法律呈程序或实体要求相吻合的行为方式，类似与"盖人因对簿公堂，惶悚之下，言语每多失措，故用律师代理一切质问、对诘、复问各事宜"。[2] 不难发现，由于不存在社会民众得以参政议政的相对舆论空间，再加上对律师制度的种种保留认知，律师的角色活动被人为地狭隘而不能拓展至政治领域实在情理之中。

如上所言，律师之政治参与表现为律师与国家政治体制及其运作之间的一种互动模式，一方面，掌握某些特殊技能的律师具有参与政治优势，另一方面，现代政治的运作过程自然衍生出对法律学识的现实需要。在这当中，政治权力或政治运作（政治精英）对法律学识的态度及接纳程度无疑将直接影响律师政治功能的实现与否。中国古代的政治秩序虽同样重视"人"（统治官吏）的作用，但

---

〔1〕　张志铭："当代中国的律师业"，载夏勇主编：《走向权利的时代》，中国政法大学出版社 2000 年版，第 143 页。

〔2〕　参见"修律大臣伍廷芳等奏呈刑事民事诉讼法折"，《大清新编法令·奏折》。

从未形成真正意义上的法律家传统，统治权力对法律学问的重视程度也远不及西方。[1] 古代中国的科举制度，作为进入政治科层的资格考试其所考查重点的是官员们的文学修养和制艺能力以及由此反映的道德教养，而并非是作为治国之道的法律学识，[2] 这也是为什么古代中国解决社会正统性危机的以礼入法的改革的结果是德治和人治的根本原因。而在西方，正是职业法律家的努力使得超越习惯法与官僚法的现代法律秩序得以形成，并最终使得西欧民族国家迈上现代法治之路。[3]

当代中国律师的景况自不可与古代讼师同日而语，但从政治上命运看，在很多时候这两者却有着尴尬的类似。虽然讼师曾在中国古代民众的法律生活中占据重要地位，虽然中国传统的司法体制在客观上造成了对讼师以及它的某些"技术性"功能的市场需求，但讼师在中国社会中始终都处于政治与道德的双重拒

---

[1] 中国古代的礼法之争最终演化成"德主刑辅"这样一种为历代王朝采用统治模式，"德为政教之本，刑罚为政教之用"（《唐律疏义》），发端于汉朝（一说是魏晋）并连绵整个封建时代的中国古代法律儒家化运动对中华法律传统产生了深远的影响，其结果是：法律为礼教所支配，道德伦理与法律不分，道德伦理成为立法司法的指导原则。而在十分注重德礼的另一面则是对法律功能的某种狭隘的工具主义态度，法律的作用只在在刑罚，其目的是为维护纲常名教和政治社会秩序。另外，从春秋到两汉，法家子弟和法学（律学）虽曾有过短暂的春天，但自汉以降，随着法学的衰落，习法律之人的地位也江河日下，只能从事诸如讼师、书吏、师爷（刑名幕友）等卑微职业，无论是在社会地位上还是在知识结构上，他们都与法律家相距甚远。参见瞿同祖：《瞿同祖法学论著集》，中国政法大学出版社 1998 年版，第 411 ~ 413 页。

[2] 韦伯在分析职业政治家的来源时指出，在帝制时代的中国，充当政治家的主要是受过人文教育的文人阶层。参见［德］韦伯：《经济与社会》（下卷），林荣远译，商务印书馆 1997 年版，第 741 页。中国古代的科举制度无疑是造成古代法学衰落和法律职业难以形成的重要原因。参见瞿同祖：《瞿同祖法学论著集》，中国政法大学出版社 1998 年版，第 413 页。季卫东曾经指出："按照这一思路建立的科举制度，以人文的教养和四书五经的理念为标准培养和遴选官僚，的确收到了价值统一、坚持儒家式的伦常纲纪逾千年而不坠的功效。"参见季卫东：《法治秩序的建构》，中国政法大学出版社 1999 年版，第 197 页。

[3] ［美］昂格尔：《现代社会中的法律》，吴玉章、周汉华译，中国政法大学出版社 1994 年版。

绝的黑暗境地。[1] 这固然可以从乡土伦理与法律伦理之间的互斥性[2] 缺乏对抗的司法程序、司法过程中的超职权主义倾向[3] 等方面得到解释，但根本原因则在于士农社会下的集权式政治秩序不可能衍生出对法律学识的需求与倚重。同样，中国律师政治参与程度低下的状况固然与对律师功能认识不足以及律师业务领域人为限制有直接的关系，但其更为深层次的原因则是轻视法律学识价值的"传统"从新中国建立之初起一直以一种优雅的姿态复活着的必然结果。

材料三所关注的是当下中国律师的内在素质，显然，它是律师政治参与的另一个重要的制约因素。政治参与活动并不以政治热情为足，它的卓有成效需要有律师出色的学识技能和强烈的社会责任伦理等内在品质为保证。材料给了我们这样的启示：中国律师的现有职业水平能在多大程度上担负起决策合理及社会的规则治理的使命呢？如果存在相对宽松的空间和畅通的政治参与渠道，律师能够有实质性的作为吗？现实的情况可能更糟，一方面，由于自身的或其他的原因，律师迟迟不能确立在政治生活中的合理定位，律师职业的政治性特征也远未塑成；另一方面，商业化的全面入侵正在逐渐消解这一职业所固有的伦理性和荣誉色

---

[1] 国家法律明令禁止讼师包揽诉讼是各朝通行的做法。唐以后各朝法律均严格禁止以帮人打官司为职业的讼师，其中又以《大清条例》最为详细。《大清条例》中多处法律条款涉及讼师。如："凡有控告事件者，其呈词俱责令自作，不能自作者，准其口诉，令书吏及官代书据其口诉之词，从质书写。如有增减情节者，将代书之人照例治罪。其唆讼棍徒，该管地方官实力查办，从重究办。"又如："代人捏写本状，教唆或帮赴京，及赴督抚并按察司官处，各奏告强盗、人命重罪不实，并全诬十人以上者，俱问发近边充军。"再如："凡审理诬控案件，不得率则不犯捏称，请过路不识姓名人书写呈词，务须严究代作词状、教唆之人，指名查办，依例治罪"。等等，不胜枚举。

[2] 中国传统的乡土伦理是造成古代讼师即使在普通民众中也遭到拒绝的主要原因。一是一贯的重义轻利观念，梁漱溟在解释中国古代关于财产权的法律制度极不发达时说："中国法律早发达到极其精详地步。……但各国法典所详致之物权债权问题，中国几千年却一直是忽略的。盖正为社会组织从伦理情谊出发，人情为重，财物斯轻，此其一。伦理因情而有义，中国法律一切基于义务观念而立，不基于权利观念，此其二。明乎此，则对于物权债权之轻忽从略，自是当然的。"参见梁漱溟：《中国文化要义》，学林出版 1996 年版，第 8 页。二是厌讼观念，朱熹归纳为"和为贵，讼则凶。"孙笑侠教授指出，讼师在古代受到蔑视之事实，并非完全是因为"讼师与律师制度在制度上有区别"，它固然与讼师的劣行、恶行有关，但主要还是因为法律家"帮助道德上有错误的人"不符合中国传统的伦理。的确，在以"无讼"为价值追求的法律文化和以"和为贵"、"重义轻利"为基本特色的乡土伦理社会中，为坏人辩护并可问心无愧地收取酬劳的律师不被民众和道德的承认实是情理之中的事。参见孙笑侠："法律家的技能与伦理"，载《法学研究》，2001 年第 4 期。

[3] 与中国古代的整个权力结构一样，中国古代的司法也具有集权的特征，即所谓的司法官的超职权主义。这使得作为司法官员恣意的对立面而存在的律师（显然，讼师不具有这种对抗的资源和功能。）不可能获得生存的空间。一方面，审判程序的目标只是取得罪行的自供状，只需抛出诸般证据反复诘问或者拷问直至逼出口供，因此不需要能将双方言辞对责上升为对立法律利益的律师的存在。另一方面，定罪量刑是衙堂官员的自由心证，法官权力的地位容不得别人说三道四。有关中国古代审理过程中口供作为证据的地位可见 ［日］滋贺秀三："中国法文化的考察"，载其著《明清时期的民事审判与民间契约》，王亚新等译，法律出版社 1998 年版，第 1～18 页

彩，并使得其重新陷于认同异常艰难的境地。因此，无论是出于进军政治领域抑或是重塑律师业的考虑，都有必要对中国当下的法学教育及律师培养模式进行全方位的反思，而如何实质性地提高中国律师的技能水平、塑成职业成员的伦理观和社会使命感应当是今后法学教育改进的重点之一。

六、展望与意见

情况似乎正发生着变化。近几年来，律师参与政治的话题在律师界已不断为人所提起。在早些时候的一份有关中国律师业现状及发展对策的研究报告中我们看到了这样的表述：

"律师应有意识地通过多种方式参与到社会政治生活中，有意识地通过多种方式影响主流政治力量改进对律师性质、地位的认识，这将有助于律师业务领域的拓展和作用的发挥。通过律师自身作用的发挥和发挥作用过程中所表现出来的世界观影响政府及其职能部门对律师作用和地位的认识。当然，只有具备了全局观念和强烈的社会责任感的律师，才可能在这方面投入精力和时间。"[1]

在最近的全国人大、政协会议上我们看到了这样两份要求在人大或政协代表中增加法律专业人士的提案。

"为了进一步落实'十五'计划纲要，加强社会主义民主法制的建设，保障'依法治国'方略的顺利落实，促进具有中国特色的社会主义法律体系的形成，在我们国家最高权力机关组成人员中，应当考虑增加法律界人士的比例。他们有懂法、知法的专长，且联系群众，了解社情民意，这有助于从总体上提高代表议案质量和审议水平。"

——摘自全国人大代表伍增荣（律师）等的议案

"……在世界大多数法治比较发达的国家，律师在国家机构占有较大的比例。律师可以从法律的角度提出议案或建议，提高政协委员参政议政的水平。政协委员都是各个行业的优秀代表，熟悉本行业的业务和情况，但在涉及具体法律问题时，对本行业以外的有关法律内容并不一定熟悉，律师则可以弥补这一弱点。"

——摘自全国政协委员张蕴增（律师）的提案

律师政治参与愿望得到正式并且最强烈表述是在北京"2000 年中国律师大会"上，这次自律师制度恢复以来律师界最大规模的盛会从某种程度上可以看作中国律师政治参与呼声的最强音。作为会议文件之一的《中国律师业发展报

---

〔1〕 引自司莉："中国律师业现状及发展对策"，载《中国律师》2000 年第 5 期。

告》在总结中国律师业发展历程的基础上冷静地分析了中国律师的现状，在"亟待解决的问题"部分用近一半的篇幅指出了律师职业的社会政治地位不高并由此带来的诸多问题。在《发展报告》的第二部分则单列"加强律师的政治参与，进一步提高中国律师在社会政治生活中的地位"主题。尤其值得一提的是江平教授在为本次会议所做《新世纪中国律师的使命》专题报告中将这一命题直接转化成"中国律师走向政治"。"从我们整个世纪来看，中国律师走向新世纪被赋予了一个新的使命，就是要走向政治。律师如果不关心政治，如果不跟政治相结合，那么律师也就仅仅只是一种服务。"[1]

与颇为热闹的舆论造势相对应，近几年来，律师在政治生活领域也有些值得关注的实际举动。1988 年 4 月七届全国人大一次会议对政府工作报告决议、人大常委会工作报告决议、最高院及最高检的工作报告决议进行表决程序，律师代表在万众瞩目下即席发表异议；1999 年 5 月 9 日也就是我驻前南使馆事件发生的第二天，中华律师协会即就此事件作出强烈反映；1999 年 6 月 2 日全国首个政府法律顾问团吉林省政府法律顾问团宣告成立，自此以后，全国有 4195 个地、市县人民政府先后组建了法律顾问团（组），有 8365 个国家机关及政府负责人聘请律师担任法律顾问。[2]

然而，单单从律师界的这些举措就断定政治参与正成为中国律师职业共同体意识的一种自觉，似乎还为时过早。在笔者看来，律师界对政治参与的倡导激情远多于理性，从实际内容看，应和或迎合远多于批评成分。律师政治参与的意义不在"参与"活动本身也不是其他，而在于法律学识对于政治运作及政府决策的规制与导向，对此，律师界似乎并未作为共识而加以清晰地表露。其实，律师政治参与在中国被发现是有其特殊背景的，正是这一背景在很大程度上导致了律师界对该命题应有内涵的规避而采取颇为务实的态度。

自 1978 年以来，应当说中国律师业已取得长足发展，不光表现在量的增长上（包括律师和律师业务的数量、事务所的数量和规模、法律服务的品种和方式渠道等方面），更主要的是律师制度在历史演进过程中获得了某种形式的正当性。律师准入制度（全国律师统一考试和培训制度，1986 年）的设立，律师角色从国家的法律工作者形象转变为社会的法律工作者（1993 年），律师共同体意识的萌发（定期召开的全国律师大会）和行业性管理体制的初步形成等等，这一切都表明中国律师制度已摆脱国家公职的传统形象而具有了现代律师制度的基

---

〔1〕　江平："新世纪中国律师的使命"，载《中国律师》2001 年第 1 期。

〔2〕　详细内容请参见李本森：《中国律师业发展问题研究》，吉林人民出版社 2001 年版，第 10 页；《中国律师》1999 年第 8 期等。

本质地和形式外观。[1] 然而，失去国家权力支撑后的中国律师业在现实运作中却不可避免的陷入了交涉资源匮乏和社会认同程度低下的尴尬局面。近年来大量存在的形形式式的律师维权案件以及当下业内人士颇为热衷的"关系官司"充分体现了这一点。由于不存在实质意义上的法律职业共同体，即使在法律职业内部律师角色也处于认同异常艰难的境地。当一名以此为职业的律师其所拥有的各种正当资源贫乏而不足用时，转而向法外资源寻求交涉能力就成为极为自然的做法。[2] 这种做法有时对于代理业务或一己之私利而言固有其功效，但它必然以损毁职业形象、加剧民众的反感情绪并最终消解律师制度之根本价值为代价。

在此背景下，律师的政治参与活动或者命题本身将不可避免地显示出了某种功利指向，即律师参与政治能有效地改变律师业面临的交涉资源匮乏和社会认同程度异常艰难的双重困境（这可以说是中国律师业的另一种自觉，也是一种富有务实态度和迫不得已的选择），它有可能给中国律师业带来新的危险：将中国律师业重新引导至国家的法律工作者的巢臼。的确，在素有律师全盘公职化传统的社会中，通过政治参与以期获得权力资源支撑和交涉能力的构想与做法所带来的危险是显而易见的。

无疑，要富有成效地发挥律师在政治生活中的作用需要一整套设计周密的制度，实现此目标不仅受到律师本身素质的限制，而且还将面对传统政治、法律文化的惯性阻隔，因此，制度创新离不开律师制度的自我检视，同样也离不开政治权力的内省式反思。对律师制度而言，重点在于提高获取资格的"门槛"和加强律师的职业伦理教育，以确保律师能够担当起政治参与的任务，并真正营构全社会对律师职业及法律学识的尊重环境。就目前状况来说，相比之下，对政府反

---

[1] 有关中国律师业的发展历史请参见张志铭："当代中国的律师业"，载夏勇主编：《走向权利的时代》，中国政法大学出版社2000年版。笔者曾在一篇没有发表的文章作过这样的概括：1949年，随着新中国的成立，中国律师业走上了在探索中前进的发展道路。新政权的确立为中国律师传统在经历近代化的洗礼之后提供了蜕变的契机。从1954年9月新中国第一部宪法和人民法院组织法规定被告的辩护权和律师辩护制度标志着新律师制度的正式建立起，中国律师经过了建立、夭折、再重建的曲折历程。而在律师角色身份的定位上，则实现了从长期的国家法律工作者角色向社会法律工作者角色的痛苦分娩。伴随这一过程的还有国家权力对该职业在形式标识和实质精神之间的迂回彷徨和艰难取舍。事实上，直到现在，律师角色之现实定位依然是中国律师业未完成任务。其关键就在于，在传统法律文化与社会结构模式依然固守其相当领地的大背景下，政权体制可以在多大程度上容许律师这个作为私的利益和权利维护者的存在。毫无疑问，不管我们是参照世界先进还是通过挖掘本土资源来获得行动的支撑和感情的慰藉，我们都将无可避免地触摸到传统文化的惯性作用，并时常陷于那种难以名状的纠葛当中。

[2] "当作为一名律师而拥有的各种正当资源贫乏而不足用时，我们就很难指望他不凭借自己的'个人魅力'营造和利用自己的'关系网'；结果是，谁有背景，有后台，或者与法院关系'过得硬'，谁就成为'好'律师"。

思的要求可能更为迫切[1]（这一点不同于西方国家）。事实上，不但创立律师政治参与机制的是如此，中国社会的现代化成功转型、法治国构想从政治文本走向现实社会、宪政民主的全面推进以及司法改革等一系列项目工程均和政府的统治良心与反思理性有莫大关系。如果说建立社会主义法治国、推进司法改革等一系列构想的出台正体现了政府反思的某种自觉，那么，现在的问题是：法律学识如何能进入政府的视野中并得到理解认同，换言之，学术理性应如何与政府的反思理性取得互动式的默契和沟通。惟有此，法律学识及法律人于政治统治、社会治理的价值才能真正得以彰显，法治国、政治法治化的愿望也不至于最终付之东流。

---

[1] 在这方面，亨廷顿对政治参与的某些分析很有启发意义。在他看来，在任何社会中，政治精英对于政治参与的态度，可能是影响社会中参与性质最具决定性的因素。而在多数发展中国家，政治精英虽然时常公开宣扬政治参与的珍贵，但其政策与行动却常大异其趣；这主要因政治精英至多是他们的一种工具性价值，而非一种目标性价值。在发展中国家，政治精英（尤其是在朝的政治精英）的选择态度，乃是影响政治参与程度和形式的一个最强有力的主要因素。参见［美］亨廷顿、纳尔逊：《难以抉择》，汪晓寿译，华夏出版社1989年版，第30页。

第四章 法学教育：制度化的法学院

第一节 法学院的记忆：制度性意义的历史追溯
——对制度变革和社会转型的回应

前 言

在这万物复苏的春天，揣着些许触摸到了跳动着的社会心脏的激动，笔者力图把严肃、冷峻的学理思考更加烂漫和理想地表述出来，因为这个时代孕育着的和将会充满的就是这样一种空气：人作为主体复苏并上升，以理性为基础、在信心判断的支持下设计和运行社会制度。

从 20 世纪 90 年代末（特别是本世纪初）开始，法律帝国的理论祭坛不断升起令人振奋的馨香之气——宪法学界的不再沉闷[1]使整个法学气候多云转晴。不管是宪法学家提出法治首先是宪法之治、强调宪法的实施和人权保障，还是法理学家倾向于把宪政、分权和人权纳入法治的帷幕，学者们起初以"危险最小的"司法改革为法治突破口的小心谨慎都释然了很多，从而使法治的实践不再囿于只谈抽象的司法公正和司法内部的体制改革，不再局限于规则之治的狭隘理想，一场具有整体配合性的制度变动呼之欲出。在法治理想逐步被纳入政治实践的过程中，十届人大做出实现政治文明的承诺并计划在接下去的十年建成一个完整的法制体系，毋庸置疑，未来之中国社会当有一场重大变革！诚如一位教育家所指出的："就教育改革（包括大学改革）和政治改革的关系而言，前者比后者更重要，因为从事改革的人才要通过教育来培养。正因为如此，大学应成为推动

---

〔1〕 2000 年之前，每年的宪法学研究评述通常以"沉寂"、"平静"之类的字眼开头，这样的历史在
2001 年开始崭新的变化，这一变化与引起法学界和司法实务界广泛讨论的"齐玉苓案件"有着密
切的关系。

整个国家改革的一种强大的力量。"[1] 而在中国酝酿着的这场社会变动中，大学法学院可能比任何其他大学部门都具有更重要的地位。

三大社会学奠基人中的两位（另一位是卡尔·马克思），埃米尔·涂尔干和马克斯·韦伯都曾从不同的层次上使人们把目光投注于职业群体。鉴于传统社会和现代社会不同的社会团结（机械团结和有机团结）模式，涂尔干认为劳动分工和多样化使现代社会面临"失范"危机——社会和个人中出现的无规范状态，为此，他力图倡导以职业群体作为国家和个人的中介力量来搭建和谐完备的新型社会；[2] 韦伯则从历史解释的角度揭示了法律职业群体在近代法治进程中的重要地位，及其作为加强法的形式合理性的前提性因素，加上涂尔干职业群体理念的启示，我们可以预想到法律家作为特殊的专门职业群体在国家社会中可能起的重大作用，中西方法律体系发展的不同历史径路部分佐证了这一点。昂格尔的分析揭示，正是程序、法解释学技术和职业法律家等的媒介作用使西方的官僚法与习惯法没有进行短路性接合，从而出现截然不同于中国古代引礼入法的改革结果，法治得以形成发展。作为现实证据，在同样为非西方国家的日本，其法治现代化进程也将职业法律家的活动作为克服个人观念与国家观念之间的紧张的中介环节。[3] 近年来，我国理论界已对法律职业共同体及其不可忽视的作用有所共识，相应地，培养法律人的法学教育也倍受关注。与理论共识相映戎趣的是，差不多与其同步，大大小小的法学院如雨后春笋般冒了出来，匆匆忙忙"小米加步枪"挤着上阵，这些飞速增多的法学院毋宁是随着社会发展顺应"市场需求"抑或于投自身发展内在需要的结果。然而，当前中国面临的情势和法律职业在其中可能扮演的重要角色都提醒我们：大学法学院的角色并非像自由市场里普通的公司企业法人那般简单。正是从这一点直觉的捕捉开始，随着思考的深入，笔者越来越清楚地意识到法学院极大地关系着一个正义的社会制度体系在中国的确立和运行，这样的角色地位意味着——生成回应该制度性意义的法学院具有重要性和紧迫性。

本章的第一节将对法学院的历史进行追溯，探寻孕育了近代法治秩序的现代

---

[1] Jos Ortega Gasset, Mission of the University, translated by Howard Lee Nostrand, Roulledge and Kegan Paul Ltd., London, 1946, 1952. 转引自单中惠、杨汉麟主编：《西方教育学名著提要》，江西人民出版社 2000 年版，第 401 页。

[2] 涂尔干在《社会分工论》和《自杀论》中都明确地表达了这样的思想。[法] 埃米尔·涂尔干：《自杀论》，冯韵文译，商务印书馆，1996 年版。[法] 埃米尔·涂尔干：《社会分工论》，渠东译，三联书店 2000 年版。

[3] 季卫东在棚濑孝雄《纠纷的解决与审判制度》一书的代译序中传递了这个信息。[日] 棚濑孝雄：《纠纷的解决与审判制度》，王亚新译，中国政法大学出版社 1994 年版。

意义上的法学院之诞生及发展；比较近现代欧美主要法治社会的法学院教育制度，反映了法学教育与法律制度模式之间的密切关系；指出在中国和日本的历史中法学院是追求社会变革的产物。本章第二节从知识分类角度探讨了法学教育知识内容的属性，揭示现代社会结构分化和分工使法学知识成为专门知识，并由法学知识的人文内涵和亚里士多德的实践理性概念引出价值在法学知识中的特定地位；从法律和法治的内涵之辨入手，阐明法律是什么与法律应该是什么以及形式层面、制度层面和价值层面的法治含义构成法学教育的知识内容主体，结合德国的历史教训、美国的相关争议和本国现实提出法学教育以这样一种多层的法律与法治概念为知识对象的应然性，同时也为下文从法律与法治各个内涵层面考虑法学院的角色意义和具体制度构想作铺垫。在第三节，笔者从社会学的组织角度，并引入心理学中"生产性取向"与"非生产性取向"概念，借以界定本文所指向的法学院对象，说明为什么中国古代的法律教育不在范围之内。接着，根据文章前面的历史分析和内部结构探讨，运用组织的制度性意义动态分析方法从三个方面来概括法学院的角色意义：法学院与法律制度之间存在的缔造和革新关系，法学院对致力于法治和政治文明的整体社会制度的意义，以及法学院树立和传播法治精神的作用。第四节，笔者首先提出信心判断在现代制度变革中的地位，揭示信心判断是企盼和探讨我国法学院发挥角色意义的前提。然后，结合我国时下的制度和社会发展，对中国法学院发挥的制度性作用目标进行了定位。循着这一思路，从五个方面探讨为在我国建成回应其角色意义的法学院，应当进行的具体改革。最后，在结语部分，笔者针对文章强调制度层面的建构和回应可能受到的质疑，引述了韦伯建立在与价值分离的规则基础上的"铁笼"判断和卢曼对法的实证化的工具后果分析，揭示韦伯式判断的背景——忽视价值，意在指出价值对于制度囚笼和工具理性可能具有矫正和规避的意义；从而衬托价值信念对于制度和社会转型的重要性，点出本文的立意——以自由的法治理想追求为制度性意义法学院的立足点和方向。

一、波洛尼亚大学及早期的法学院——近代法律秩序的孕育

古希腊时，智者派以教授辩论术、修辞和文法为主，注重培育政治智慧和才能、美德、法律等知识，对当时的政治生活起了很大的影响；到了公元前387年，柏拉图始创专门进行育才和学术研究的学园（Academia），于是，法律思想和知识通过私人职业教师和学园的活动得到发展和传递。罗马帝国时期，教授法律的私立学校出现，把法律教学发展成一种艺术，对罗马法律发展产生了一定的影响；公元四世纪末，西奥多希厄斯一世施行了对教育包括法律教育的国家垄断，查士丁尼做了进一步限制，只允许罗马、君士坦丁堡和比诺斯（Beyroutho）

设的三所公立学校教授法律。后来，北方蛮族的入侵使罗马和比诺斯的法律教育消失，除了君士坦丁堡的法律教育得以延续。[1] 大约六个世纪后，意大利诞生了现代意义上的法学院。

在中古欧洲城市工商业的发展过程中，意大利曾远远地走在历史前面，10世纪时，意大利已产生许多富庶的工商业城市，意大利商人把东方和意大利的商品输送到阿尔卑斯山以北诸国。11世纪的波洛尼亚（Bologna）就地处意大利北部商业要冲，故而诉讼案件颇多兴起，促使了法律学和私人法律学校的发展，公元1158年，神圣罗马帝国皇帝弗雷德里克（又译弗里德利希）一世颁布法令，承认波洛尼亚法律学校为波洛尼亚大学——第一所现代意义上的大学诞生。[2] 弗雷德里克一世为什么会有这样的举措？11世纪末，《学说汇纂》的手稿原本于意大利比萨被发现，当时在波洛尼亚作教师的伊纳留斯对其进行注释并教授，领导了前期注释法学派，而波洛尼亚大学成为教授和研究罗马法的中心。主导前期注释法学派的波洛尼亚法学家们绝对忠实地遵循查士丁尼法典，在《国法大全》的原稿上逐条注释。根据逐字逐句的严格解释，古代法典籍传递给当时法学家们的信息是：与神圣罗马帝国皇帝地位相等的 princeps（国君）必须被看作为 dominus mundi——世间惟一的统治者。[3] 然而，当时兴起的意大利城市已经存在一种具有自由主义情怀的政治生活形式：每个城市宁可"依照执政官的意志而不是按照统治者的意志"进行治理，而且，这些城市"几乎每年更换执政官"以保证他们的"权力欲望"得到控制。1085年比萨的执政官选举是已知的最早事例，此后这种政府形式向意大利其他城市迅速扩展，包括1125年之前出现在波洛尼亚；并且，到12世纪中叶之前，伦巴第平原各城市已在"财富和权利方面超过世界各国"。[4] 德意志皇帝们力图将统治强加于意大利王国，而王国的各个城市显然要坚决反对。可见，前期注释法学家们对罗马法的研究可以为帝国主张的合法化提供法律支持，帝国统治者当然要利用，一个具体的事例是：波洛尼

---

〔1〕 ［美］S·E·佛罗斯特：《西方教育的历史和哲学基础》，吴元训等译，华夏出版社1987年版，第101～102页。

〔2〕 Walter Ruegg（general ed.），H. De Ridder-Symoens（ed.），*A History of the University in Europe*，Vol. I，Cambridge：Cambridge University Press，1992，p. 12. 另参见滕大春主编：《外国教育通史》第2卷，山东教育出版社1989年版；为了确定当时具体的社会背景，我还参阅了朱寰主编：《世界中古史》，吉林人民出版社1981年版；［意］卡洛·M·齐波拉主编：《欧洲经济史》第1卷，商务印书馆1988年版。

〔3〕 引自［英］昆廷·斯金纳：《近代政治思想的基础》（上），商务印书馆2002年版，第28页。

〔4〕 同上书，第1～2页。

亚的四位法学博士[1]同意参加起草 1158 年弗雷德里克的龙卡利亚大议会法令，为其作为君主统治意大利各城市的法定权力辩护。该法令描述皇帝"不论何时都始终是他的所有臣民的最高统治者"，并在各城市保有任免"所有司法官员"的权力。[2] 显然，各城市自治的合法化受到了当时法学理论的阻碍。

转机在 14 世纪初到来，其中最重要的一位人物是在波洛尼亚学习法律、后来分别在伦巴第以及托斯卡纳的几所大学教授罗马法的巴托鲁斯，他提出在法律与事实冲突时必须使法律符合事实，而不是相反（即前期注释法学派的观点），这样引发了一场"罗马法研究领域的革命"（昆廷·斯金纳语），即后期注释法学的兴盛。在罗马法典注释过程中，巴托鲁斯为城市统治权提供理论支持，其中引人注目的两点是他对"是否时间长了便足以确认一项契约为有效"和上诉权问题的解释。他通过分析将契约问题扩大，论证了只要城市能证明其事实上一直在行使绝对统治权，他们的主张就是有法律基础的；着眼于诉讼的层级制，巴托鲁斯阐述对"绝对不承认有上级"的城市，"人民就必然成为上诉法官，要不然就是他们的政府所任命的一个特殊的公民阶层必然成为上诉法官"，进而，"在这种情况下，人民本身成了惟一存在的上级，所以就成了国君自身——皇帝自身"。[3]

在波洛尼亚之后，意大利其他城市和欧洲其他国家纷纷模仿波洛尼亚大学创立了一批世界上最早的大学。而波洛尼亚的罗马法研究和教授也吸引了许多学生，根据记载，1200 年各国赴波洛尼亚大学学习罗马法的学生多达一万多人，他们学成归国后又促进了本国的罗马法复兴运动，这样使罗马法复兴运动波及整个世界。[4] 1145 年波洛尼亚的罗马法教师瓦卡留斯（Vacarius）应邀到牛津大学讲授罗马法，也使罗马法学研究在英国成为风气。[5]《牛津大学史》（*History of the University of Oxford*）描述，由于牛津大学在 1180 年代对王室统治和教会

---

[1] 这里的四博士很可能就是注释法学派创始人、波洛尼亚法律学校教师伊纳留斯最著名的四位学生：布尔加利斯（B. de Bulgarinis），高塞（M. Gosia），雅各布斯（Jacobus），拉维纳特（H. de p. Ravennate）。他们担任弗雷德里克一世的法律顾问。参见何勤华：《西方法学史》，中国政法大学出版社 1996 年版，第 61~62 页。

[2] 引自［英］昆廷·斯金纳：《近代政治思想的基础》（上），商务印书馆 2002 年版，昆廷·斯金纳书，第 28~29 页。

[3] 参见同上书，第 31~34 页。

[4] 这里的四博士很可能就是注释法学派创始人、波洛尼亚法律学校教师伊纳留斯最著名的四位学生：布尔加利斯（B. de Bulgarinis），高塞（M. Gosia），雅各布斯（Jacobus），拉维纳特（H. de p. Ravennate）。他们担任弗雷德里克一世的法律顾问。参见何勤华：《西方法学史》，中国政法大学出版社，1996 年版，第 83 页。

[5] 同上注，何勤华：《西方法学史》，第 84 页。

法庭的政治意义，使许多博学的法律家到牛津来，其中许多人开始在那里教授法律，这使牛津大学法学院在短短的十年里成为英国惟一一所吸引了外国留学生的法学院，虽然这些学生来自相对落后的地区，比如弗里斯兰省（Friesland，荷兰省名）和匈牙利。[1] 12 世纪的法国巴黎已经是一个政治经济文化中心，存在不同教派率领下的各方面竞争，因而云集了许多著名学者、涌入大量的学生，蒙特利埃（Montperllier）、普罗旺斯（Provence）等大学的法学院成为法国传播罗马法的中心。另一个中世纪早期著名大学，西班牙的萨卡曼拉（Salamanca）大学在 13 世纪初建立后，也开始讲授罗马法，其罗马法教师担任了国王的法律顾问和王室法院法官；罗马法对西班牙的地方立法也发生了巨大影响。[2]

　　教育史学家揭示，欧洲最早的四所大学——波洛尼亚、牛津、蒙特利埃和萨卡曼拉的出现具有特定背景：所在地都具有经济地位方面的重要性、文化上的繁荣和处于特殊的政治地位等特征。[3] 同时，教育史家也指出，中世纪大学的社会作用首先是为教会、政府和社会的权力运作训练更理性的形式，[4] 罗马法的兴起就是这样一种代表理性的智识，具有启智的意义，在这个过程中，国家和法律的统治的思想繁荣起来，并孕育了近代社会秩序（详见本文第三节二）。随着文艺复兴的开始与传播，情势发生了一定变更，梅因在古代法中记述："智力不再为法律所垄断。早晨集合在伟大罗马法学专家那里的听众减少了。英国'法学院'的学生数从几千人减少到了几百人。艺术、文学、科学和政治在全国的知识界取得了它们的份额；而法律学的实践则限制于一个职业界的范围之内，虽然并不是有限的或是无关重要的，但它所以能有吸引力，一方面是由于这一门科学的固有的引人之处，另一方面亦是由于因此而可能获得的酬报。这一系列的变化在罗马甚至比在英国表现得更为显著。"[5] 这段描述其实反映了法学教育的一个变化过程，即随着近代历史的推进和社会分工的发展，在大学中，法学从一门同神学、哲学一样的人文科学（arts）越来越倾向于职业化的专门教育。

二、近现代欧美的法学教育——法律体制的环节

　　历史学家通常把 11 世纪欧洲社会出现的思想欢腾作为第二次复兴运动（第

---

〔1〕　Walter Ruegg Cqenerd de., H. De Ridder-Sgmoens（ed.）A History of the University in Europe，Vol. I，Cambridge：Cambrige Vniversity Press，1992，p. 13.

〔2〕　何勤华：《西方法学史》，中国政法大学出版社 1996 年版，第 84 页。

〔3〕　Walter Ruegg Cqenerd de., H. De Ridder-Symoers（ed.）A History of the University in Europe，Vol. I，Cambridge：Camridge Vniverstity Press，1992，pp. 13～14.

〔4〕　Ibid，p. 21.

〔5〕　［英］梅因：《古代法》，商务印书馆 1996 年版，第 203 页。

一次是加洛林文化复兴），并认为它比第一次深刻得多，而且，其重要性并不比后来的文艺复兴逊色。思想活动的恢复活力意味着处于中心地位的单一地点出现，正是这样的思想汇集源地使大学教育的组织形式得以产生，藉着大学组织，中世纪文明得到切实发展，大学成为所有中世纪机构中惟一存留至今的机构，尽管随着社会发展，大学自身出现了一些变动和转化。[1] 近代西方法律制度在 11世纪晚期和 12 世纪的出现就是与欧洲最早大学的产生密切相关，对此，伯尔曼已有精细的研究。他指出，通过这些欧洲最早的大学，法律第一次作为一种独特的和系统化的知识体亦即一门科学在西欧教授，这样，零散的司法判决、规则以及制定法都被予以客观的研究，并且依据一般原理和真理加以解释，在此过程中，以这些原理和真理为基础，完整的法律体系得以发展。而接受了新的法律科学训练的一代又一代大学毕业生进入正在形成宗教和世俗国家的法律事务部门和其他官署中担任顾问、法官、律师、行政官、立法起草人，通过这些受过法学教育的人运用其学识赋予历史积累下来的大量法律规范以结构和逻辑性，于是，新的法律体系形成，而这样的法律体系和以前不同——不再是那种几乎完全与社会习俗和一般的政治和宗教制度混为一体的旧法律秩序。[2] 与法学作为专门学科形成、现代性的法律体系建立和现代社会分工确立的历史相应，近现代的法学教育成为法律制度的一个环节。不同背景和法律制度模式造就了不同的法学教育模式，近现代欧美的法学教育就体现了这一点。

在立法活动消极、以令状（非法典规定）为救济依据的中古英国，法官是法律秩序的缔造者，与这种从个别到个别（非个别到一般定理再到个别）的经验性法律实践相应，英国的法律教育也是纯经验性的模式：[3] 在英国历史上，法律家的成长一直从在法庭听讼开始；后来，从法官和律师在开庭期间居住的场所内对后辈进行启蒙教育的交流方式中形成了专门的律师学院，由它担负法律人才的培养，通常出身于律师学院的人才能成为律师或法官。几乎所有要做出庭律师的人都必须先在这个国家最好的公学（系私立）和学院接受普通教育，在普通教育之后接受律师学院的职业训练，因而律师学院具有大学的特征（collegiate character）：由出庭律师和法官授课，并通过观摩庭审、举办模拟法庭以及成为共同讨论法律问题与案例的机会的定期餐会等途径，训练实务法律家的资质。由

---

〔1〕 参见涂尔干对"大学的起源"的分析，见涂尔干：《教育思想的演进》，李康译、渠东校，上海人民出版社 2003 年版，第 88～96 页。

〔2〕 ［美］哈罗德·J·伯尔曼：《法律与革命——西方法律传统的形成》，中国大百科全书出版社 1993年，第 143 页。

〔3〕 韦伯将英国的经验方式和大陆法国家的"科学"方式作为"专业的"法律教学的两类相反模式，参见马克斯·韦伯：《经济与社会》下卷，林荣远译，商务印书馆 1998 年版，第 117～122 页。

于经验式的法律发展和法学实务人才培养模式，因此，英国普通大学的法学教育
从诞生以后长期只传授罗马法、教会法、法律史和法理学，其间，大学曾试图在
其法律教育中为律师训练开一席之地，"却被律师学院的师傅们执拗地拒绝了"，
后来的伦敦大学以及地方大学开设一些实践性法律课程时，大多也只是为了培养
事务律师。[1]　除了法律知识，律师学院还注重教养、品质以及戏剧、歌舞等文
学艺术方面素养的培育；律师学院不但要昂贵的学费，而且具有绅士子弟的身份
要求，[2]　律师学院俨然是在进行职业技术和素养并重的贵族教育，孕育出司法
的少数精英执掌模式。19 世纪末，英国法讲座在普通大学中的地位开始上升，
到了 20 世纪下半期，由律师学院主导职业性教育、大学法学院作为文科学术性
教育的格局发生转变，指向法律职业的英国大学法学教育逐渐占据主流地位，[3]
并且开始要求在进入实践性的职业教育之前必须拥有被认可的大学法学学位，在
大学接受法学教育成为通例；[4]　获得大学法律学位之后，通过法律协会或者律
师公会开办的学院接受实务法律学习，并经历规定的学徒或实习时间，才能成为
事务或者出庭律师。

　　区别于英格兰，在倡导平等主义的 19 世纪北美新大陆，伴随着美国式民主
的法律文化发展，原先的行会式培养法律家程序已经完全不合时宜，于是，大学
在法律教育中被赋予越来越重要的地位，殖民地时代承继的正规化学徒制度被法
学院取而代之，产生了一种介于英国方式和大陆法系模式的法学教育制度。"法
律是一门科学"的认知成为后来美国大学法学教育兴盛的另一原因，1870 年代，
兰代尔始任哈佛大学法学院院长，他主张"法律是一门科学"而不是一门手
艺——故应当在与其他科学一样通过大学进行教育，并启动了法学教育改革。[5]
然而，也许是因为判例法制度的特殊性和历史以来法学教育的职业主义倾向，美
国大学法学教育还是带有职业训练特征。哈佛大学首创的一种法律人才培育方式
成为全美普遍的法学教育模式，即将其他专业的本科教育先于法律教育，使进入

---

〔1〕　[美] 埃尔曼：《比较法律文化》，贺卫方、高鸿钧译，三联书店 1990 年版，第 121～122 页。
〔2〕　详见 [日] 大木雅夫著：《比较法》，范愉译，法律出版社 1999 年版，第 310～311 页。
〔3〕　David S. Clark，"Comparing the Work and Organization of Lawyers Worldwide：The Persistence of Legal
　　　Traditions"，in John J. Barcelo III and Roger C. Cramton ed，*Lawyers' Practice & Ideal*：*A Comparative
　　　View*（Hague：Kluwer Law International，1999），p. 25.
〔4〕　Henry J. Abraham，*The Judicial Process*，Oxford：Oxford University Press，1998，p. 95.
〔5〕　他曾说，如果法律不是一门科学，那么大学最好保持尊严而谢绝教授它；如果法律不是科学，那就
　　　是可以通过拜师学艺来最好地习得的一门手艺。事实上，后世对于法律是否是科学之争的结论既不
　　　能说是否定也不能说是肯定，人们日益看到知识属性与分类的复杂性和界线的模糊性。Cf. Honora-
　　　ble Mr. Justice Mark R. MacGuigan，P. C. "The Public Dimension in Legal Education"，in Martin Lyon
　　　Levine ed.，*Legal Education*，Aldershot，Hants：Dartmouth Publishing Company Ltd.，1993.

法学院学习者在法律和政治基础的基本的和一般的问题以及人文素质上已经有一定具备，而法学院教育因此得以专注于职业训练；同时，虽然曾经存在过一番争议，判例教学法还是成为法学院讲授与学习的普遍方式，这种通过接触案件实际程序、结果的案例研究，事实上提供了与英国律师学院相似的学习经验。与法学院教育的职业教育倾向相应，法学院采取行业化的管理模式（由美国律师协会进行监督和评估、法学院联合会进行考核，以及采取全美法学院入学的统一考试等）。由于和英国一样，法官一般从律师中遴选产生，因此各州的律师资格考试是继法学院法学教育之后进入法律职业行业的配套制度。

　　与英国相反，大陆法系的法学教育则一直在普通大学内进行，以法律作为有别于技术和职业学科的文科（liberal art）为基点展开学习和研究。[1] 由概念和抽象规则构成的成文法使法学教育得以脱离现实中的具体情节，更多注重一般范畴而非单个先例，使它注重发展学生的理解力和分析能力，而不是有关技术知识；加上与哲学和神学由密切联系的领域中产生的大学法学教授们的职业兴趣，以及直接从中学进入大学法律系的学生的知识要求、大学中各系之间的密切联系，造就了一种比普通法国家更富于学术气息的教学方法。韦伯称其为"现代的、理性的大学法学教育"类型——在特别的法律学校和采用合理系统编排进行法学理论的教育，在他看来英国模式阻止了立法或科学的理性化。[2] 但是在大陆法系内部，由于文化背景和法律制度的具体差异，法学教育的特征又有差别。比如：也许要归功于法国在北方文艺复兴中的热情和繁荣，法国人并不是因立志从事法律职业而接受大学法学教育，他们把它作为培育心智和人格、学习思维和表达、练习修辞技巧的途径；也许还应当归功于具有传奇色彩的法国民法典，它是以精于雄辩和修辞而闻名于世的法国律师们起草的，这部被边沁推崇为吸收并升华了人类理智的纯理性产物的法典为教学提供了法律原理和修辞的最佳

---

〔1〕　在教育史上，古希腊智者派创立了辩论术、修辞和文法"三艺"的教育；柏拉图则提出了"四艺"，即算术、几何、天文和音乐；到了古罗马和中世纪大学，普遍开设七门"文科"：文法、修辞（包括散文、诗、法律）、逻辑（包括哲学问题的论辩）、算术（包括历法）、几何（包括地理与博物学）、音乐和文法，合称"七艺"，前三门合称大三门或三科，后四门合称小四门或者四艺。在我国西周时，天子设立的"大学"辟雍则教授以礼乐为中心的"六艺"，即礼、乐、射、御、书、数。

〔2〕　详见马克斯·韦伯著，林荣远译：《经济与社会》下卷，商务印书馆1998年版，第118～122页。韦伯将英国的情况与他认为作为现代西方社会法律的典型形式、资本主义发展关键因素的理性化现代法模式之间的差异，称为"英国问题"。然而，英国法社会学家罗杰·科特威尔认为韦伯的看法有失偏颇，普通法实践的实用主义与社会秩序基本法律保障结合也许完全弥补了法原则缺乏形式合理的问题。

教本，以至于私法深入普通人的理智、情感和生活。[1] 因此，从上述角度看，相对于德国，法国大学的法学教育具有普通教育特征。[2] 到了现代，尽管实务教育内容在法国大学的法学院不断增加，但是原理性思维和修辞学式表达仍是法学教育的主要目标。[3] 德国法学教育比法国倾向专门性，学生多以从事法律职业为志向；教授们为主导推动力的潘德克顿法学运动使德国法带上了抽象和严谨的特征，也使法学教授的言论成为权威话语，法学教育的重要部分之一就是教授们自己的思想和相关通论或反面的理论。但是，无一例外，两国都设有大学法学院毕业后的职业训练程序：法国采用国立司法学院和律师培训中心的多元化制度，德国则是通过两次司法考试选拔研修生在相关机构进行两年研修的一元化模式。这样，通识性或者学术性的文科化法学教育与进入法律职业前的职业训练程序结合，达到与英美国家法学教育相似的效果。

三、古近中国和日本——发展与变革的诉求

作为另一种文明，我国古代没有孕育西方近现代意义上的法治和法学教育，但是在很早的时候，就产生了与政治体制和社会文明相应的多元法律教育模式：由以吏为师、以律博士为师和以生员为师三种渐递方式发展的社会法律教育，以法律为世家之学的家庭法律教育和官或私办的学校法律教育组成。[4] 唐代时

---

〔1〕 兹威格特曾分析比较德国和法国的语言文化与民法典，指出法国民法典和法国法律著作都与法国小说巨匠的作品一样，文笔清晰、不是铺张而且常常是及其优雅，据说司汤达为改进文风经常阅读法国民法典，但是绝对不会有人建议德语小说家阅读普鲁士普通邦法或德国民法典。［德］K·兹威格特、H·克茨：《比较法总论》，潘汉典、米健、高鸿钧、贺卫方译，法律出版社 2003 年版，第 198~200 页。

〔2〕 这里不是说法国的法学教育没有专门性知识内容，只是很多人把这种法律职业的思维、修辞训练当成古典时代和中世纪大学的文科来学习。另外，专门性也不等于技术性，参见本文第二部分法学作为专门知识的内容探讨。仅仅从技术性而言，从其强调对思维和修辞的训练来看，法国的法学教育甚至是非常具有技术训练特征的。

〔3〕 ［日］大木雅夫：《比较法》，范愉译，法律出版社 1999 年版，第 281 页。

〔4〕 夏家骏："简论中国古代的法律教育"，载朱勇编：《法学教育文选》，中国政法大学出版社 2002 年版。

（唐高祖武德元年左右）出现中国历史上最早的官办法律专科学校"律学"，[1]学员"以律、令为专业，格、式、法、例亦兼习之"，唐、宋期间虽有中断但基本沿袭；宋以后，虽无官办专门法律学校，但律仍为官办学校所讲习。古代日本有大量留学生在中国学习，归国后对传播中国文化和日本大化改新（公元646年）都起了很大的作用，《日本书纪》记载推古天皇31年（公元632年）："是时大唐学问者……惠日等共奏文曰：留于唐国学者，皆学以成业，应唤。且其大唐国者，法式备定真国也，常须达。"奈良时代（710年~789年）日本仿照唐代贵族教育制度，在中央设太学、地方设国学，科目中专门设有律令一科。[2]

　　然而，众所周知，到了19世纪明治维新时期，日本为了求富强开始全面地学习和西方的制度、科技文化，进入了近代化的历程。1872年明治政府颁布学制令，其中规定大学是专门科的学校，分为理学、化学、法学、医学、数理学等五个学科，[3]此后一些法律专门学校和大学法学部不断涌现。一位日本学者分析指出，相对于当时崇尚欧美的"自由主义派"大学和强调国学、儒学的"传统主义派"大学，此时的专门学校法律学生在总体上相对处于中间地带，他们适应当时日益形成的法治国家、以维持法治国家为着眼点。[4]

　　在一百多年前，与英、法、日等国频频战败使当时的中国人认识到变法富强的迫切，中国开始了移植移植、寻求法制变革的道路。特别是在甲午之役后，爱国有识之士认为"以东海大邦，见败于扶桑三岛"，乃明治维新之故，于是，清末的中国一反以往的历史转而向日本学习，以法政为先、技艺次之，学法政以效维新、改革政治、变法修律，改变了清代刑名师爷门下的学徒式法律教育，于1904年成立了中国历史上第一所以法政为教学内容的直隶法政学堂，标志我国第一所比较正规法学院的诞生，仅仅五年后，1909年全国法政学堂就达到47

---

〔1〕　在唐代，经学以外的法律、科技和文化艺术人才培养以官学形式出现并取得与国子学、太学、四门学同等地位，如律学、书学、算学、医学等，这些专科学校主要依附于朝廷职事官署，比如：律学归大理寺（后归入国子监）、医学归太医署、兽医学归大仆寺、天文学归司天台；这类中央专科学校制度延续至宋代，还增加了武学、画学专科学校，唐宋时期是我国古代专科学校最为发达的时期，以理论与实务结合的方式培育了很多专门人才。参见郑登云编著：《中国高等教育史》，上册，华东师范大学出版社1994年版，第12~14页；另见顾树森：《中国历代教育制度》，江苏人民出版社1981年版，第106~113页。但是，根据瞿同祖先生的研究，唐宋时期习法者已不如前朝受重视，此前虽然是采用父子相传、师徒相授的方式研习法律，习法之人地位相当高；到了明、清，更是无人问津律学，沈家本认为是元代对律博士的废除使法学从此衰微。详见瞿同祖：《瞿同祖法学论文集》，中国政法大学1998年版，第411~413页。

〔2〕　朱寰主编：《世界中古史》，吉林人民出版社1981年版，第383、406页。

〔3〕　参见王桂：《日本教育史》，吉林教育出版社1987年版，第109~119页。

〔4〕　[日]永井道雄：《日本的大学——产业社会里大学的作用》，李永连、李夏青译，周蕴石校，教育科学出版社1982年版，第24~25页。

所、学生 12282 人；[1] 1923 年，北京法政学校所使用教材的 70% 为日本教科书的翻译作品。[2] 学日本的同时也向欧美学习，1915 年建立的东吴大学中华比较法学院就是侧重英语教学、研习英美法的法学院；在当时的五种法学院定期刊物中还有一种为英文出版。在政治变革和社会文明转型的情势下，清末民初是中国法学院的迅猛发展时期，也是近代中国法学兴起、学法律者倍受重用的全盛时期。[3]

第二节　法学教育的知识对象
——法律与法治是什么

一、法学教育的知识对象——知识分类的传统与现代分工视角

在上文对近现代欧美法学教育的比较分析中，可以发现虽然各国法律体制和相应的教育机制存在差异，但是好像各样法学教育模式的制度安排都恰巧达到了某种大致共同的效果：这里事实上隐含着一个法学教育的知识对象问题。法学教育应当达到什么样的知识目标？对于法学的知识属性，人们曾具有颇多争议，包括前面提到的法学是不是科学，法学应当是实践理性还是人为（又译技术）理性（artificial reason）[4] 等等，这些讨论的源头可以追溯至亚里士多德按照知识的精确性程度对知识所作的分类，大致是纯粹理性、实践理性和技艺三类。[5]

---

〔1〕　熊先觉："中国现代法学教育的曲折与艰辛"，载《炎黄春秋》1999 年第 8 期。

〔2〕　王健编译："中国近代的法律教育"，载朱勇编：《法学教育文选》，中国政法大学出版社 2002 年版。

〔3〕　用孙晓楼先生的话说，当时"研究法律者的红运，可以说最高没有了"。清末民初政府派到日本和欧美的留学生大部分都是研究法政的，学成归国后为立法、司法、行政和大学各界所争聘；另外，据《第一次中国教育年鉴》的统计，民国元年全国各类专门学校（高师、法政、医药、农、工、商、外语等）总共为 111 所、在校学生共计 39633 名，其中法政专门学校就有 64 所、30803 名在校学生。大致在 1920 年代，教育政策开始改变：注重自然科学与实用科学、轻文法科，20 世纪 30、40 年代一些学者有关教育的文章中，已经透露出对轻视法律教育、司法和政治腐败的强烈不满。比如：池世英："文法科在今日中国的地位"一文（原载《独立评论》，1935 年 5 月第 152 号），见杨东平编《大学的精神》，辽海出版社 2000 年版，第 202～208 页；孙晓楼：《法律教育》，中国政法大学出版社，1997 年版，第 15～16 页。

〔4〕　柯克在他与詹姆士一世的经典对话中表示，法官对法的理性认识来自长年的研究和经验中获得的技艺（art），法官对案件的判断是一种人为理性（artificial reason）。波斯纳表示他不同意柯克的人为理性之说，确定的法律结果可能通过分析的方法获得，但是这种分析方法却与法律训练或经验无关，认为精密研究和实践理性是法官获得真正确信的两种方法。详见波斯纳：《法理学问题》，苏力译，中国政法大学出版社 1994 年版，第 47～49 页。

〔5〕　亚里士多德的知识论主要体现在其前分析篇、后分析篇、论题篇和辩谬篇中，参阅苗力田主编：《亚里士多德全集》第 1 卷，中国人民大学出版社 1990 年版。

目前各国的法学教育表明，人们事实上从形而上的抽象理论、思辨的法律原则以及对不可言说知识的实践各个层次对待法学知识的传授：德、法的法学院都不同程度上增加了经验和实务的内容，而采用学徒制的各国在 20 世纪下半叶已经转向大学法学院教育模式，[1] 普遍由大学法学院与毕业后的职业训练程序结合共同完成法律职业的培育。这样的程序使理性和经验范畴的知识共同组成法学教育的知识对象，全面覆盖了纯粹理性、实践理性和技艺各层面的知识属性。[2]

另一种知识社会学的现代知识分类是把知识划分为常识、经验实际知识和正规知识，而法学属于正规知识中的专门知识，除了法律职业，还有医生、教员、心理学家、社会工作者等都属于以专门的正规知识为内容的专业化职业，认为它们的知识在概念上都有科学的因素，但都是取向实用的。[3] 法学知识作为专门化的正规知识已经是一个普遍的事实，这一分类与现代社会的结构特征相辅相成的。现代化过程的一个重要特点和结果是社会体制的结构分化，由血缘家庭承担的许多社会生活功能和责任为各种专业性体制承担，如学校、工厂、政府等；结构分化的关键是劳动分工的细化和专业性越来越强。而专业化与知识的运用关系密切，现代大学不仅仅要向学生传授专业知识，而且要使学生学会担任新的专业、接受新的身份认同——这就是把一般人转变为专业人员的过程，导致人们在知识基础上进行专业合作的实质性社会化过程即专业性的"高级社会化"过程。社会化过程是指某一个人通过文化学习的手段来改造自己，而成为共享同样文化的群体中的一个具有功能的成员，现代化过程中和现代社会（相对于农业社会）的快速社会变迁使高级社会化越来越重要，而结构进一步分化和分工的发展使专业性的社会化过程诞生，法学、医学等都是需要经历这一过程的专业（包括所有科学研究、学术专业和技术专业）。[4] 专业性的社会化过程意味着早期所熟悉文化要让位于新的文化、确立新的自我认识结构和身份认同（角色），能否形成后者至关重要，因为是否确立了身份认同关系着将来角色功能的发挥。对法学院而言，不仅要求学生学习法律知识，而且要求他们以律师的方式来看问题——在

---

〔1〕 如英国、澳大利亚、加拿大等国，法学院在 20 世纪下半叶取代学徒制成为进入法律职业的主导途径，Lawyers' Practice & Ideals: A Comparative View, n. 24 above, p. 25.

〔2〕 苏力曾结合我国的法治和法律教育对法学的知识属性进行过论述，并认为应当从纯粹理性、实践理性和技艺三个层面对待法学的知识品格，详见苏力"知识分类与法治"一文，载苏力：《制度是如何形成的》，中山大学出版社 1999 年版，第 166～173 页。

〔3〕 ［美］伯·霍尔茨纳著：《知识社会学》，傅正元、蒋琦译，湖北人民出版社 1984 年版，第 66～68 页。

〔4〕 同上书，第 7～8 页、第 29～31 页、第 54～56 页。高级社会化相对于初级社会化而言，后者指儿童在家庭中通过非常亲密的相互交往进行的社会化，初级社会化是人们形成强烈的情感、提供规范的基本结构以及调整人们的生活，并帮助发展推理的能力。

一种与过去和外部相对隔离的环境中，接受专业知识并形成专业的角色认知。因此，法学知识在大学中作为专门知识进行教育是现代社会特征的必然要求，纵然是在具有人文主义色彩的法国法学教育中，注重思维训练和修辞表达都是法学这种专门知识的特定特点带来的产品，由于思维和修辞对于法律情景与生活逻辑具有共同适用性，很多人入学时不以前者为目的——这并不能改变法学教育知识内容的专门属性。由此也可以发现，与其他专门知识相比，法学知识具有特殊性——对人的素养培育的特殊意义。

这一效果与法的性质本身具有密切关系（另参见本章第三节第二部分），[1]是它决定了法学这种专门知识的特性：不但包含了抽象原理、职业技艺的成分，而且兼具普适的人文内涵。这种培育着心智和美德的人文作用，很大程度上就是形成于法学教育对实践理性能力发展的过程。在此，特别要重申亚里士多德实践理性的原意：在亚里士多德的伦理学体系内，实践理性是与正义和美德紧密相关的，是一种把什么是正义的真理以及什么是善的真理之从属真理落实在具体行动中的理智能力。罗尔斯和麦金太尔是两位力挽休谟命题带来的伦理学困惑的当代伦理学大师，出于不满于元伦理学形式主义以及反对功利主义的伦理学立场，罗尔斯把人们从空洞学究的幻想中拉回洛克、卢梭和康德的理论世界，维护现代化奠基时代已经确立的"自由、平等、博爱"为核心精神的自由主义；而麦金太尔更进一步，他跨过启蒙运动的产物一直追寻至古希腊时代的美德伦理传统[2]对于亚里士多德论实践理性及正义观，麦金太尔分析道，亚里士多德的"epieikeia"通常被译为"公平"（equity），但是根据该词在《政治学》或者《尼可马克伦理学》的具体语境，最恰当的翻译应当是"合乎理性的"（reasonable），亚氏"公平合理"概念与正义紧密相关；在遇见现存法律不能提供任何清楚答案的情形下，法官的行动就涉入亚氏的"epieikeia"领域——法官就要以某种方式超出已有的规则，如同立法者当初一样运用理智进行判断，充分实践正义和各种美德。亚里士多德清楚表明，理智所关注的生活领域也可以描述为要求有公平

〔1〕　笔者以为，"法"本身的特殊性质使习法者的人文素质培育得到最佳的实现，以权利观念和权力制约为基点的法的逻辑理性地诠释了人的尊严和价值，避免了文学的过于烂漫和哲学的过于抽象，正是这一点，使11、12世纪法学院的兴起成为启智的开端。这也下文将从法律是什么与法治什么的讨论入手，来阐述法学教育的知识内容的初衷之一。

〔2〕　参见〔美〕阿拉斯戴尔·麦金太尔：《谁之正义？何种合理性》，万俊人、吴海针、王今一译的译者序言，当代中国出版社1996年版。休谟把个体随意的情感或激情作为基础（而不是理性的判断和目的）解释道德，由情感驱使的行动否定了理性判断的可能，人类事实的解释与价值判断被断然分开，提出著名的元理论问题——不可通约的"是"（to be）与"应然"（ought to be），其后，人们受困于两者的无法沟通，涉及价值问题时总有"应当"是否可以从"是"中演绎出来或者价值是否可以判断（或认识）的疑虑或者余悸。

（epieikeia）的生活领域，在更普遍意义上任何一位明智者都可能随时遇见类似法官遇到的情况，这种纯法律情境中的公平（合乎理性）解释在一般的实际生活和实践推理中同样适用。[1]

实践理性问题是为伦理学、法学和政治学共享的命题，在法学框架下，它通过法律推理、法律解释等把价值问题带入规范领域和判断过程，事实上使法律知识从规范、事实和程序延伸到了价值领域。与价值在法学知识中的地位相应，笔者发现，恰恰是由价值问题决定着其论域大小的法律是什么与法治是什么的问题划定了法学教育的知识范围，两者通过诠释什么是法律正义与什么是社会正义，涵盖了法学教育的整体知识内容。下文将从这一点着手，由法律与法治在各个不同层面的含义来揭示法学教育的知识内容。

二、法律是什么——法与道德辨

法律是什么？在古希腊人眼里，法律是正义、美德，具有善的品性；在人类制定的法之上有普遍存在和至高无上代表着理性的自然法，辩论术和修辞的教育伴随着人们对法律的哲学思考。公元 155 年，雅典哲学家卡尼德出现在罗马，肩负着政治使命。在公务之余他做了两次公开演讲，让他的国家那些不谙文字的征服者领略一下兴盛于雅典学派的辩论之风。第一天他讲的是自然正义。第二天，他否认其存在，认为我们的所有善恶概念都来自实在法。从那次难忘的炫耀之后，这位被征服者的天才就使其征服者着迷。罗马最杰出的公众人物都专心于希腊模式，如西庇阿与西塞罗——他们的法学思想就是接受了芝诺和克律西皮斯的严格训练。古罗马人深受古希腊自然法理念影响，将法律区分自然法、万民法和市民法，并进一步借助契约法、财产法等实证法律制度发展力求体现和维护正义的自然法，在这个过程中孕育出了对现代法具有重大意义的权利概念。[2]

此后，由于北方蛮族入侵，西方社会遭受了长达六个世纪的黑暗时代，只有

---

[1] ［美］阿拉斯戴尔·麦金太尔：《谁之正义？何种合理性》，万俊人、吴海针、王今一译，当代中国出版社 1996 年版，第 169～171 页。

[2] 关于此时权利概念的产生见夏勇：《人权概念的起源》，中国政法大学出版社 2001 年版，第 36～40 页。

教会使罗马法制度的记忆在这个时期得到了一定程度的保持。[1] 11、12 世纪对罗马法在大学的法学教学和研究过程中开始复兴，出现了前期注释法学派、后期注释法学派以及人文主义法学派，通过它们对罗马法的解释推动了法律思想的发展。前期注释法学派对查士丁尼《国法大全》只是对词语和条文逐一注释；而巴托鲁斯为代表的后期注释法学跳出罗马法原典的框框、面向社会现实进行理论上的研究，巴托鲁斯的基本箴言是：如果法律与事实相冲突，必须使法律符合事实。这意味着当时罗马法解释方法上的一个重大突破。随着人文主义思潮兴起，人文主义法学派已经开始重视法律中的公平、正义和理性，强调个人的平等、自由和权利以及法律中的人性，区别于注释法学派中就法典注释法典、法律研究法律，人文主义法学派引进哲学、文学、考古学以及比较的方法研究法律。[2] 经历了文艺复兴和宗教改革的历史铺垫后，古典自然法学在 17 世纪兴起，主张自然法是代表人类理性或本性的最高法律。到启蒙运动时为止，法律知识一直很自然地在人们对法律的应然和实然探讨过程中得到传递。

　　19 世纪，边沁通过应然的法律和实然的法律来区分立法学和法理学，限定法理学的研究领域为实在法领域，并明确地将法律定义为主权者的命令。奥斯丁追随边沁创立了分析法学，进一步阐述建立在主权者命令上的法律定义，法理学的任务是研究实在法而不研究法律的善与恶、好与坏，法律与道德从此开始有了明确分野，人们对法律概念的认识沿着自然法学理念和分析实证主义法学理论两条主线发展，并且，法律实证主义一度占了上风，相应地，人们对法学教育致力于实证的法律知识传授好像也没有异议。

　　然而，在法律与道德进行新一轮交锋的时期，实证主义的教育方式开始受到批评（详见本章第四节），许多学者们主张在更深的应然层面上教授法律。19 世纪末尤其是二战后，自然法学复兴并与分析法学展开了论战，这个过程中法律概念有了微妙的变化。哈特的法律概念中出现了令人瞩目的"最低限度的自然法"之说，他将法律与道德包含在这个特定内容里的基点是——自然事实（natural

---

〔1〕　［英］詹姆斯·布赖斯在他的《神圣罗马帝国》（商务印书馆 1998 年版）中指出："如果没有罗马留下来的两个经久的见证——她的教会和她的法律，罗马帝国可能早就灰飞烟灭了。""说重新发现了罗马法是错误的……除了教会之外，没有任何机构做过这样多工作来保持者对罗马制度的记忆。"第 28、149 页。涂尔干在讲述教育史时也提到"在那个时候，假如教会也不曾存在，那么人类的文化将就此被扼杀"，"只有主教座堂学校和修道院学校还在维持。它们是公共教育的惟一机构，视为思想活动提供庇护的惟一场所"；"这些弱不禁风的微光，……逐渐走到一起，抱成一团，而这种集中的结果便是相互的支撑，最终它们成了学院和大学，成为强大的光明的中心。"［法］涂尔干：《教育思想的演进》，李康译、渠东校，上海人民出版社 2003 年版，第 41～43 页。

〔2〕　关于人文主义法学派，详见何勤华：《西方法学史》，中国政法大学出版社 1996 年版，第 100～108 页。

facts）与法律与道德规则内容的关联性；[1] 拉兹在坚持法律的存在和范围确定不能求助于道德原则的同时，也认为法律与道德之间具有密切的关系：人们在决定是否遵守现有法律的时候，总是加上自己的道德考虑；法官在适用和创造法律、推翻或改变先例的过程中，道德价值进入法律；对于道德上邪恶的法律，人们有良心抵抗的权利。迈考密克和魏因贝格尔的制度法学提出"制度道德"概念，认为法律的正当性论证求助于法律的制度道德（而非制度外的道德）——即给关于个人应当如何在组织社会中生活的理想的或基本的观点带来的牺牲最小；同时也承认法官遇到法律冲突、法律不明确等问题时必须求助于一定的道德价值论证。[2] 不过，自然法学思想中的法律概念日益趋向道德相对主义，这种趋势可以追溯至康德，在康德以自由为基础的法律定义中，自然法概念已经开始世俗化；到了德沃金那儿，虽然强调法律不仅包括规则而且还有道德性的原则，但是这些道德原则已是去除了本体论的自然法学说。

从历史事实来看，无可非议，正是实在的法使独立的法学得以出现，也正是因为实证化的法律规则使理性和独立的现代法律制度得以最终形成，实在的法非常重要。但是，法律公正的实现仅仅依靠规则和程序就可以了吗？道德不在法律的知识范畴内？诚然，自然法学内部有走向道德相对主义的趋势（暂且不论这样是否合适），但并没有抛弃法律的道德成分，而分析法学的法律概念越来越强调法律与事实的关系来界定法律的存在和范围，突破严格的实在法论域。新分析实证法学对法律与道德关系的校正揭示，至少在规则不明或者疑难案件时，法官要依据价值、目的判断，也即法官依据道德（或者德沃金的原则）创新的可能，这就意味着至少在知识层面上对法官有美德的知识要求。柏拉图曾记述以苏格拉底为陈述者的一段精彩对话，分析什么是好的医生和好的法官，文中苏格拉底说："至于法官，我的朋友，那是以心治心。""正因为这样，所以一个好的法官一定不是年轻人，而是年纪大的人"。而且，"他们懂得不正义，并不是把它作为自己心灵里的东西来认识的，而是经过长久的观察，学会把它当作别人心灵里的东西来认识的，是仅仅通过知识，而不是通过本人的体验认识清楚不正义是多么大的一个邪恶"，由于邪恶决不能理解邪恶和德性本身，但是"天赋的德行通过教育最后终能理解邪恶和德性本身"，所以，苏格拉底认为"不是那种坏人而

---

〔1〕 H. L. A. Hart, *The Concept of Law*, Oxford: Oxford University Press, 1961, Charter Ⅸ "Laws and Morals". 他还指出道德通过立法和司法过程直白或者悄然地影响法律，并列举了大量法律体现道德的例子。

〔2〕 李桂林、徐爱国：《分析实证主义法学》，武汉大学出版社 2000 年版，第 33～40 页。

是这种好人，才能做一个明察的法官"。[1] 这样的论说与真实的苏格拉底本人（相对于柏拉图文中的苏格拉底）影响了后世教育学和伦理学的一些基本思想实相符，即人可以通过教育得到塑造和美德即是知识的基本信念，由此也可佐证麦金太尔对亚氏实践理性观的分析。传递什么是正义的知识对任何时代的法官培育都不会过时，从这一角度看，今天法学院教育的培养目标并不仅仅是中人——因为美德知识与正义的实践密切相关。

三、法治是什么——形式、制度与价值

中世纪法学院对近代法治出现的孕育作用（见本章第三节第二部分）显示，法治实践与法学院具有密切历史关系，在现代社会特别是那些正在为实现法治理想而努力的社会，"法治是什么"应当成为法学教育的第二个知识内容。从古典的亚里士多德良法之治到现代对良法之治的各种批判，法治与法律的概念同样古老而有争议性，然而，无论对法律的概念持有什么样的分歧，学者们好像都不反对法治本身是一个具有价值取向的概念，承认法治是法律应当拥有的美德之一（如拉兹），是法制体系的德性、善（如菲尼斯），或者按照哈耶克的说法"它不是一个法律，而是一个好法律应当具有的特性的学说"。为什么要具有这种特性？这是法治背后的理念问题，法学教育一方面要传递法治的特征之类的外部信息，另一方面，更重要地是传递这些信息背后的理念与价值——法治的精神所在。虽然存在前述的一定共识，具体的法治思想又有纷呈多样的特点，笔者认为，这些讨论事实上从形式层面、制度层面和价值层面构成了法治的基本内涵。[2]

（一）形式意义的法治

富勒的法制八原则就是典型的形式标准，包括法的普遍性、必须为公众知晓、可预期、可被理解、一致性、稳定性、可以被遵守等内涵，拉兹、菲尼

---

[1] 柏拉图：《理想国》，商务印书馆1986年版，第118～120页。与法官的以心治心不同，对话中的苏格拉底认为好的医生依靠的是对各种病人的接触甚至对疾病有切身的体验（法官通过知识而不是体验形成正义的认识），然后用心灵（知识）治理体。

[2] 下文的分析，参照和引用了如下资料：Geoffey de Q. Walk, *The Rule of Law : Foundation of constitutional democracy* Melbourne：Melbourne University Press，1988，pp. 9～41；[英]罗杰·科特威尔：《法律社会学导论》，华夏出版社1989年版，第178～188页；[美]伊迪斯·汉密尔顿：《希腊方式——通向西方文明的源流》，徐齐平译，浙江人民出版社1988年；夏勇的"法治是什么——渊源、规戒与价值"一文，载《公法》第2卷，法律出版社2000年版。

斯[1]和我国学者夏勇等人提出的法治概念都是以这些相似的形式原则为不可或缺的组成部分。形式法治的定义方式往往隐含着这样一个考虑：越是"非实质化"的法治概念，越可能获得承认。具有追求实证法的正义性，或者说规则之治的倾向。然而，这些形式标准的规定本身支持着一定的理念，并非价值无涉。[2]富勒称这些法制原则为"法律的内在道德"是很恰当的。富勒在分析合法性与正义的关系时指出，根据已知晓的法律作为（acting by known rule）为合法性与正义性所共同享有的品质，是两者的深层密切关系所在（哈特也不否认合法性与正义之间的密切关系），诸如应当有规则、规则必须为公众知晓、必须被遵守等要求也许看起来是价值中立的，然而，正如法律是善法的前提，依据已知晓的法律作为是做出任何有意义的法的正义评价的前提条件。[3]

（二）制度层面的法治

在法治的形式要件基础上，倾向于政治意义上的制度安排来考虑，那么，法治是一个具有社会正义标准意义的概念，蕴含着更丰富的制度理念，构成法学教育（尤其对一个发挥制度性意义的法学院角色而言）不可或缺的知识内容。

1. 法律高于政府。主要指一切国家权力活动在宪法之下、与法律一致，政府同样受所有其他制约个人的法律约束，比如法国刑法典 327 条宣告：政府当局指示的合法杀人不符合法治。法治趋向于遏制任何一种权力凌驾于法律之上，因此法律高于政府还意味着分权制衡制度。古希腊人为防止恶的权力而求诸法律，[4]并在如何维持正义秩序的探索中孕育了分权理念，修昔迪底斯在《伯罗奔尼撒战争史》记述了雅典在扩张战争中衰亡后，得出一切罪恶的原因在于产生贪婪和野心的权力欲望之结论；他认为，民主的雅典和寡头政治的斯巴达之间爆发战争并不是因为制度差别而是基于共性；关于民主或者少数人统治孰是孰非的讨论回避了问题的实质，因为世界上没有正确的权力，无论谁掌握，权力都是

---

〔1〕 John Finnis, *Natural Law and Natural Rights*, Oxford: Clarendon Press, 1980, p. 270.

〔2〕 比如，必须为公众知晓或者公布这一条，笔者以为它至少支持了如下法治理念：首先，每个自由的人有权决定自己的事情，人们在组成国家把部分权力授权给代理人或者是转让给某个机构——法律的制定者了，因此，只有在相关的法律已被知晓并且默认、没有表示异议之后，法律才对被代理人有效（参与、决定和反抗权）；其次，程序公正的理念，法律颁布为公众所知晓是其发生合法效力的程序要件。

〔3〕 Lon. L. Fuller, *The Morality of Law*, New Haven: Yale University Press, 1969, p. 157.

〔4〕 比如，亚里士多德在《政治学》中有一段名见，认为赋予法律权威就是给上帝（神祇）和理性权威；而给人赋予权威就等于引进一个野兽，因为常人无法摆脱兽欲，即使是最优秀的人物也不例外，一旦大权在握总是倾向于被欲望的激情所腐蚀；法律是摒绝了一切情欲影响的上帝和理性的体现，所以它比任何个人更可取。亚里士多德：《政治学》，商务印书馆 1965 年版，第 168~169 页。

邪恶、使人堕落的腐化剂。后来的历史学家波里比阿（也是希腊人）总结了修昔迪底斯的观点：庞大、过度的权力推动历史周而复始地循环，不论是一个人的统治、少数人的统治或多数人的统治都将轮流倒台，因为他们都有不变的邪恶——贪婪权力；因此，最优良的政体是混合政体，罗马帝国不自觉采用了混合政体：执政官代表君主势力、元老院代表贵族集团势力、平民会议代表民主势力，三者互相牵制，可防止必然衰败的趋势。不同于亚里士多德以经济势力均衡分析混合政体，波里比阿的混合政体以政治力量均衡为基础，其混合制宪法思想对罗马法的形成和发展起了一定作用。混合政体可以达到牵制与均衡目的的主张，为孟德斯鸠承袭并发展，成为现代的立法、行政和司法三分的分权制衡理论，美国的宪法制定者也援用该理论。从产生之初，法律就与权力、权利和自由具有密切关系，借用阿克顿勋爵的表述：权力导致腐败，绝对的权力导致绝对的腐败；"惟有在那些视法律为至高无上、视权利为神圣不可侵犯的共同体中，自由才可能实现。"[1]

2. 司法独立、司法权威和司法公正。法治社会立法、司法和行政的一套制度安排中，司法权是一个最弱小的，汉密尔顿是最早对此做出分析的，他指出司法既没有财权又没有军权。然而，司法是法律判断权的行使者，它对法治的意义不言而喻，一个独立的、高度权威的司法至关重要；只有在司法独立的基础上，司法公正才能得到保障。

3. 违宪审查制度（拉兹就将司法审查制度列为法治要件）。法治要求任何权力行为、政府行为遵循法律原则，因此，就需要对立法、行政行为的违宪审查制度来保证行为合法，否则法律就不能实质上实现对权力的约束力。对于司法，一般只能自我审查，在一些设立宪法法院的国家则可以提起宪法抗诉。违宪审查制度与宪法的实施、宪法监督、权力的分立与制衡等紧密相关，是宪政架构中微妙的一环。

4. 法与社会价值基本一致。这是一个具有民主内涵的法治标准。虽然，马克斯·韦伯主张实证主义法律观，他的相对神授统治和传统统治提出的"法律的统治"概念也强调道德、政治中立的目标合理行动构架；但是，在权力的合法性问题上，他也承认政府行动的合法性前提是其权力来源于抽象规则体系构成的法秩序，而这种法律秩序被接受的根据是它反映了社会的"常识"——依然要在寻求社会同意上获得合法根据，故而和社会普遍价值脱不了干系。另一方面，法与社会价值的一致就意味对习惯的尊重，一致的达成就需要民主的协商和表达制度，意味着允许人们可以不用担心报复的表达自己意见。这里也透露了法

[1] ［英］阿克顿：《自由的历史》，王天成、林猛、罗会均译，贵州人民出版社 2001 年，第 63 页。

治社会的特点：注重公开的程序、合议和同意。

5. 人的因素。在西方法治历史和现代法治实践中，人一直都是重要的因素。菲尼斯在其法治概念中强调了制定、执行和适用法律的人的重要性，指出程序品格（形式意义的法治要件）必须佐以司法权威和依靠专业上合格并有循法动机的人来运用司法权威的制度才能获得制度化保障。公正和诚实地执行法律意味着，司法机关、其他政府官员和政治当权者不得滥用和歪曲法律，警察不能作伪证等等。独立的法律职业不仅仅指法官职业群体的独立，诉讼代理制度需要独立的律师行业，尤其在法院独立因政府压力而妥协时，一个独立的律师业可以提醒法官他的责任，独立的法律职业群体使法治的理念得到存续。一个反映这些作用的显著例子是：在印度的甘地非常时期（Gandhi emergency），律师们不顾自身的安危不断地为被捕者反复要求人身保护令；最高法院强烈反对政治性的撤换大法官（Justice Khanna）行径，认为这种粗暴行为企图进一步破坏司法的独立和公正，最高法院还组织了抵制活动；警方曾颁布禁令禁止律师进行讨论公民自由和法治的集会，但该禁令被首席大法官（Chief Justice Tulzapurkar of Maharashtra）推翻。[1]

6. 法律救济的可获得性（Accessibility of Court）。戴雪在描述英国法治的状况时认为，法律平等和人们（包括政府）对法律的普遍服从这一主要原则已经在英国得到广泛推广，然而，韦伯却分析指出，英国高等法院和下级司法机构对待不同社会阶级的公正态度是根本不同的，社会上层和正在上升的中层阶级能够适用高等法院较为合理的法律程序，而下层阶级所遇到的"法律"只能限于下级法院（治安法庭）令人哭笑不得的法律程序，这样的制度使穷人完全得不到公正对待，韦伯称这种情形为"卡迪"公正。随着社会发展和法治实践深入，法院救济的可获得性就成为法治的重要问题，一方面，基于权利救济不被耽误和能够获得的考虑，法律援助制度发展起来；另一方面，防止权利救济的过大成本，出现了诸如程序简单、无需聘请代理人的小额诉讼法庭（small claims tribunal）。

7. 合法性态度（An Attitude of Legality）。一些学者提出，法治的健康发展和力度最终取决于人们的态度而不是律师、法官或者警察的努力，法治有一个不能被包括在宪政和法律框架内的情感之维。这是事实，比如，英国虽然没有成文宪法，但是没有人会否认英国存在法治和宪政，这是可以从人们对法律的态度中看出来的。

---

[1] Cf. Geoffey de Q. Walk, *The Rule of Law: Foundation of constitutional democracy*, Melbourne: Melbourne University Press, 1988, p. 37.

（三）价值层面的法治

价值层面的法治以每个人的尊严和价值为基础信念，立足于在法律体系内确立基本人权和权利救济体系，通过法治推动一个组织社会向摆脱恣意的权力、个人充分发展自己的能力、实现自我的国家迈进；以民主和保护少数利益的自由社会为目标——通过让个人追求自己的价值和目的追求普遍的福利；法律体制要提供社会关系的稳定性，以及一个个人可以规划和选择合意的生活方式并拥有不受专制拦阻的、寻求盼望的框架。由于价值意义上的法治与自由的市场经济民主社会相关，常常引起争议和分歧。因此，有学者提出一种与许多社会文化相容的、对法治的"最低限度解释"：政府遵守政治权威颁布的法律并以基本的人的尊严对待它的公民，公民可以接近一个公正的中立决策者或司法机关，主张得到表达、争议可以解决。[1]但是，理想社会法律秩序的追求应当是没有国界和政治界线的，国际社会对于人权保障的共识就是一个例证；即使这个对于法治的最低限度解释实际上也没有偏离一个基本的定位：对人的充分尊重和权利的保障。

四、分层的法学教育知识内容——历史教训与现实要求

关于法律和法治概念的理解对法治社会的实践有多大影响？[2] 德国的历史是一个反面的明证。区别于奥斯丁传统的英美分析法学思想，19 世纪末德国出现在历史法学"但书"基础上发展起来的分析实证主义法学，以实在法为研究对象，以逻辑方法解释实在法而不分析法律的价值、历史和社会作用，法律的效力判断归于规范的逻辑结构而与社会、经济、道德等因素无关。强调严格遵守和执行法律的德国实证主义法学非常容易导致以合法的形式推行不人道的法律、以合法的形式行使不正当的政治目的，通常认为，这为纳粹德国留下了后患，正因如此，二战后这种思想遭到严厉批判，并殃及了其实与其有差别的奥斯丁的传统分析法学。[3] 与对法律的分析实证主义观点相应，19 世纪后半期和 20 世纪初，

---

〔1〕　这个提法出现在荷兰学者的文章中，见布赖恩·Z·塔马纳哈：《法律与发展研究的教训》，谢海定译、吴玉章校，载《公法》第 2 卷，法律出版社 2000 年版。

〔2〕　凯尔森的故事可以部分说明探索法律概念的意义，作为新分析法学的纯粹法学同样将法理学的研究对象界定为实在法，但是，凯尔森探讨了法律的静态和动态概念，在法律的动态理论中，他提出大多数适用法律的行为也是创造法律的行为，反之亦然，法律在动态的等级体系内自我调整和创造，这种观点蕴含着对于权力的规范和约束观念（虽然是在脱离社会与道德观念的封闭体系内），这样的思想与他对司法控制行政、立法的主张是一脉相承的，他为奥地利设计的宪法法院成为开创性的违宪审查制度模式，并为各国所仿效。

〔3〕　关于德国分析实证主义法学，见李桂林、徐爱国：《分析实证主义法学》，武汉大学出版社 2000 年版，第 21 页。

德国实行的是一种形式主义法治国思想，强调形式和程序，虽然有司法独立和司法对行政的控制，但是一直没有对限制立法权方面的制度考虑，意味着缺乏防止不公正的法律被制定，即便是规定了不少基本权利的魏玛宪法也没有确立设计监督立法者的法律的合宪性审查制度。对于魏玛法治国的衰落，有人曾指出，最根本的是法治国并没有成为全体民众的信仰，民众也没有一个统一的基本价值观。到了纳粹德国，国家社会主义代替了法治国的自由主义精神基础，置民众、大众和人民于个人之上，宣扬道德、良心、正义、价值，似乎是针对形式法治国的缺陷，可是把这一切归结于元首的意志——元首是民族意志和国家意志体现、理性和法律的惟一源泉，到后来，将形式法治国的基本制度相继摧毁。[1] 这一历史教训充分体现社会正义的法治模式应当形式与实质一致，不只是规则之治也不可能脱离规则而只有抽象价值：一味地强调法律是什么，又没有对立法者的监督和立法的审查，无疑增加了恶法产生和存在的可能；而关于法律应该是什么，抛弃了形式主义的机制和程序，又可能使这个应然的标准失去理性或者为独裁者（无论是多数人暴政还是少数人独裁）把持，以价值追求为口号却危及了真正的价值基础。因此，法律是什么与法律应该是什么、形式意义和实质意义层面的法治对一个理想的法治社会都是不可或缺的。

对应于不同层面的法律和法治概念（而不是单一的规则和规则之治），法学教育在知识内容组成上必定有一个大致的分层结构特征：不仅要传授法律是什么还要传授法律应该是什么；形式法治原则及其价值背景、制度上的法治理念内涵和价值层面的法治精神都应当成为法学院知识内容的组成部分。一位西方学者从教育本身的理念来解释法学教育必定包含着道德内容，他指出分析实证主义与法学教育的不和谐性，法律实证主义，特别是其分离法律和道德的论点，与法学教育理念不相容，因为教育并不是简单地传输相关信息，而是与道德能力具有逻辑关联性的概念；法律实证主义将法律视为能够通过信息传递而存在的事物，因此，法律实证主义者的观点将导致这样的逻辑，即不存在诸如法学教育这类东西。[2] 对于该谬误的正确回应就是"法学教育能够成为也应当成为一种人文教育（liberal education）"，这是作为新分析法学派人物的麦考密克教授道出并力图

---

〔1〕 郑永流："德国'法治国'思想和制度的起源与变迁"，载《公法》第2卷，法律出版社2000年版。

〔2〕 Cf. Neil MacCormick， "The Democratic Intellect and the Law"，in Martin Lyon Levine ed.，*Legal Education*，Aldershot，Hants：Dartmouth Publishing Company Ltd. 1993，p. 483. 不过，麦考密克力图为确立法律实证主义理论的学者辩护，认为是人们从一些粗略的文本中抽取了这一所谓实证主义者的谬误（positivistic fallacy）。

确立的一个观点，认为正确的法律教育包含着实质范畴的哲学成分。[1] 正如上文所揭示的实践理性与正义、美德的关系，法律应该是什么的逻辑显然要倚赖更广博的人文知识和素养。

在美国，纵然有法学教育前的本科教育，随着社会发展，人们看到了实证主义的职业化法学教育的狭隘性——知识的狭窄局限，于是，法学院开始重视对法律政策而不仅仅是技术，对法理学概念及问题而不仅仅是适应一种职业技能的学习与研究；在众多法学教育的争论中，学者们提出要重视实证的法之外的文科层面教育。比如，富勒曾就法律只是律师参与的众多决策过程中的一部分因素角度，提倡在整体上利用大学的资源，经济学家、心理学家等其他领域专家的帮助下让法学院的学生受到复合式训练；并从培育法律职业的社会责任角度考虑，认为最有效的途径是让立法问题成为对学生的教育的一部分。[2] 一位耶鲁法学院的教授则指出法律与文学、哲学及其他以批评和审视的眼光看待社会的文科（arts）的亲缘关系，主张在更深、更令人激动的层次上教授法律，让法律的学习成为在应然的道德层面（in the moral sense of ought and should）研究社会的课程，法律具有成为"人文科学之后"（queen of humanities）的责任。[3] 另一方面，这些转变和探讨并没有改变案例教学法以及后来出现的诊所教育的主导地位。近年来，在美国法学教育的缺陷——反智识的（anti-intellectual）一面倍受关注的同时，否定和解构整个社会体制合理性的批判法学运动使法学院陷于危机之中，为此，有的学者力求扭转旧的实证主义和新的怀疑主义的影响，建议法学教育回归于开国先驱们（在《独立宣言》和《联邦党人文集》体现出来的）追求"善"（good men, good laws and good government）的立国之本。[4] 上述事实似乎也验证了本文法学教育知识内容定位的合理性，它应当是全面包含实证规则、形式层面的规则之治以及应然角度的法律、制度和价值层面法治内涵的专门知识。

在现实中，法的理性实践过程必然包含有价值成分——只是在不同的法律制度体系下会存在成分大小上的差异，其存在的空间主要是法官行使判断的过程，这个自由裁量的空间往往充斥着法官的创造，然而，法官们很可能会以为自己只

---

[1] Ibid. , p. 483.

[2] Lon. L. Fuller, "What the Law Schools Contribute to the Making of Lawyers", *Journal of Legal Education*, *Vol.* 1, 1948.

[3] e. g. Charles A. Reich, "Toward the Humanistic Study of Law", in Martin Lyon Levine ed., *Legal Education*, Aldershot: Dartmouth Publishing Company Limited, 1993, p. 301.

[4] Martha Rice Madison, *The Crisis of American Legal Education*, Lanham: University of Press of America, Inc., 1999.

是在解释和适用规范而不是创造，无论是出于不想承担责任还是无意识——对此勒内·达维德和马克斯·韦伯都有过相关的表述；[1] 而法学家也可以按照自己的标准和理论体系，把这个活动仍界定为规则内而非超越性的、涉及伦理和价值的判断过程（比如凯尔森的法律自我调整和创造思想）。就我国的法律体制和司法实践而言，我们实行的是成文法制度，似乎严格地实践了道德判断限于立法领域的理念，而且，现实的司法水平也难以驾驭简单的三段论以外的解释和创造技术，但是，即便排除那个模糊的裁量空间客观存在的可能，现行制度和状况显然是在突破中和正在改变的。进一步说，对普通案件的审理提高法律解释技术运用是公正司法必然的要求，而形成具有一定能动性的司法对现在的中国也并非天方夜谭。[2] 以齐玉苓案为契机，学界对我国建立违宪审查制度进行了广泛的讨论，这一制度首先就关系着法律解释问题，不仅仅是提高法律解释技术的问题，更可能借此形成宪法解释的二元机制，无论最终的制度设计是让普通法院介入还是采取专门机构或宪法法院模式，都意味着在中国需要超越普通法律的道德性司法判断，法律的概念将不局限于现有文本的规规条条。另一方面，从司法本身来看，最高法院对齐玉苓案所赋予的良苦用心是众所周知的，一个公正和权威的中国司法需要扩大现有的权力——实现真正的独立并在一定程度上能动地运用判断权，向社会诠释正义的法律是什么、正义的司法支持什么，这不是"越权"而是"复位"。上述举动为实现包含制度层面和价值层面（如人权保护）的法治内涵在内的全面法治理想提供了契机。[3] 因此，就当前的国情而言，一个回应法律与法治各个层面知识内涵的法学教育是必要的（参见本章第四节的进一步阐

---

〔1〕 ［德］K·兹威格特、H·克茨：《比较法总论》，潘汉典、米健、高鸿钧、贺卫方译，法律出版社2003年版，第193页。

〔2〕 我国的现实已经充分反映了能动司法出现的必要性，一个典型的事例是股东权益保护问题。1999年7月1日，《证券法》生效。然而，此后一些股民依据虚假陈述等事由提起民事赔偿诉讼，由于缺乏相关的司法解释，法院就驳回或者干脆不予受理，导致许多当事人经历了漫长的等待，权利没有得到及时救济。2001年9月最高人民法院发出暂不受理涉及虚假陈述、内幕交易、操纵市场等三类民事赔偿案件的通知。这是一个法律拒绝提供救济和体制缺陷延误了权利及时到保护的典型例子，直到2002年1月15日最高法院《关于受理虚假陈述引发的民事侵权纠纷案件有关问题的通知》发布。然而，即便发布后，由于虚假陈述与损害结果间的因果关系、损害计算、诉讼方式等方面的疑问，许多案子还是迟迟不能判决。一些学者对此提出了引入判例法做法，让各法院在具体案件审判中摸索、训练法官独立思考和创新的能力，并使权利及时得到救济。详见2003年2月27日《南方周末》刊登的陈志武"司法独立、判例法与股东权益保护"一文，以及2003年2月12日 China Daily，"Corporate fraud before the courts：lawsuit a first for shareholders after years of legal uncertainty"一文。

〔3〕 关于齐案可能带来的制度意义，参见季卫东：《宪政新论》，北京大学出版社2002年版，第45～49页。

述）；而且，现代大学法学院本身不仅仅在培育法律职业人员的意义上传播知识，还可能在培育着立法、行政、司法、经济方面的掌权者（当然还有学术精英），以及市民社会自治组织的工作人员[1]等法治社会各个部门的成员——对他们而言，规则之外的法与法治知识也同样将发挥作用，由于在他们的实践理性过程中价值的自由判断空间更大，[2] 这样的法学院教育经历甚至将具有更大的必要性和意义。

第三节 法学院的制度性意义
——角色定位与分析

一、方法论与角色的界定

现代社会的大学（university）一词来源于罗马时代的 universitas，意思是社团。中世纪时，"大学"最初是由学生自己管理和组织的，学生们自己聘用一些教授教学（以波洛尼亚大学为代表）；后来出现由教授管理的学校（以巴黎大学为代表），因此该词在当时指称学生或教师的学术团体。中世纪还有一种大学模式是教皇设立的 studium，到了 15 世纪两词的区别逐渐消失，成为描述大学这一组织的同义语。可见，人们一直把大学本身看作一个特定团体、一个组织而存在，借用涂尔干的表达，大学是一个法团；借用滕尼斯的表达则可称大学是一个

---

[1] 古典理论将法治建立在市民社会和政治国家的分野之上，协调两者也使两者的分离成为可能。现代法治社会一个显著的趋势是随着市民社会的发达，第三部门蓬勃发展，它们在人权方面的业绩尤其斐然。市民社会的典型特征是由自治性组织构成，包括通常意义上的各类社会团体、非政府组织、协会、社区组织、利益团体等等。根据民主的内涵，信任每个人选择和解决与自己有关的问题的能力及保障其享有的权利，包括接受法学院教育和选择就业岗位。因此，从理论上讲，这里的"市民社会自治组织的成员"应当涵盖任何类型的自治组织工作人员——甚至是在最基层的社区组织（比如我国的许多社区法律服务所或者居委会、街道委员会）。但是，笔者并不是在倡导法学教育的大众化，在我国当前的国情之下，强调法学教育的精英教育性质是至关重要的。罗素对高等教育的民主化问题有过这样观点："不应当以牺牲进步来求得现阶段的机械平等；我们必须审慎的接受教育上的民主，以便在此过程中尽可能少地破坏那些与社会不平等偶然相关的宝贵产物。"见罗素：《论教育》，靳建国译，东方出版社 1990 年版，第 4 页，

[2] 如上文提到的，理智所关注的生活领域也可以描述为要求有公平（epieikeia）的生活领域，纯法律情境中的公平（合乎理性）解释在一般的实际生活和实践推理中同样适用，而无论是作为法律家以外的社会精英还是普通人，他们的实践理性过程自然没有法律家那般地受规范和程序制约。

共同体。[1] 无论是社团、法团还是共同体，都对应着社会学上的一个重要概念——社会组织，它一般为人们所共同接受的含义是：指整体诸元素（如个人与群体）的排列与组合自行构成一个具有内在特性的可辨识的统一体，而不是元素诸特性的简单总和。社会组织是类型学的分类研究和系统论的动态分析的重要研究对象，其中系统论的动态分析着眼于社会组织的功能运转和演化，探求解释社会组织诸元素是如何相互作用并促进整体运行的。[2] 本文试图从动态系统中组织的社会学视角来分析法学院的角色意义，另外，法学院是角色载体或者组织形式，其内容是法学教育，因此，在现代性的大学法学院产生之前，由社团性的前组织（如学园，私人法律学校等形式）涉及的法学教育与后世法学院在角色意义上具有历史相关性和延续性，它们都独立地介入了公共生活和影响历史，也在本文的论域内。

社会学视角的组织通常具有一定的制度形式，是具有分层构造、表现为社会地位的系统中的一个角色，下文也预备从这个角度对大学法学教育进行制度性意义的解读。但是，要特别声明的是，本文只是力求借用角色所发挥的能动的制度性意义视角来揭示法学院可能担负的角色意义，而不是追随一种制度主义立场。后者主张在一定的组织规则之下，社会通过社会控制或调节将其影响施加于个人维持组织的发展、促成组织的演化；制度是相互联系的规则和惯例的集合，规定人的行动，对个人行为的解释离不开对制度的理解，个人很大程度上是一个因变量。[3] 恰好与此相反，本文要阐释的是角色对于制度形成和社会发展的能动性作用。

---

〔1〕 几大社会学家对于组织都有各自钟情的表达和研究视角，韦伯开创了广义组织层面的科层现象研究；涂尔干从分工的角度特别注重职业团体，他在研究大学的起源时用法团来表述大学的性质；滕尼斯则对共同体做了深入研究。随着现代经济的发展，现在的社会学家们似乎特别多地集中于企业——营利性经济组织的研究，着实发挥了社会学的实用主义传统。在滕尼斯的理论体系中，共同体有其特定的含义，他借用了涂尔干的有机、机械等概念铺垫自己的理论。他说，由促进、方便和成效组成并且相互间有来有往，这就是体现了意志和力量的积极关系，这种积极关系形成族群，这种族群是统一地对内和对外发挥作用的人或物，这就是一种结合。这里的结合可能就是涂尔干的团结，存在翻译差别？滕尼斯从人的意志所处的相互关系人手提出结合概念，关系本身就是结合，共同体的本质就是把结合的关系理解为现实的和有机的生命；共同体就是人的意志完善的统一体，最完善的共同体建立在共同的事业或职业也即共同的信仰之上。他把现实的和有机的结合关系界定为共同体本质的同时，把思想的和机械的形态称为社会的概念作为对立面；在此基础上指出共同体是古老的，社会是新的；共同体是持久的和真正的共同生活，社会只不过是一种暂时的和表面的共同生活；共同体应该被理解为一种生机勃勃的有机体，而社会应该被理解为一种机械的聚合和人工制品。详见 ［德］斐迪南·滕尼斯：《共同体与社会》，商务印书馆1999年版，第52～94、278页。
〔2〕 ［法］让·卡泽纳弗：《社会学十大概念》，杨捷译，上海人民出版社2003年版，第3～4页。
〔3〕 ［法］让·卡泽纳弗：《社会学十大概念》，杨捷译，上海人民出版社2003年版，第55～56页；另见张静：《法团主义》，中国社会科学出版社1998年版，第54～57页。

上述角色和视角定位也可以解释为什么本文没有把中国古代存在过的法学教育模式（或许称法律教育更合适）纳入研究对象。虽然，我国古代社会曾经有专门的律学和律博士、讼师等角色，但是法律的教育局限于传授国家的律令格式，没有孕育出具有历史延续性的现代意义大学法学院、独立的法律职业、专门的法学，更没有成为推动整体社会发展的能动的具有社团特征角色。[1]　在此，笔者尝试引入心理学上的两个概念用于组织的角色特征分析，来帮助阐明中国古代法律教育与本文讨论的对象的差别所在。弗洛姆在分析性格时将其分为非生产性取向和生产性取向两大类型，非生产性取向的性格或者人格特征要从外界接受自己所需、不会自我创造、保守、被动缺乏自主控制；生产性取向则在理性的引导下，具有实现内在潜力的能力，为对对象的关切所激发、受对象的影响并对对象做出反应，实现主观和客观的一种生产性统一，生产性与创造性、生产性能动相联系，生产的能动性与对善的追求具有一致性。[2]　如果将中国古代的法律教育视为一种具有延续性的个体，那么这个个体的性征着实贴近于非生产性取向——严格受缚于正统政治权威、缺乏创造力和自主性。为什么中国古代的法律教育具有非生产性取向的特征？其原因显然与任何其他有关现代性与中国传统的问题一样复杂和具有争议性，笔者欲在此提出一个社会结构方面的解释：从社会学的视角看，这里涉及一个社会结构层面的因素——中国古代社会缺乏一个以参与和交往为特征、为社团性组织和个人提供表达空间的开明公共领域。这样的公共领域通常可以追溯至古代希腊和罗马社会，希腊人不仅主张每个人要参与管理自己城邦（polis）的事务而且信任个人对此的能力，不参与公共生活的人被认为是傻子，在这一现象背后隐含着维护个人自由和防止专制的思想，而意识形态

---

〔1〕　教育史家的研究表明，春秋末年以后，官学衰落、私学兴起，当时的私学具有与官府分离的独立的专门学术和教育团体性质，出现了百家争鸣的时期，是学术发展史上最辉煌的一页。如果严格地追溯起来，我国古代法学最有影响力的时期也可能还是春秋战国和秦代，当时出现了我国最早的一部完整的成文法典《法经》，编纂者是子夏的弟子李悝；还出现了对后世影响深远的法家思想，代表人物李斯和韩非均接受了荀子的私学教育；秦代商鞅的"明法令"开韩非的"以法为教"先声，韩非说"今境内之民皆言治，藏商、管之法者，家有之"（《韩非子·五蠹》），可窥秦代社会教化式的法制教育之一斑。虽然，汉武帝罢黜百家、独尊儒术，但通常认为中国古代是一个外儒内法的社会。

〔2〕　弗洛姆：《为自己的人》，孙依依译，三联书店 1988 年版，第 73～111 页。弗洛姆特别地说明了生产性和能动性的区别，虽然二者可以是同义词（比如在亚里士多德的能动性概念里），现代习惯用法中，能动性概念常常只注意到实际耗费的力量以及由此带来的变化性，因此有时能动性是非生产性能动，故而弗洛姆将生产性取向与"生产性能动"而不是"能动"相提并论。弗洛姆分析了歌德和易卜生的诗歌，认为它们美好地表达了生产能动性概念。他还说，自由、经济安全和有组织的社会才有助于人们表现生产性能动。若根据他的分析，本文在此还需声明，文章中提及法学院、法学教育的能动作用乃是指生产性能动意义。

本身的延续性使文艺复兴开始后，这种公共领域和古典的一切一起在现代意义上具有了真正的规范力量，延续至今。[1] 就中国古代社会而言，早熟的国家统治膨胀形成大共同体本位，专制皇权不受自治团体阻隔而延伸至个人；而奉行性恶论、黜亲情而尚权势的法家政策具有反宗法、异族权、消解小共同体的一面，它为当权者采纳后促进了大共同体的膨胀、影响了整个中国古代史。[2] 这样的社会结构，难以出现生产性取向的社群和个体，即失去了支持生产性取向的法学教育的组织和人之因素。本文所讨论的正是具有生产性取向特征的法学院，它在对善的不断追求过程中，对制度、社会发挥着创造性能动作用，下文将对此进行具体分析和概括。

二、法学院的制度性意义

通常认为教育具有促进人的发展和促进社会的发展两大功能。在工业革命以后，现代化除了使社会物质文明的突飞猛进，另一方面就是工具理性的制度建构，教育社会学认为学校教育是走入制度化社会的必经之途，在现代社会中学校履行的众多功能中，譬如：监护、选拔、教化、促进学习等，最基本的两大功能是社会化与筛选，即学习与社会角色分配。[3] 高等层次的教育（上文提到过的"高级社会化过程"）在文明孕育、知识创新和社会分工方面的地位尤为突出。法学关涉人和人类社会古老而永恒的命题——正义与自由；古典自由主义视角让我们看到正是法律和市场使公民和国家之间互动成为可能；法学教育培育的是承

---

〔1〕 在这个历史过程中，公共领域本身的含义经历了变化发展，polis 是后世 civil society 表达的来源，在早期自由主义思想用 civil society 指与自然状态相对的政治社会或国家，在近代社会契约理念产生后则指与政治国家相对的市民社会。关于公共领域、社团和现代化问题，参见如下书目：〔德〕哈贝马斯：《公共领域的结构转型》，曹卫东、王晓钰、刘北城和宋伟杰译，学林出版社 1999 年版；邓正来：《市民社会理论的研究》，中国政法大学出版社 2002 年版；俞可平主编：《治理与善治》，社会科学文献出版社 2000 年版；王名、刘国翰、何建宇：《中国社团改革——从政府选择到社会选择》，社会科学文献出版社 2001 年版。在此特别值得一提的是古希腊的言论自由，尤其在雅典，言论自由是每一个人的基本权利，欧里庇得斯说："所谓奴隶，就是一个不能发表自己思想观点的人。"苏格拉底是雅典惟一为自己的观点而死的人——而且他是经过法庭程序后被判死刑的，其余三个人被迫离国。这就是名单上的全部人数了。一个开明的公共领域首要的条件是言论自由，中国古代史上泛滥的"文字狱"不就是当时社会结构特征的最好明证吗？

〔2〕 秦晖：《政府与企业以外的现代化——中西公益事业史比较研究》，浙江人民出版社 1999 年版。书中提出关于中国古代社会是自由主义的"小政府大社会"的评价过于简单，认为中国古代社会具有"伪个人主义"和"伪现代性"，并指出法家传统对古代社会统治模式的影响。他说：就小共同体范围而言中国的"小农"的确比外国的村社社员"自由"：哪个村社能允许传统中国这样的自由租佃、自由经商？而就大共同体尺度看，中国的"流氓"又的确比外国的"前国家"居民更受制于强权；哪个"前国家"能像传统中国那样逼得国民一次次走投无路而形成周期性的社会爆炸？

〔3〕 刘云杉：《学校生活社会学》，南京师范大学出版社 2000 年版，第 55 页。

担社会正义职责的重要角色。可以想像，与"法"相关的法学院必定是体现教育预设功能的典型角色，这一点从本文的第一和第二部分的论述已隐约可见。在此基础上，进一步结合历史和现实的动态发展，笔者以为具有生产性取向的法学院至少有以下几方面的制度性能动意义。

（一）法学院与法律制度——缔造与革新

法学院培育出一个职业法律家和法学家群体，藉着学者、学生和法律实践者之间的角色转换和学理继受，法理念和法实践得以持续的回应和互动，使一个动态和实践中的法律制度形成并不断发展。与此同时，法学院内部的制度模式又是与所在的法律制度体系相互磨合的，一定的法学院制度模式与相应的法律制度对应。

法学教育与法律职业在历史之初就是相伴相生的。在古希腊和古罗马时，雄辩术是一门重要的教育，[1] 雄辩术使人们能在公共场合发表演说争取公众、在法庭上表达和论辩；罗马帝国的专制统治时，雄辩失去了在政治场合运用的机会，只是在法庭上还需要，雄辩家就变成了辩护士，于是，以最早的一门职业——演说为源泉产生了职业律师，专门的雄辩术学校兴起，学习演说的学生们通过观察法律程序并伴有经验的律师一起工作来学习法令。伴随着教授法律的私立学校不断发展带来的法学教育勃兴，罗马社会已经形成了一个教授法律知识、研究并解答法律问题、撰写诉讼文书、替人打官司、充任皇帝和地方各级政府法律顾问的职业法学家阶层。[2] 精于雄辩术的法学家西塞罗就诞生在这样的背景中。中世纪时期，大学的出现使大量的学者和学生聚集在一起，知识和智慧的集中碰撞出更多的火花，法学院（波洛尼亚大学最早是专门的法律学校）不但引起大学的勃兴，而且带来以罗马法研究为契机的法学学识复兴和蓬勃发展，在这个过程中法学院云集和培育了大批适应并促进了近代社会分工的近代法学家和法律专家，也正是他们促成一个崭新的近代法律体系出现（见本章第一节的第二部分第一段）。上文提到的早期"四博士"和大约比他们晚两个世纪的巴托鲁斯都是这一时期著名的法学家。到了现代，日趋成熟的大学法学院更是成为法律职

---

〔1〕 在教育史上，古希腊智者派创立了辩论术、修辞和文法"三艺"的教育；柏拉图则提出了"四艺"，即算术、几何、天文和音乐；到了古罗马和中世纪大学，普遍开设七门"文科"：文法、修辞（包括散文、诗、法律）、逻辑（包括哲学问题的论辩）、算术（包括历法）、几何（包括地理与博物学）、音乐和文法，合称"七艺"，前三门合称大三门或三科，后四门合称小四门或者四艺。在我国西周时，天子设立的"大学"辟雍则教授以礼乐为中心的"六艺"，即礼、乐、射、御、书、数。

〔2〕 何勤华：《西方法学史》，中国政法大学出版社 1996 年版，第 34～40 页。

业共同体的摇篮，各国普遍地将法学院教育作为进入法律职业的门槛，[1] 法学院教育与法律职业的共生性更加密切，这就意味着法律制度本身在更大程度上的自治和理性化。

其间一个重要的桥梁性因素是——法学院对于法律解释共同体的培育。法学知识的教授和学习使法律概念在学者和学生——未来的实践者之间达成统一，这样一个法律解释共同体不仅使统一的法律制度体系成为可能，也因为解释的专门性而维护了解释权的独立性，使法律的正义标准始终掌握在法律家和法学家手中，意味着一个自治的理性法律制度将成为可能。这一点，西方近代法律制度体系的确立已经是最好的例证。而且，法学院所做的不仅仅是教授法律和了解司法的实践活动，其另一具有重要意义的功能在于提升法律，法制的革新同样可以藉着学者、学生和法律实践者之间的学识传递和信息反馈发生，[2] 中世纪大学法学院产生后的历史就记录了这样一个过程，罗马法借助法学院的发展复兴起来，并非简单的承继而是伴随着当时的社会发展产生了近代法律秩序。

近现代欧美的法学教育还体现了在法律体系内部，法学教育必定是与法律制度体系相容的一个组成部分。大陆法式的法律制度和判例制的英美法对应着不同的法学教育模式，同一法系内部的不同国家又有差异。这也就意味着法学院内部的制度模式安排可以促进或者阻碍本国法律制度的发展，一个回应型又具有能动性的法学教育制度于法律制度是至关重要的。日本和我国在法律制度近代化之初对于法学教育的关注和模式的转变也验证了这一点。然而，正如本文第二部分所讨论的，法学教育所辐射的并不仅仅是实证意义上的法律概念和狭隘的法律制度，它覆盖着更广的一个法治理念，中世纪的法学院不但复兴了罗马法、孕育了近代法律制度，它还促成了立宪主义的近代社会秩序诞生。这就是下文要论述的第二方面的制度性意义。

（二）法学院与整体社会制度——法治和政治文明的守望

法学院与广义层面的法治实践息息相关，为法治实践提供着理论支持、制度设计和实践者，从而促成政治文明，实现社会正义。其实，从波洛尼亚大学产生的背景（见本章第一节第一部分），就可以预见后世法学院在整个政治和社会中可能拥有的地位。

与近代大学法学院发展相伴的是近代立宪主义的酝酿。如上文提到的，中世

---

〔1〕 对此，可以参见孙笑侠、翁开心："论作为'制度'的法学院"一文，载《法律科学》2002 年第 5 期。

〔2〕 季卫东：《法治秩序的建构》，中国政法大学出版社 1999 年版，第 215～222 页。

纪法学院兴起与罗马法的注释和研究紧密相关，罗马法倡导君主不受法律约束和君主所喜欢做的均具有法律效力，然而，许多法学家们在罗马法的研究和注评过程中适应性地改变这些论点以反对专制主义。对于查士丁尼法典将最高形式的公共权力归于皇帝一人，12 世纪末法学家阿佐在注释过程中就论证，同一类的管辖权范围也能由低一级行政长官来行使，这样的解释倾向于支持后世的两种重要观点：帝王统治者被选登基时与低级行政长官和选民之间有一个契约（皇帝并非不受法律约束）——于 1648 年成为实践；帝国的每个成员不仅根据成文法而且也根据自然法有责任维持帝国整体的完整。上文已经述及巴托鲁斯为北部意大利城市获得合法独立地位做的努力，在他和他的弟子的理论基础上，发展出了这么一种思想：人们只是将主权委托给统治者而不是拱手送给统治者〔1〕

波洛尼亚大学和其他大学还有另一项了不起的作为。在致力于律师和法官的培养过程中，12 世纪初的波洛尼亚首先形成了这样一个概念，即书信写作是能够作为一种以规则（artes）体现并为人们铭记的特殊技能，这起因于意大利各大学以培养最大限度的清晰和说服力草拟官方书信等诸如此类文件的能力为目的对修辞学的研究和讲授过程。13 世纪时出现了一个新的变化：认为修辞学不仅应该通过规则（artes）的灌输，而且还应该通过研究和模仿古典作家们（auctores）的作品进行讲授。于是，法学家们对（古希腊罗马）古典诗人、演说家和历史学家产生浓厚兴趣，结果，他们致力于研究古典作品的文学价值而不仅仅着眼于实用的意图，故有一些学者认为他们有资格算是真正的人文主义者的滥觞。这个过程中，诞生了一种有影响的政治意识形态——以修辞学方法为共和自由辩护〔2〕

再往后，还有一位值得一提的重要人物——马丁·路德，他的宗教改革和他强调君主的责任和权力界限的政治学说也是后世立宪主义的背景性基础，〔3〕 他在就读神学之前曾经立志从事法律事业，并且是德国一所法学院最优秀的学生。法学院不仅仅培育了狭义的法律家，法学在社会中广大的辐射面实际上使它裨益于整个社会精英阶层的塑造。事实如此，在法学理论探讨不断进深的过程中，法

〔1〕 ［英］昆廷·斯金纳著：《近代政治思想的基础》（下），商务印书馆 2002 年版，第 179～185 页、第 19～24 页。关于中世纪的立宪主义宪法特征可以参阅 ［美］哈罗德·J·伯尔曼：《法律与革命——西方法律传统的形成》，中国大百科全书出版社 1993 年版，第 479～481 页。人们通常将美国的宪政实践作为现代社会立宪主义的起点，但是，事实上从 11、12 世纪开始，在西欧的自治城市已出现这样的实践，上述两位学者的著作中都强调了中世纪的立宪主义，尤其是斯金纳。
〔2〕 ［英］昆廷·斯金纳：《近代政治思想的基础》（上），商务印书馆 2002 年版，第 56～87 页。
〔3〕 与法学家的研究共同促成近代立宪主义思想发展的是神学家的研究。斯金纳将近代立宪主义的背景概括为：教会全体会议权力至上主义和对罗马法研究的法律传统。

学院的地位也蒸蒸日上，挑战原先在大学中占主导地位的神学，1550 年以后，法学院在大学中占据了绝对优势（除了英国）——因为国家利益和精英教育的目标能够通过法学院得到更好的实现。在西班牙、德国、意大利和法国，法学都成为精英的科学，法学对贵族和资产阶级的吸引力、对于公共利益的重要性和它训练行政和法律部门公务员的主导功能都在当时法学院的高入学率上得到了反映，并且最终改变了大学内部的结构。[1] 在法学院的蓬勃发展过程中，它训练的法律家对西欧的政治文明起了很大作用，韦伯将法律家被列为五大职业政治家的来源之一，并且指出大学训练出来的法律专家对欧洲大陆的整个政治结构有着决定性的意义，他说"经过罗马的官僚制国家改造后的罗马法，对后世所产生的巨大影响，再清楚不过地表现与这样一个事实：无论在何处，以促进理性化国家的发展为方向的政治革新，应该是由受过训练的法律学家所发动"。甚至对于他一向视其为另类的英格兰，他也不否认那儿的法律专家的政治地位。[2]

从上述历史事实可见，借助理论支持和人才输送，法学院甚至将影响着政府的正当化、合法化，政府制度及其运行。究其根源，法学和法律知识的性质是法学院尊贵的决定因素，尤其在知识是知识拥有者的权利基础的现代社会。早在古罗马，乌尔比安就将法学明确的定义为"正义与非正义"之学，而更早的古希腊人则其实已经在实践意义上遵循这样的定义，崇尚自由和个人尊严的希腊人"只服从法律"，[3] 人们借助代表着正义的法律防止权力的恶（上文已论及）。以限制权力（意味对权利的保护）为追寻法律之中的理念到现代已经发展成为臻备的法治理论，它包含着一整套制度体系（本章第二节第三部分），而法学教育是法治的逻辑成为现实的桥梁。法学院对于现代法治逻辑的意义，从日本社会的现状可窥一斑：针对扩张司法在社会中的作用、由事前行政规制引导转向事后司法审查[4]为主引导全社会发展等诉求，日本提出设立"法科大学院"、由通

---

[1] A History of the University in Europe (Cambridge: Cambridge University Press, 1992), Vol. II, p. 328.

[2] 马克斯·韦伯：《学术与政治》，冯克利译，三联书店 1998 年版，第 76 ~ 77 页。在他看来，法律家是政党政治中政治家角色的最佳人选，"因为如今的政治，极大程度上是在公众之中利用言辨和文字来操作的。增强文字的效果，恰好事实和与律师来做的工作，而不是完全适合文官的工作"，他认为文官不是煽动家，如果是也只能是最糟糕的煽动家。

[3] 埃斯库罗斯的《波斯人》是为庆祝在萨拉弥斯战役中彻底击败波斯人的胜利而创作的。剧中多次提到希腊方式与东方的方式之间的差别。有人对波斯的皇后说，希腊人是自由人，为保卫他们最珍贵的东西而战斗过。他们没有主人吗？皇后问他们。没有，他们回答她。没有人把希腊人叫做奴隶或者仆人。希罗多德在记述中加了一句："他们只服从法律。"

[4] 众所周知，日本虽然设立了司法审查制度，然而却迟迟没有发生实际效用的机会。这是一个对中国具有重要价值的问题（希望中国司法审查制度确立的时候不会太远），如何使法治的架构在现实中得到实践？

才式法学教育转向职业法律家培训为重点等改革举措;[1] 而针对法学教育一度存在与法律实务相脱节的状况，除了寄希望于设立"法科大学院"以外，还提出了采取演习班、实务法律家教学等教学方法。尽管与日本存在发展阶段上的不同，但是随着经济改革的深入，在体制改革上司法改革、法治问题上升，在中国，法学教育问题同样开始升温，实施了具有明确学历要求的统一司法考试——虽然具有初步性，但是也反映了法学教育与法治逻辑存在着的联系。而且，这种联系并非仅仅只在制度层面。

（三）法学院与法治精神——站在历史的废墟上

教育和研究首先都是精神的活动，也因此，法学院的第三个制度性意义就体现在它对法治精神的培育和传播上，这与本文第二部分分析的法治是什么问题——特别是合法性态度的培育和价值层面的法治内涵传授紧密相关。历史教训向我们启示了法学院发挥这一影响力的必要性与重要性。

半个世纪前，迈克·波兰尼在《个人知识》里论及英法政治艺术时这样评论：法国人试图模仿已经在英国获得成功的民主政治体制，但他们不了解，任何制度的顺利运行都离不开"隐秘知识"（"know-how"）的支持，而隐秘知识是无法"言传"的，结果英国稳健的政治体制到了法国便演变为血腥的"大革命"。波兰尼的"个人知识"理论第一次科学地（主要以"知识心理学"为依据）论证了"制度的核心是人"这样一个命题。[2] 在制度变革过程中，人的因素包括两类——普通的社会大众和掌权者。人们对自由和民主的共识孕育了雅典城邦出现的政治文明，然而，统治者在权力欲望驱使下却背离初始的信念，在对外侵略的过程中葬送了民主政体。[3] 这段历史揭示了大众和掌权者共同坚守起初的共识是多么重要，两者缺一不可。另一个反面例子，是大众对社会理想形成了共识而掌权者并没有吸收这一制度变革的精神，变革大大打了折扣，这就是日本明治维新过程的教训。1875年日本启蒙思想家福泽谕吉在《文明论概略》中指出："半开化的国家在汲取外国文明时，当然要取舍合宜，但是文明有两个方面，即

---

[1] 参见北海道大学铃木贤教授在21世纪世界百所著名大学法学院院长论坛上的报告《日本的法学教育改革——21世纪"法科大学院"的构想》；参见季卫东教授"世纪之交日本司法改革的述评"一文，载《环球法律评论》2002年第1期。

[2] 转引自汪丁丁：《自由人的自由联合》，鹭江出版社2000年版，第86页。

[3] 色诺芬的《远征记》曾清楚地论述了希腊人的个性主义和民主：个性是人的本能特性，她是希腊人热爱自由的原因，也可以说是他们热爱自由的结果；每一个希腊人都有一个强烈愿望，要求自己决定自己的生活方式，自己的行动由自己选择。远征记记述一支希腊雇佣军"万人大军"经过最艰难的跋涉，终于回到了祖国的历程，它是由发挥人的主动积极性的战士所组成的队伍——"我们每一个人都是将军。……现在不只是一个克利亚库斯，而是一万个克利亚库斯和他们战斗"。

外在事物和内在精神。外在的文明易取，内在的文明难求。谋求一国的文明，应该攻其难而取其易。"福泽所讲的外在文明诸如法律制度、学术体系、教育机构、机械工具等，在日本很快就普及了。然而，西方的道德价值观念、社会思潮、学术精神、民族精神的摄取正如福泽所料，是难以消化的。1890—1945 年的日本史印证了这个结论。明治维新使日本人接触了大量的外来文化和西方进步思想，因此明治中期还产生了比较激进的资产阶级民主主义思想家，根据日本学者分析，这些思想家的自由民权运动纲领，比战后宪法还富于资产阶级民主色彩。在他们的思想感召下，中小工商业者和中小地主为了获取参政权，下层农民为了满足民主的要求，从 1874 年起掀起了自由民权运动。它使明治天皇忧心忡忡，以至 1879 年天皇在《教学大旨》中指出："日本社会，文化的颓废是西洋化带来的结果，只有复活传统，重建教育才能谋求国家的发展。"于是，出现教育近代化过程中的"日本化"倾向，力图将教育纳入宣扬忠君爱国、儒家纲常伦理及日本神道主义的轨道，这为 20 世纪 30 年代军国主义掌权后为所欲为地施行军国主义教育留下了道路，出现了日本现代化史黑暗的一页。[1] 不是普通民众的改变为先或者不仅仅要普通民众的改变，当权者的转变是制度变革理想成功的逻辑前提。

首先，因为法学院在掌权者教育——精英教育中的地位，它对防止上述历史重演具有不可小觑的作用。其次，从另一角度看，社会制度变革需要两个条件——制度共识（包括知识）和制度信仰，法学院提供了法治变革的知识和共识（职业共同体层面），同时，还可以培育对法律正义和法治的信仰——不仅仅在学者和成为将来的实践者的学生之间树立，这样的信仰是一种具有社会渗透力的精神。美国的宪政和法治实践就是这样一个正面的例子，在 170 多年前，托克维尔就敏锐地观察到法学家精神与美国民主的密切关系，他指出学习过程中的专业相同和方法一致，使美国自然而然地形成打算同心协力奔向同一目标的法律家团体，这个阶层精神的影响大大超出了他已确切指出的范围，托克维尔说"千万不要以为，在美国只有法院才有法学家精神。这种精神早已远远扩展到法院以外"，"法学家精神本来产生于学校和法院，但已逐渐走出学校和法院的大墙，扩展到整个社会，深入到最低阶层，是全体人民都沾染上了司法官的部分习性和

---

〔1〕 王桂编：《日本教育史》，吉林教育出版社 1987 年版，第 157 页；陈晖：《教育·社会·人——日本的近代化与教育》，东方出版社 1989 年版，第 76～77 页。

爱好"。[1] 在一般状态下，法学院的法律信仰和法治信仰[2]是怎样传递和渗透的呢？中世纪大学法学院诞生以后，法的理性与人的自由和尊严等古典时代法律精神复兴，与后来的文艺复兴、宗教改革一起将近代法律制度和法治思想推向历史舞台。这个过程显示了法学家的理论研究、实务家的实践是新理念传播与新制度转化为现实逻辑的两大途径，尤其后者在职业行为过程中的信息传递无疑是让大众接触、形成确信及至信仰建立的主要渠道。[3] 针对现代民主的诉求，一些让民众参与司法的制度和程序产生，现代宪政的发展历程则造就了违宪审查制度，司法中的民主性程序、司法性权力对立法和行政等主体的宪法适用过程都有助于法精神的社会——包括普通大众和掌权阶层的渗透。当然，这一切都是以法学院的共同体生活已经确立了法学院成员——学者和学生们对法律和法治的信仰为前提条件。

第四节　构想制度性意义的中国法学院

一、构想的基础——信心判断与制度变革

有史以来，人们无不在运用着信心判断，无论在自然科学还是社会科学领

---

〔1〕　[法] 托克维尔：《论美国的民主》上卷，商务印书馆 1991 年版，第 303～311 页。由于托克维尔主要的目的是考察美国的民主，他是为了从法学家精神如何成为平衡民主的力量而谈及法学家精神，或许是这种视角的影响，他认为这种精神的渗透借助陪审团制度之处最多。

〔2〕　这里是在非严格意义上使用这两个概念，意在区别对法律正义——或者形式层面的法治和制度及价值层面法治，我把前者纳入法律信仰，后两者则为法治信仰的对象。

〔3〕　季卫东在《宪政复权》中也谈到了这个问题，他指出："包括奥特迦（Ortegay Gasset）、卢曼（Niklas Luhmann）在内的许多思想家都已经直接或者间接地指出过，法律信仰是与行为方式的反复出现所形成的习惯以及对于确实的结果的期待相联系的。信仰形成机制的实质在于，人们与其说是相信法律本身，毋宁说是相信法律被广泛信奉的事实状态，或者说是相信那些信奉法律的人。换言之，如果法律是广泛施行而且行之有效的，如果立法者、司法者至少自己都信奉法律，如果职业法律家具有充分的社会信誉，那么法律信仰就可以自然而然地树立起来。"见季卫东：《宪政新论》，北京大学出版社 2002 年版，第 7 页。卢曼没有直接探讨法律信仰，但是他的《法社会学理论》一书"认知和规则期盼"（cognitive and normative expectations）、"法律、时间和计划"（law, time and planning）节的论述包含了季卫东所提到的内容。See Niklas Luhmann, *A Sociological Theory of Law* (transl. Elizabeth King and Martin Albrow, ed. Martin Albrow, London: Routledge & Kegan Paul, 1985).

域，往往从一个假设或者假说（hypothesis）出发进行试验或者实践。[1] 现代法治就是这样一个产品，借助假想的社会契约论界分出一个政治国家和市民社会，个人（主体）通过订立契约的权力转让构建出一个国家（客体），国家（主体）通过法律并遵守初始的契约（现实中的宪法和包括反抗权的自然律）维护个人（客体）的权利、进行统治和治理活动。法治秩序就诞生在这样的假想空间，因此，这种制度的实践是建立在信心判断基础上的，而法治信仰成为至关重要——没有对它的信仰就无法着手实践并将其进行到底。于是，有的学者就用"假戏真唱"来说明首先要树立信仰的重要性。[2] 虽然，假戏真唱可能让人难以接受（明明是假想的），但是，无可非议，对于这种信仰和法治将带来的种种福祉却是众望所归。[3] 学者们似乎达成了这么一种共识——要先建立，建立以后再需要批判（在批判中改善前进）；并且，制度要先行——不一定要万事俱备，制度先确立了，一切自然会逐渐到位。有学者还举了这么一个例子：拨乱反正后我国将刑事辩护制度写入刑法，当时我国几乎没有律师，但是制度上先确立了，后来律师群体渐渐成长起来，刑事辩护制度也日趋得以实现。日本引入司法审查制度也不失为好例证，纵然就日本社会现实和法治状况来看，它的设置有些超前并易落入"花瓶"地位，但没有人可以否定它的进步性意义（即便是象征性的[4]），有了程序就意味着救济的可能，而且，即将启动的法科大学院制也显示了日本社会正在为其逐渐转化为现实逻辑而不断努力着。

　　文章前几部分的论述已经充分表明，法学教育对国家和社会具有的制度性意义，法学院是现代法治发展过程中的一个能动性角色。我国当前的制度变革和社会转型使法学院处在一个微妙的位置，其能否成功扮演系统中的生产性取向组织角色，关系着整个系统的动态发展和法治逻辑的现实转化。在理想状态与现况的

---

[1] 信心判断是判断者对事物之间因果联系的信仰，尽管不能或者尚不能证明，但坚信某种因果关系的存在，并对其信服、按其实践。另外还有：道德判断、经验判断、逻辑判断等。这是人们迄今对价值进行描述和确证的四种方式。信心判断在自然科学领域，比如关于地球起源和生命起源的设想的提出；社会科学领域，比如我们的社会契约理论、法治理想、共产主义理想等等。

[2] 季卫东：《宪政新论》，北京大学出版社 2002 年版，第 5～6 页。季卫东引用了日本学者村上淳一的"现代法的确是一种'假想的现实'"之说和相关分析，并提出我国的法治实践首先要树立法律信仰——先假戏真唱是发动信仰机制的不可缺少的第一步骤，而且，这正是当今中国宪政运动的出发点。

[3] 当然，也不乏留恋传统的反对者，并且法学家们也不否认法治本身的局限性，然而，法治实践却依然是不可逆转的潮流——人们对它的期望和肯定还是大大地多于疑虑和否定。

[4] 象征性的举措实在需要人们的支持而不是冷嘲热讽，尤其在改革与正统权威具有一定正面冲突的社会背景之下。比如，对于在北京市出现的让刑事被告人带面罩的做法——不少人嗤之以鼻，然而，即便它真的只能算是太边缘的表达，它在尊重被告人权利和尊严、人权意识方面传递的信息也是非常有开创意义的。

差距面前，这里同样需要信心判断：一方面，要在现实基础上及时地做出回应性改革；另一方面，在某些领域可以适当先行——对未来的制度变革起铺垫甚至促成其到来的作用。目前，我国在法学教育领域的相关研究鲜有从整体制度改革和社会转型来审视问题、设计制度的，根据上文的相关研究和结论，笔者力图针对当前的制度和社会转型，讨论在现状基础上我国法学院应确立的目标与精神，以及为了接近理想需要采纳的具体制度。

二、实现制度性意义的中国法学院——目标与措施

（一）目标定位与法学院精神

从生产性取向的角色特征来考虑，对于对象的回应和能动，是其实现角色意义的关键。当前的中国法学院处在这样一个动态情境中：建立完善的现代法律制度体系、独立基础上的公正司法机制是法律体系内部环境，而随着经济体制改革深入促使政治体制改革和政治文明提上日程，实现包含宪政、民主和人权等内涵的法治日益成为总体社会[1]的目标。那么，一个具有制度性意义的中国法学院将需要做出如下回应：首先，在实现规则之治方面，法学院要促成自治和理性的规范体系以及法律制度，传递法律知识并培养职业法律家群体（实证的法）；其次，广义法治的发展需要法学院的进一步反应，在这一框架下，意味着法律知识将在更大程度上介入社会正义的分配和矫正——法律知识对应的权力范围更广了，法律解释和判断过程将具有更大的积极性和能动性，而法学家与法律专家的职业技能及知识结构必定要提升和拓宽（应然的法）。比如，近两年借助违宪审查制度的研究，宪政问题不断升温，就学理研究而言，宪法学在法学院中的重要性将上升；而就实践者的培养而言，若以确立违宪审查制度为契机出现一定程度的权力分立与制衡、司法权地位的上升等宪政架构，将意味着需要具备更高职业素养和更广博知识的法律家。第三，不仅仅法律信仰，宪政共识和人权意识同样应成为法学院追求和倡导的法治精神内容，尊重每个人的生命和权利是整个信念的基点。事实上，这样一种精神也就是法学院的精神，在这个共同体内部所有成员共识性地持有这些信念是成就法学院角色意义的前提，也是未来法治理想实现的条件。

上述定位对法学院的知识目标要求，就是实现从法律是什么与法治是什么的各个层面传递法学知识，全面地表达法律和社会的正义内涵。对于这些构想，或

---

〔1〕 总体社会是一个社会学概念，用以表达最高等级的组织形式、最庞大的社会组织，在现代，它几乎无一例外的表现为国家的形式。

许有人会揶揄：我们只盼望一位具有规则知识并且能严格按法条办事的法官。确实，在现在的制度状况和社会现实背景下来看，这种理想好像太超前，但是，其实不然。做个乐观的估计，从一位普通的法学院学生成为法律职业部门或者其他行业的中坚成员至少要十年（保守一点则二十年），也就是说，假使现在的法学院开始按照法学院的制度性意义理念来改变自己和培养学生，那么，这批学生最快也要在十年以后才可以在岗位上发挥重要作用——这是一个整体社会政治文明转型可能发生的并不短的缓冲期。这一点可以肯定，教育成本的兑现具有远期特征，法学教育的眼光不能过于为眼前的现状局限，否则，会造成恶性循环从而阻碍社会变革的实现。[1] 从这一角度来看，在定位和设计法学院时，信心判断的重要性更加突出了。为此，笔者特草拟了一份《法学院入学宣言》，使每位法学院新生在入学时明白什么是他（她）的理想和责任，并将其铭刻于心。（见本文附件1）

（二）接近制度性意义的法学院

不可否认，恢复法学教育以来，我国法学院已经对法制建设和法学发展起了很大作用，并在事实上成为推动中国法治文明的中心力量。但是，根据前文的分析和阐述，对于能在制度变革和社会转型中，作为一个生产性取向的角色来充分发挥制度性意义，现实的法学教育制度状况还是有距离的，笔者力图从以下方面为进一步接近理想中的法学院做一些回应性的改革构想。

1. 法学院的行业管理——社团性组织与资格标准。根据本文上面的讨论：法学院对制度社会及其变革发挥能动作用的理想基点为：它是一个具有独立地位、表达自由和自主性的社团性组织。行业性的管理保证了社团的专业性和独立，是社团性组织的重要特征。由各法学院组成的法学院协会和法律职业团体来引导法学院的发展，并对其进行管理和评估，是最理想的模式：前者为分散的各个法学院提供了组织上的统一性，使法学院群体作为具有共同目标的生产性取向大共同体发挥其角色作用（显然比分散的组织状况更合理、有效）；后者提供了法学院与实务界交流的机会，不失为促成法理念和法实践之间的回应和互动的途径之一；两者都利于一个独立的法律共同体的形成。美国的实践可以佐证这种设

[1] 因此，早在20世纪末，在谈及法律职业教育和法律职业资格授予问题时，鉴于法律权威、法律职业的神圣性及其在法治社会中的地位，有人就提出：宁可像日本那样严格实行"宁缺勿滥"的精英政策；也不能打着"满足社会需要，适应国情"的旗号走盲目发展的路线。见陈炜恒："日本法律职业教育人才教育制度评析"，载《法制与社会发展》1999年第3期。然而，现实是令人担忧的，如本文在前言中提到的，我国当前出现了"法学院"的盲目性发展，许多甚至连基本的教师和图书资料都没有的地方性或者民办大学都纷纷唱起了法律系或者法学院的戏。

想的有效性，美国法学院协会每 7 年对其会员进行一次审核，每年召开法律教师、图书管理员及行政人员参加的年会，进行学术交流和对法律教师的评聘；全美律师协会通过其批准认可法学院资格的程序、每 7 年一次的法学院资格审核和组织法学教师参加专业学术交流发挥对法学院的管理作用。[1]

　　实现行业管理有两个前提：政府行政的不干预态度和经费来源的保障。在大学管理行政化和政府办大学为主的我国，这两点尤其成为首要问题。但是，近年来大学的创办和管理模式开始变化，已经确立社会办大学为改革方向，民办性质大学兴起是大学真正实现社团化的一个转机。然而，当前的私立大学承办法学院的能力——与新近纷纷兴办法律系或者法学院的其他公立大学一样，是值得疑虑的。为法律系或者法学院的兴办确立严格的资格标准和审核机制是当务之急，对此，司法部和教育部已经注意到并考虑资格评定问题，这为转变法学院的管理方式提供了一个契机：关键就在于将会出台怎样的资格标准和审核机制。一如本文一直在力图阐明的，唯有站在整体制度变革和社会转型的立场对法学院进行角色定位，才能充分发挥其角色意义，裨益于法治的实现。如果藉着这个契机，让法律职业团体参与进来并且永久性地介入评估和管理，并成立全国的法学院协会进行行业管理，那么，前景就大有改观了。在本文对法学院的角色定位基础上，笔者拟以一份"对法学院资格评定的考量因素建议"，为评定法学院的资格提出考察因素方面的建议。[2]（见本文附件 2）

　　在此应当格外注意的是，法学院行业化管理的价值并不仅仅独善其身。由于社团在市民社会中的独特地位以及法学院是一个特殊的社团——法律对于市民社会和政治国家之间的特殊意义，法学院既与具有发达的社团性组织的市民社会形成有关，又影响着作为市民社会和政治国家实现互动的重要途径的法的自治性和

---

〔1〕　霍宪丹：《司法部法律继续教育培训团赴美培训考察（二）》专题报告之四"美国法学院的管理"，载《中国法学教育的发展与转型（1978～1998）》，法律出版社 2004 年 8 月出版，第 387 页。

〔2〕　笔者所说的"法学院"是英文中的 Law School，并不包括我国现行大学法学院制中通常包含的政治系或社会学系等，这里有一个有趣现象：我国的法学院形式上"兼容并包"，里面掺相关学科，倡导通识教育，但事实上是各自为政，并没有明显互通和切磋的效果；而美国法学院只指向法学学科，并且以法学教育的职业性著称，但是，事实上，他们通过为学生开设众多的选修课（如社会学、心理学、伦理学等）、法学学位加其他学科的学位制以及交叉学科研究生专业为学生提供众多交叉学科的学习机会，充分利用了大学资源。

理性化。而且，在我国社团性组织存在的政府化或者非生产性取向背景下，[1]当前法律职业团体的活动空间和能力也与理想状态有较大距离，因此，法学院行业化管理不失为激活法律职业团体、促进其发展的一个机会。当然，这一切以此设想被采纳为前提（可见学理的表达是否有途径与制度实践达成互动是关键！）。

2. 学术与实践的互动——机制与法学家精神。诚如本文前面所分析的，法学院角色意义实现的重要途径之一是通过学者、学生和实践家之间的角色转换和学说继受，达成理念和实践的回应和反馈过程。在我国当前的三个角色基本是单线性转换的情形下，那么可以借助以下途径促进这个互动过程：

第一，转变学者研究方式，学者在姿态上要与现世保持距离，但是对于实践发展状况与法律实务不能不了解，以免落入从抽象到抽象、理论到理论、没有任何价值的空谈。值得庆幸的是，近两年法学理论界已经注意到这个问题，并且提倡"以问题为中心"的法学研究范式的转变；在此基础上，应当在具体研究方法上增加了解和分析现状的方法运用，主要是包括社会调查、统计、数据分析等的社会学方法；另外，我国理论法学的学者往往不通或者不问部门法的状况也是急需改变的，这种现象阻碍了法学本身的发展，比如，法律解释是对司法实践至关重要的学理问题（在未来的中国司法重要性将更大），然而，如果法理学家自己不精通部门法及其实务就很难做出具有实质意义的研究。故此，可以采取法学教师（教授）定期到实务部门挂职的办法进行补课，也可以藉此调查法的现实与发展状况。当然，长远之计则是改变法学理论研究人才的培养模式，强调部门法知识的成分以及在学习过程注重社会调查和实践，可以在研究生课程中设置定期的实践课程（比如庭审观摩、律师事务所或者法院的研究性实习）和专门的社会调查程序，由学生按自己的研究兴趣选题进行调查研究。

第二，重视所承担的在职培训程序。我国的法学院通常会承担许多为在职的法律职业人员提供的培训和再教育课程，而法学教师（教授）通常对它们不予重视或者因负担的加重而敷衍了事，使这些程序沦为单纯的为法学院创收机会。事实上，如果以学者与实务人员之间的对话和交流之机来对待该程序，改变就可

[1] 在改革开放前，我国政治高度一元化的组织和领导体制使国家几乎吞没了社会，社团组织很少而且高度行政化（如工会、共青团、妇联、文联、工商联、科协等），20 世纪 80 年代以后发生较大变化，数量、种类大大增加，自主性也一定程度提高，然而，自主性、非政府性和能动性还是不大。社团组织的发展状况显然与表达自由、结社自由等基本人权的实现是息息相关的。大学是社团中特殊的一类，但是可能由于教育本身在经费和管理上的国家和社会共同承担性，不具有典型的民间自治组织特征，有关这方面问题的研究通常对其不太关注。然而，笔者以为，无论国家多么关切大学或者大学对于国家多么重要，都不能意味着大学要变成公行行政式机构——尽量如其诞生之初作为社团性质的组织存在是大学精神维续的保障。诸如我国对大学领导与行政系统官僚等级进行对号入座的做法实是令人诧异。

以从这里开始：无论是知识更新、理论发展还是法治精神的渗透。学者们的积极态度和热情也许就是打开这扇沟通之门的钥匙。

第三，改变学术研讨会和学术年会参与人员结构。让法律实务部门的法律家们的参与成为各种法学学术研讨会的惯例，并设置相关的对话程序。这是消除隔阂和距离，[1] 实现良好互动的开端，也助于法律共同体的实现。

当然，更理想的做法是实现多元性角色转换，这就涉及法学教授和法律职业的选任方式了。聘用实务部门经验丰富的优秀法律家做兼职或者专职教授，从法学家以及职业律师中选任法官，三者间循环性角色转换促进法律共同体的形成和法制革新实现的最佳途径，在这一过程中形成新的学术精英——而不是单线地从法学院（或其他大学部门）本科生、到法学院研究生、再到法学院教师的研究人才成长方式，也具有更大的合理性。诚然，其实现需要外部制度条件的配合，但是，至少优秀法律家的引入是法学院自身可以做的。在此，还不可忽视另一重要因素——法学院每位教师、教授的法学家精神，尤其在缺乏客观地促成学术进步和制度革新的内外制度条件时，这样的精神更加重要。如同色诺芬《远征记》里每个士兵都是将军的民主与参与精神，法学院里的每位教师和教授都应当是法学家——什么是正义和怎样实现正义的智者，法和法治的精神首先要由他们宣告和传递。认识到自己的法学家职责，热爱正义的法律精神——坚定的怀有法律信仰和法治信仰，并将信心判断进行到底，是法学教师主导的法学院角色意义实现的重要因素。从这一角度也可以看到，法学教师不仅仅要教授"法律是什么"更要表达"法律应该是什么"，唯有后者才能提升法学，启发学生对正义、人权、自由等价值的思考，并提供法律共同体超越于立法权束缚的空间——维护法和法学的正义性。

3. 法律知识、职业技能与教学方法——形式法治意义层面的法学教育。本文第二部分已经论述了法学院的知识对象是一种专门知识，法学教育要提供一种专业性的高级社会化过程，因此，面对初踏入法律世界的一般人，转变思维和形成身份认同是法学院的首要任务。这一过程的关键就是塑造法律职业思维——学会"像律师一样思考"。对此，法学院要让新生认识到他们进入一个全新的领域，对于这个领域他们一无所知，要求他们抛弃普通人的思维和习惯，甚至怀疑他们过去所了解的一切，形成这样一种意志较量（contest of wills）的紧张对角

---

[1]　一些法学家认为实务的水平太低，与实务人员没有对话的可能或价值；而一些实务家认为理论家太空谈，脱离实际。

色和思维转换成功是十分必要的。[1] 然而，我国法学院并没有明确地形成这一认知，[2] 应当尽快意识到并进行转型：首先在新生的开学典礼以及新生入学教育阶段应当特别清楚地传递这样一种文化摩擦以及角色和思维的转变观念；然后，就是注重如何切实地培育学生"像律师一样思考"的能力。

"法律是什么"和"法律应该是什么"的知识转化为法律职业技术方面的逻辑，主要是法律解释问题。法律解释是一个纷繁多样的概念，本文在此是针对法学院应予训练以及学生应掌握的法律职业技能而言，故将其内涵大致界定如下：第一，对于法律文本的涵义、概念、术语、定义等的分析和理解；第二，与具体个案相联系的法律适用过程中的法律解释和推理；第三，在法律规定空白或者不一致情况下，如何创造或者补缺的问题。我国当前法学院主要是在上述第一个层面上进行教学，因此与能够训练法律解释技术的法学教育有很大距离，即便是严格地奉行规则之治也需要第二层面的训练，而用长远的目光来看，第三层面的职业技能培育将日益重要，这也是关系着实践推理（practical reasoning）能力的一个领域。[3] 法律解释技能的训练首先需要改变灌输式的条文介绍或者机械化法律概念讲授的教学方式（这意味着教师自身水平的提高），案例教学方法的借鉴是最理想的训练途径，这是实务界和理论界已达成一定共识的，[4] 应当尽快地使其在法学院推行：在固定的方法和模式经过实践探索确立之前，可以利用最高

---

[1] 这是任何进行高级社会化的组织中的普遍做法，参见［美］伯·霍尔茨纳：《知识社会学》，傅正元、蒋琦译，湖北人民出版社1984年版，第55页。另外，在法学院中，这个阶段往往特别的激烈，当然在职业教育特征明显的美国尤为如此，对这一过程文化碰撞的描述可以参见：John J. Bonsignore, Ethan Katsh, Peter d'Errico, Ronald M. Pipkin, Stephen Arons and Janet Rifkin（eds），Before the law（Boston：Haughton Milfflin Company，1998），the sixth edition，p. 321.

[2] 回想自己漫长的法学院学习经历，我从来未被告知我要抛弃原来作为普通人角色的一切、要在接受知识的过程中形成一种崭新的思维方式并认识到自己特殊的新身份，也从未觉得上法学院前后自己面对的世界有什么太大的逻辑变化，就个人的思维而言也没有明显发生像律师那样思考的转变，我想除了归因于我自己没有专心投入法学院的学习生活外，不能否认没有法学院方面的因素——至少它对于我实现角色转换的教育上是失败的。就事实而言，我们的法学院也确实对于自身角色功能的明确意识及发挥上存在薄弱性。

[3] 就提高现行司法水平而言，法官的解释技术训练很重要；就未来能动的司法成为现实而言，更需要较高解释水平的法律专家——当然，这是具有一定超前性的——其必要性前文已多次论及。另外，对于第三个层面的训练，上文已经论及实践理性在法学知识中的地位，这一训练也是培育学生的法律信仰、法治共识的重要途径。

[4] 在2001年浙江大学法学院法律职业调查小组的调查中，72.5%的被调查者（在职法官、检察官和律师）都认为当前法学院教育与法律职业的现实具有较大距离，普遍认为教学方法应当改变，很多人建议案例教学法、注重实务技能训练、改变死记硬背的考试方法等。案例教学法的采用应当已经具有一定共识，一个有司法部、教育部官员和多所法学院院长、教授参加的"中国法学教育改革与发展战略研究课题组"提交的《中国法学专业教育教学改革与发展战略研究》（曾宪义、张文显主编，高等教育出版社2002年版）中也提出了案例教学的采用。

人民法院每年的案例汇编和一些地方人民法院出的案例集，在相关课程的授课过程中，教师通过选用的相应案例来与学生共同讨论原理、条文和法律问题；其次，聘请经验丰富的实务法律家进行专门的案例和解释技术教学。

　　上述训练过程不但传习了法律知识，同时也是塑造法律职业思维的过程，另外加上培育程序技术、证据运用技术、法庭辩论技术和法律文书制作技术等具体法律职业活动需要的技能，以及职业语言能力的课程，构成法学院的法律职业技能训练的主体内容，[1] 这就需要模拟法庭、实务部门见习和实习、书面（司法文书）和口头语言表达训练课程的设置。当前的法学院基本上都有这些程序，然而，所占比例、专业性和训练效果并不理想，可以考虑如下设想：第一，如果按照现行的四年制本科完全可以延长毕业实习的时间至 8～10 个月（充分利用寒暑假）；第二，增设以专门训练口头表达和辩才为目的的演讲辩论课程——不是照本宣读而仅仅提供技能指导，实实在在地提供一个让学生得到成分表达和短兵相接的程序。这门课不妨研究古希腊罗马雄辩术学校的培训方式，予以借鉴；第三，在书面表达方面，不仅仅是了解简单的司法文书格式和基本写作要求，而是形成一种思路清晰、合逻辑、具有说服力的写作能力和习惯。在掌握一定法律知识后，就可以开始专门训练课程，除了专门的技能指导课，可以规定各专业课成绩包括对规定案例进行判决书或者辩护词写作项目的考察；尝试在高年级增加"法律应该是什么"层面的复杂疑难案件的分析、表达和判断能力训练，使实践推理能力得到发展。[2]

　　如上文一再阐明的，法律条文并非法律知识的全部，而法学院的目的也不在于组织大家学习僵死的条文，通过转变专业课教学方法和课程设置，使知识传递的过程同时成为法律职业思维和相关职业技能得到培育十分必要，尤其是在我们还处于现代法律制度的转型时期，又缺乏其他专门的职业训练程序（如日本的司法研修制）的情形下。职业思维和技能的训练使学生熟谙规则和程序本位的法律职业形式特征，尤其对立志从事法律职业的学生而言、其意义是毋庸置疑的——他们的职业活动方式将关系着形式化和理性化的现代法在中国的实现。当

---

〔1〕　关于法律职业的素养组成，参见孙笑侠："职业素质与司法考试"，载《法律科学》2001 年第 5 期。

〔2〕　当然，这决非朝夕的功夫和一两门课的事情，而是受整体知识背景、思维特征和原有写作水平制约。而且，有学者也已经对中国的法律体制下法律文书写作水平做了制度限制的分析（苏力：《判决书的背后》），但是，无论如何，法学院要为精英型法律专家的成长提供程序，而且，正如前文所指出的，未来能动型司法的逐渐上升，也必定要求具有在法理学层面分析判断案件能力的法律家。

然，诚如前文已作的诸多论述，这也不是法学院的全部知识目标。[1]

4. 伦理、信仰与法学理论——实质法治意义层面的法学教育。"法律是什么"的另一个逻辑关乎美德的知识要求（见本章第二节的一、二部分），这种美德的知识是否会内化为一种刻在心板上和行动中的伦理素养取决于一个重要的中介——信仰，毋宁是藉着对相关价值规则的认同和信仰一种行动中的伦理得以确立和保障。固然，程序和形式正义规则决定了法律职业伦理的特性，但是，不能否认在法律程序内讲求程序正义的法律职业角色应当在品性上具备实质正义范畴内的美德和人文关怀精神[2]（显然不是指在程序内用泛化的道德伦理代替法律规则），其必要性不仅仅体现于疑难案件之时，也是实质意义的法治实现的必然要求。随着几大职业伦理法典的颁布，我国法律职业伦理具有了统一的规范，然而，法学院对职业伦理的培育却不是开一门学习法律职业伦理法典的课程就成功了，它与对法是什么（历史和本源）的认知、法律信仰和法治共识是密切相连的。除了上文已经提到应当从"法律应该是什么"层面增加实践推理能力的训练，对于我国当前的法学院，伦理和信仰问题可以借助如下途径进一步实现：

第一，课程设置和教材的变动。无论是职业伦理还是法律信仰、法治共识，其确立首先在对于法理念的认识和了解，法理（哲）学、法史、宪法是与其关系最密切的基本课程，目前的法学院通常都有上述科目，然而，需要突出法治、人权、民主与宪政等主题和价值的内容，培育一种认识人类的自由、正义追求历程的历史眼光，从而形成以尊重人的生命和价值为基点的保护权利和约束权力的法的正义观，并在价值认同的基础上以实现此信念为己任。已经有专家建议在法

---

[1] 目前我国关于法学教育问题的讨论有一个误区：以为谈职业技能、职业训练就会削弱人文素质培养或者通识教育的目的，而强调将当前法学教育中主导地位的本科教育定位为后者。于是，出现通识教育、通才教育、职业教育、素质教育等法学教育定位之争，有关这方面的讨论比如：胡亚球："对我国法学应用型人才培养模式的反思与重构"，载《法学评论》1999年第1期；冯世勇："政法高等学校在素质教育中的任务和作用"，载《政法论坛》1999年第6期；李龙、邝少明："中国法学教育百年回眸"，载《现代法学》1999年第6期；吴佩周："新世纪中国法律教育的定位与分层"，载《浙江政法管理干部学院学报》2000年第1期；曾令良："统一司法考试与我国法学教育发展的定位"，载《法学评论》2002年第1期。然而，正如本文所指出，对我国当前不太理想的教学状况而言，职业技能思路实际上可以使专业课程的教学更加合理、教育水平得到提高。事实上，如果不出现新的学制格局，在本科教育依然是法学教育主导模式又缺乏专门职业训练程序的情形下，法学院不承担起基本职业技能培育的职责，那还有谁来承担？另一方面，增强职业训练成分也不等于就影响了人文教育，如本文第二部分阐明的，法学这一专门知识本身具有人文内涵，关键在于别把法学教育局限于"法条教育"和规则之治，而要看到它的知识对象具有包含着法律与法治各个内涵层面的分层结构特征。

[2] 在法治的制度和程序设计时，应当遵循把人性设想地最恶，并且尽量使不论什么样的人行使权力都将不会影响制度和程序所保障的正义；但是，制度设计完成或者建立起来以后，就应当尽力寻求运用者的善。

学理论基础课程中增设"人权法"一门，[1] 若有条件开设该课，不失为上策，否则在法理学和宪法课程中需要特别突出这一理念。法理学中增加法治角度的宪政内容和权利的人权视角；传统宪法教材的变动则需更大，宪政理念应当占据主体，藉着与他国对比的过程和宪政视角来认识本国宪法，确立在实施的动态过程中维护宪法至上性的观念。

无论是授课教师还是学生认真对待法理学课，意义十分重大。笔者建议，除了通常的法理学专业课程，可以另外专门设置"法理学家讲座"，向所有学生开放，由某一教授定期进行系列讲座，或者邀请不同的权威法理学家不定期讲授。美国前总统尼克松曾在其著作中谈到："回顾我自己在法学院的岁月，从准备参加政治生活的观点来看，我所选修的最有价值的一门课就是朗·富勒博士教授的法理学即法律哲学。……在我看来，对于任何一个有志于从事公众生活的法律系学生来说，它是一门基础课。因为从事公职的人不仅必须知道法律，他还必须知道它是怎样成为这样的法律以及为什么是这样的法律的缘由。……如果他在大学期间没有获得这种眼界和知识背景，那他也许就永远得不到了。"[2] 这是一位过来人用自己的经历和亲身体验对法理学的意义所作的最好证明，某种程度上，可以说，法学院对于整体社会制度的角色意义就在于它对法理学问题的解释、探讨和传授。

第二，参与公共法律援助程序的设立。法治逻辑转化为现实的重要前提之一是权利救济可以获得——这是法治社会中的第一制度性人权。[3] 当贫富不均问题引起西方社会广泛关注时，法的分配正义追求就影响了律师的功能，要求律师职业担负起更多的公共服务义务，作为对此的回应，美国法学院出现的公共法律服务程序。一位西方的大法官指出："法律是赢得正义的重要途径，就像对待法律职业一样，社会不可能接受一个不以实现正义的重要目标为己任的法学教育体系。"他将此称为法学教育的公共之维（the public dimension of legal education）。[4] 在我国同样也出现了日益拉大的贫富差距，而与法治进程关联的权利救济体系本身的不完善，使弱势群体的权利甚至更缺乏保障。因此，法学院设立公共法律援助程序将是既张扬了平等关怀的法治精神又以实际行为帮助了需要

---

〔1〕 "中国法学教育改革与发展战略研究课题组"提交的《中国法学专业教育教学改革与发展战略研究》（讨论稿）建议，在原有的14门核心课程中增加"人权法"作为法学专业的理论基础课。

〔2〕 〔美〕理查德·尼克松：《六次危机》，黄兴等译，世界知识出版社1999年版，第六章。

〔3〕 莫纪宏：《现代宪法的逻辑基础》，法律出版社2001年版，第301～302页。

〔4〕 See Honourable Mr. Justice Mark R. MacGuigan, P. C. "The Public Dimension in Legal Education", in Martin Lyon Levine ed., *Legal Education*, Aldershot, Hants: Dartmouth Publishing Company Ltd., 1993, p. 101.

者，也让学生拥有了真刀实枪的实务锻炼机会（诊所教育的主要方式），并且，这一程序本身是职业伦理素养培育的最佳途径——无论就程序还是实质层面的伦理而言。具体做法，可以从当前一些法学院已有的社区法律咨询、法律咨询信箱等做法基础上，确立制度化的机制，一是与我国一些城市已经广泛出现的法律援助机构建立合作程序；二是也可以在法学院内设立挂牌的公共法律援助中心，对外开放，并可以结合法学院的专业特长使援助中心专门化，比如：女性权益法律援助中心。三是与在公益法律服务方面见长的律师事务所或者致力于公共服务的律师建立交流和学习程序。四是通过慈善性捐助集资和法学院内部的经费分配，设立公共法律援助服务基金，确保服务程序运转。

第三，入学和毕业宣誓程序。形式、程序的意义是现代法所熟悉和运用的，法学院同样可以借助一些形式意义的程序来帮助法理念的内在化。法学院的新生入学教育应当让每个新成员清楚自己的选择所负担的职责，明白法学院学习的意义和目标；设置法学院入学宣誓为新生入学教育的必须程序（誓言可以参见本文的附件1）。在毕业时，重新宣读这段誓言，背负誓言迈入社会工作岗位。宣誓设置的另一个重要作用，是促进通过身份认知和思维转变使一般人成为专业性角色的高级社会化过程。

第四，齐全完备的图书资料和保证一定阅读面的读书程序。课堂和图书馆是法学院生活的主要组成部分，图书馆为学生学习提供了重要资源，应当拥有学科内外、实务和理论各方面的充足图书资料促进学生素养的全面发展（见本文附件2）。此外，推行必读书目程序，选择一些法治思想和文明发展过程中具有重要意义的著作和人权、民主与宪政方面的代表作规定为必读书目。笔者在此特别推荐古希腊的文学、历史作品阅读程序——这个被称为"黄金时代"的时期孕育了许多现代文明的基因，上文也曾论及这些古典作品对近代文明兴起的作用——中世纪法学家对它们的研究与近代政治意识形态，它们通常将深刻而严肃的主题蕴于戏剧、诗歌或者历史叙事之中，引人入胜、促发思考又不乏味。通过阅读、思考和领悟的过程，不但能够加深一些法理学主题（自由、正义、权利与权力等）的思考、促成内化的伦理和信仰，而且，也培育了学生的心智——裨益于人文教育的目的。

5. 人文素养、完整知识与专业教育——学制及法律职业制度。现代大学法学院日益成为所有法律人必经的通道和法律职业共同体的基石，[1] 人们称法学院是法律职业的守护者（Law schools are the gatekeepers for the legal profession）。

---

[1] 上文已经提及，即便有学徒制传统的国家，如英国、澳大利亚、加拿大等，法学院也在20世纪下半叶取代学徒制成为进入法律职业的主导途径。

然而，在有关大学定位的思潮中，根据通才教育、"完整知识"的教育、自由教育等人文主义教育思想，主张专业教育必须建立在通才教育基础上、专门教育应当在自由主义教育基础上。〔1〕于是，由大学承担的、指向法律职业的法学教育就出现了一个问题：如何协调人文素质、完整知识和职业教育的需要？前者倾向于强调心智的培养、精神的陶冶、和普通知识的掌握，而后者具有专门性的。毋庸置疑，理想的法律家的培育当然是两者皆不可缺，而且，就心智成熟的重要性而言，法律职业比普通行业显然具有更高的要求。

首先，如本文多处涉及到的，设置充分利用大学里交叉学科和其他文科的资源、增加知识的完整性的程序，包括最普通的将这些科目（比如：社会学、心理学、经济学、伦理学、政治学、哲学、文学、公共管理等）设定为选修课甚至在特定情况下作为必修课，图书资料的提供和利用，以及考虑建立"法学 + X学科"的学位程序等等；〔2〕其次，如本文论述的，法本身在启智、美德方面对素养培育具有特殊的意义，而如果从包含应然的法和制度及价值层面的法治内涵在内的专门知识来对待法学，法学教育本身就具有很大的人文特征，因此，更重要的是如何在法学教育的制度框架内合理安排各方面的知识内容——这是一个与学制相关的问题。在我国现行的法学院体制内，对于缓解自由教育和专业教育的紧张关系比较现实的改革方法是：

方案一：总体学制模式不变，本科教育内部紧缩和增容。一方面，尽量增加人文素质培育和促成完整知识结构的课程；另一方面，如前文所分析的转变教学方法、延长毕业实习的期间，增强职业技能性训练。如果有 8 ~ 10 个月的实习期，就基本上接近英国和香港三年本科教育后，为立志从事法律职业的学生安排的为期一年的职业训练了，通过这个训练期就可以获得法律深造文凭——从事法

---

〔1〕 通才教育主要是赫钦斯提出，他主张专业教育必须建立在通才教育基础上，知识的特性和人的理性决定了大学教育的通才教育性，其核心和立足点是理智的训练和自主性的培养；大学教育切近的目的是发展智性美德，最终目的是形成睿智、达于至善、成为完人。另一教育思想家雅斯贝尔斯认为教育的目的是要人作为完整的存在（而不是发展某一方面或培养某一技能）；大学要抱着知识一体化的想法深入知识的根源，使每个个别职业在整体科学中找到它的根，将实用知识收纳在整体的知识范围之内，提供"完整知识的教育"。新托马斯主义者马里旦主张高等教育的任务在于发展学生的理智成就——自由教育和专门教育的结合，后者建立在"普遍的精神"或"普遍文明"的自由教育基础上。相应地，我国关于大学法学教育的讨论出现通识教育或者通才教育本位与职业教育之争，在现有的制度框架内说哪个是根本，这样的争论似乎没有多大意义。

〔2〕 比如一些美国法学院就有这样的做法，三年法学学习外加一年其他学科某专业学习获得复合培养的学位，这样的模式也为学生从事具体工作做了进一步的准备。

律职业的前提。[1]

方案二：如日本的法科大学院改革，保留法学本科，在本科阶段侧重素养和普通知识教育而让 JM 教育发展成为主导的职业教育程序。[2] 目前各样的 JM 教育研讨会在我国纷纷召开，似乎有重视和看好该方式的迹象，可是，在实际办学中，JM 教育和 JM 学生并没有被认真地对待。以培养实用性法律人才为目的的 JM 教育毕业生就业时却遭到大多数法律事务部门的谢绝，用人单位说要"法学硕士"不要"法律硕士"。笔者曾经对 JM 毕业班的学生做过一个小范围问卷调查，约 93% 的被调查表示了对 JM 的教学制度和关怀程度表示不满，有人提到学校把 JM 当成课程培训班一样教育，也有人指出学校本身还不具备开办合格的 JM 教育，当然，也有个别学生对这些状况表示无奈式的理解——因为经验不足。如果采取该方案，如何让目前的 JM 教育胜任承担法律职业教育的主体角色是紧迫的问题。

上述问题隐含着法学教育和法律职业制度之间的制度配合和回应关系，如果我国已经确立了专门的法律职业训练程序，由它来分担法学知识中的实践理性能力训练和技艺的培育，法学院的学制问题就不会这么紧张。而且，法学院的法学教育提供了共同体层面的法学知识，但是在这个共同体内部不同角色的知识内容又有一定区别，比如法官和律师之间的角色伦理和职业技术就有差异，这些就要依赖后续的职业制度进行知识上的细化与弥补。显然，当前我国法学院角色意义的实现，还需要进一步确定的司法考试，法律职业准入和训练机制，JM 型教育方式的改善和改进等等外部法律职业制度的配合。[3] 毫无疑问，在更大的制度框架内来看，在实践法治和正义的社会秩序的庞大制度复合体中，法学院和法律职业制度处于中心地位，而法学教育不但是法学的存在与发展的中心，培育法律家、法学家的中心，并且塑造着未来的社会精英，法学院的知识训练和知识输出具有深远的意义，相信在未来中国，这一点会日益明朗。

---

[1] 我国当前的四年制本科完全可以安排的更加紧凑，根据我个人本科时期的学习体会，现行的安排实在浪费了太多时间，尤其是大四一年。无论英国、香港（P. C. LL）还是美国（J. D.），其实都用三年时间完成了相当于我们四年的本科学习。

[2] 有关 JM 的培养模式，还可参见霍宪丹："JM 教育：依法治国的人才库"，载《中国律师》，2002 年第 7 期；以及霍宪丹、贺卫方："法律硕士（JM）专业学位教育的改革和发展报告——建构统一的中国法律教育模式"，载《中国法律硕士专业学位教育的实践与探索》，法律出版社 2001 年版。

[3] 关于我国法学教育制度与法律职业制度、司法制度等的脱节，及改变的必要性和紧迫性，可以参见孙笑侠、翁开心："论作为'制度'的法学院"，载《法律科学》2002 年第 5 期。

结　语

本章的主旨在于阐释法学院在整个制度变革和社会转型过程中的制度性意义，提示以制度配合与回应的视角来建构法学院。然而，"制度"一直是个很敏感的字眼，容易遭到怀疑的目光——韦伯的"铁笼"论断式隐忧。笔者以为，韦伯判断的产生具有特定理论背景的局限性，在涂尔干和帕森斯那儿，法律仍受社会价值的制约，而韦伯谈论的形式合理性法律概念已经是典型的法律实证主义，他认为法律统治必然导致规则统治，规则并不考虑社会的道德价值和政治理想，所以充分合理的社会秩序的实现要付出沉重代价——规则代替理想，人们被囚禁在秩序的"铁笼"。是什么使韦伯所赞同的应当反映社会"常识"的法秩序变为不含价值的规则之治呢？其原因在于：法的实证化过程——将法律原则写入法典。区别于有关人的自由的韦伯论断，卢曼则揭示，法的实证化过程使"正确的"法的有效性基础不再是规则的预设而是建构，法律于是越来越成为有计划地改变现实的工具。卢曼把法的这一异化（differentiation）归结为下述过程：程序的确立；法律与道德分开；法律从适应社会、教育和启迪的功能中剥离出来。他还特别指出，法律的教育功能在希腊法哲学中特别突出，然而，此后它仅仅在法律的符号体系内被潜在地维持着（这就是上文所指的法学知识的特殊性）。[1]

事实上，上述隐忧产生的关键在于法的实证化过程对价值——本体论的脱离。但是，这不等于自然法不存在了，它只是不在实证的法律之内！同样，制度并不一定就是囚笼——人们可以把握制度的道德方向；遵循法律背后的价值基础，以信仰的本体对待它，法律也就不会沦为工具。回顾现代法的发展历程，法的实证化本身只是人们对于社会正义、对于善的不断探讨和实践过程中的一个制度组成——对于独立和自治的理性法律制度出现，它是必要的；但是，不能因法的实证化而抛弃了或者以为可以抛弃价值，而且，只要价值信念依然为人们所持有，至少法的实证化或者制度建构的隐忧还可能得到矫正。历史事实也表明，人们一直在为保障司法公正和社会正义而采取新的制度和变革（比如违宪审查制度的普遍采纳），而且，某种意义上，可以说自然法或者道德转化为法律家的职

---

[1] Niklas Luhmann, *A Sociological Theory of Law* (transl. Elizabeth King and Martin Albrow, ed. Martin Albrow, London: Routledge & Kegan Paul, 1985), pp. 159~174.

业伦理和信仰、法治的精神来影响着法律制度和整体社会制度。[1] 因此，一方面，法律现代化和社会转型当然需要法的实证化和制度性设计；另一方面，也要确立以人的价值和尊严为基点、追求维护权利与制约权力的法治、实现社会正义的信念——可以称之为法学院的精神、法律人的精神或者法治的精神，也不妨把它规定为法治信仰的内涵。从这一角度来看，只要法的灵魂（spirits）没有被抽取，至多只能说是实证的法律规则脱离了社会的教育和启迪功能；而且，社会依然需要也必定永远需要对法的精神的持守和传播——这是个体人的自由与社会的组织秩序之间逻辑关系的结果与必然要求。[2]

因而，一如本章前面强调的，笔者致力于一种制度性视角来观察法学教育问题，但决不是制度主义的立场，与其相反，本章一直提示价值在法学知识中的地位以及法律和法治的价值属性，事实上，本章的意图正是倡导致力于尊崇人的自由的精神，在价值层面的法治信念指引下，使法学院成为生产性取向的角色，能动地推进（甚至引领）本国法的现代化和法治社会的历程——一个追求正义的角色。我们是在 21 世纪初——一个包含人权、民主与宪政内涵的法治理念（而不仅仅是规则之治）作为共识性的文明已经得到充分发展的时代构想法学院，我们当然有理由期盼中国的法学院将可以避免“黑人不是公民”的判词和洛克纳时代的出现，[3] 期盼中国的法学院足以培育出能够抵制甚至如纳粹般黑暗的时代出现的独立的法律共同体！正是基于这样的法学院理念，在法学院内，学术自由和学术责任的对立问题将不存在——因为它们统一在自由与善的主题之下。上述构想不仅有信心判断的支持，法学院曾经创造出的辉煌历史也为今天中国法学院的可以期盼提供了经验的理由。虽然，本文在做一种制度上的构想，但是制

---

〔1〕 笔者以为依法治国与以德治国之争应当经过“德”的逻辑转换得到和谐统一，“德”在法治社会的内容主要是以平等尊重每个人的生命、权利和自由为核心的法律家的职业伦理和法律信仰、政治家的民主与宪政精神、社会全体成员的法治信仰。

〔2〕 指为维护自由和权利所订立的“社会契约”关系。另外，一些社会学家也认为，只要社会组织的发展偏离传统的科层制（韦伯的“贡献”）和机器人类型，多样化和流动性的新发展将趋于使选择真正合乎理性，就可能实现人的自由度同社会所提供的可能性之间的最佳关系。参见［法］让·卡泽纳弗：《社会学十大概念》，杨捷译，上海人民出版社 2003 年版，第 15 页。

〔3〕 美国南北战争时期，大法官坦尼作出“黑人不是公民”的判词，反映了美国最高法院在种族歧视时代所扮演的不光彩角色。美国宪法中许多有关个人权利的规定，其宗旨就是严格保护财产权。保护私人契约的条款和要求对财产的“征用”提供合理赔偿的条款，就是最明显的例子，正当程序条款也被用来作为防止财富和收入的再分配的一个障碍。于是，出现了宣布大批规制性的和再分配性立法无效（包括最低工资法和最高工时法）的洛克纳（Lochner v. New York）时代。后来，随着宪政和民主的张力在 20 世纪早期达到顶峰，私有财产权在美国宪法中的中心地位下降，传统的政治权利（言论自由、选举、结社）、不受歧视的权利成为比绝对的财产权更重要的基本权利。这是两个司法在社会正义的主持上偏颇的例子，是否也可以将其归结于美国法律实证主义的败笔？

度表面本身不是最终的目标，而在于其后的价值理念。托克维尔曾告诫那些想要物质好处或者只是简单地恨恶某些暂时表象的人们，这样的眼光只会让他们获得短期的自治、满足，成为只配受奴役的人；而热爱自由本身的人久而久之将会得到自由带来的其他福利。[1] 笔者相信知识——尤其是法学知识（非法条知识）的启智性，藉着它，法学院不但将裨益于自立的自由的实现，而且最终能从根本上激发、培养法律共同体甚至全社会对自由的热爱——这也是一种信心判断，亦或信心的宣告！

---

〔1〕 托克维尔指出法国大革命中，对严格意义上的公共自由的思想与爱好是最后一个出现也是第一个消失。托克维尔提到了伏尔泰，伏尔泰在英国逗留了三年看到了自由，但并未使他热爱自由，倾倒于英国的怀疑论哲学却对政治法律触动很少，羡慕英国人的学术自由却不大留心他们的政治自由，仿佛没有政治自由，学术自由仍能长期存在。法国人民的革命举措似乎是热爱自由的结果，但人们其实只是痛恨主子，"当人民被引入歧路时，他们一心向往自治；但这种对独立的热爱根源于专制制度发生的某些特殊的暂时性的弊病，它绝不会持久，它与产生了它的偶然事件一起消失"，而为自由而生的民族，"他们所憎恨的是依附性的恶果本身"。另一方面，从自由与物质利益关系而言的，他指出对自由的热爱与物质好处没有直接关系，而是"在上帝和法律的惟一统治之下，能无拘无束地言论、行动、呼吸的快乐。谁在自由中寻求自由本身以外的其他东西，谁就只配受奴役"。他说："对于那些善于保持自由的人，自由久而久之总会带来富裕、福利，而且常常带来财富；但有些时候，它暂时使人不能享受这类福利；在另些时候，只有专制制度能使人得到短暂的满足。在自由中只欣赏这些好处的人，从未长久保持自由"。托克维尔表达了真正的自由观是对自由本身的热爱，详见托克维尔：《旧制度与大革命》，冯棠译，商务印书馆1996年版，第193～203页。

法学院入学宣言

我用信心和诚实宣告：

从我迈入法学院的这一刻起，就成为这个正义使团的终身卫士。每个生命都有不可剥夺的价值与尊严，每个人都是平等和自由的，每个人都具有决定自己的事情的权利和能力；法律为维护每个人的正当权利而战，寻求公正的司法和社会正义；任何权力都不能超越于法律之上，任何权力都不能未经合法程序施于个人的生命和财产；有权利就有救济。我将用我的一生见证和传扬法律的精神，永不止息。

Oath for the Entrance to Law School

I do faithfully and honestly swear:

From the moment I come into Law School, I become a lifelong guard of this mission for its commitment to justice. The value and dignity of every life is inalienable. All men are created equal and liberal. They are endowed with certain rights and power to make up their own minds. Law strives for the due right of every person and seeks for judicial and social justice. No power can exceed the law, and no power can be enforced to any person's life and property unless lawful procedure has been observed. Where there is right there is relief. I will testify and proclaim the spirit of law in my whole life, no pause to the end.

对法学院资格评定的考量因素建议

一、专业教师的结构与数量

（一）全职教师

1. 专业结构：与课程设置相匹配，至少统一的基本核心课程都有相应的教师。

2. 知识结构：学术型和实务型倾向的教师比例适当，符合实践能力和学理水平兼备的教学目标。

3. 性别结构：女教师必须占有一定成分。引导一个健康、注重人权和理性的法律行业，需要在法学教育上重视教师性别结构的合理性，女法学教师的比例应当增加。一个教育学家讲到的，教育关注的中心不在于使人能获得某种单纯知识，而是使受教育者全面合理地摄取文化价值，消化于人格生命中。女教师不仅传输了平等、权利这样一些法理信息，她的存在还将这些信息内化于法律职业者的人文素养中，这对建构理性的法治社会不但有着理念象征意义，藉着未来的实务家们也潜在地影响了法治实践。

（二）客座教师

必须有一定比例的学界和实务界专家作为客座的教师；其中，必须有法理学家席位，这对没有研究生院和法理学专家的普通法学院尤其重要。客座教师必须有定期的授课时间。

二、图书资料的质、面与量

（一）与法学各学科部门相对应的，经典的、前沿的和基本的图书资料（包括学术杂志）

（二）与各部门法实务相对应的法律条文、案例汇编、司法解释和时时更新的立法和司法动态信息

（三）哲学、政治学、社会学、伦理学、史学、经济学等其他学科一定数量的图书资料，足以让学生了解该学科的基本知识

（四）法学理论与实务的一定数量英文资料和杂志，尤其是国外大学法学院的法律评论。足以让教师和学生了解国外同行的最新动态

（五）图书资料的数量和借阅途径足以保证学生充分接触与利用的机会

三、课程及相关程序设置，足以全面培养学生的理论知识与一定实务技能

（一）基本课程[1]

1. 法理学；法史学（包括思想和制度史）；人权法；宪法与宪政；行政法与行政诉讼法。

2. 民法；刑法；诉讼法（合并民刑）。

3. 商法；知识产权法；经济法；环境法；世界贸易组织法；国际法；国际私法；国际经济法。

4. 演讲与辩论；法律文书与修辞写作。

（二）模拟法庭的运作程序、场所

（三）包括公共法律服务程序、见习、毕业实习在内的实务程序设置与运作

（四）包括阅读、法理学讲座、学生自办理论研究刊物在内的，理论与思想素养程序设置与运作

四、以培育职业伦理、法律精神、法治信仰等为目的而设计的专门程序（除上述三中提到的相关做法以外）

比如：本文设计的入学和毕业宣誓程序。这一项评定可以不规定必须的固定模式，而只规定是否以此为目的而设计一定程序并予以实施，这样，可以让各个法学院充分创造更多的有效机制。这一项考察可以反映法学院的角色意义意识，而规定为资格标准本身，也有助于法学院提高对自身的角色与责任的认识。

五、法学院与学界内部及与法律职业共同体之间的学术交流程序

不仅仅包括教师，还应当有为学生设置的相关程序。

六、法学院的其他学科资源环境条件以及利用情况

按：鉴于提出一个科学的、足以考量达到预期目标的指标系统，需要大量的实证调查资料，并在统计和评估基础上进行科学计算，基于本人研究能力和时间的局限，只好仅仅就评价因素提出上述建议。如果今后有机会，能够继续为这方面的实践进行研究或者工作，期盼能够彻底的完成该设计。不过，这显然需要笔者先在社会学的相关领域补上一课。

---

〔1〕 本课程设计参考了《中国法学专业教育教学改革与发展战略研究》（讨论稿）。必须有能力开设基本课程，但是不等于课程全然格式化，在基本课程方向内，可以根据各自的特长倾向于某一方面的教学。

本章主要参考文献

一、著作类

1. 〔法〕爱弥尔·涂尔干：《教育思想的演进》，李康译、渠东校，上海人民出版社 2003 年版。

2. 〔法〕爱弥尔·涂尔干：《社会分工论》，渠东译，三联书店 2000 年版。

3. 〔英〕昆廷·斯金纳：《近代政治思想的基础》（上、下），商务印书馆 2002 年版。

4. 〔美〕S·E·佛罗斯特：《西方教育的历史和哲学基础》，吴元训等译，华夏出版社 1987 年版。

5. 〔美〕伯·霍尔茨纳：《知识社会学》，傅正元、蒋琦译，湖北人民出版社 1984 年版。

6. 〔瑞士〕让·皮亚杰：《人文科学认识论》，郑文彬译，中央编译出版社 2002 年版。

7. 〔法〕让·卡泽纳弗：《社会学十大概念》，杨捷译，上海人民出版社 2003 年版。

8. 〔英〕罗杰·科特威尔：《法律社会学导论》，华夏出版社 1989 年版。

9. 〔德〕马克斯·韦伯：《经济与社会》，林荣远译，商务印书馆 1998 年版。

10. 〔德〕斐迪南·滕尼斯：《共同体与社会》，商务印书馆 1999 年版。

11. 〔德〕弗洛姆：《为自己的人》，孙依依译，三联书店 1988 年版。

12. 〔日〕永井道雄：《日本的大学——产业社会里大学的作用》，李永连、李夏青译，周蕴石校，教育科学出版社 1982 年版。

13. 〔美〕阿拉斯戴尔·麦金太尔：《谁之正义？何种合理性》，万俊人、吴海针、王今一译，当代中国出版社 1996 年版。

14. 〔美〕伊迪斯·汉密尔顿：《希腊方式——通向西方文明的源流》，徐齐平译，浙江人民出版社 1988 年版。

15. 〔美〕L·桑戴克：《世界文化史》，陈廷璠译，上海文化出版社 1989 年根据中华书局 1941 年版影印。

16. 〔美〕哈罗德·J·伯尔曼：《法律与革命——西方法律传统的形成》，中国大百科全书出版社 1993 年版。

17. 〔奥〕凯尔森：《法与国家的一般理论》，中国大百科全书出版社 1996 年版。

18. 〔法〕勒内·达维德：《英国法与法国法：一种实质性比较》，潘华、仿贺卫方、高鸿钧译，清华大学出版社 2002 年版。

19. 〔美〕埃尔曼：《比较法律文化》，贺卫方、高鸿钧译，三联书店 1990 年版。

20. 〔德〕K·兹威格特、H·克茨：《比较法总论》，潘汉典、米健、高鸿钧、贺卫方译，法律出版社 2003 年版。

21. 〔日〕大木雅夫：《比较法》，范愉译，法律出版社 1999 年版。

22. 滕大春主编：《外国教育通史》（第一、二卷），山东教育出版社 1989 年版。

23. 李国均、王炳照总主编：《中国教育制度通史》，第一卷、第二卷，山东教育出版社 2000 年版。

24. 郑登云编著：《中国高等教育史》，上册，华东师范大学出版社 1994 年版。

25. 单中惠等编著：《西方教育思想史》，山西人民出版社 1996 年版。

26. 朱寰主编：《世界中古史》，吉林人民出版社 1981 年版。

27. 何勤华：《西方法学史》，中国政法大学出版社 1996 年版。

28. 刘云杉：《学校生活社会学》，南京师范大学出版社 2000 年版。

29. 孙晓搂：《法律教育》，中国政法大学出版社 1997 年版。

30. 季卫东：《宪政新论》，北京大学出版社 2002 年版。

31. 霍宪丹：《中国法学教育的发展与转型（1978～1998）》，法律出版社 2004 年版。

二、论文类

1. 苏力："知识分类与法治"，载苏力：《制度是如何形成的》，中山大学出版社 1999 年版。

2. 孙笑侠、翁开心："论作为'制度'的法学院"，载《法律科学》2002 年第 5 期。

3. 中国法学教育改革与发展战略研究课题组："中国法学专业教育教学改革与发展战略研究"，高等教育出版社 2001 年版。

4. 赫尔穆特·施泰因贝格："美国宪政主义和德国宪法发展"，载〔美〕路易斯·亨金、阿尔伯特·J·罗森塔尔编：《宪政与权利》，郑戈、赵晓力、强世功译，三联书店 1996 年版。

5．斯迪尔顿："自由和法治——论法治和自由之间的道德联系"，庞永译，载《公共论丛·宪政主义与现代国家》，三联书店 2003 年版。

三、外文资料

1．Walter Ruegg（general ed.），H. De Ridder-Symoens（ed.），*A History of the University in Europe*，Vol. Ⅰ & Vol. Ⅱ，Cambridge：Cambridge University Press，1992.

2．John Henry Newman，*The Idea of a University*，Notre Dame：University of Notre Dame Press，1982.

3．Clark Kerr，*The Uses of the University*，Cambridge，Mass.：Harvard University Press，1995.

4．Martin Lyon Levine（ed.），*Legal Education*，Aldershot：Dartmouth Publishing Company Ltd.，1993.

5．Jesoph Raz（ed.），*Practical Reasoning*，Oxford：Oxford University Press，1978.

6．Albert W. Musschenga and Wim J. Van Der Steen：*Reasoning in Ethics and Law*，Aldershot，Hants：Ashgate Publishing Ltd.，1999.

7．John J. Barcelo III and Roger C. Cramton（eds.），*Lawyers' Practice & Ideal：A Comparative View*，Hague：Kluwer Law International，1999.

8．Kenneth J. Vandevelde，*Thinking like a lawyer*，Colorado：Westview Press，1996.

9．Geoffey de Q. Walk，*The Rule of Law：Foundation of constitutional democracy*，Carlton，Victoria：Melbourne University Press，1988.

10．Niklas Luhmann，*A Sociological Theory of Law*，transl. Elizabeth King and Martin Albrow，ed. Martin Albrow，London：Routledge & Kegan Paul，1985.

11．H. L. A. Hart，*The Concept of Law*，Oxford：Oxford University Press，1961.

12．Lon. L. Fuller：*The Morality of Law*，New Haven：Yale University Press，1969.

13．Martha Rice Madison：*The Crisis of American Legal Education*，Lanham：University of Press of America，Inc.，1999.

14．Lon. L. Fuller，"What the Law Schools Contribute to the Making of Lawyers", *Journal of Legal Education* , Vol. 1, 1948.

15. John Finnis, "The Priority of Persons", in Jeremy Horder (ed.), *Oxford Essays in Jurisprudence* (Oxford: Oxford University Press, 2000).

16. John Henry Schlegel, "Searching for Archimedes ——Legal Education, Legal Scholarship and Liberal Ideology", *Journal of Legal Education* , 1984 (34).

17. Harry H. Wellington, "Challenges to Legal Education: The 'Two Cultures' Phenomenon", *Journal of Legal Education* , 1987 (37).

图书在版编目(CIP)数据

法律人之治:法律职业的中国思考/孙笑侠等著.—北京:
中国政法大学出版社,2004.11
(法律人丛书)
ISBN 7-5620-2677-7

Ⅰ.法... Ⅱ.孙... Ⅲ.法律工作者—研究—中国
Ⅳ.D926.17

中国版本图书馆 CIP 数据核字(2004)第 134393 号

* * * * * * * * * * * *

书 名	法律人之治	
	——法律职业的中国思考	
出 版 人	李传敢	
出版发行	中国政法大学出版社	
经 销	全国各地新华书店	
承 印	清华大学印刷厂	
开 本	787×960 1/16	
印 张	28	
字 数	525 千字	
版 本	2005 年 4 月第 1 版 2005 年 4 月第 1 次印刷	
书 号	ISBN 7-5620-2677-7/D·2637	
定 价	36.00 元	

社 址 北京市海淀区西土城路 25 号 邮政编码 100088
电 话 (010)62229563(发行部) 62229278(总编室) 62229803(邮购部)
电子信箱 zf5620@263.net
网 址 http://www.cuplpress.com (网络实名:中国政法大学出版社)

☆☆☆☆